Atwood, Margaret, 1939-
Ona zhe Greis

ИНТЕЛЛЕКТУАЛЬНЫЙ
БЕСТСЕЛЛЕР

МАРГАРЕТ ЭТВУД

ОНА ЖЕ ГРЕЙС

Москва
2017

УДК 821.111-31(71)
ББК 84(7Кан)-44
Э89

Margaret Atwood
ALIAS GRACE

Фото автора © Jean Malek

Перевод с английского *В. Нугатова*

Художественное оформление *А. Старикова*

Этвуд, Маргарет.

Э89   Она же Грейс : [роман] / Маргарет Этвуд ; [пер.
с англ. В. Нугатова]. — Москва : Издательство «Э»,
2017. — 576 с. — (Интеллектуальный бестселлер).

ISBN 978-5-699-94599-3

23 июля 1843 года в Канаде произошло кошмарное преступление, до сих пор не дающее покоя психологам и криминалистам. Служанка Грейс Маркс обвинялась в крайне жестоком убийстве своего хозяина и его беременной любовницы-экономки. Грейс была необычайно красива и очень юна — ей не исполнилось еще и 16 лет. Дело осложнялось тем, что она предложила три различные версии убийства, тогда как ее сообщник — лишь две. Но он отправился на виселицу, а ей всю жизнь предстояло провести в тюрьме и сумасшедшем доме — адвокат сумел доказать присяжным, что она слабоумна.

Грейс Маркс вышла на свободу 29 лет спустя. Но была ли она поистине безумна? Чей пагубный дух вселился в ее тело? Кто она — злодейка и искусительница, зачинщица преступления и подлинная убийца? Или же она невольная жертва, принужденная угрозами к молчанию? Подлинная личность исторической Грейс Маркс остается загадкой, лоскутным одеялом, облаком домыслов и сенсационных спекуляций.

В романе «Она же Грейс» лауреат Букеровской премии Маргарет Этвуд предлагает свою версию истории о самой известной канадской преступнице.

УДК 821.111-31(71)
ББК 84(7Кан)-44

ISBN 978-5-699-94599-3

СОДЕРЖАНИЕ

I. На краю 11

II. Каменистая тропа 17

III. Птичка в клетке 27

IV. Мужская прихоть 57

V. Разбитая посуда 119

VI. Потайной ящик 167

VII. Змеистая изгородь 223

VIII. Лиса и гуси 287

IX. Сердца и потроха 349

X. Дева озера 403

XI. Рубка леса 427

XII. Храм Соломона 455

XIII. Ящик Пандоры 483

XIV. Письмо X 513

XV. Райское древо 537

Послесловие автора 567

Слова благодарности 573

Посвящается Грэйму и Джесс

За эти годы что бы ни случилось,
Воистину я говорю: «Ты лжешь».

Уильям Моррис. *«Защита Гиневры»*[1]

Я неподсудна.

Эмили Дикинсон. *Письма*[2]

Я не могу сказать вам, что есть свет, но я могу сказать,
что не есть свет... Какова причина света? Что такое свет?

Эжен Марэ. *«Душа термита»*[3]

---

[1] У и л ь я м М о р р и с (1834—1896) — английский художник, писатель и теоретик искусства. Автор поэмы «Земной рай» (1868—1870). — *Здесь и далее прим. переводчика.*
[2] Э м и л и Д и к и н с о н (1830—1886) — американская поэтесса.
[3] Э ж е н М а р э (1871—1936) — южноафриканский писатель и ученый-энтомолог, писал на африкаанс.

I

НА КРАЮ

Когда я посетила тюрьму, в ней находилось лишь сорок женщин. Это говорит о более высокой морали слабого пола. Главной целью моего визита в это отделение было знакомство со знаменитой убийцей Грейс Маркс, о которой я много знала, но не из газет, а от джентльмена, защищавшего ее в суде. Его талантливая речь спасла эту женщину от виселицы, на которой закончил свой преступный жизненный путь ее несчастный сообщник.

Сюзанна Муди. *«Жизнь на вырубках», 1853*[1]

*Взгляни
на цветы настоящие
этого скорбного мира.*

Басё[2]

---

[1] С ю з а н н а М у д и (Сюзанна Стрикленд, 1803—1885) — английская писательница, автор книг о жизни переселенцев в Канаде. Ее творчеством вдохновлен сборник стихов Маргарет Этвуд «Дневники Сюзанны Муди» (1970).
[2] Мацуо Б а с ё (1644—1694) — японский поэт. Писал в жанре хокку.

I

I

Из гравия растут пионы. Они пробиваются сквозь разбросанные серые камешки, бутоны ощупывают воздух, словно глазки улиток, затем набухают и раскрываются — огромные бордовые цветы, гладкие и блестящие, будто атлас. Потом они распускаются и опадают на землю.

Перед тем как осыпаться, они напоминают пионы в саду мистера Киннира — в самый первый день, только те были белые. Нэнси их срезáла. Она была в светлом платье с розовыми бутонами, в юбке с тройными оборками и в соломенной шляпке, закрывавшей лицо. В руках неглубокая корзинка, куда она складывала цветы. Наклоняясь от бедра, как леди, она держала талию прямо. Услыхав нас и оглянувшись, она в испуге схватилась рукой за горло.

Я шагаю, понурив голову, нога в ногу с остальными. Молча, опустив глаза, мы парами обходим квадратный двор, окруженный высокими каменными стенами. Руки сжаты впереди: они растрескались, костяшки покраснели. Не помню уже, когда они были другими. Носки туфель то выглядывают, то исчезают под краем бело-голубой юбки, хрустя по дорожке. Мне они впору, как ни одни другие туфли.

Сейчас 1851 год. Скоро мне исполнится двадцать четыре. Я заперта здесь с шестнадцати лет. Я образцовая заключенная и не доставляю никаких хлопот. Так говорит жена коменданта, я однажды подслушала. Я умею подслушивать. Если я буду вести себя хорошо и смирно, возможно, меня выпустят. Но вести себя смирно и хорошо не так-то просто — все равно что висеть на краю моста, с которого ты уже упала. Не двигаешься, а просто висишь, но это отнимает все силы.

Я смотрю на пионы краем глаза. Я знаю, что их здесь быть не должно: на дворе апрель, а пионы в апреле не цветут. Вот еще три, прямо передо мной, посреди дорожки. Я украдкой касаюсь одного. На ощупь он сухой, и я понимаю, что цветы матерчатые.

Потом вижу впереди Нэнси — она стоит на коленях, с распущенными волосами, и кровь затекает ей в глаза. Ее шея стянута белым хлопчатобумажным платком в синий цветочек, «девица в зелени»[1] — это мой платок. Она поднимает голову и протягивает ко мне руки, моля о пощаде. У нее в ушах — золотые сережки, мне раньше было завидно, только меня они больше не волнуют, пусть остаются у Нэнси, ведь теперь все будет иначе, на этот раз я прибегу к ней на помощь, подниму ее и вытру кровь с юбки, оторву лоскут от своего подола, и ничего плохого не произойдет. Мистер Киннир вернется днем домой, проедет по аллее, и Макдермотт заберет лошадь, а мистер Киннир войдет в гостиную, и я приготовлю ему кофе, который Нэнси внесет на подносе, как ей это нравится, и он скажет: «Славный кофе!», — а вечером в сад вылетят светляки, и при свете ламп зазвучит музыка. Джейми Уолш. Мальчик с флейтой.

Я почти уже подхожу к Нэнси — туда, где она стоит на коленях. Но не сбиваюсь с шага и не бегу, мы продолжаем идти парами. И тогда Нэнси улыбается — одними губами, ведь ее глаза залиты кровью и скрыты волосами, — а потом рассыпается на пестрые обрывки, которые кружатся на камнях, подобно красным матерчатым лепесткам.

Я закрываю руками глаза, потому что вдруг темно, и мужчина со свечой загораживает лестницу наверх. Меня окружают стены подвала, и я знаю, что никогда мне отсюда не выбраться.

Об этом я рассказала доктору Джордану, когда мы подошли к этой части моей истории.

---

[1] Чернушка дамасская или посевная, нигелла (Nigella gen.).

II

КАМЕНИСТАЯ ТРОПА

Во вторник, около десяти минут первого, в новой Тюрьме нашего Города был подвергнут высшей мере наказания Джеймс Макдермотт, убийца мистера Киннира. При этом событии наблюдалось большое стечение мужчин, женщин и детей, с нетерпением ожидавших предсмертной агонии грешника. Трудно понять, какие чувства могут охватывать женщин, пришедших отовсюду невзирая на грязь и дождь, дабы посмотреть на это отталкивающее зрелище. Осмелимся предположить, что они были не очень благородными или утонченными. Несчастный преступник проявил в этот ужасный миг те же хладнокровие и бесстрашие, которые отличали его поведение, начиная с самого ареста.

«Торонто Миррор», 23 ноября 1843 г.

Проступок	Наказание
Смех и разговоры	6 ударов кошкой-девятихвосткой
Разговоры в прачечной	6 ударов сыромятной плетью
Угроза вышибить мозги осужденному (осужденной)	24 удара кошкой-девятихвосткой
Разговоры со смотрителями на темы, не относящиеся к их работе	6 ударов кошкой-девятихвосткой
Жалобы на питание, когда охранники требуют сесть	6 ударов сыромятной плетью; хлеб и вода
Глазение по сторонам и невнимательность за столом на завтраке	Хлеб и вода

Оставление работы и уход в уборную, пока другие осужденные трудятся	36 часов карцера, хлеб и вода

Грейс Маркс, она же Мэри Уитни   Джеймс Макдермотт

*какими они явились в суд. Обвиняются в убийстве
мистера Томаса Киннира и Нэнси Монтгомери.*

2

Убийство Томаса Киннира, эсквайра,
и его экономки Нэнси Монтгомери в Ричмонд-Хилле,
суд над Грейс Маркс и Джеймсом Макдермоттом
и казнь Джеймса Макдермотта в новой тюрьме Торонто
21 ноября 1843 года

Грейс Маркс была служанкой
Шестнадцати годков,
Макдермотт же возился
Средь сбруи и подков.

А их хозяин Томас
Киннир вольготно жил
И экономку Нэнси
Монтгомери любил.

«Ах, Нэнси, не печалься,
Я в город поскачу
И, в банке сняв наличных,
К тебе я прилечу».

«Хоть Нэнси и не леди,
А родом из простых,
Но разодета в пух и прах —
Богаче щеголих.

Хоть Нэнси и не леди,
Но мною, как рабой,
Жестоко помыкает,
Век сокращая мой».

Грейс полюбила Киннира,
Макдермотт Грейс любил,
Вот только их любовный пыл
Всех четверых сгубил.

«Будь, Грейс, моей зазнобой!»
«Нет-нет, уйди, не смей!
Любовь свою мне докажи —
Монтгомери убей».

Он взял топор и Нэнси
По голове хватил
И, притащив к подвалу,
По лестнице спустил.

«О, пощади, Макдермотт,
Не убивай меня,
Грейс Маркс, одеждою своей
Я одарю тебя!

Не за себя прошу я,
Не за свое дитя,
А за Томаса Киннира,
Кого люблю так я!»

Макдермотт хвать за волосы,
За шею Грейс взяла —
И стали бедную душить,
Пока не померла.

«Ах, что же я наделала!
На свете мне не жить!»

«Тогда придется нам с тобой
И Киннира убить».

«Молю тебя, не надо,
Его хоть пожалей!»
«Нет, он умрет, ведь ты клялась
Зазнобой стать моей».

Вот Киннир прискакал домой,
Макдермотт чутко бдит:
«Ба-бах!» — хозяин уж в крови,
Застреленный, лежит.

Приходит коробейник в дом:
«Вам платья не продать?»
«Нет, мистер Коробейник,
Их у меня штук пять».

Мясник затем приходит в дом:
«Филе вам не нужны?»
«Нет, мистер, нам еще надолго
Хватит свежины!»

Они украли золото
И серебра чуть-чуть
И вот в коляске краденой
В Торонто держат путь.

Глухой порою добрались
До города, как тать,
И в Штаты через Озеро
Решили убежать.

Бесстыдно под руку она
Макдермотта брала
И в Льюистоне Мэри
Уитни себя звала.

Нашли в подвале трупы:
Хозяин на спине,
А за лоханью — Нэнси
С лицом, как в жутком сне.

И пристав Кингсмилл судно
Взял напрокат в порту,
На всех парах поплыл он,
Чтобы поспеть к утру.

Каких-то шесть часов прошло,
Хоть время и летит,
И вот в отель заходит он
И громко в дверь стучит.

«Кто там? — спросила Грейс. — И что
Вам нужно от меня?»
«Убийство совершили вы,
Вас арестую я».

Потом все отрицала Грейс
И поклялась в суде:
«Не знала я ведь ничего
О той большой беде.

Меня принудил он, сказав,
Коль стану я болтать,
Меня он пулей из ружья
Отправит прямо в Ад».

Макдермотт так сказал в суде:
«Не я повинен в том,
Что из-за ейной красоты
Спознался я с грехом».

И Джейми Уолш сказал в суде,
Поклявшись, что не врет:

II. КАМЕНИСТАЯ ТРОПА

«На Грейс надето платье Нэнси,
Нэнсин капор — вот!»

Макдермотта на виселицу
Вздернули, а Грейс
В темницу упекли, чтоб там
Несла свой тяжкий крест.

Он провисел пару часов
И прямо из петли
На стол учебный угодил,
Разъятый на куски.

У Нэнси роза на холме,
У Томаса — лоза,
И меж собой они сплелись,
Как будто навсегда.

Но всю оставшуюся жизнь
За свой тяжелый грех
Томиться будет Грейс в тюрьме,
Чтоб был урок для всех.

Но ежели искупит Грейс
В конце свою вину,
Стоять ей после смерти
От Спаса одесну.

Стоять от Спаса одесну
И боле бед не знать,
Он смоет с грешных дланей кровь —
Их выбелит опять.

И Грейс, как белый снег, чиста,
На небо взмыв потом,
Отныне будет жить в Раю,
В блаженстве неземном.

III

ПТИЧКА В КЛЕТКЕ

Это женщина среднего роста с худощавой изящной фигуркой. В ее лице ощущается безысходная печаль, которую очень больно наблюдать. Кожа светлая и, наверное, была очень свежей до того, как поблекла от безнадежной грусти. Глаза — ярко-синие, волосы — золотисто-каштановые, а лицо было бы довольно миловидным, если бы не острый выступающий подбородок, который всегда придает людям с таким дефектом лица выражение коварства и жестокости.

Грейс Маркс смотрит на вас искоса, украдкой; глазами никогда не встречается с вами и, незаметно взглянув, неизменно потупив взор, уставляется в землю. Она похожа на человека, который стоит намного выше своего скромного положения...

Сюзанна Муди. «Жизнь на вырубках», 1853

*Ее лицо лучилось такой же красотой,
Как спящее дитя иль мраморный святой,
Такою красотой и нежностью лучилось,
Как будто ничего дурного не случилось!*

*Прижав ладонь ко лбу, так узница рекла:
«На муки я себя сама же обрекла,
Но мой не сломлен дух, и я должна сказать,
Что и семи замкам меня не удержать».*

Эмили Бронтё. «Узница», 1845[1]

---

[1] Э м и л и Б р о н т ё (1818—1848) — английская писательница и поэтесса, автор романа «Грозовой перевал» (1847).

3

1859 год.

Я СИЖУ НА ФИОЛЕТОВОМ БАРХАТНОМ ДИВАНЧИКЕ в гостиной коменданта — в гостиной его жены. Эта гостиная всегда принадлежала жене коменданта, хоть и не всегда одной и той же, ведь жены менялись по причинам политическим. Мои руки сложены на коленях, как требуют приличия, хоть я и без перчаток. Мне хотелось бы иметь гладкие белые перчатки, без единой морщинки.

Я часто захожу в эту гостиную: убираю чайную посуду, протираю столики, продолговатое зеркало в раме из листьев и виноградных лоз, фортепьяно и высокие часы из Европы, с оранжево-золотистым солнцем и серебряной луной — светила появляются и исчезают согласно времени суток и неделе месяца. Часы в гостиной нравятся мне больше всего, хоть они и отмеряют время, которого у меня и так слишком много.

Но я никогда раньше не садилась на диванчик — ведь он предназначен для гостей. Миссис ольдермен[1] Паркинсон сказала, что леди не пристало садиться в кресло, которое только что освободил джентльмен, однако не захотела уточнять, почему. Но Мэри Уитни объяснила: «Потому что оно

---

[1] Ольдермен (ныне «олдермен», от древнеангл. ealdorman, пожилой человек, старейшина) — в Северной Америке член городского совета или местного законодательного собрания.

еще теплое от его задницы, дурища». Грубо объяснила. И теперь я не могу не представлять себе женственные задницы, сидевшие на этом самом диванчике, — белые и нежные, как студенистые яйца всмятку.

Гости одеты в вечерние платья с рядами пуговиц до самого подбородка и тугие проволочные кринолины. Странно, что они вообще могут сесть, ну а при ходьбе под этими пышными юбками их ног касаются лишь сорочки да чулки. Они словно лебеди, гребущие невидимыми лапками, или медузы в скалистой бухте рядом с нашим домом, где я жила в детстве, перед тем как отправиться в долгое, грустное путешествие за океан. Под водой они были похожи на красивые гофрированные колокола и грациозно колыхались, но когда их выбрасывало на берег и они высыхали на солнце, от них не оставалось ничего. Леди похожи на медуз — одна вода.

Когда меня только привезли, проволочных кринолинов еще не было. Их еще делали из конского волоса. Убирая в доме и вынося помои, я видела их в шкафу. Они похожи на птичьи клетки. Каково сидеть в такой вот клетушке? Запертые женские ножки, которым не выбраться наружу и не потереться о мужские брюки. Жена коменданта никогда не говорила слова «ноги», хотя в газетах и писали, что ноги мертвой Нэнси торчали из-под лохани.

К нам приходят не только леди-медузы. По вторникам у нас Женский вопрос и Эмансипация того или сего — с реформаторами обоих полов; а по четвергам — Спиритический кружок, чаепитие и общение с умершими: утешение для жены коменданта, сын которой скончался во младенчестве. Но в основном приходят все же леди. Сидят, попивая чаек из полупустых чашек, а жена коменданта звонит в фарфоровый колокольчик. Ей не нравится быть женой коменданта, она бы предпочла, чтобы муж был комендантом какого-нибудь другого учреждения. Но друзьям мужа удалось выбить ему лишь это место, больше ни на что они не годны.

Поэтому она должна как можно лучше использовать свое общественное положение и свои достоинства, и хоть я, подобно пауку, вызываю у людей страх, а также сострадание, она считает меня одним из своих достоинств. Я вхожу в комнату, делаю реверанс и двигаюсь с отрешенным видом и склоненной головой, собирая чашки или расставляя их, в зависимости от случая. А они украдкой косятся на меня из-под шляпок.

Они хотят увидеть меня, потому что я — прославленная убивица. По крайней мере, так писали в газетах. Прочитав это впервые, я удивилась: можно сказать «прославленная певица», «прославленная поэтесса», «прославленная спиритка» и «прославленная актриса», но к чему прославлять убийство? Все-таки *убивица* — крепкое словцо, если им называют тебя саму. У этого слова есть запах — мускусный и тяжелый, как аромат увядших цветов в вазе. Иногда по ночам я шепчу про себя: «*Убивица, убивица*». Словно шорох тафтяной юбки по полу.

Убийца звучит просто грубо. Будто кувалда или железная болванка. Лучше уж быть убивицей, нежели убийцей, если другого выбора нет.

Иногда, протирая зеркало с виноградными лозами, я смотрюсь в него, хоть и знаю, что это суетное занятие. В дневном освещении моя кожа кажется бледно-лиловой, как сходящий синяк, а зубы — зеленоватыми. Я вспоминаю все, что обо мне написано: я бесчеловечная ведьма; я невинная жертва мерзавца, заставившего меня действовать против своей воли и с риском для собственной жизни; я не ведала, что творю, и повесить меня — значит совершить узаконенное убийство; я люблю животных; я очень миловидна, и у меня ослепительное лицо; у меня голубые глаза, и у меня зеленые глаза; у меня каштановые волосы, а еще я шатенка; я высока, и я среднего роста; я хорошо и прилично одета, потому что ограбила покойницу; в моих руках спорится любая работа; у меня угрюмый, сварливый нрав; я выгляжу слишком хорошо для человека с таким скромным положением; я славная девушка с уступчивым характером, и ничего дурного обо мне сказать нельзя; я хитрая и коварная; у меня не все дома, и я чуть ли не полная идиотка. Интересно только, как во мне все это уживается?

О том, что я едва ли не полная идиотка, им сообщил мой адвокат, мистер Кеннет Маккензи, эсквайр. Я на него рассердилась, но он сказал, что это мой единственный шанс и не надо чересчур умничать. Он сказал, что будет защищать меня в суде, насколько позволяют его способности, ведь, как ни крути, я тогда была еще почти ребенком, а он сводил все к моей свободной воле. Он был добрым человеком, хоть я и не разобрала, о чем он там говорил, но, наверно, это была хорошая речь. В газетах написали, что он повел себя геройски вопреки ошеломляющему перевесу. Впрочем, я не знаю, почему его речь называли защитой, ведь он не защищал, а пытался представить всех свидетелей безнравственными и злонамеренными людьми или доказать, что они ошибались.

Интересно, верил ли он хоть единому моему слову?

Когда я уношу поднос, леди рассматривают альбом жены коменданта.

— Мне чуть дурно не стало, — говорят они. — Вы позволяете этой женщине свободно ходить по дому? Наверное, у вас железные нервы, мои никогда бы не выдержали.

— Ах, полноте! В нашем положении к этому нужно привыкнуть. Все мы, в сущности, заключенные, хоть эти бедные, невежественные создания вызывают у нас жалость. Но, в конце концов, она ведь была служанкой, так что пускай работает. Она искусно шьет, особенно — девичьи платьица, и у нее есть вкус к отделке. В более благоприятных обстоятельствах она могла бы стать превосходной помощницей модистки.

— Днем она, конечно, здесь, но мне бы не хотелось, чтобы она оставалась в доме на ночь. Вы же знаете, семь или восемь лет назад она лежала в Лечебнице для умалишенных в Торонто, и хоть она внешне совершенно выздоровела, ее могут забрать в любой момент — иногда она разговаривает сама с собой и громко поет очень странным манером. Не следует искушать судьбу, вечером смотрители ее уводят и как следует запирают, а иначе я глаз не могла бы сомкнуть.

— Но я вовсе вас не порицаю, христианское милосердие не безгранично, барс не может переменить пятна свои[1], и никто не вправе сказать, что выполнил свой долг и выказал надлежащие чувства.

Альбом жены коменданта хранится на круглом столике, покрытом шелковой шалью: ветви, похожие на переплетающиеся лозы, с цветами, красными плодами и голубыми птичками — на самом деле это одно большое дерево, и если долго смотреть на него, начинает казаться, что лозы изгибаются, будто колеблемые ветром. Столик прислала из Индии ее старшая дочь, вышедшая замуж за миссионера, — вот чего бы я себе не пожелала. Наверняка скончаешься до срока — если не от руки мятежных туземцев, как в Канпуре, где почтенные дамы подверглись ужасному поруганию, и хорошо еще, что их всех, избавив от позора, убили, — так от малярии, от которой желтеют и умирают в жутком бреду. Как бы там ни было, не успеешь оглянуться, а уже лежишь в чужой земле под пальмой. Я видела их портреты в книге восточных гравюр, которую жена коменданта достает, чтобы поплакать.

На том же круглом столике — стопка дамских альманахов «Годи», привезенных из Штатов, и памятные альбомы двух младших дочерей. Мисс Лидия утверждает, что я романтический персонаж, но они обе еще слишком молоды и вряд ли сами понимают, что говорят. Иногда они подглядывают и дразнят меня.

— Грейс, — говорят, — почему ты не улыбаешься и не смеешься? Мы никогда не видели, как ты улыбаешься. — А я отвечаю:

---

[1] Иер. 13:23.

— Видать, отвыкла, мисс, лицо больше не складывается в улыбку. — Но если бы я рассмеялась, то уже не смогла бы остановиться, и это разрушило бы мой романтический образ. Ведь романтические персонажи не смеются, я на картинках видела.

Дочки суют в альбомы все что угодно: лоскутки платьев, обрезки ленточек, картинки из журналов — «Развалины Древнего Рима», «Живописные монастыри французских Альп», «Старый лондонский мост», «Ниагарский водопад летом и зимой» (вот бы на него взглянуть — все говорят, очень впечатляет), портреты такой-то английской Леди и такого-то английского Лорда. Их подружки пишут своими изящными почерками: *«Дражайшей Лидии от ее подруги навек, Клары Ричардс»; «Дражайшей Марианне в память о великолепном пикнике на берегу голубого озера Онтарио»*. А еще стихи:

> Как обвивает нежный Плющ
> В чащобе Дуб столетний,
> Так буду я Тебе верна
> Всю Жизнь — до самой Смерти!
>
> *Твоя преданная подруга Лора.*

Или еще:

> Моя подруга, не горюй,
> Гони дурные вести!
> Куда б ни занесла Судьба,
> Душой мы будем вместе!
>
> *Твоя Люси.*

Эта юная леди вскоре утонула на озере, когда корабль пошел ко дну во время шторма: нашли только сундук с ее инициалами, выбитыми серебряными гвоздиками. Сундук был заперт на ключ, и хотя его содержимое намокло, оттуда ничего не выпало, а мисс Лидии подарили на память уцелевший шарф.

Когда в могилу я сойду
И прах мой в ней истлеет,
На строки эти погляди,
И станет веселее.

Под этими стихами стоит подпись: *«Вечно пребуду с тобою Духом. С любовью, твоя "Нэнси", Ханна Эдмондс».* Надо сказать, когда я впервые это увидела, то испугалась, хоть это была, конечно, другая Нэнси. Но «мой прах истлеет»... Сейчас-то он уже истлел. Ее нашли с синюшным лицом, и в подвале, наверно, стоял жуткий смрад. Тогда было так жарко, на дворе июль. Быстро она все-таки начала разлагаться, на маслобойне могла бы пролежать подольше, там обычно прохладнее. Хорошо, что я не видела, ведь это такое жуткое зрелище.

Не понимаю, почему всем так хочется, чтобы их помнили. Какая им от этого польза? Есть вещи, о которых все должны забыть и больше никогда не вспоминать.

Альбом жены коменданта — совсем другой. Она, конечно, взрослая женщина, а не юная девица, и хотя тоже любит воспоминания, но они не связаны с фиалками и пикниками. Никаких «дражайших», никакой «любви» и «красы» и никаких «подруг навек», вместо всего этого в ее альбоме — знаменитые преступники, которых казнили или же привезли сюда для исправления. Ведь это исправительный дом, и здесь необходимо раскаиваться, так что тебе же будет лучше, если скажешь, что раскаялась, даже если раскаиваться и не в чем.

Жена коменданта вырезает эти заметки из газет и вклеивает их в альбом. Она даже выписывает старые газеты со статьями о давно совершенных преступлениях. Это ее коллекция, она — леди, а все леди нынче собирают коллекции. Поэтому ей тоже нужно что-нибудь коллекционировать, и она занимается этим, а не собирает гербарий из папоротников и цветов. Ей все равно нравится пугать своих знакомых.

Потому я и прочитала, что обо мне пишут. Она показала мне альбом сама — наверно, хотела посмотреть, как я себя поведу. Но я научилась не подавать виду: вытаращилась как баран на новые ворота и сказала, что горько раскаялась и стала совсем другим человеком, и спросила, не пора ли унести чайную посуду. Но потом я не раз заглядывала в альбом, когда оставалась в гостиной одна.

Бо́льшая часть написанного — ложь. В газетах говорилось, что я безграмотная, но даже тогда я немножко умела читать. Меня учила в детстве мама, пока у нее еще оставались силы после работы, и я сделала вышивку из остатков ниток: «Я — Яблоко, П — Пчела». Мэри Уитни тоже читала со мной у миссис ольдермен Паркинсон, пока мы штопали одежду. А здесь, где меня учат намеренно, я узнала гораздо больше. Они хотят, чтобы я могла читать Библию и брошюры, потому что религия и порка — единственные средства исправления греховной натуры, и всегда нужно думать о нашей бессмертной душе. Меня поражает, сколько в Библии всяких злодеяний! Жене коменданта следовало бы их все вырезать и вклеить в альбом.

Кое в чем они правы. Пишут, что у меня сильный характер: так оно и есть, ведь мною никому не удалось воспользоваться, хотя многие пытались. Но Джеймса Макдермотта назвали моим любовником. Черным по белому так и написали. И как им только не стыдно — мне противно было читать.

Вот что их на самом деле волнует — отношения между леди и джентльменами. Им все равно, убивала я кого-нибудь или нет. Я могла бы перерезать десятки глоток — они бы и глазом не моргнули, ведь в солдатах же этим восхищаются. Нет, главный вопрос для них — были мы любовниками или нет, и они даже сами не знают, какой ответ им больше понравится.

Сейчас я не смотрю в альбом, потому что сюда могут зайти в любую минуту. Я сижу, сложив шершавые руки и опустив голову, и рассматриваю цветы на турецком ковре. То есть, наверно, это цветы. Лепестки у них — как бубны с игральных карт. Эти карты были разбросаны по столу у мистера Киннира, после того как джентльмены всю ночь в них играли. Жесткие и угловатые бубны. Красные — даже темно-бордовые. Толстые языки удавленников.

Сегодня ждут не леди, а доктора. Он пишет книгу: жене коменданта нравится общаться с людьми, пишущими книги. Дальновидные книги. Это доказывает, что она — свободомыслящий человек прогрессивных взглядов. Ведь наука так стремительно развивается, и, учитывая современные изобретения, Хрустальный дворец[1] и познание мира, еще неизвестно, что со всеми нами может произойти лет через сто.

Доктор — это всегда дурной знак. Даже если он не убивает сам, его приход означает, что смерть на пороге, и поэтому врачи похожи на воронов или ворон, все до единого. Но жена коменданта пообещала, что этот доктор не сделает мне больно. Он хочет просто измерить мне голову. Он измеряет головы всех преступников в тюрьме, чтобы определить по шишкам на черепе, какие это преступники: карманники, мошенники, растратчики, невменяемые или убийцы. Она не сказала: «Как ты, Грейс». Потом этих людей можно запереть, чтобы они больше не совершали преступлений, и посмотреть, насколько мир от этого станет лучше.

После казни Джеймса Макдермотта с его головы сняли гипсовый слепок. Об этом я тоже прочитала в альбоме. Наверно, это сделали для того, чтоб улучшить мир.

Его тело анатомировали. Когда я впервые прочитала об этом, то еще не знала, что такое *анатомировать*, но скоро все выяснила. Это все врачи сделали — разрезали его на части, как поросенка для засолки. Наверно, он был для них вроде куска грудинки. Я слышала, как он дышал, как билось его сердце, а они его ножом — даже подумать страшно.

---

[1] Хрустальный дворец — выставочный павильон из стекла и чугуна, построен в 1851 г. в Лондоне для «Великой выставки»; сгорел в 1936 г.

Интересно, куда они дели рубашку. Может, это была одна из тех четырех, которые продал ему коробейник Джеремайя? Лучше бы их было три или пять: нечетные числа приносят удачу. Джеремайя всегда желал мне удачи, а Джеймсу Макдермотту — нет.

Казни я не видела. Его повесили перед тюрьмой в Торонто, и смотрители говорят:

— Жаль, что тебя там не было, Грейс. Это послужило бы тебе уроком. — Я много раз представляла себе эту картину: бедняга Джеймс стоит со связанными руками и голой шеей, а на голову ему накидывают капюшон, как котенку, которого хотят утопить. Хорошо хоть, с ним был священник.

— Если бы не Грейс Маркс, — сказал он им, — ничего бы не случилось.

Шел дождь, и огромная толпа стояла по колено в грязи: кто-то приехал за много миль. Если бы мою смертную казнь в последнюю минуту не заменили заключением, они с таким же мрачным удовольствием наблюдали бы за тем, как вешают меня. Там было много женщин и леди: всем хотелось посмотреть, вдохнуть запах смерти, будто изысканный аромат. И когда я прочитала об этом, то подумала: «Если это урок для меня, чему же должна я научиться?»

Вот я слышу шаги, быстро встаю и расправляю фартук. Потом незнакомый мужской голос:

— Весьма любезно с вашей стороны, мадам.

Жена коменданта отвечает:

— Я так рада оказать вам помощь.

И снова мужчина:

— Весьма любезно.

Затем он появляется в дверях: большой живот, черный мундир, туго облегающий жилет, серебряные пуговицы, аккуратно завязанный галстук.

— Я не опущусь ниже подбородка, — говорит мужчина. — Это не займет много времени, но я был бы вам признателен, мадам, если бы вы остались в комнате. Добродетельным нужно не только быть, но и казаться.

Он смеется, словно бы отпустил шутку, но я слышу по его голосу, что он меня боится. Такая женщина, как я, — это всегда соблазн, особенно если нет свидетелей. Как бы мы потом ни оправдывались, нам все равно никто не поверит.

Потом я вижу его руку, похожую на перчатку, набитую сырым мясом. Эта рука ныряет в разверстую пасть его кожаного саквояжа. Он вынимает оттуда что-то блестящее, и я понимаю, что видела эту руку раньше. Я поднимаю голову и смотрю ему прямо в глаза, сердце у меня сжимается и уходит в пятки: я начинаю голосить.

Это тот же доктор, тот же самый, в том же черном мундире и с полной сумкой блестящих ножей.

4

Меня привели в чувство, плеснув в лицо стакан холодной воды, но я продолжала кричать, хотя доктора рядом уже не было. Меня удерживали две кухарки и сын садовника, взгромоздившийся мне на ноги. Жена коменданта послала в тюрьму за старшей сестрой, которая явилась с двумя смотрителями. Она деловито отвесила мне оплеуху, и я угомонилась. В любом случае, это был не тот доктор, просто похож на него. Такой же холодный, жадный взгляд, такая же ненависть.

— С истеричками по-другому нельзя, уверяю вас, мадам, — сказала старшая. — Таких припадков мы уже насмотрелись вдоволь. Она была склонна к припадкам, но мы никогда ей не потакали. Мы стремились исправить ее и думали, что отучили ее от этого. Возможно, вернулась ее старая болезнь, ведь что бы там ни говорили в Торонто, семь лет назад она была буйно помешанной, и ваше счастье, что рядом не оказалось ножниц или острых предметов.

Потом смотрители потащили меня в главное здание тюрьмы и заперли в этой камере, чтобы я пришла в себя, как они выразились, хоть я сказала им, что теперь, когда нет доктора с его ножами, мне намного лучше. Я сказала, что боюсь врачей, вот и все. Боюсь, что они меня разрежут, как некоторые люди боятся змей. Но они сказали:

— Вечные твои фокусы, Грейс! Тебе просто захотелось внимания. Он и не собирался тебя резать. У него и ножей-то не было. Ты просто увидела штангенциркуль для измерения головы. И насмерть перепугала жену коменданта — впрочем, поделом ей. Она хотела тебе добра, да только избаловала, испортила тебя. Мы теперь не ровня тебе, да? Тем хуже для тебя. Отныне тебе придется терпеть наше общество, потому что мы окружим тебя совсем другим вниманием. Пока начальство не решит, что с тобой делать.

В камере только одно окошко вверху, изнутри забранное решеткой, да соломенный тюфяк. На оловянной тарелке — хлебная корка, рядом каменный кувшин с водой и пустое деревянное ведро, которое заменяет здесь ночной горшок. В такую же камеру меня посадили, перед тем как отправить в Лечебницу. Я говорила, что я не сумасшедшая, но меня никто не слушал.

В любом случае, они не в состоянии отличить больную от здоровой, ведь большинство женщин в Лечебнице так же нормальны, как английская королева. В трезвом виде многие вели себя хорошо, но в пьяном начинали дебоширить — с таким я очень хорошо знакома. Одна женщина скрывалась там от мужа, который бил ее так, что живого места не оставалось, — он-то и был сумасшедшим, но никто его никуда не упекал. Другая сказала, что сходит с ума осенью, потому что у нее нет своего дома, а в Лечебнице тепло, и если бы она не притворялась душевнобольной, то окоченела бы и померла от холода. А весной она снова становилась нормальной, потому что на дворе хорошая погода, и можно бродить по лесу и ловить рыбу. Она была наполовину индианкой и знала толк в рыбалке. Я и сама бы этим занялась, кабы умела и не боялась бы медведей.

Но некоторые не притворялись. У одной бедной ирландки перемерла вся семья: одна половина с голоду на родине, другая — от холеры на корабле. Женщина бродила по Лечебнице и звала родню. Хорошо, что я еще раньше уехала из Ирландии: она рассказывала о жутких страданиях и лежавших повсюду трупах, которые некому было хоронить. Другая женщина убила своего ребенка, и теперь он ходил за ней по пятам, дергая за юбку. Иногда она брала его на руки, обнимала и целовала, а порой кричала и била его. Я ее боялась.

Еще одна была очень набожной, постоянно молилась и пела, и когда узнала о том, чтó я будто бы совершила, то стала донимать меня при каждом удобном случае:

— На колени! — приказывала она. — Заповедь гласит: не убий! Но Бог всегда милостив ко грешникам. Покайся, пока еще есть время, а не то тебя ждут вечные муки!

Она была похожа на проповедника из церкви и однажды даже попыталась окрестить меня супом — жидким, с капустой, — вылив мне на голову целую ложку. Когда я пожаловалась, старшая сестра холодно взглянула на меня, поджав губы, ровные, как крышка сундука, и сказала:

— Возможно, Грейс, тебе следует к ней прислушаться. Я ни разу не слышала, чтобы ты искренне раскаялась в содеянном, хотя твое жестокое сердце очень в этом нуждается. — И тогда я как рассержусь да как закричу:

— Ничего я не содеяла! Ничего! Она сама виновата!

— Что ты хочешь этим сказать, Грейс? — спросила она. — Успокойся, а не то понадобятся холодные ванны и смирительная рубашка. — И она взглянула на другую сестру: — Вот! Что я говорила? Совсем из ума выжила.

Все сестры в Лечебнице были тучными и крепкими, с большими толстыми руками, а подбородки у них сразу переходили в шеи, затянутые в строгие белые воротнички, и волосы были туго заплетены, словно выцветший канат. Сестра должна быть сильной, ведь какая-нибудь сумасшедшая может запрыгнуть ей на спину и начать вырывать у нее волосы, и поэтому нрав у сестер был крутой. Иногда они даже раззадоривали нас — особенно перед самым приходом посетителей. Им хотелось показать, какие мы опасные и как ловко они с нами управляются, чтобы казаться более полезными и опытными.

Поэтому я перестала с ними разговаривать. С доктором Баннерлингом, заходившим в темную палату, где я сидела связанная, в рукавицах:

— Не двигайся, я должен тебя осмотреть. И не вздумай мне лгать. — И с другими врачами, которые навещали меня, твердя:

— Какой поразительный случай! — словно я теленок о двух головах. В конце концов я совсем перестала говорить, и когда меня спрашивали, только вежливо отвечала:

— Да, мадам. Нет, мадам. Да, сэр. Нет, сэр. — А потом меня отправили в исправительный дом — после того, как все они собрались вместе в своих черных мундирах: «Гм, ага, по моему мнению, уважаемый коллега, сэр, позволю себе не согласиться». Они, конечно, ни на минуту не допускали, что ошиблись, когда меня сюда упекли.

Люди в такой одежде никогда не ошибаются. И никогда не пукают. Мэри Уитни говаривала: «Если в комнате у них кто-нибудь пукнул, можешь быть уверена, что это наделала ты». И если ты даже не пукала, лучше об этом помалкивать, иначе они возмутятся: «Какая наглость, черт возьми!», дадут пинка под зад и вышвырнут на улицу.

Она часто грубо выражалась. Говорила *наделала* вместо *сделала*. Никто ее так и не переучил. Я тоже так говорила, но в тюрьме научилась манерам получше.

Я сижу на соломенном тюфяке. Он шуршит. Как вода на берегу. Ворочаюсь с боку на бок и прислушиваюсь. Можно закрыть глаза и представить, что я на море в погожий безветренный денек. Где-то далеко за окном кто-то рубит дрова: наверно, топор, блеснув на солнце, опускается вниз, и раздается глухой удар — но откуда мне знать, что рубят дрова?

В камере зябко. У меня нет платка, и я обхватываю себя руками: кто еще меня здесь обнимет и обогреет? В детстве я думала, что если очень туго обхватить тело руками, можно стать меньше. Мне никогда не хватало места, ни дома, ни где, но если бы я сильно уменьшилась, то смогла бы куда-нибудь поместиться.

Волосы выбились из-под чепца. Рыжие волосы сказочной людоедки. Обезумевшей нелюди, как писали газеты. Изверга рода человеческого. Когда принесут обед, я надену помойное ведро на голову и спрячусь за дверью, чтобы напугать смотрителей. Если вам так нужен изверг — получайте!

Но я никогда этого не сделаю. Только мечтаю. Иначе они решат, что я снова сошла с ума. Люди говорят: *«сошла с ума»,* будто безумие — это сторона света, как запад, например. Словно безумие — другой дом, в который как бы входишь, или совершенно чужая страна. Но когда сходишь с ума, никуда не деваешься, а остаешься на месте. Просто кто-то другой входит в тебя.

Я не хочу, чтобы меня оставляли одну в этой камере. Стены совсем голые — ни одной картины, и на окошке вверху нет занавесок. Смотреть не на что, поэтому пялишься в стенку. И через какое-то время на ней появляются картины и вырастают красные цветы.

Кажется, я засыпаю.

Уже утро, но которое по счету — второе или третье? За окном снова рассвело, поэтому я и проснулась. С трудом приподнимаюсь, щипаю себя, моргаю и встаю с шуршащего тюфяка: все руки-ноги затекли. Потом пою песенку — просто чтобы услышать свой голос и не было так одиноко:

> Святый, святый Боже, Господь всемогущий,
> Рано поутру хвалу Тебе слагаю!
> Святый милосердный, святый и могучий,
> Господь триединый, Троица благая!

Против гимна они ничего не смогут возразить. Это гимн утру. Я всегда любила рассвет.

Потом допиваю остатки воды и брожу по комнате, приподнимаю подол и мочусь в ведро. Еще пара часов — и оттуда будет вонять, как из помойной ямы.

Когда спишь в одежде, по-настоящему не отдыхаешь. Платье мнется, тело под ним — тоже. Такое ощущение, будто тебя свернули в узелок и бросили на пол.

Жалко, нет чистого фартука.

Никто не приходит. Мне дали подумать над своими проступками и прегрешениями, а этим лучше всего заниматься в одиночестве. «Таково авторитетное, взвешенное мнение, Грейс, которое основано на длительном опыте работы». В одиночном заключении, иногда в темноте. Есть тюрьмы, где тебя держат в камере годами, и ты не видишь ни деревьев, ни лошадей и ни единого человеческого лица. Говорят, от этого улучшается цвет кожи.

Меня запирали в одиночке и раньше.

— Закоренелая, лукавая обманщица, — говорил доктор Баннерлинг. — Сиди спокойно, я должен изучить форму твоего черепа, но вначале измерю твой пульс и дыхание. — Но я-то знала, что у него на уме. «Сними руку с моей титьки, грязный мерзавец!» — крикнула бы Мэри Уитни, но я смогла лишь пролепетать:

— Нет, о нет, не надо! — Они так крепко привязали меня к стулу рукавами, спереди пустили их крест-накрест, а сзади затянули узлом, что я не могла ни выгнуться, ни увернуться. Поэтому пришлось вцепиться зубами ему в пальцы, мы опрокинулись назад и повалились на пол, взвыв, как два кота в мешке. По вкусу они напоминали сырую колбасу и в то же время — влажное шерстяное исподнее. Лучше бы их хорошенько ошпарить да отбелить на солнце.

Вчера вечером и накануне ужина никакого не было — один хлеб и ни единого капустного листка. Этого и следовало ожидать. Голод успокаивает нервы. Сегодня будет немножко больше хлеба и воды, поскольку мясо возбуждает преступников и маньяков: они жадно, словно волки, вдыхают его запах, а потом пеняйте на себя. Но вчерашняя вода кончилась, а мне так хочется пить, просто умираю от жажды: во рту все пересохло, а язык распух. Так бывает у жертв кораблекрушения, я читала в судебных протоколах, как их носило по морю и они пили друг у дружки кровь. Тянули соломинки. Зверства людоедов, вклеенные в альбом. Уверена, что никогда бы так не поступила, как бы ни мучил меня голод.

Может, про меня забыли? Принесли бы еще поесть или хотя бы воды, а то я помру с голоду и вся сморщусь, а моя кожа высохнет и пожелтеет, как старая холстина. Я превращусь в скелет, меня найдут через месяцы, годы или столетия и спросят: «А это кто? Мы и забыли про нее. Ладно, сметите останки и весь этот мусор в угол, а пуговицы заберите. Слезами горю не поможешь, а пуговицы в хозяйстве пригодятся».

Как только начинаешь себя жалеть, тебя запирают на замок. А потом отправляют за капелланом.

— Прииди ко мне, бедная заблудшая душа! На небесах более радости об одной пропавшей овце[1]. Облегчи свою смятенную душу. Преклони колена. Скрести в отчаянии руки. Расскажи, как денно и нощно мучит тебя совесть, и как очи жертв тебя неотступно преследуют по камере, горя, яко раскаленные угли. Пролей слезы раскаяния. Исповедуйся! Позволь мне отпустить тебе грехи. Позволь помолиться за тебя. Поведай мне все.

— И что он потом сделал? Какой ужас! А потом?

— Левую или правую руку?

— Как высоко?

— Покажи мне, где.

Кажется, я слышу шепот. А теперь кто-то смотрит на меня в дверной глазок. Я не вижу, но знаю, что смотрит. Потом стук.

Я думаю: «Кто бы это мог быть? Старшая сестра? Или начальник тюрьмы пришел меня отругать?» Нет, это не они, никто здесь не станет из вежливости ко мне стучать, а просто по-

---

[1] Лук. 15:7.

смотрит в глазок и тут же войдет. «Всегда сперва постучи, — учила меня Мэри Уитни, — и жди, пока не разрешат войти. Неизвестно, чем они там занимаются, им ведь не хочется, чтобы ты все это видела. Они могут ковыряться пальцем в носу или в другом каком месте, ведь даже леди неймется почесать, где зудит. И если увидишь пятки, торчащие из-под кровати, лучше не обращай внимания. Днем-то они все в шелках, а ночью у них отрастают поросячьи уши».

Мэри была демократкой.

Опять стук. Как будто у меня есть выбор.

Я прячу волосы под чепец, встаю с соломенного тюфяка, расправляю платье и фартук и отступаю в самый дальний угол камеры. И решительно говорю — ведь всегда нужно сохранять достоинство, если это возможно:

— Войдите.

5

ОТКРЫВАЕТСЯ ДВЕРЬ, и входит мужчина. Он молод, как я, или немного старше, молод для мужчины, но не для женщины, ведь женщина моих лет — уже старая дева, а мужчина — старый холостяк лишь в пятьдесят, но, как говаривала Мэри Уитни, даже тогда он еще не потерян для дам. Вошедший высок, с длинными ногами и руками, но дочки коменданта не назвали бы его привлекательным. Им по душе томные мужчины из журналов, очень элегантные, такие прикидываются тихонями, и у них узкие ступни в остроносых сапогах. Этот же по-старомодному живой и подвижный, и у него довольно крупные ступни, хоть он и джентльмен или почти джентльмен. Вряд ли он англичанин, впрочем, трудно сказать.

Он шатен, волосы вьются от природы — такие называют «непослушными», потому что ему не удается их расчесать. Сюртук у него добротный, хорошего покроя, но поношенный — локти уже заслонились. На нем жилет из шотландки, она вошла в моду после того, как королева замирилась с Шотландией и построила там замок, увешанный, по слухам, оленьими головами[1]. Но сейчас я вижу, что это не настоящая шотландка, а обычная ткань в желтую и коричневую клетку. У него часы на золотой цепочке — значит, он не беден, хотя помят и неухожен.

---

[1] Имеется в виду Уния Англии и Шотландии, заключенная в 1707 г. английской королевой Анной Стюарт (правила в 1702—1717 гг.).

Он не носит бакенбард, которые теперь носят все. Сама-то я их не шибко люблю, мне подавай усы или бороду, ну или вообще ничего. Джеймс Макдермотт и мистер Киннир брились, Джейми Уолш тоже, хотя у него и брить-то было нечего; разве только мистер Киннир носил усы. Когда я утром опорожняла его тазик для бритья, то брала чуть-чуть раскисшего мыла — он пользовался хорошим мылом, из Лондона — и втирала в кожу на запястьях, так что запах держался весь день, пока не подходило время мыть полы.

Молодой человек закрывает за собой дверь. Он не запирает ее — кто-то другой запирает ее снаружи. Теперь мы вдвоем заперты в этой камере.

— Доброе утро, Грейс, — говорит он. — Я знаю, вы боитесь врачей. Но должен сразу же сообщить вам, что я — доктор. Меня зовут доктор Джордан, доктор Саймон Джордан.

Мельком взглянув на него, я опускаю глаза. Говорю:

— А другой доктор вернется?

— Тот, что вас напугал? — спрашивает он. — Нет, не вернется.

— Тогда вы, наверно, хотите измерить мне голову.

— И в мыслях не было, — отвечает он с улыбкой, но при этом окидывает мою голову оценивающим взглядом. А на мне ведь чепец, так что он все равно ничего не увидит. Судя по выговору, он американец. У него белые зубы, причем все на месте, по крайней мере — спереди, а лицо вытянутое и худое. Мне нравится его улыбка, хоть она и кривоватая, и кажется, будто он надо мной подшучивает.

Я смотрю на его руки. Там абсолютно ничего нет. Даже колец на пальцах.

— А у вас есть сумка с ножами? — спрашиваю я. — Кожаная такая.

— Нет, — отвечает он. — Я не обычный доктор. И никого не режу. Вы боитесь меня, Грейс?

Не могу сказать, что я его боюсь. Еще слишком рано и трудно понять, чего он хочет. Ведь ко мне просто так не приходят.

Мне хочется узнать, что же он за доктор такой необычный, но вместо этого он говорит:

— Я из Массачусетса. Родился там. С тех пор много поездил по свету. Я ходил по земле и обошел ее[1]. — И смотрит на меня: поняла ли?

Это из Книги Иова, с такими словами Сатана обратился к Господу перед тем, как наслать на Иова все эти нарывы, кровоточащие язвы и прочие напасти. Наверно, доктор хочет сказать, что пришел испытать меня, да только он опоздал. Бог послал мне слишком много испытаний, и, возможно, Ему это уже надоело.

Но вслух я этого не говорю. Просто смотрю на него с глупым видом. Я хорошо научилась прикидываться дурочкой. Говорю:

— А во Франции бывали? Оттуда вся мода идет. — Вижу, что разочаровала его.

— Да, — отвечает он. — И в Англии, и в Италии, и в Германии, и в Швейцарии.

Как странно стоять в запертой тюремной камере и разговаривать о Франции, Италии и Германии с незнакомцем! С путешественником. Наверно, он странствует, как коробейник Джеремайя. Но Джеремайя зарабатывал себе на хлеб, а эти люди и так уже богаты. Они путешествуют из любопытства. Разъезжают себе по свету и смотрят на всякие дива, как ни в чем не бывало пересекают океан, и если в одном месте им становится скучно, они просто собирают вещички и перебираются в другое.

Но теперь и мне пора что-нибудь сказать. Я говорю:

— Прямо не знаю, сэр, как вы общаетесь со всеми этими чужеземцами. Ведь ни за что не поймешь, о чем они толкуют. Когда эти бедолаги только сюда приезжают, то гогочут, как гуси, хотя дети быстро учатся чужому языку.

— Верно, дети все схватывают на лету.

Он улыбается, а затем выкидывает такой вот фокус: опускает левую руку в карман и достает яблоко. Медленно подходит

---

[1] Иов. 1:7.

ко мне и протягивает яблоко, словно кость — злой собаке, которую хочет прикормить.

— Это вам, — говорит он.

А у меня такая жажда, что это холодное наливное яблоко кажется мне большой круглой каплей воды. Я могла бы мигом его проглотить. Я медлю, но потом думаю: «В яблоке ничего дурного нет, и я возьму его. Давненько я не ела домашних яблок. Наверно, из прошлогоднего урожая, который хранился в погребе, в бочке, но яблоко на вид довольно свежее».

— Я не собака, — говорю ему.

Другой бы на его месте спросил меня, что я хотела этим сказать, а он смеется. Просто выдыхает:

— Ха! — словно бы нашел потерянную вещь. Он говорит: — Понятно, Грейс, что вы не собака.

О чем он сейчас думает? Я сжимаю яблоко обеими руками. Как драгоценное сокровище. Поднимаю его и нюхаю. У него такой свежий запах, что аж душу щемит.

— Вы не будете его есть? — спрашивает он.

— Не сразу, — отвечаю.

— Почему?

— Потом его уже не будет.

На самом деле я просто не хочу есть при нем. Не хочу, чтобы он увидел, как я голодна. Если они почувствуют твою слабину, то потом с тебя не слезут. Лучше вообще забыть обо всех своих желаниях.

И снова его смешок.

— Скажите мне, что это? — спрашивает.

Я смотрю на него, потом отвожу взгляд.

— Яблоко, — отвечаю. Думает, наверно, что я дурочка. Или это какая-то уловка. Или он сумасшедший, и поэтому они дверь заперли — меня заперли в одной камере с сумасшедшим! Но люди в такой одежде сумасшедшими не бывают, особенно с такой золотой цепочкой для часов — родственники или смотрители мигом бы ее сняли.

Он снова кривовато ухмыляется.

— О чем напоминает вам яблоко? — спрашивает.

— Простите, сэр, — говорю, — я вас не понимаю.

Наверно, это загадка. Я вспоминаю Мэри Уитни, и как мы бросали тогда вечером яблочную кожуру, чтобы узнать, за кого выйдем замуж. Но я ему об этом не скажу.

— Мне кажется, вы все хорошо понимаете, — говорит он.

— О вышивке.

Теперь он сам ничего не может понять:

— О чем, простите?

— О вышивке, которую я в детстве сделала: Я — Яблоко, П — Пчела.

— Ясно, — говорит. — А еще?

Опять прикидываюсь дурочкой:

— О яблочном пироге.

— Да, — говорит он. — О том, что вы съели бы.

— Надеюсь, и вы тоже, сэр. Яблочный пирог ведь для того и пекут.

— А какие яблоки вы есть не стали бы? — спрашивает он.

— Гнилые, наверно.

Он задает загадки, как доктор Баннерлинг в Лечебнице. Всегда есть правильный ответ, вернее, сами врачи считают его правильным, и по их лицу можно понять, угадала ты или нет. Впрочем, доктору Баннерлингу я всегда отвечала невпопад. Или, возможно, этот — доктор богословия, а такие доктора тоже любят задавать каверзные вопросы. Я их столько переслушала, что хватит надолго.

Яблоко с Древа Познания — вот что он имеет в виду. Добро и зло. Любой ребенок догадался бы. Но я не буду ему подыгрывать.

Снова прикидываюсь дурочкой:

— Вы проповедник?

— Нет, — говорит, — я не проповедник, а врач. Но врачую не тела, а души. Болезни души, ума и нервов.

Я прячу яблоко за спиной. Я ему нисколечко не доверяю.

— Нет, — говорю, — я не вернусь туда. Только не в Лечебницу. Я просто физически этого не выдержу.

— Не бойтесь, — говорит он. — Вы же не сумасшедшая, Грейс, правда?

— Нет, сэр, я не сумасшедшая.

— Тогда вам незачем возвращаться в Лечебницу, верно?

— Им не нужны для такого причины, сэр.

— Для этого я сюда и пришел, — говорит он. — Я хочу понять причину. Но для того чтобы я мог вас выслушать, вы должны со мной поговорить.

Я понимаю, что у него на уме. Он — коллекционер. Думает, стоит дать мне яблоко, и можно вставить меня в свою коллекцию. Может, он газетчик. Или путешественник, осматривает достопримечательности. Такие приходят и глазеют, и когда на тебя смотрят, чувствуешь себя крохотной букашкой, а они берут тебя двумя пальцами и разглядывают со всех сторон. А потом опускают на землю и уходят.

— Вы все равно не поверите мне, сэр, — говорю. — Суд давно прошел, приговор вынесен, и мои слова ничего не изменят. Спросите лучше стряпчих, судей и журналистов — они, видать, разбираются в этой истории лучше меня. В любом случае, я ничего не помню. Все остальное помню, а тут — полный провал. Вам, наверно, говорили.

— Я хочу вам помочь, Грейс, — говорит он.

Вот так они и втираются в доверие. Предлагают помощь, а взамен требуют благодарности, и хмелеют от нее, как коты от кошачьей мяты. Он хочет вернуться домой и сказать себе: «Без труда выловил рыбку из пруда. Экий я молодец!» Но меня он не выловит. Я буду молчать.

— Если вы попробуете рассказать, — продолжает он, — то я попытаюсь вас выслушать. Из научного интереса. Право, не одними же убийствами нам заниматься! — Он говорит доброжелательно, но за этой доброжелательностью кроются совсем другие намерения.

— А вдруг я вам солгу?

Он не говорит: «Какие глупости, Грейс! У вас больное воображение». Он говорит:

— Возможно. Солжете нечаянно, а может, и преднамеренно. Возможно, вы лгунья.

Я смотрю на него:

— Кое-кто так и считал.

— Давайте все же попытаем счастья, — говорит.

Я смотрю в пол.

— Меня заберут в Лечебницу? — спрашиваю. — Или посадят в одиночную камеру, на хлеб и воду? — Он говорит:

— Даю вам слово, что пока вы будете со мной говорить, не теряя самообладания и не впадая в истерику, все останется, как есть. Мне пообещал комендант.

Я смотрю на него. Отвожу взгляд. Опять смотрю. В руках — яблоко. Он ждет.

Наконец я поднимаю яблоко и прижимаю его ко лбу.

IV
МУЖСКАЯ ПРИХОТЬ

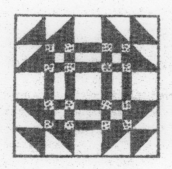

6

Доктору медицины Саймону Джордану,
«Дом в ракитнике», Челноквилль, Массачусетс,
Соединенные Штаты Америки,
от доктора Джозефа Уоркмена,
главного врача Провинциальной лечебницы
для душевнобольных, Торонто, Западная Канада.

15 апреля 1859 года

Глубокоуважаемый доктор Джордан!

Подтверждаю получение Вашего письма от второго числа сего месяца и благодарю Вас за рекомендательное письмо от моего уважаемого коллеги доктора Бинсвангера из Швейцарии, организовавшего новую клинику, за которой я слежу с большим интересом. Позвольте сообщить Вам, что как знакомый доктора Бинсвангера Вы имеете полное право осмотреть возглавляемое мною учреждение в любое удобное для Вас время. Я сам бы с удовольствием показал Вам помещения и пояснил наши методы.

Коль скоро Вы намереваетесь создать собственное учреждение, я должен подчеркнуть большое значение водопровода и канализации, поскольку бесполезно оказывать помощь душе больного, если его тело поражено инфекциями. Этой стороной вопроса слишком часто пренебрегают. К моменту моего приезда было зарегистрировано множество вспышек холеры, перфорированной дизентерии, трудноизлечимой диареи и целой группы смертельных тифозных заболеваний, измучивших всю Лечебницу. Стремясь установить их причину, я обнаружил широкий и чрезвычайно опасный сточный коллектор, залегавший под всем подвалом. В некоторых местах нечистоты обладали консистенцией крепкого черного чая, в других — вязкого жидкого мыла и не откачивались потому, что строители не соединили данный отвод с главным стоком. Вдобавок к этому, воду для питья и умывания брали из озера со стоячей водой по соседству с трубой, через которую сливалось зловонное содержимое главного коллектора. Не приходится удивляться, что больные часто жаловались на питьевую воду, напоминавшую по вкусу вещество, которое мало кто из них захотел бы употребить в пищу!

Пациенты довольно равномерно разделяются по половому признаку, но симптомы отличаются большим разнообразием. Я нахожу, что религиозный фанатизм выступает непосредственной причиной умопомешательства столь же часто, как и невоздержанность, но склонен считать, что религия и невоздержанность не могут вызвать помешательства действительно здравого ума. Мне кажется, существует некая предрасположенность, вследствие которой человек становится подвержен заболеванию под воздействием любого возмущающего фактора, будь то психического или физического.

К сожалению, информацию, касающуюся главной цели Вашего запроса, Вам придется искать в другом месте. Осужденная за убийство Грейс Маркс была возвращена в Кингстонский исправительный дом в августе 1853 года, пробыв здесь пятнадцать месяцев. Поскольку меня назначили на должность главного врача лишь за три недели до ее отъезда, у меня не было возможности досконально изучить ее случай. Поэтому я переслал Ваше письмо доктору Самюэлю Баннерлингу, лечившему ее при моем предшественнике. Я не могу говорить о первоначальной степени ее умопомешательства. У меня создалось впечатление, что она уже давно была достаточно здоровой, что и позволило выписать ее из больницы. Я настоятельно рекомендовал обращаться с нею как можно мягче и полагаю, что сейчас она ежедневно прислуживает в семье коменданта. К концу своего пребывания она вела себя весьма пристойно, и благодаря своему трудолюбию и доброжелательному отношению к больным считалась безвредной и даже полезной пациенткой. Изредка она страдает нервным возбуждением и болями в сердце.

Одна из главных проблем, с которой сталкивается главный врач подобного общественного учреждения, заключается в стремлении тюремной администрации направлять к нам множество «трудных» преступников, и в том числе отвратительных убийц, грабителей и воров, которым не место среди невинных и целомудренных душевнобольных, — направлять лишь для того, чтобы избавиться от этих злодеев. Здание, построенное для отдыха и лечения душевнобольных, не может служить местом заключения невменяемых преступников, а тем более — преступных симулянтов, и я сильно подозреваю, что последняя группа гораздо более многочисленна, нежели принято думать. Не считая пагубных последствий, неизменно проистекающих из общения невиновных больных с невменяемыми преступниками, можно ожидать также негативного влияния на характер и привычки смотрителей и служащих больницы, — влияния, не способствующего гуманному и надлежащему обращению с пациентами.

Но коль скоро Вы собираетесь организовать частное учреждение, то я надеюсь, что Вам удастся избежать подобных проблем, и Вы будете меньше страдать от докучливого политического вмешательства, которое так часто препятствует их решению. Желаю Вам в этом успеха, равно как и во всех Ваших начинаниях. К несчастью, подобные заведения чрезвычайно нужны в настоящее время — как в нашей, так и в Вашей стране, ведь беспокойная современная жизнь и ее воздействие на нервную систему приводят к тому, что темпы строительства едва поспевают за числом заявок. Поэтому я предлагаю любую посильную помощь, которую буду в состоянии Вам оказать.

С глубоким уважением,

Джозеф Уоркмен, доктор медицины.

МАРГАРЕТ ЭТВУД

* * *

От миссис Уильям П. Джордан,
«Дом в ракитнике», Челноквилль, Массачусетс,
Соединенные Штаты Америки,
доктору Саймону Джордану,
через майора Ч. Д. Хамфри, Лоуэр-Юнион-стрит,
Кингстон, Западная Канада.

29 апреля 1859 года

Дражайший сын!

Сегодня я получила твою долгожданную записку с твоим нынешним адресом и рецептом мази от ревматизма. С какой же радостью я снова увидела твой дорогой почерк, хоть ты и написал так мало, но мне очень приятно, что ты интересуешься слабеющим здоровьем своей бедной матушки!

Пользуюсь этой возможностью, чтобы написать тебе несколько строк, и прилагаю письмо, которое пришло на следующий день после твоего отъезда. Твой последний визит был таким кратким — когда же мы снова увидим тебя в семейном и дружеском кругу? Так много путешествовать — вредно для здоровья и для душевного спокойствия. Я мечтаю о том дне, когда ты решишь у нас обосноваться, как подобает приличному человеку.

Не могу не отметить, что прилагаемое письмо пришло из Лечебницы для душевнобольных в Торонто. Думаю, ты собираешься посетить ее, хотя, наверное, уже пересмотрел все подобные учреждения на свете, и осмотр еще одного не принесет тебе особой пользы. Твои описания французских, английских и даже одной швейцарской больницы, которая оказалась намного чище предыдущих, повергли меня в ужас. Нам остается только молиться о сохранении нашего рассудка, но если ты будешь и дальше заниматься тем же, то у меня возникнут серьезные опасения за твое будущее. Прости меня, дорогой мой сын, но я никогда не могла понять твоей тяги к подобным вещам. В нашей семье никто раньше

64

не интересовался полоумными, хотя твой дедушка и был священником квакерской церкви[1]. Желание облегчить людские страдания весьма похвально, но умалишенные, равно как идиоты и калеки, обязаны своим состоянием всемогущему Провидению, и зачем пытаться отменить его, несомненно, справедливые, хотя для нас и непостижимые решения?

Кроме того, я не считаю, что частная лечебница сможет приносить доход, ведь, как известно, родственники сумасшедших перестают заботиться о больных, как только тех забирают от них, и не желают больше ни слышать их, ни видеть. Точно так же они относятся и к оплате счетов. Добавь сюда стоимость еды, топлива и жалованье людей, которые будут присматривать за больными. Нужно очень многое обдумать, тем более что ежедневное общение с сумасшедшими вовсе не способствует безмятежной жизни. Ты должен подумать и о своей будущей жене и детях, которым нельзя находиться в такой опасной близости от толпы умалишенных.

Я знаю, что не мне выбирать твой жизненный путь, но глубоко убеждена — мануфактура была бы намного предпочтительнее. И хотя прядильные фабрики уже не те, что прежде, — во всем виноваты бессовестные политики, которые безжалостно злоупотребляют доверием общества и становятся продажнее год от года, — но сейчас есть много других возможностей, и некоторые люди прекрасно их используют. Каждый день у нас на глазах сколачиваются новые состояния, и я уверена, что энергии и прозорливости тебе не занимать. Я слышала о новой Швейной Машинке для использования на дому, которая могла бы оказаться очень выгодным предприятием, если удешевить ее производство. Ведь любой женщине хотелось бы иметь такое приспособление, которое бы ее избавило от монотонного труда и нескончаемых усилий, и послужило бы также большим подспорьем для несчастных белошвеек.

---

[1] Квакеры — члены протестантской общины, основанной в середине XVII в. в Англии. Отвергают институт священников, церковные таинства, проповедуют пацифизм, занимаются благотворительностью. Общины квакеров распространены главным образом в США и Великобритании.

Не мог бы ты вложить небольшое наследство, доставшееся тебе после продажи предприятия твоего бедного отца, в какое-нибудь замечательное и надежное дело? Я уверена, что Швейная Машинка облегчила бы человеческие страдания ничуть не меньше, чем сотня сумасшедших домов, — а может быть, и намного больше.

Конечно, ты всегда был идеалистом, полным оптимистических надежд, но действительность порой напоминает о себе, а тебе уже стукнуло тридцать.

Я вовсе не хочу соваться не в свое дело, но меня как мать очень волнует будущее моего единственного любимого сына. Я так мечтаю еще при жизни увидеть тебя хорошо устроенным, — таким же было желание твоего дорогого отца, — ведь ты же знаешь, что я живу лишь ради твоего благополучия.

Твое присутствие всегда благотворно сказывалось на моем настроении, но после твоего отъезда мое здоровье ухудшилось. Вчера я так сильно кашляла, что моя верная Морин насилу подняла меня по лестнице: она почти так же стара и слаба, и, наверное, со стороны мы были похожи на двух карабкающихся в гору старых ведьм. Несмотря на те настои, которыми меня пичкает по нескольку раз на день моя добрая Саманта, готовящая их на кухне, — они такие же противные на вкус, как и все лекарства, но Саманта божится, что с их помощью поставила свою мать на ноги, — я по-прежнему неважно себя чувствую. Впрочем, сегодня мне стало немного лучше, и я, как обычно, принимала гостей. Меня посетили несколько визитеров, прослышавших о моем нездоровье, в том числе — миссис Генри Картрайт. У нее доброе сердце, но не слишком изысканные манеры; такое часто встречается у недавно разбогатевших людей, но со временем это пройдет. С ней была дочь Вера, которую ты, наверное, помнишь еще нескладной тринадцатилетней девочкой, хотя сейчас она выросла и только что вернулась из Бостона, где жила вместе с тетушкой, расширяя свое образование. Теперь она стала очаровательной молодой женщиной, лучшего и пожелать нельзя, и проявляет такую учтивость и обходительность, что многие пришли бы в восторг, ведь это намного ценнее, нежели броская внешность. Они принесли целую корзину деликатесов, — милая миссис Картрайт меня совсем разбаловала, — за что я горячо ее поблагодарила, хотя ни к чему и не притронулась, поскольку у меня сейчас нет аппетита.

Грустно быть немощной, и я молюсь каждую ночь, чтобы тебя это не коснулось, чтобы ты не переутомлял себя занятиями, не напрягал нервную систему, не сидел по ночам при лампе, не портил себе глаза, не сушил себе мозги и носил шерстяное белье, пока не установится теплая погода. У нас взошел первый латук и зацвела яблоня, а у вас, поди, еще лежит снег. Кингстон так далеко на севере, к тому же он расположен на берегу озера, и мне кажется, это вредно для легких, наверное, там очень зябко и сыро. У тебя комнаты хорошо отапливаются? Надеюсь, ты ешь укрепляющую пищу, и у вас там есть хороший мясник.

Передаю тебе сердечный привет, дорогой мой сын! Морин и Саманта тоже присоединяются, и все мы ждем скорых, надеюсь, вестей о твоем следующем Приезде к нам. Засим, как всегда, остаюсь

Твоей горячо любящей

Матушкой.

* * *

От доктора Саймона Джордана,
через майора Ч. Д. Хамфри, Лоуэр-Юнион-стрит,
Кингстон, Западная Канада,
доктору Эдварду Мёрчи,
Дорчестер, Массачусетс, Соединенные Штаты Америки.

1 мая 1859 года

Дорогой Эдвард!

Мне очень жаль, что не удалось заехать в Дорчестер, чтобы узнать, как ты там поживаешь после того, как занялся частной практикой. Пока ты помогал местным хромым да слепым, я скитался по Европе и учился изгонять бесов. Между нами говоря, я так и не раскусил этого секрета, но, как ты понимаешь, все время между моим приездом в Челноквилль и последующим отъездом было занято приготовлениями, ну а вечера я волей-неволей посвящал матушке. Однако нам нужно договориться, что по моем возвращении мы выпьем пару чарок «за старые добрые времена» и поговорим о былых приключениях и наших нынешних планах.

После относительно спокойного переезда через озеро я благополучно прибыл в пункт назначения. Я еще не встречался со своим корреспондентом и, так сказать, работодателем, преподобным Верринджером, уехавшим по делам в Торонто, так что пока я лишь с удовольствием предвкушаю будущую встречу. Судя по письмам, он, подобно многим священнослужителям, страдает непростительным недостатком остроумия и желанием всех поучать: считает нас заблудшими овцами, а себя — пастырем. Но этой великолепной возможностью я обязан именно ему, да еще любезному доктору Бинсвангеру, который ему рекомендовал меня как лучшего специалиста на западном побережье Атлантики — за не очень высокую плату, ведь методисты[1], как известно, бережливы. Эту возможность я надеюсь использовать в интересах развития познания, поскольку мозг и его работа, несмотря на значительные успехи ученых, по-прежнему остаются *terra incognita*[2].

Что же касается местности, то Кингстон — малопривлекательный городишко: лет двадцать назад он сгорел дотла и был затем наспех, безвкусно отстроен. Новые здания — из камня и кирпича, и стоит надеяться, возгорание им не грозит. Сам же исправительный дом выдержан в стиле греческого храма, и здесь им очень гордятся. Впрочем, какому языческому богу в нем поклоняются, мне только предстоит выяснить.

Я снял комнаты в доме майора Ч. Д. Хамфри, не роскошные, но довольно просторные и подходящие для моих целей. Однако я опа-

---

[1] М е т о д и с т ы (методистская церковь) — протестантская церковь, главным образом в США, Великобритании. Возникла в XVIII в., отделившись от англиканской церкви, и требовала последовательного, «методического» соблюдения религиозных предписаний.

[2] Неизвестная область (*лат.*).

саюсь, что мой хозяин — пьянчуга: я дважды с ним сталкивался, и оба раза он не мог то ли снять перчатки, то ли надеть их, да и сам, кажется, не понимал, что же ему нужно. Он вперил в меня налитые кровью глаза, словно бы спрашивая, какого черта я делаю в его доме. Не удивлюсь, если он в конце концов станет обитателем той частной Лечебницы, которую я по-прежнему мечтаю открыть. Впрочем, хорошо бы мне отучиться от скверной привычки рассматривать всех своих новых знакомых в качестве будущих платежеспособных пациентов. Поразительно, как часто опускаются военные, уйдя в отставку на половинный оклад. Такое чувство, будто, привыкнув к сильным волнениям и бурным эмоциям, они стремятся воспроизвести их и в гражданской жизни. Во всяком случае, я заключил договоренность не с самим майором, — который, без сомнения, потом бы об этом не вспомнил, — а с его многострадальной супругой.

Если не считать завтраков, еще более скудных, нежели те, которыми нас, студентов-медиков, потчевали в Лондоне, я столуюсь в расположенной поблизости убогой гостинице. Все блюда — подгоревшие, на гарнир — немного сажи и грязи, вместо приправы — букашки. Коль скоро, невзирая на эту пародию на кулинарное искусство, я остаюсь здесь, ты можешь оценить подлинную степень моей преданности делу науки.

Что касается общества, должен сообщить, что здесь, как и в любом другом месте, есть хорошенькие девицы, одетые, правда, по парижской моде трехлетней давности и, стало быть, по нью-йоркской моде давности двухлетней. Несмотря на реформы нынешнего правительства, в городе полно как недовольных тори[1], так и мелочных провинциальных снобов. И боюсь, твой неотесанный, небрежно одетый друг-демократ и, — что еще предосудительнее, — янки вызовет некоторые подозрения у наиболее фанатичных его жителей.

Тем не менее комендант, — полагаю, по настоянию преподобного Верринджера, — из кожи вон лезет, стараясь мне услужить, и готов ежедневно предоставлять Грейс Маркс в мое распоряжение

---

[1] Тори в США и Канаде — противники отделения американских колоний от Англии.

на несколько часов. Очевидно, она выступает в роли бесплатной служанки, хоть я пока и не выяснил, считает ли она свою работу одолжением или наказанием. Выяснить это будет довольно трудно, ведь кроткая Грейс, закалившись за эти пятнадцать лет в огне чистилища, стала очень крепким орешком. Подобные исследования неэффективны, если не завоевать доверия пациента. Но, исходя из моего знакомства с исправительными учреждениями, я предполагаю, что у Грейс слишком мало оснований кому-либо доверять еще очень долгое время.

Пока что мне удалось лишь один раз повидать предмет моих исследований, и еще слишком рано делиться впечатлениями. Скажу лишь, что я полон надежд, и коль скоро ты любезно выразил желание следить за моими успехами, я постараюсь держать тебя в курсе. Засим остаюсь, дорогой мой Эдвард,

Твоим старинным другом и давнишним товарищем

Саймоном.

7

САЙМОН СИДИТ ЗА ПИСЬМЕННЫМ СТОЛОМ, грызет кончик пера и поглядывает в окно на свинцовую, зыбкую поверхность озера Онтарио. На той стороне бухты — остров Вульф, названный, как он предполагает, в честь легендарного генерала, о котором слагали стихи[1]. Этот вид Саймона не вдохновляет — пейзаж так убийственно горизонтален, — но однообразные картины порой располагают к раздумьям.

В окно хлещет ливень, а над озером несутся низкие, рваные тучи. Водная поверхность неспокойна: волны накатывают на берег, отступают и накатываются вновь, а ивы под окном колышут своими длинными зелеными волосами, склоняются и хлещут друг друга. Мимо проносится что-то белесое, похожее на женский шарф или вуаль, но потом Саймон понимает, что это просто чайка борется с ветром. «Бессмысленная суета природы, — думает он. — Клыки и когти Теннисона»[2].

Саймон уже не питает тех радужных надежд, о которых только что написал. Наоборот, он охвачен беспокойством и унынием. Его пребывание здесь кажется сомнительным, однако на данный момент у него нет другого выбора. Он занялся медициной из юношеского упрямства. Его отец был богатым фабрикантом и рассчитывал со временем передать дело

---

[1] Имеется в виду английский генерал Джеймс Вульф (1727—1759), возглавивший Квебекскую экспедицию против французской армии. Упоминается в национальном гимне Канады.

[2] Альфред Теннисон (1809—1892) — английский поэт и драматург викторианской эпохи.

Саймону, который тоже на это рассчитывал. Но сначала ему хотелось немного побунтовать — уйти с проторенных путей, попутешествовать, получить образование, испытать себя, в том числе — в мире науки и медицины, который всегда его привлекал. Потом он мог бы вернуться со своим «коньком» домой, в полной уверенности, что не придется скакать на нем ради заработка. Он знал, что многие светила науки обладали состояниями, которые позволяли им заниматься исследованиями бескорыстно.

Саймон не ожидал столь ранней смерти отца и краха его текстильных мануфактур и до сих пор не знал, что же чему предшествовало. Вместо увеселительной прогулки по тихой реке он потерпел крушение в открытом море и теперь плыл, вцепившись в обломок мачты. Иными словами, ему пришлось во всем полагаться на самого себя — во время юношеских споров с отцом Саймон утверждал, что именно к этому и стремился.

Мануфактуры были проданы, с молотка ушел и внушительный дом его детства с огромным штатом прислуги — горничными, кухарками и служанками. Эта переменчивая череда улыбчивых девушек и женщин с именами типа Элис или Эффи баловала его на протяжении всего детства и юности, и сейчас у него такое чувство, будто их продали вместе с домом. От девушек пахло земляникой и солью, у них были длинные волнистые волосы — или у одной из них, и она иногда их распускала; возможно, это была Эффи. Что же касается его наследства, то оно оказалось меньше, нежели полагала матушка, и бо́льшая его часть досталась ей. Она полагает, что живет в стесненных условиях, и это действительно так, если учесть, какими эти условия были прежде. Мать считает, что жертвует собой ради сына, и он не хочет лишать ее этой иллюзии. Отец был всем обязан самому себе, но мать построила свою жизнь с чужой помощью, а подобные сооружения, как известно, недолговечны.

Поэтому сейчас частная психиатрическая лечебница ему не по карману. Чтобы собрать на нее средства, нужно предложить что-нибудь новое — какое-нибудь открытие или средство лечения, и это в области, которая и так уже изобилует идеями, впрочем, весьма спорными. Возможно, когда он сделает себе имя, то сможет открыть учреждение на паях. Однако нельзя терять контроль: Саймон должен иметь возможность абсолютно свободно следовать своим принципам — как только он их определит. Он напишет проспект: светлые просторные палаты, хорошая вентиляция и канализация, обширная территория с протекающей через нее рекой — ведь журчание воды успокаивает нервы. При этом он откажется от механизмов и всевозможных приспособлений: никаких электрических приборов и магнитов. Правда, подобные изобретения весьма впечатляют американскую публику — ей нравится, когда врач поднимает рычаг или нажимает на кнопку, — но Саймон не верит в их эффективность. Вопреки искушению, он не пойдет на сделку с совестью.

Сейчас все это лишь мечты. Но ему необходим хоть какой-то проект, чтобы показать его матушке. Она должна поверить, что у сына есть цель, пусть даже сама она этой цели не одобряет. Он, конечно, всегда сможет жениться по расчету, как поступила она сама. Мать обменяла свою фамилию и связи на груду звонких монет и мечтает устроить нечто подобное и для него: брачные сделки между обедневшими европейскими аристократами и новоиспеченными американскими миллионерами становятся все более популярными, в том числе в Челноквилле, штат Массачусетс, хотя и в гораздо меньших масштабах. Саймон вспоминает выступающие передние зубы и утиную шейку мисс Веры Картрайт и в отвращении содрогается.

Он смотрит на часы: завтрак опять запаздывает. Каждое утро его на деревянном подносе доставляет Дора, единственная служанка в доме. Она с глухим стуком и грохотом ставит поднос на столик в дальнем углу гостиной, и после ее ухода Саймон туда садится и жадно поглощает те блюда, что кажутся ему съедобными. Он взял за привычку писать перед завтраком за другим столом, побольше, чтобы, склонившись за работой, не поднимать на служанку глаз.

Дора — полная женщина с лицом как блин и маленьким, искривленным ротиком, как у обиженного ребенка. Ее густые черные брови сходятся на переносице, придавая ее хмурой физиономии оттенок вечно возмущенного осуждения. Понятно, что свою работу она ненавидит, и Саймону интересно, чем бы ей самой хотелось заниматься. Он попытался представить Дору проституткой, — Саймон часто играет в эту мысленную игру с различными женщинами, встречающимися ему на пути, — но не смог вообразить себе мужчину, который оплатил бы ее услуги. Все равно что платить за то, чтобы попасть под телегу, и не меньшая угроза для здоровья. Ведь Дора — баба дюжая и способна переломать мужчине хребет своими бедрами, которые Саймон рисует себе сероватыми, как вареные колбасы, колючими, как опаленная индейка, и огромными, как свиные окорока.

Дора отвечает ему таким же неуважением. Очевидно, ей кажется, что Саймон снял эти комнаты с единственной целью — донимать ее. Из его носовых платков она делает фрикасе, рубашки перекрахмаливает и теряет пуговицы от них — наверняка что ни день, собственноручно обрывает. У Саймона даже возникли подозрения, что она умышленно пережаривает гренки и переваривает яйца. Бухая поднос на стол, она орет: «Ваша еда!» — словно зовет есть борова, а затем ковыляет прочь и захлопывает за собой дверь, едва не снося косяки.

Саймон избалован европейскими служанками, от рождения знающими свое место, и еще не привык к возмущенным проявлением равноправия, с которыми так часто можно встретиться по эту сторону океана. Конечно, за исключением Юга, но туда он не ездит.

В Кингстоне можно было бы найти жилье и получше, но ему не хочется переплачивать. Эти комнаты вполне подходят для его недолгого пребывания. К тому же других жильцов нет, а

Саймон ценит уединение и тишину, благоприятствующую размышлениям. Дом каменный, холодный и сырой, но в силу своего темперамента, — возможно, в нем говорит старожил из Новой Англии, — Саймон немного презирает материальный комфорт. А в бытность свою студентом-медиком он приучил себя к монашескому аскетизму и многочасовой работе в тяжелых условиях.

Он вновь поворачивается к письменному столу. «*Дражайшая матушка,* — начинает он. — *Благодарю Вас за длинное и содержательное письмо. Я пребываю в полном здравии и делаю большие успехи в изучении нервно-психических заболеваний среди преступного элемента. Если удастся установить причину этих болезней, то можно будет значительно облегчить страдания людей...*»

Он не в силах дальше писать, поскольку чувствует, что кривит душой. Однако нужно сочинить хоть что-нибудь, иначе мать решит, что он утонул, скоропостижно скончался от чахотки или был ограблен. Погода — тема на все случаи жизни, но нельзя же писать о погоде натощак.

Из ящика стола он вынимает небольшую брошюру, датированную временем совершения убийств и присланную ему преподобным Вdesign.Верринджером. Брошюра содержит признания Грейс Маркс и Джеймса Макдермотта, а также сокращенный вариант судебного протокола. На первой странице — гравюра, изображающая Грейс, которая без труда могла бы сойти за героиню сентиментального романа. В то время ей едва исполнилось шестнадцать, однако на гравюре женщина выглядит лет на пять старше. Плечи закутаны в палантин; края чепчика образуют вокруг головы темный нимб. Прямой нос, прелестный ротик, выражение лица можно бы счесть томным — типичный образ задумчивой Магдалины, устремившей большие глаза в пустоту.

Рядом — парный портрет Джеймса Макдермотта, изображенного в пышном воротнике той эпохи, с зачесанными наперед волосами, напоминающими прическу Наполеона и символизирующими бурный темперамент. Он смотрит сердито, по-байроновски насупленно. Наверное, художника он восхитил.

Под этим двойным портретом стоит каллиграфическая подпись: *Грейс Маркс, она же Мэри Уитни; и Джеймс Макдермотт, какими они явились в суд. Обвиняются в убийстве мистера Томаса Киннира и Нэнси Монтгомери.* Все это неприятно напоминает приглашение на свадьбу. Или напоминало бы, если бы не рисунки.

Готовясь к первой беседе с Грейс, Саймон не обратил на этот портрет никакого внимания. «Наверное, она стала совсем другой, — думал он, — растрепанной, менее сдержанной, с молящим взором и, вполне возможно, безумной». В ее временную камеру Саймона привел смотритель, который запер его вместе с ней, предупредив, что она сильнее, чем кажется, и чертовски больно кусается. Смотритель посоветовал также звать на помощь, если Грейс начнет буянить.

Увидев ее, Саймон сразу понял, что бояться нечего. Утренний свет косо падал из маленького окошка под самым потолком, освещая тот угол, где она стояла. То была почти средневековая картина — простые линии, четкая угловатость: монахиня в келье, дева в башне, ожидающая завтрашней казни на костре или отважного героя, который в последний момент ее спасет. Женщина, загнанная в угол: ниспадающее до пят тюремное платье, которое скрывало наверняка босые ноги; соломенный тюфяк на полу; боязливо ссутуленные плечи; руки, крепко обхватившие худое тело; длинные пряди каштановых волос, выбившиеся из-под чепца, который вначале показался венком из белых цветов; и особенно глаза, огромные глаза на бледном лице, расширенные от страха или в немой мольбе, — все как полагается. В парижской больнице Сальпетриер он повидал немало очень похожих истеричек.

Он подошел к ней со спокойной улыбкой на лице, изображая доброжелательность, — и это была, в конце концов, не просто маска, а подлинное чувство. Важно убедить таких пациентов, что вы-то, по крайней мере, не считаете их сумасшедшими, поскольку они сами никогда себя таковыми не считают.

Но потом Грейс шагнула вперед из островка света, и в следующий миг Саймон внезапно увидел совершенно другую женщину. Она была прямее, выше и хладнокровнее, одета в обычный тюремный наряд с юбкой в синюю и белую полоску, из-под которой выглядывали ноги, но не босые, а в обыкновенных туфлях. Даже волос выбилось не так уж много: почти все они были заправлены под белый чепец.

Глаза ее действительно были необычайно велики, но далеко не безумны. Наоборот, они откровенно его оценивали. Словно бы она знакомилась с объектом какого-то непонятного эксперимента; словно это она была доктором, а он — пациентом.

Вспоминая эту сцену, Саймон морщится. «Я слишком увлекся, — думает он. — Все это плод моего воображения и фантазии. Нельзя отвлекаться от наблюдений, нужно действовать осторожно. Ценность эксперимента подтверждается его результатами. Следует избегать излишней горячности и мелодраматизма».

За дверью слышится шарканье, затем глухой стук. Наверное, принесли завтрак. Он поворачивается к двери спиной и чувствует, как шея втягивается в воротник, словно голова черепахи в панцирь.

— Войдите, — восклицает он, и дверь распахивается.

— Ваша еда! — орет Дора. Грохнув подносом о стол, она выходит из комнаты, и дверь за ней с треском захлопывается. В голове Саймона непроизвольно возникает мимолетный образ Доры, подвешенной за лодыжки в витрине мясника, нашпигованной чесноком и покрытой хрустящей корочкой, будто зажаренный в меду окорок. «Ассоциация идей — поистине удивительная вещь, — думает он. — Достаточно понаблюдать за работой собственного ума. Например: Дора — свинья — окорок. Чтобы перейти от первого термина к третьему, необходим второй, но от первого ко второму и от второго к третьему переход прямой».

Он должен это записать: «Важен промежуточный термин». Возможно, у сумасшедших эти ассоциативные цепочки просто стирают грань между реальностью и простой фантазией, как это случается во время сомнамбулического транса, под воздействием сильного жара или некоторых лекарств? Но каков механизм данного явления? Ведь должен же быть какой-то механизм. Где следует искать разгадку — в нервной системе или в самом мозгу? Что и как нужно вначале повредить, чтобы вызвать душевную болезнь?

Его завтрак, должно быть, остыл, если только Дора еще раньше нарочно его не остудила. Саймон встает с кресла, распрямляет длинные ноги, потягивается и зевает, а затем подходит к другому столу, на котором стоит поднос. Вчерашнее яйцо было тугим, как резина, он сказал об этом хозяйке, изможденной миссис Хамфри, и, вероятно, та сделала Доре выговор, потому что сегодня яйцо и вовсе недоваренное: почти как студень с голубоватым отливом, отчего походит на глазное яблоко.

«Будь проклята эта баба, — думает Саймон. — Недовольная, тупая и мстительная. Ум ее недоразвит, однако она хитра, лжива и коварна. В угол ее не загонишь. Жирная свинья».

Гренок хрустит на зубах, как обломок сланца. *Дражайшая матушка, — мысленно сочиняет он письмо. — Погода здесь чудесная, снег почти весь сошел, в воздухе пахнет весной, солнце согревает своими лучами озеро, и уже мощные зеленые ростки...*

Ростки чего? Он никогда особо не разбирался в цветах.

8

Я СИЖУ В КОМНАТЕ ДЛЯ ШИТЬЯ, наверху лестницы в доме жены коменданта. Сижу на обычном стуле за обычным столом, с обычным шитьем в корзине, только без ножниц. Они требуют, чтобы ножниц у меня под рукой не было, и если мне нужно отрезать нитку или подровнять шов, я должна обращаться к доктору Джордану, который вынимает их из жилетного кармана и снова кладет их туда же, когда я закончу. Он говорит, что вся эта катавасия ни к чему, — он считает меня совершенно неопасной и вполне вменяемой. Видимо, человек доверчивый.

Впрочем, иногда я откусываю нитку зубами.

Доктор Джордан сказал им, что нужно создать атмосферу расслабленности и спокойствия, отвечающую каким-то его целям, и поэтому он попросил сохранить мой привычный распорядок дня. Сплю я по-прежнему в отведенной мне камере, ношу ту же самую одежду и ем тот же завтрак в тишине, если, конечно, это можно назвать тишиной. Сорок женщин, большинство сидит здесь за обычное воровство, жуют хлеб широко раскрытыми ртами и громко хлебают чай, стараясь произвести хоть какой-то шум, а тем временем нам читают вслух поучительный отрывок из Библии.

Думать можно о чем угодно, а вот если засмеешься, лучше притвориться, что закашлялась или подавилась: лучше второе — тогда тебя ударят по спине, а если закашляешься, вызовут врача. Ломоть хлеба, кружка спитого чая и мясо на обед, только немного, потому что переедание жирной пищи возбуждает преступные органы мозга — так говорят врачи, а охранники и смотрители потом нам пересказывают. Но почему тогда их собственные преступные органы не возбуждаются, если они досыта едят мясо, курицу, яичницу с грудинкой и сыр? Поэтому они такие толстые. Мне кажется, они иногда забирают то, что причитается нам, но это ни капельки меня не удивляет, тут везде царит волчий закон: только мы овцы, а волки — они.

После завтрака меня, как обычно, отводят в дом коменданта двое смотрителей, которые любят пошутить между собой, пока начальство не слышит.

— Слышь, Грейс, — говорит один, — я смотрю, у тебя новый ухажер, доктор небось. Не знаю, сам он стал перед тобой на колени или же ты свои коленки перед ним задрала, но лучше ему держать ухо востро, а не то уложишь ты его на обе лопатки.

— Да уж, на лопатки, — говорит другой, — прямо в камере, без сапог и с пулей в сердце. — Они хохочут: думают, что это ужасно смешно.

Я пытаюсь представить, что сказала бы Мэри Уитни, и порой говорю это.

— Если вы действительно так обо мне думаете, то придержите свои грязные языки, — сказала я им. — А не то я вырву их темной ночью у вас изо рта вместе с корнем! Мне даже нож не понадобится — просто схвачу зубами и вырву! И не смейте прикасаться ко мне своими мерзкими лапами!

— Шуток не понимаешь? Я б на твоем месте только рад был, — говорит один. — Кроме нас, к тебе никто и не прикоснется всю оставшуюся жизнь. Тебя ж заперли здесь, как монашку. Признайся, тебе ведь страсть как хочется покувыркаться. Ты ведь путалась с тем коротышкой Джеймсом Макдермоттом, убийцей чертовым, пока ему не выпрямили его кривую шею.

— Брось задаваться, Грейс, — говорит другой. — Хватит корчить из себя саму невинность, будто у тебя и ног-то нет, словно ты чиста, как ангелочек! Можно подумать, ты никогда не леживала в кровати с мужиком, там, в льюистонской таверне, мы ведь слыхали об этом. Когда тебя сцапали, ты надевала корсет и чулки. Но я рад, что в тебе еще остался прежний дьявольский пыл, не выбили его из тебя покуда.

— Ох, люблю, когда в бабе есть задор, — говорит первый.

— Как в бутылке с джином, — подхватывает другой. — Тут и до греха недалеко, прости господи. Маленько растопки, чтоб огонь пуще горел.

— Хорошо, когда баба вдрызг пьяна, — говорит первый, — а еще лучше, если обопьется до беспамятства. Тогда ее и не слышно, ведь нет ничего хуже вопящей шлюхи.

— Ты сильно шумела, Грейс? — спрашивает другой. — Визжала, стонала, извивалась под этим жалким трусишкой? — и смотрит на меня, что я отвечу. Иногда я говорю, что не потерплю таких разговоров, и тогда они от души смеются, но чаще я просто молчу.

Так мы и коротаем время, пока не доберемся до ворот тюрьмы.

— Кто идет? А, это вы, день добрый, Грейс! И два кавалера тут как тут, ходят за тобой, будто к фартуку привязанные. Подмигни да пальцем помани — они тут как тут, бегут вдоль по улице, крепко схватив тебя за руки.

В этом нет надобности, но им это нравится. Они прижимаются ко мне все теснее, пока совсем не стиснут. И мы шлепаем по грязи, через лужи, вдоль куч конского навоза, мимо цветущих деревьев в огороженных садах: листочки и цветы похожи на свисающих желто-зеленых гусениц. Лают собаки, мимо проезжают экипажи и кареты, разбрызгивая по дороге грязь, а люди пялятся на нас — ведь ясно, откуда мы идем, по моей одежке видно. Наконец мы поднимаемся по длинной аллее с цветочными бордюрами к служебному входу.

— Вот она, в целости и сохранности. Пробовала сбежать, верно, Грейс? Улизнуть от нас хотела. Глазищи-то голубые, а сама хитрая! Может, в следующий раз тебе и повезет, девочка моя. Надо было приподнять подол повыше и показать свои чистенькие пятки, да лодыжку в придачу, — говорит один.

— Да нет, еще выше, — добавляет другой, — задрать аж до самой шеи. Тогда б ты шла, как посудина под всеми парусами, с задницей по ветру. От твоих прелестей мы б застыли на месте, как громом пораженные, или ягнята на бойне, когда их по голове стукнут, а ты — хлоп! — и удрала бы.

Они перемигиваются и смеются — это одна похвальба. Они все время говорят друг с другом, не со мной.

Невежи, одним словом.

Я не прислуживаю в доме, как раньше. Жена коменданта меня до сих пор побаивается: думает, что со мной случится новый припадок и я разобью какую-нибудь ее драгоценную чайную чашку. Можно подумать, она никогда не слышала, как люди орут. Поэтому я больше не протираю пыль, не заношу поднос с чаем, не опорожняю ночные горшки и не застилаю постелей. Теперь я работаю на кухне: чищу кастрюли и сковороды на судомойне, или тружусь в прачечной. Я-то не возражаю, ведь мне всегда нравилось стирать: работа тяжелая, и руки от нее грубеют, но зато потом такой свежий запах.

Я помогаю постоянной прачке, старухе Клэрри — наполовину она цветная и была когда-то рабыней, пока здесь с этим не покончили. Она не боится меня, не обращает на меня внимания, и ее не интересует, что я такого совершила, пусть хоть убила джентльмена. Только кивает, будто бы хочет сказать: «Еще одним меньше». Она говорит, что я трудолюбивая, от работы не отлыниваю и мыла зря не перевожу. Я знаю, как обращаться с тонким льняным полотном и как выводить пятна, даже на светлом кружеве, а это не так-то просто. Еще я хорошо крахмалю белье, и можно не опасаться, что я сожгу что-нибудь утюгом, — а большего ей и не надо.

В полдень мы идем на кухню, и кухарка отдает нам остатки из кладовой: в самом худшем случае немного хлеба, сыра и мясного бульона, но обычно еще что-нибудь, ведь Клэрри — ее любимица, и все знают, что Клэрри нельзя перечить, а не то она может вспылить. Жена коменданта просто молится на нее, особенно из-за кружев и оборок, говорит, что она — сущий клад, что ей нет равных, и очень не хотела бы ее потерять. Поэтому Клэрри ни в чем не отказывают, а раз я с ней, то не отказывают и мне.

Тут меня кормят лучше, чем в хозяйских покоях. Вчера нам досталась целая куриная тушка, не траченная. Мы сидели за столом, как две лисы в курятнике, и обгладывали косточки. Наверху подняли такой шум из-за ножниц, а тут вся кухня ощетинилась ножами да вертелами, как дикобраз. Я могла бы в два счета сунуть один в карман фартука, и никто бы не заметил. С глаз долой, из сердца вон — вот их девиз, а под лестницей — для них все равно что под землей. Им-то самим невдомек, что слуги могут по ложечке вынести через черный ход больше, чем хозяин внесет через парадную дверь лопатой, главное — выносить понемножку. Одного маленького ножичка никто ведь не хватится, и лучше всего спрятать его в волосах, под чепцом, туго сколотым булавкой, а то неприятный будет сюрприз, ежели ножик случайно выпадет.

Мы разрéзали куриную тушку таким ножом, и Клэрри съела нежное мясцо внизу, рядом с пупком: она любит его подъедать, если останется, ведь она старшая, и выбор всегда за ней. Мы почти не разговаривали, а только щерились друг другу — курица была уж больно вкусная. Я съела жир на спинке и на шкурке, высосала ребрышки и потом облизала пальцы, как кошка. После обеда Клэрри быстренько покурила трубку на лестнице и вернулась к работе. Мисс Лидия и мисс Марианна пачкают целую груду белья, хоть я вовсе не назвала бы его грязным. Наверно, по утрам они его примеряют, а потом, передумав, снимают, нечаянно бросают на пол и топчутся, и после этого белье приходится отправлять в стирку.

Проходит время, и когда солнце на часах вверху начинает клониться к вечеру, у парадной двери появляется доктор Джордан. Я прислушиваюсь к стуку, звонкам и топоту служанки, а потом меня по черной лестнице уводят наверх: мои руки белые-белые от мыла, а пальцы все сморщились от горячей воды, как у свежей утопленницы, но при этом они красные и шершавые. Наступает пора шитья.

Доктор Джордан садится в кресло напротив и кладет на стол свою записную книжку. Он всегда что-нибудь с собой приносит: в первый день — какой-то засохший голубой цветок, на второй — зимнюю грушу, а на третий — луковицу. Никогда не угадаешь, что он в следующий раз притащит, хотя ему больше нравятся фрукты да овощи. В начале каждой беседы доктор спрашивает меня, что я думаю об этом предмете, и я что-нибудь отвечаю, просто чтоб не расстраивать его, а он это записывает. Дверь всегда должна оставаться открытой, чтобы не возникало никаких подозрений и соблюдались правила приличия. Если б хозяева только знали, что творится каждый день, пока меня к ним ведут! Мисс Лидия и мисс Марианна проходят мимо по лестнице и заглядывают к нам: они ужасно любопытные, и им не терпится посмотреть на доктора.

— По-моему, я забыла здесь наперсток. Добрый день, Грейс, надеюсь, тебе уже лучше? Извините нас, доктор, мы не хотели вам мешать.

Они обаятельно ему улыбаются: прошел слушок, что он неженат и при деньгах, но я не думаю, что хоть одна из них удовольствовалась бы доктором-янки, если бы ей предложили что-нибудь получше. Однако они проверяют на нем свои чары и привлекательность. Впрочем, кривовато им улыбаясь, он тут же хмурит брови. Не обращает на них особого внимания, ведь они всего лишь глупые девчонки, и приходит он сюда не ради них.

Он приходит ради меня. Поэтому ему не нравится, когда прерывают наш разговор.

В первые два дня и прерывать-то было особо нечего. Я сидела, опустив голову, не смотрела на него и дошивала стеганое одеяло для жены коменданта — осталось закончить пять лоскутков. Я смотрела за иглой, сновавшей туда-сюда, хотя мне кажется, я могла бы шить даже во сне, ведь я занимаюсь этим с четырех лет и умею делать крошечные стежки, словно мышка. Начинать учиться лучше смолоду, иначе никогда не освоишь. Главные цвета — светло-розовая веточка и цветок на темно-розовом, белые голуби и виноградные лозы на сине-фиолетовом фоне.

Или я смотрела поверх макушки доктора Джордана на стенку у него за спиной. Там висит картина в рамке: цветы в одной вазе и фрукты в другой, жена коменданта сама вышивала крестиком. Но топорно, потому что яблоки и персики кажутся жесткими и квадратными, словно их вытесали из деревяшки. Далеко не лучшая ее работа, наверно, поэтому она и повесила ее здесь, а не в спальне для гостей. Я бы с закрытыми глазами и то лучше вышила.

Трудно было начать разговор. В последние лет пятнадцать я мало беседовала, совсем не так, как в былые времена с Мэри Уитни, коробейником Джеремайей и Джейми Уолшем до того, как он меня предал. Да я и забыла, как надобно разговаривать. Я сказала доктору Джордану, что не знаю, чего он хочет от меня услышать. А он сказал: его интересует не то, что он хочет от меня услышать, а что я сама хочу сказать. Я ответила, что ничего такого не хочу и не пристало мне хотеть рассказывать.

— Теперь, Грейс, — сказал он, — вы должны постараться, мы заключили сделку.

— Да, сэр, — ответила я, — только мне в голову ничего не лезет.

— Значит, давайте поговорим о погоде, — сказал он. — Вам наверняка есть что сказать, ведь с этого обычно начинают разговор.

Я улыбнулась, но все равно застеснялась. Не привыкла я к тому, чтобы спрашивали мое мнение — даже о погоде, тем более мужчины с записными книжками. Меня расспрашивали только мистер Кеннет Маккензи, эсквайр — мой адвокат, —

но я его боялась; и мужчины в зале суда и в тюрьме, но они были газетчиками и выдумывали про меня всякие небылицы.

Поскольку вначале я не могла поддержать разговор, доктор Джордан говорил сам. Он рассказывал мне о том, что сейчас везде строят железные дороги, о том, как кладут рельсы и как работают паровые двигатели. Это меня успокоило, и я сказала, что хотела бы прокатиться на таком поезде, и он ответил, что, возможно, когда-нибудь я на нем прокачусь. Но я возразила, что это вряд ли, ведь меня приговорили к пожизненному, да и никогда не знаешь, сколько тебе отмерено.

Потом он рассказал мне о своем родном городе — под названием Челноквилль, он находится в Соединенных Штатах Америки, — и сказал, что это ткацкий город, хоть и не такой процветающий, каким был раньше, пока не начали привозить дешевую материю из Индии. Он сказал, что его отец был когда-то владельцем мануфактуры, и на ней работали девушки из деревни. Отец содержал их в чистоте, и они жили в меблированных комнатах с приличными, рассудительными хозяйками. Пить не разрешали, иногда они слушали в гостиной фортепьяно, работали не больше двенадцати часов в день, а по воскресеньям ходили в церковь. От воспоминаний его глаза увлажнились, и я подумала, что, возможно, среди этих девушек у него была зазноба.

Потом он сказал, что девушек учили читать, и те издавали собственный журнал с литературными произведениями. Я спросила, что такое «литературные произведения», и он объяснил, что они писали рассказы и стихи и печатали их там.

— Под собственными фамилиями? — спросила я.

— Да, — ответил он. Я сказала, что это бесстыдство: разве молодых людей это не отпугивало? Кто захочет иметь такую жену, которая записывает всякие выдумки и представляет их всеобщему вниманию? У меня бы никогда не хватило на это смелости. Но он улыбнулся и ответил, что молодых людей это, очевидно, не волновало, потому что девушки откладывали свою заработную плату на приданое, а от приданого еще никто не отказывался. И я сказала, что когда они выйдут замуж, у них будет столько хлопот с детьми, что на писанину просто времени не останется.

Мне стало грустно — я вспомнила, что сама никогда не выйду замуж и у меня никогда не будет своих детей. Хотя в этом тоже есть свои преимущества: не хотелось бы мне нарожать девять или десять карапузов, а потом помереть, как это со многими случается. Но все равно жалко.

Когда грустно, лучше всего переменить тему. Я спросила, жива ли его матушка, и он ответил, что жива, только хворает. И я сказала, что ему повезло: его матушка еще жива, а моя уже померла. Потом я снова сменила тему и сказала, что очень люблю лошадок, а он рассказал мне о лошадке Бесс, которая была у него детстве. И через какое-то время — не знаю, как это произошло, — я понемногу начала замечать, что могу с ним говорить без особого труда и даже придумываю, о чем.

В том же духе мы и продолжаем. Он задает вопрос, я отвечаю, а он записывает. В зале суда все мои слова как будто вырубали топором, и я знала: стоит мне что-нибудь сказать, и я никогда не смогу забрать свои слова обратно. Но все это были неправильные слова, потому что их полностью искажали, даже если вначале то была чистейшая правда. Так же и в Лечебнице с доктором Баннерлингом. Но сейчас я чувствую, что говорю правильные слова. Что бы я ни сказала, доктор Джордан улыбается, записывает и говорит, что я умница.

Пока он пишет, меня тянет к нему, вернее, не меня тянет, а он сам тянется ко мне и как бы пишет у меня на коже — но только не карандашом, а старинным гусиным пером, и не его стволом, а самим оперением. Словно бы сотни бабочек расселись у меня на лице, и они нежно складывают и расправляют крылья.

Но под этим чувством таится другое — очень внимательное и настороженное. Словно бы я проснулась посреди ночи оттого, что моего лица кто-то коснулся, сижу в постели, сердце бешено колотится, а вокруг никого. А под этим чувством еще одно скрывается — словно меня разорвали на части, но не как тело из плоти и крови, а как персик, потому что мне совсем не больно, и даже не разорвали, а просто я перезрела и треснула сама.

И внутри персика — косточка.

9

От доктора медицины Самюэля Баннерлинга,
«У кленов», Фронт-стрит, Торонто, Западная Канада,
доктору медицины Саймону Джордану,
через миссис Уильям П. Джордан,
«Дом в ракитнике», Челноквилль, Массачусетс,
Соединенные Штаты Америки.
Переадресовано через майора Ч. Д. Хамфри,
Лоуэр-Юнион-стрит, Кингстон, Западная Канада.

20 апреля 1859 года

Глубокоуважаемый доктор Джордан!

Я получил Ваш запрос к доктору Уоркмену от 2 апреля касательно осужденной Грейс Маркс и его записку с просьбой снабдить Вас имеющейся у меня дополнительной информацией.

Вынужден сразу же сообщить Вам, что я почти не встречался с доктором Уоркменом. По моему мнению, — а я работал в этой Лечебнице намного дольше, чем он, — его снисходительная политика вылилась в бесплодную затею: он пытается сшить из свиных ушей шелковые кошельки. Большинство страдающих тяжелыми нервно-мозговыми расстройствами неизлечимы, за ними можно лишь надзирать; и в этом отношении физические ограничения и наказания, строгая диета, банки и кровопускание, избавляющие от переизбытка животной энергии, доказали в прошлом свою эффективность. И хотя доктор Уоркмен утверждает, что в нескольких случаях, считавшихся ранее безнадежными, его результаты были положительными, эти предполагаемые исцеления, несомненно, окажутся в будущем поверхностными и временными. Вирус безумия растворен в крови, и его нельзя удалить с помощью фланельки да мягкого мыла.

Доктор Уоркмен имел возможность обследовать Грейс Маркс лишь несколько недель, под моим же присмотром она оставалась более года, и поэтому его заключение о характере больной не может иметь большой ценности. Однако он оказался достаточно проницателен, чтобы установить один существенный факт: Грейс Маркс только притворялась душевнобольной. К этому же мнению я пришел и сам, но тогдашняя администрация не захотела принять его во внимание. Постоянное наблюдение за пациенткой и за ее хитроумными выходками позволило мне сделать вывод, что на самом деле она не умалишенная, а преднамеренно и самым возмутительным образом пытается ввести меня в заблуждение. Откровенно говоря, ее безумие было обманом и надувательством, и она симулировала его, потакая и заставляя всех остальных потакать своим желаниям, поскольку ее не устраивал строгий режим исправительного учреждения, куда она была помещена в качестве заслуженного наказания за свои зверские преступления.

Она превосходная актриса и весьма искусная лгунья. Находясь у нас, она развлекала себя мнимыми припадками, галлюцинациями, дурачествами, заливистым пением и т. п., и для исполнения роли Офелии ей не хватало лишь вплетенных в волосы полевых цветов. Впрочем, она прекрасно обходилась и без них, поскольку ей удалось обмануть не только достойную миссис Муди, которая, подобно многим другим великодушным женщинам, готова поверить в любую мелодраматическую чушь, лишь бы та была достаточно трогательной (ее неточный, истерический отчет обо всей этой грустной истории Вы, несомненно, читали), но и нескольких моих коллег. Последнее служит замечательной иллюстрацией старинного правила: когда миловидная женщина входит в дверь, здравый смысл улетучивается в окно.

Если же Вы, тем не менее, решитесь осмотреть Грейс Маркс в ее нынешнем месте проживания, то позвольте серьезно Вас предостеречь. Многие Ваши старшие и умудренные опытом товарищи попадались в ее сети, и советую Вам заткнуть уши воском, как Улисс приказал заткнуть их своим морякам, дабы не слышать пения Сирен. Она лишена морали в той же мере, в какой ее не обременяет совесть, и постарается использовать все, что попадется ей под руку.

Я также должен Вас предупредить: коль скоро Вы впутались в это дело, Вас начнет осаждать толпа благожелательных, но слабоумных персон обоего пола, включая священнослужителей, выступающих в защиту осужденной. Они заваливают правительство прошениями об ее освобождении и попытаются во имя милосердия заручиться Вашей поддержкой. Мне приходилось неоднократно указывать им на дверь, сообщая при этом, что Грейс Маркс заключена в тюрьму по очень веской причине: за совершенные ею жестокие преступления, продиктованные ее развращенным нравом и болезненным воображением. Выпустить ее на свободу было бы в высшей степени безответственным шагом, поскольку тем самым она просто получила бы возможность потворствовать своим кровожадным наклонностям.

Я твердо убежден, что если Вы все же пожелаете изучать этот вопрос далее, то придете к тем самым выводам, к которым уже пришел

Ваш покорный слуга,

Д-р *Самюэль Баннерлинг* (доктор медицины).

10

Cегодня утром Саймон встречается с преподобным Верринджером. Он не ждет от этой встречи ничего хорошего: священник учился в Англии и обязательно начнет важничать. Самые несносные глупцы — это глупцы образованные, и в собственное оправдание Саймону придется продемонстрировать свои европейские рекомендации и блеснуть эрудицией. Свидание будет докучливым, Саймону захочется растягивать слова, говорить *«по моим прикидкам»* и пользоваться британским колониальным вариантом деревянно-мускатно-торгашеского говора янки, чтобы только позлить собеседника. Впрочем, нужно держать себя в руках: слишком многое зависит от его примерного поведения. Он постоянно забывает, что уже давно перестал быть богачом, который сам себе хозяин.

Он стоит перед зеркалом, пытаясь завязать галстук. Саймон ненавидит галстуки и шейные платки, ему хотелось бы послать их все к черту; он возмущается также брюками и вообще любой приличной жесткой одеждой. Зачем цивилизованный человек мучает свое тело, запихивая его в смирительную рубашку джентльменского платья? Наверное, для смирения плоти, вместо власяницы. Мужчины должны рождаться в маленьких шерстяных костюмчиках, которые с годами будут расти. Это позволило бы избежать общения с вечно суетливыми и недобросовестными портными.

Хорошо, что он хоть не женщина и не обязан носить корсеты и уродовать себя тугой шнуровкой. К широко распространенному мнению о том, что женщины — бесхребетные, студенистые существа, которые расплылись бы на полу, подобно плавленому сыру, если бы их не обвязывали веревками, Саймон испытывал лишь презрение. За годы учебы он вскрыл немало женских трупов, — из трудящихся, разумеется, классов, — и позвоночник с мускулатурой были у них в среднем ничуть не слабее, чем у мужчин, хотя многие страдали рахитом.

Ему с трудом удалось завязать галстук «бабочкой». Правда, немного перекошенной, однако на большее он не способен: он больше не может позволить себе камердинера. Саймон расчесывает непослушные пряди, которые сразу же начинают топорщиться опять. Затем берет пальто и, поразмыслив, зонтик. В окно пробивается слабый солнечный свет, но это вовсе не означает, что дождя не будет. По весне Кингстон — место слякотное.

Он пытается незаметно спуститься по парадной лестнице, но ему это не удается: хозяйка решила перехватить его, чтобы обсудить какой-то пустяк, и теперь бесшумно выплывает из гостиной в своем выцветшем черном кружевном воротничке, сжимая в тонкой руке привычный носовой платок, как будто глаза у нее всегда на мокром месте. Видимо, не так давно она была красавицей и оставалась бы ею, если бы прикладывала для этого хоть малейшие усилия и если бы ее светлые волосы не были так сурово расчесаны на прямой пробор. Лицо у нее сердечком, кожа — молочно-белая, глаза — большие и умоляющие. Хотя у нее стройная талия, в ней чувствуется что-то металлическое, словно бы вместо корсета она втискивается в короткую дымовую трубу. Сегодня на ее лице — привычная утрированная тревога; от нее пахнет фиалками, камфарой, — наверняка она склонна к мигреням, — и еще чем-то, Саймон не понимает, чем. Горячий сухой запах. Выглаженной белой простыней?

Саймон, как правило, избегает измотанных, слегка помешанных женщин такого типа, хотя к врачам их притягивает как магнитом. Впрочем, в ней все же есть строгая безыскусная грация, будто у квакерского молитвенного дома. Но это всего лишь эстетическая привлекательность. Нельзя же заниматься любовью с небольшим культовым сооружением!

— Доктор Джордан, — говорит она. — Я хотела спросить вас...

Она медлит. Саймон улыбается, словно подбадривая ее.

— Вы довольны сегодняшним яйцом? Я сварила его сама.

Саймон лжет. Правда прозвучала бы непростительно грубо.

— Было очень вкусно, спасибо, — говорит он.

В действительности яйцо напоминало своей консистенцией вырезанную опухоль, которую студент-однокашник однажды в шутку положил ему в карман, — такое же тугое и одновременно рыхлое. Чтобы так поиздеваться над яйцом, нужно обладать извращенным талантом.

— Я очень рада, — говорит она. — Так трудно найти хорошую прислугу. Вы уходите?

Это настолько очевидно, что Саймон лишь кивает головой.

— Вам еще одно письмо, — говорит она. — Служанка затеряла его, но я нашла. Я положила его на стол в холле.

Она произносит это с дрожью в голосе, словно бы любое письмо к Саймону должно иметь трагическое содержание. Ее губы выпячены, но они дрожат, словно готовая вот-вот опасть роза.

Саймон благодарит ее, прощается, забирает письмо, — оно от матери, — и уходит. Он не желает давать повод к долгим беседам с миссис Хамфри. Она одинока (как не быть одинокой с таким мужем, как этот отупевший от пьянства, непутевый майор?), а одиночество для женщины — что голод для собаки. У него нет ни малейшей охоты на исходе дня выслушивать ее скорбные признания в гостиной с задернутыми шторами.

Тем не менее она — интересный предмет изучения. Так, например, у нее очень возвышенное представление о себе самой, не соответствующее ее нынешнему положению. В детстве у нее наверняка была гувернантка: это заметно по осанке. Она казалась такой суровой и привередливой, когда Саймон договаривался об арендной плате, что он постеснялся спросить, включена ли в нее стирка. Судя по ее манерам, она не привыкла обсуждать с мужчинами состояние их личных вещей, возлагая решение этого щекотливого вопроса на слуг.

Она ясно, хоть и косвенно дала понять, что вынуждена сдавать жилье против своей воли. Она делает это впервые, в связи с затруднениями, которые наверняка окажутся временными. Более того, она была весьма разборчива — в ее объявлении значилось: *«Джентльмен со спокойным характером, согласный столоваться в другом месте».* И когда Саймон, осмотрев комнаты, сказал, что хотел бы их снять, она вначале колебалась, а затем попросила заплатить за два месяца вперед.

Саймон осматривал и другие предлагаемые жилища, но они оказывались либо слишком дорогими для него, либо гораздо более грязными, и поэтому он согласился на это. У него с собой имелась необходимая сумма наличными. Он с интересом отметил смешанное чувство отвращения и нетерпения, которое выказала хозяйка, а также нервный румянец на щеках, вызванный этой сценой. Тема была для нее неприятной, почти неприличной, она не хотела притрагиваться к деньгам голыми руками и предпочла бы, чтобы он вложил их в конверт. И все же ей пришлось сдержать себя, чтобы не выхватить их у Саймона.

Почти такое же отношение — застенчивость при денежных расчетах, желание сделать вид, будто на самом деле ничего не происходит, и затаенная алчность — отличало французских проституток классом повыше, хотя они были менее бестактными. Саймон не считал себя авторитетом в данной области, но он изменил бы своему призванию, если бы не воспользовался предоставляемыми Европой возможностями, ведь в Новой Англии подобные услуги были практически недоступны и не столь разнообразны. Чтобы лечить людей, необходимо их знать, но нельзя узнать их издали; нужно водить с ними компанию. Он считал своим профессиональным долгом исследовать изнанку жизни, и хотя пока не сильно в этом преуспел, начало, во всяком случае, было положено. Разумеется, он принимал надлежащие меры предосторожности, чтобы не подцепить скверной болезни.

На улице Саймон встречает майора, который пристально, будто сквозь густую пелену, смотрит на него. Глаза красные, галстук съехал набок, одной перчатки нет. Саймон пытается представить, как протекает майорский запой и сколько он уже продолжается. Вероятно, когда уже нельзя потерять доброе имя, появляется определенная свобода. Саймон кивает и приподнимает шляпу. Майор смотрит с оскорбленным видом.

Саймон отправляется пешком к резиденции преподобного Верринджера на Сайденхем-стрит. Он не нанял экипажа или хотя бы лошади: расходы себя не оправдали бы, ведь Кингстон — городишко небольшой. Улицы грязны и завалены конским навозом, но у Саймона отличные сапоги.

Дверь внушительного особняка открывает пожилая женщина с лицом, похожим на сосновую доску: преподобный отец не женат и нуждается в безупречной экономке. Саймона проводят в библиотеку. Эта библиотека вызывает у него такое стеснение, что ему настоятельно хочется ее поджечь.

Преподобный Верринджер поднимается из кожаного кресла с подголовником и протягивает ему руку. Хотя волосы и кожа у него одинаково тонкие и бледные, рукопожатие — на удивление крепкое. Ротик до обидного маленький, губки надутые (как у головастика, думает Саймон), но римский нос указывает на сильный характер, выпуклый лоб — на развитый интеллект, а глаза ясные и проницательные, хоть и немного навыкате. Ему не больше тридцати пяти, и, наверное, у него хорошие связи, думает Саймон, если он так быстро продвинулся по методистской служебной лестнице и привлек столь многочисленную паству. По количеству книг можно судить, что у него водятся деньги. У Саймонова отца тоже были книги.

— Рад, что вы пришли, доктор Джордан, — говорит он; голос у него не такой медоточивый, как опасался Саймон. — Очень любезно с вашей стороны, что пожаловали к нам. Ведь ваше время, должно быть, бесценно.

Они садятся, экономка с дощатым лицом приносит кофе. Рисунок на подносе простой, но сам он серебряный. Чисто методистский поднос: неброский, но спокойно подтверждающий свою ценность.

— Этот вопрос представляет для меня огромный профессиональный интерес, — говорит Саймон. — Не часто попадаются случаи с таким множеством интригующих деталей.

Он говорит с таким видом, будто бы через его руки прошли сотни пациентов. Главное — выглядеть заинтересованным, но не проявлять излишнего нетерпения, вести себя так, словно он сам делает одолжение. Саймон надеется, что не покраснел.

— Своим отчетом вы оказали бы значительную помощь Комиссии, — говорит преподобный Верринджер, — если он подтвердит предположение о невиновности. Мы приложили бы его к своему прошению, ведь в наши дни правительство более склонно принимать во внимание мнение знатока. Ну и конечно, — добавил он, проницательно посмотрев на Саймона, — каким бы ни было ваше заключение, вам заплатят условленную сумму.

— Я все понимаю, — отвечает Саймон с учтивой, как он надеется, улыбкой. — Полагаю, вы учились в Англии?

— Я начал исполнять свое призвание в Государственной Церкви, — говорит преподобный Верринджер, — но затем пережил духовный кризис. Свет Слова Божьего и его благодать, несомненно, доступны и тем, кто не состоит в англиканской церкви[1], и могут быть обретены путем более непосредственным, нежели литургия.

---

[1] Англиканская церковь — одна из протестантских церквей; государственная церковь в Англии. Возникла в период Реформации в XVI в. По культу и организационным принципам близка католической. Церковную иерархию возглавляет король.

— Очень хотелось бы на это надеяться, — вежливо соглашается Саймон.

— Его преподобие Эджертон Райерсон из Торонто[1] следует этому же направлению. Он возглавляет крестовый поход за бесплатное школьное образование и запрет алкогольных напитков. Вы, конечно, о нем слышали.

Саймон о нем не слышал. Он издает двусмысленное «гм», которое, как он рассчитывает, сойдет за согласие.

— Вы сами какого вероисповедания?

Саймон увиливает от ответа:

— Мой отец был квакером, — говорит он. — Его семья много лет состояла в этой церкви. А мать принадлежит к унитариям[2].

— Ясно, — подхватывает преподобный Верринджер, — в Соединенных Штатах все иначе.

Наступает пауза; собеседники обдумывают сказанное.

— Но вы же верите в бессмертие души?

Это коварный вопрос — ловушка, от которой зависит его судьба.

— Ну да, разумеется, — отвечает Саймон. — Как в этом можно сомневаться.

Верринджеру, кажется, полегчало:

— Многих ученых мужей одолевают сомнения. Тело оставьте врачам, говорю я, а душу — Богу. Как говорится, кесарю кесарево.

— Безусловно, безусловно.

— Доктор Бинсвангер очень высоко о вас отзывался. Я имел удовольствие встретиться с ним, путешествуя по континенту: Швейцария представляет для меня большой интерес с точки зрения истории, — и говорил с ним о его работе. По-

---

[1] Адольфус Эджертон Райерсон (1803—1882) — канадский священник, политик, писатель и деятель образования из провинции Онтарио.

[2] Унитарии — антитринитарии-протестанты. Вместе с догматом о Троице отвергали церковное учение о грехопадении, таинства (в т. ч. признаваемые протестантами). Преследовались и католиками, и ортодоксальными протестантами. В XVII в. обосновались в Англии, с первой половины XIX в. центр движения переместился в США.

этому, естественно, я обратился к нему за советом, когда стал искать крупного специалиста по эту сторону Атлантики. Такого, — он запнулся, — который оказался бы нам по средствам. Доктор Бинсвангер заявил, что вы хорошо разбираетесь в нервно-мозговых заболеваниях и что в вопросах амнезии вы скоро станете ведущим специалистом. Он утверждает, что вы подаете большие надежды.

— Весьма любезно с его стороны, — бормочет Саймон. — Это очень сложная область. А я опубликовал лишь пару-другую небольших статей.

— Будем надеяться, что по завершении своих исследований вы сможете пополнить их число и пролить свет на эти непостижимые тайны. И я уверен, что общество удостоит вас заслуженного признания. Это, в первую очередь, касается данного нашумевшего дела.

Саймон отмечает про себя, что хотя у преподобного Верринджера рот, как у головастика, сам он далеко не дурак. У него нюх на честолюбивые планы других людей. Наверное, его переход из англиканской церкви в методистскую не случайно совпал по времени с политическим закатом первой и восхождением второй в Канаде?

— Вы прочитали высланный мною отчет?

Саймон кивает.

— Я понимаю, что вы стоите перед дилеммой, — говорит он. — Не знаете, чему же вам верить. Ведь на следствии Грейс, похоже, рассказала одну историю, на суде — другую, а после того, как ее смертный приговор заменили пожизненным заключением, — вообще третью. Впрочем, во всех трех случаях она утверждала, что и пальцем не тронула Нэнси Монтгомери. Однако несколько лет спустя появляется отчет миссис Муди, где приведено, по сути, признание Грейс в том, что она действительно совершила данное деяние. И этот рассказ не противоречит последним словам Джеймса Макдермотта перед казнью. Однако вы говорите, что после возвращения из больницы она это отрицала.

Преподобный Верринджер отпивает кофе.

— Она говорит, что ничего не помнит, — произносит он.

— Ах не помнит, — говорит Саймон. — Тонкий нюанс.

— Ее вполне могли убедить в том, что она совершила преступление, в котором неповинна, — поясняет преподобный Верринджер. — Такое и раньше случалось. Так называемое «Признание», столь красочно описанное миссис Муди, имело место после многолетнего заключения в исправительном доме, при установленном его комендантом Смитом режиме. Общеизвестно, что это был растленный человек, совершенно не подходивший для своей должности. Его обвиняли в крайне грубом, отвратительном поведении: так, например, сыну его разрешалось стрелять в осужденных, как по мишеням, и однажды сынок даже выбил кому-то глаз. Ходили также слухи о жестоком обращении с заключенными женского пола, и можете себе представить, какие формы оно принимало. Боюсь, это не вызывает никаких сомнений, поскольку было проведено тщательное расследование. Я объясняю временное умопомешательство Грейс Маркс именно этим дурным обращением.

— Но кое-кто отрицает ее умопомешательство, — возражает Саймон.

Преподобный Верринджер улыбается:

— Наверное, вы имеете в виду доктору Баннерлинга. Он был настроен против нее с самого начала. Наша комиссия обратилась к нему, ибо его благоприятный отзыв оказал бы неоценимую помощь нашему делу, но доктор остался непреклонен. Что же вы хотите от закоренелого тори: дать ему волю, он бы приковал бедных сумасшедших цепями к кроватям и вешал бы каждого, кто косо на него посмотрит. К сожалению, должен признаться, я считаю его представителем той растленной системы, что ответственна за назначение на должность коменданта столь грубого и невежественного человека, как Смит. Я понимаю, что в Лечебнице не обошлось без злоупотреблений: после возвращения Грейс Маркс даже высказывались подозрения, что она — в деликатном положении. К счастью, все эти слухи оказались безосновательными. Но какое малодушие, какая бессердечность — пытаться совратить не владеющих собой несчастных женщин! С Грейс Маркс я провел много времени в молитвах, стараясь залечить раны, что были нанесены ей этими вероломными и заслуживающими порицания изменниками, обманувшими общественное доверие.

— Весьма прискорбно, — отмечает Саймон. О подробностях выспрашивать нельзя — сочтет за нездоровое любопытство.

И вдруг его осеняет — преподобный Верринджер влюблен в Грейс Маркс! Отсюда его негодование, его горячность, его настойчивые прошения и комиссии и прежде всего — вера в ее невиновность. Возможно, ему хочется вытащить ее из тюрьмы, полностью ее оправдав, а затем на ней жениться? Она все еще недурна собой и наверняка будет испытывать к своему избавителю трогательную признательность. Униженную признательность. Ведь на духовной бирже Верринджера униженная признательность — несомненно, товар наипервейший.

— К счастью, произошла смена правительства, — говорит преподобный Верринджер. — Но мы все равно не желаем давать ход своему нынешнему прошению, пока не убедимся, что прочно стоим на ногах. Поэтому мы и решили обратиться к вам. Не стану от вас скрывать — далеко не все члены комиссии поддержали это решение, но мне удалось убедить их в необходимости получить объективное заключение компетентного специалиста. Например, диагноз о скрытом умопомешательстве в момент совершения убийств. Впрочем, следует соблюдать величайшую осторожность и честность. Общество в целом настроено против Грейс Маркс, ведь Канада — очень фанатичная страна. Очевидно, тори путают дело Грейс с «ирландским вопросом»[1], хоть она и протестантка, и принимают убийство одного джентльмена-тори, — каким

---

[1] «Ирландский вопрос» — проблема, связанная с борьбой Ирландии за независимость от Великобритании. В 1921 г. закончилась Ирландской гражданской войной и разделением страны на Северную Ирландию, оставшуюся в составе Соединенного Королевства, и независимую Ирландскую Республику.

бы достойным ни был этот джентльмен и каким бы прискорбным ни было это убийство, — за общенародное восстание.

— Каждую страну раздирают разногласия, — тактично замечает Саймон.

— Но даже если оставить это в стороне, — продолжает преподобный Верринджер, — мы стоим перед выбором: возможно, та, кого многие считают виновной, невиновна — или, возможно, та, кого некоторые считают невиновной, виновна. Нам не хотелось бы давать противникам реформ повод для новых нападок. Но, как речет Господь, «истина сделает вас свободными»[1].

— Истина может оказаться неожиданной, — говорит Саймон. — Возможно, то, что мы привыкли называть злом — причем злом, совершённым по собственной воле, — является всего лишь заболеванием, вызванным каким-либо поражением нервной системы, а сам Дьявол — просто некий порок головного мозга.

Преподобный Верринджер улыбается.

— Сомневаюсь, что до этого дойдет, — говорит он. — Каких бы достижений ни добилась наука в будущем, Дьявол всегда пребудет на свободе. Полагаю, вы приглашены в воскресенье к коменданту?

— Да, я удостоился этой чести, — вежливо отвечает Саймон: он-то намеревался вежливо отказаться.

— С радостью увижусь там с вами, — говорит преподобный Верринджер. — Я сам устроил для вас приглашение. Изумительная супруга коменданта — бесценный член нашей комиссии.

---

[1] Иоан. 8:32.

II

В ДОМЕ КОМЕНДАНТА САЙМОНА проводят в гостиную, которую, судя по ее внушительным размерам, вполне можно
назвать парадной. Стены и мебель обиты материей цвета че-
ловеческих внутренностей — темно-бордовых почек, пур-
пурно-красных сердец, темно-синих вен, желтовато-белых
зубов и костей. Он представляет, какой фурор мог бы произвести, если бы высказал это *aperçu*[1] вслух.

Его приветствует жена коменданта. Это интересная женщина лет сорока пяти, весьма представительная, но одетая в
лихорадочно-провинциальном стиле. Здешним барышням,
очевидно, кажется, что если один ряд кружев и рюшей —
это хорошо, три ряда — еще лучше. У нее встревоженный
взгляд и слегка выпученные глаза, что свидетельствует либо
о повышенной нервозности, либо о заболевании щитовидной
железы.

— Я так рада, что вы удостоили нас своим посещением, —
говорит она. Сообщает ему, что комендант, к сожалению, уехал по делам, но сама она живо интересуется его работой.
Она с большим уважением относится к современной науке,
особенно — к современной медицине, где совершено так
много открытий. Например, эфир, который избавляет людей
от стольких страданий. Она пристально смотрит на него тяжелым, многозначительным взглядом, и Саймон про себя
вздыхает. Это выражение лица ему хорошо знакомо: хоть ее

---

[1] Мимолетное впечатление (*фр.*).

никто не просил, жена коменданта собирается поведать ему о своих симптомах.

Получив медицинскую степень, Саймон был еще не готов к тому впечатлению, которое она производит на женщин из высшего общества — особенно замужних леди с безупречной репутацией. Их притягивало к нему, словно бы он обладал каким-то бесценным и при этом дьявольским сокровищем. Эти женщины проявляли невинный интерес, вовсе не собираясь приносить ему в жертву свою добродетель, но стремились заманить его в темный уголок, побеседовать с ним вполголоса и робко, с дрожью в голосе, — ведь он внушал им еще и страх, — поверить свои тайны. В чем же секрет его привлекательности? Вряд ли дело в лице, — не уродливом, но и не красивом, — которое он видел в зеркале.

Через некоторое время он понял. Они жаждали знания — хоть и не признавались, ведь то было запретное знание со зловещим привкусом, знание, которое обретают, спускаясь в преисподнюю. Он побывал там, куда им никогда не попасть, видел то, чего им никогда не увидеть. Он вскрывал женские трупы и заглядывал внутрь. Быть может, в руке, которой Саймон только что подносил их руки к своим губам, он когда-то держал бьющееся женское сердце.

Иными словами, он входит в мрачную троицу: врач, судья, палач — и разделяет с ними власть над жизнью и смертью. Потерять сознание и бесстыдно лежать обнаженной, сдавшись на его милость, чтобы он их касался, разрезал, потрошил и снова зашивал, — вот о чем они думают, когда смотрят на него своими широко раскрытыми глазами, слегка приоткрыв рот.

— Я испытываю ужасные страдания, — начинает жена коменданта. Застенчиво, словно показывая лодыжку, она пересказывает симптомы: учащенное дыхание, спазмы в груди, — намекая, что есть и другие, более выраженные. У нее болит... Нет, ей не хотелось бы говорить, где именно. Какова бы могла быть причина этой боли?

Саймон улыбается и отвечает, что больше не занимается общей практикой.

Мгновенно подавив недовольство, жена коменданта тоже улыбается и говорит, что хотела бы познакомить его с миссис Квеннелл, знаменитой спириткой, борющейся за расширение прав женщин, руководительницы их вторничного дискуссионного кружка, а также спиритических четвергов. Человек редких достоинств, она также повидала мир — бывала в Бостоне и других городах. В своей огромной юбке на кринолине миссис Квеннелл напоминает лавандовое желе со взбитыми сливками, и возникает впечатление, будто у нее на голове сидит маленький серый пудель. Она, в свою очередь, представляет Саймона доктору Джерому Дюпону из Нью-Йорка, который как раз сейчас у нее гостит и обещает продемонстрировать свои замечательные способности. Он очень известный человек, добавляет миссис Квеннелл, и в Англии останавливался у членов королевской семьи. Ну, возможно, не совсем королевской, но безусловно аристократической.

— Замечательные способности? — вежливо переспрашивает Саймон. Хотелось бы узнать, что это за способности. Возможно, этот малый утверждает, что умеет левитировать и в него вселяется дух мертвого индейца или же он производит спиритические стуки, как знаменитые сестры Фокс[1]. Спиритизм — повальное увлечение среднего класса, особенно дам. Подобно тому как их бабушки играли в вист, современные женщины собираются в темных комнатах и занимаются столоверчением или «автоматически» записывают объемистые послания, продиктованные Моцартом либо Шекспиром. В последнем случае загробная жизнь необычайно ухудшает слог, отмечает про себя Саймон. Если бы все эти люди не были такими состоятельными, они загремели бы в сумасшедший дом. А между тем они наводняют свои гостиные факирами и шарлатанами, облаченными в неряшливые тоги самопровозглашенной святости, а принятые в обществе правила предписывают учтиво с ними обходиться.

---

[1] См. послесловие автора.

У доктора Джерома Дюпона глубоко посаженные, водянистые глаза и напряженный взгляд профессионального шарлатана, но он грустно улыбается и недоуменно пожимает плечами.

— Боюсь, не такие уж и замечательные, — говорит он. У него легкий иностранный акцент. — Это просто иной язык: если вы им владеете, то принимаете все как должное. Другие же находят ваши способности замечательными.

— Вы общаетесь с покойниками? — спрашивает Саймон, и его губа дергается в нервном тике.

Доктор Дюпон улыбается:

— Нет, что вы! — отвечает он. — Меня можно назвать практикующим врачом. Или пытливым исследователем вроде вас. Я изучал нейрогипноз в школе Джеймса Брейда[1].

— Я слышал о нем, — говорит Саймон. — Шотландец, по-моему? Кажется, он большой авторитет по косолапости и страбизму. Но официальная медицина, разумеется, не признает прочих его утверждений. Разве нейрогипноз — это не реанимированный труп развенчанного животного магнетизма Месмера[2]?

— Месмер исходил из ошибочного предположения, будто тело окружено магнетическим флюидом, — возражает доктор Дюпон. — Методы же Брейда касаются исключительно нервной системы. Я мог бы добавить, что те, кто их оспаривает, просто никогда не проверяли их на практике. Эти методы получили более широкое признание во Франции, где врачи менее склонны малодушно следовать общепринятым мнениям. Разумеется, нейрогипноз приносит наибольшую пользу в случаях истерии, и переломанную ногу с его помощью не выправишь. Но в случаях амнезии, — он едва заметно улыбнулся, — эти

[1] Джеймс Брейд (1795—1860) — шотландский ученый, зачинатель современного гипноза. Нейрогипноз — предложенная им форма гипноза, воздействующего непосредственно на центральную нервную систему человека.

[2] Франц Антон Месмер (1734—1815) — немецкий врач, богослов и астролог, исследователь «животного магнетизма».

методы часто давали поразительные и, можно даже сказать, ошеломляющие результаты.

Саймон чувствует, что находится в невыгодном положении, и меняет тему разговора:

— Дюпон — это французская фамилия?

— Я из семьи французских протестантов, — отвечает доктор Дюпон. — Но только по линии отца. Он был химиком-любителем. Сам же я — американец. Но, конечно, посещал Францию в связи со своей профессиональной деятельностью.

— Возможно, доктор Джордан захочет присоединиться к нашей компании? — перебивает их миссис Квеннелл. — Я имею в виду наши спиритические четверги. Нашей милой комендантше так утешительно сознавать, что ее малыш, находящийся теперь в мире ином, здоров и счастлив. Я уверена, что вы, доктор Джордан, скептик, но мы всегда рады скептикам!

Крошечные блестящие глазки под прической-пуделем шаловливо ему подмигивают.

— Я не скептик, — возражает Саймон, — а просто врач.

Он не желает втягиваться в какую-то компрометирующую, вздорную затею. Интересно, о чем думал Верринджер, принимая эту женщину в свою комиссию? Очевидно, она богата.

— Целитель, исцелися сам, — изрекает доктор Дюпон. Кажется, шутит.

— Какую позицию вы занимаете в вопросе аболиционизма, доктор Джордан? — спрашивает миссис Квеннелл. Теперь эта женщина, превратившись в интеллектуалку, развернет ожесточенную политическую дискуссию и наверняка прикажет ему сию же секунду отменить рабство на Юге. Саймону осточертело постоянно выслушивать персональные обвинения во всех грехах собственной страны, особенно от этих британцев, которые, видимо, полагают, что их недавно проснувшаяся совесть может служить оправданием того, что раньше никакой совести у них не было. На чем же покоится их нынешнее богатство, если не на работорговле? И что стало бы с их крупными ткацкими центрами, если бы не южный хлопок?

— Мой дедушка был квакером, — говорит Саймон. — В детстве меня учили никогда не отпирать дверь чулана, потому что там мог прятаться какой-нибудь беглый невольник. Дедушка говорил: «Одно дело — постоянно рисковать своей жизнью, и совсем другое — лаять на прохожих из-за высокого забора».

— Стены из камня — еще не тюрьма, — весело приговаривает миссис Квеннелл.

— Но все ученые должны обладать непредубежденным умом, — добавляет доктор Дюпон, очевидно, продолжая предыдущий разговор.

— Я уверена, что ум доктора Джордана свободен от любых предубеждений, — говорит миссис Квеннелл. — Говорят, вы интересуетесь нашей Грейс? С духовной точки зрения.

Саймону ясно, что если он попытается объяснить разницу между духовностью в ее понимании и бессознательным в своем понимании, то безнадежно запутается. Поэтому он просто улыбается и кивает.

— Что вы собираетесь предпринять? — спрашивает Дюпон. — Чтобы восстановить утраченные воспоминания?

— Я начал с метода, основанного на внушении и ассоциации идей, — отвечает Саймон. — Пытаюсь мягко, постепенно восстановить мыслительную цепочку, которая прервалась, возможно, вследствие потрясения от тех бурных событий, в которые была вовлечена эта женщина.

— Вот оно что! — восклицает доктор Дюпон с улыбкой превосходства. — Значит, вы медленно, но уверенно движетесь к победе!

Саймону хочется дать ему пинка.

— Мы уверены, что она невиновна, — говорит миссис Квеннелл. — Все члены нашей комиссии! Мы просто убеждены в этом! Преподобный отец Верринджер подготавливает прошение. Оно уже не первое, но мы надеемся на успех. Наш девиз — «Снова на брешь!», — и она по-девичьи вихляет всем телом. — Скажите, что вы за нас!

— Если, конечно, вы сами не добились покуда успеха, — торжественно говорит доктор Дюпон.

— Я еще не пришел к каким-либо результатам, — возражает Саймон. — Во всяком случае, меня интересует не столько ее вина или ее невиновность, сколько...

— ...Сколько действующие механизмы, — заканчивает доктор Дюпон.

— Я бы выразился немного иначе, — говорит Саймон.

— Вас занимает не мелодия музыкальной шкатулки, а винтики и шестеренки внутри нее.

— А вас? — спрашивает Саймон, начиная проявлять интерес к доктору Дюпону.

— Меня не занимает шкатулка с красивым рисунком на крышке, — отвечает Дюпон. — Для меня важна лишь музыка. Ее извлекает физический предмет, но музыка не является самим этим предметом. Как сказано в Писании: «Дух дышит, где хочет»[1].

— Евангелие от Иоанна, — подхватывает миссис Квеннелл. — Рожденное от Духа есть дух.

— А рожденное от плоти есть плоть[2], — добавляет Дюпон.

Оба они заглядывают Саймону в глаза со спокойным, однако неоспоримым ликованием, и кажется, будто его душат подушкой.

— Доктор Джордан, — слышится сбоку тихий голосок. Это мисс Лидия, одна из дочерей коменданта. — Матушка прислала меня спросить, вы не видели еще ее альбома?

Саймон мысленно благодарит хозяйку и отвечает, что пока не имел такого удовольствия. Рассматривать унылые гравюры с живописными видами Европы, окаймленные бумажными листьями папоротника, — такая перспектива его обычно не прельщает, но в данный момент это его единственное спасение. Он с улыбкой кивает, и его уводят.

---

[1] Иоан. 3:8.
[2] Иоан. 3:6.

Мисс Лидия усаживает его на диванчик цвета человеческого языка, потом берет с соседнего столика тяжелый альбом и устраивается рядом:

— Матушка подумала, что это может быть вам интересно — ведь вы занимаетесь Грейс.

— Вот как? — восклицает Саймон.

— Здесь собраны все знаменитые убийства, — поясняет мисс Лидия. — Матушка вырезает их и вклеивает сюда, вместе с казнями.

— Неужели? — удивляется Саймон. Так она не только ипохондрик, но еще и упырь, что наслаждается чужим горем.

— Это помогает ей находить среди заключенных объект, достойный ее милосердия, — говорит мисс Лидия. — Вот Грейс. — Она раскрывает альбом у себя на коленях и с серьезным, наставительным видом подается к Саймону: — Она меня интересует. У нее замечательные способности.

— Как у доктора Дюпона? — спрашивает Саймон.

Мисс Лидия изумленно смотрит на него:

— Нет, что вы! Я в этом не участвую. Я никогда бы не разрешила себя гипнотизировать, это так неприлично! Я хотела сказать, что Грейс замечательно шьет.

В ней есть сдерживаемое озорство, думает Саймон: улыбаясь, девушка обнажает нижние и верхние зубы. Но, в отличие от своей матери, она, по крайней мере, здраво рассуждает. Здоровый молоденький зверек. Саймон замечает ее белую шейку, обвязанную скромной ленточкой с розовым бутоном, как и приличествует незамужней девушке. Сквозь несколько слоев тонкой материи ее рука прижимается в его руке. Он не бесчувственный чурбан, и хотя характер мисс Лидии, как и у всех девушек ее возраста, видимо, еще не сформировался, у нее очень изящная талия. От нее пахнет ландышем, и благоухание окутывает Саймона ароматным флером.

Однако мисс Лидия, должно быть, не догадывается о том, какое впечатление она производит на Саймона, поскольку еще не знакома с природой этого впечатления. Он закидывает ногу на ногу.

— Вот казнь, — говорит мисс Лидия. — Казнь Джеймса Макдермотта. О ней писали в ряде газет. Это вырезка из «Экзаминера».

Саймон читает:

Какую болезненную тягу к подобным зрелищам, вероятно, испытывает общество, если такая огромная толпа, учитывая нынешнее состояние наших дорог, собралась для того, чтобы стать свидетелями предсмертной агонии несчастного, хоть и преступного своего собрата! Можно ли предположить, что такого рода зрелища улучшают общественную нравственность или подавляют наклонности к совершению чудовищных злодеяний?

— Готов с этим согласиться, — говорит Саймон.

— Мне тоже хотелось бы присутствовать, — говорит мисс Лидия. — А вам?

Саймон захвачен такой непосредственностью врасплох. Он не одобряет публичных казней, вызывающих кровавые фантазии среди излишне впечатлительной части населения. Но он хорошо себя знает: если бы такая возможность представилась, любопытство взяло бы верх над угрызениями совести.

— Возможно. Из профессионального интереса, — осторожно замечает он. — Но если бы у меня была сестра, я не позволил бы ей туда идти.

Глаза мисс Лидии распахиваются от изумления:

— Но почему?

— Женщинам не следует наблюдать столь жуткие зрелища, — говорит он. — Это опасно для их утонченных натур.

И сам понимает, что его слова звучат фальшиво.

В странствиях он сталкивался со многими женщинами, в которых едва ли можно было заподозрить утонченную натуру. Он видел, как сумасшедшие разрывали на себе одежды и обнажали тела, и видел, как то же самое делали проститутки самого низкого пошиба. Он видел пьяных, бранчливых женщин, которые дрались, словно борцы на ринге, выдирая друг другу волосы. Улицы Парижа и Лондона ими кишели: он знал, что они избавляются от собственных младенцев и продают своих юных дочерей богатым мужчинам, которые надеются, что, насилуя детей, не подхватят срамной болезни. Поэтому Саймон не питает иллюзий насчет утонченной женской натуры, но тем более должен оберегать чистоту тех, кто пока еще чист. Лицемерие в подобном деле, несомненно, оправдано: необходимо представлять реальность такой, какова она должна быть.

— Вы думаете, у меня утонченная натура? — спрашивает мисс Лидия.

— Уверен, — отвечает Саймон. Его мучает вопрос, что же он чувствует своей ногой: ее бедро или всего лишь деталь ее платья.

— А я иногда не уверена, — продолжает мисс Лидия. — Некоторые люди говорят, что у мисс Флоренс Найтингейл[1] грубая натура, иначе бы она не могла наблюдать столь унизительные зрелища без всякого ущерба для своего здоровья. Но она ведь героиня!

— Без сомнения, — поддерживает Саймон.

Он подозревает, что мисс Лидия с ним флиртует. Это довольно приятно, но странным образом напоминает ему о матери. Сколько вполне приемлемых молодых девушек она осторожно расставляла перед ним, наподобие мормышек, украшенных перьями! Она всегда помещала их рядом с вазой, наполненной белыми цветами. Их мораль была безупречна, манеры — чисты, как вешние воды, а душа их представлялась ему куском сырого теста, которому он сам мог придать необходимую форму. Пока девушки одного «урожая» обручаются и выходят замуж, совсем юные распускаются, подобно майским тюльпанам. Теперь они гораздо моложе Саймона, и ему трудно с ними общаться — все равно что разговаривать с целой корзиной котят.

---

[1] Флоренс Найтингейл (1820—1910) — легендарная английская сестра милосердия, зачинательница современного ухода за больными, получила прозвище «Женщина с лампой».

Впрочем, его матушка вечно путала молодость с податливостью. В действительности ей нужна такая невестка, которую формировал бы не Саймон, а она сама. Поэтому девушки все так же проплывают мимо, и он по-прежнему равнодушно от них отворачивается, а матушка мягко упрекает его в лени и неблагодарности. Он винит в этом самого себя, повесу и циника, заботливо благодарит мать за старания и успокаивает ее: рано или поздно он женится, но сейчас к этому пока не готов. Вначале он должен заняться научной работой, чего-то добиться в жизни, совершить важное открытие, сделать себе имя.

У него уже есть имя, укоризненно вздыхает матушка, — превосходное имя, которое он, очевидно, решил загубить, не желая передавать его своим потомкам. В этом месте она всегда негромко покашливает: это означает, что роды были трудными, они чуть не свели ее в могилу и дали серьезное осложнение на легкие — невероятный с медицинской точки зрения эффект, но в детстве Саймон всегда съеживался при этом от угрызений совести. Если бы у него родился сын, продолжает матушка, — но сперва он, конечно, женится, — она могла бы спокойно сойти в могилу. Он дразнит ее, заявляя, что в таком случае женитьба для него была бы грехом, ибо такой брак можно приравнять к матереубийству. И добавляет, пытаясь смягчить колкость, что ему легче обойтись без жены, чем без матери — особенно такой идеальной матери, как она. После этих слов матушка внимательно смотрит на него, давая понять, что все эти уловки ей хорошо известны и на мякине ее не проведешь. Он слишком умен, говорит матушка, но не следует думать, будто ее можно подкупить лестью. Однако она смягчается.

Порой у него возникает желание уступить. Он мог бы выбрать себе кого-нибудь из предлагаемых юных барышень — самую богатую. Вел бы размеренную жизнь, его завтраки стали бы, наконец, съедобными, а дети уважали бы отца. Акт продолжения рода они совершали бы тайком, под стыдливым покровом белых простыней, — жена покорно, хоть и с надлежащим отвращением, а он с полным на то правом, — но об этом они бы никогда не вспоминали. Его дом был бы снабжен всеми современными удобствами, а сам он — надежно защищен от житейских забот и тревог. В жизни бывает и хуже.

— Вы думаете, у Грейс утонченная натура? — спрашивает мисс Лидия. — Я уверена, что она не совершала этих убийств, хоть и жалеет, что никому о них не доложила. Наверное, Джеймс Макдермотт возвел на нее напраслину. Впрочем, говорят, он был ее любовником. Это правда?

Саймон чувствует, что покраснел. Если она и флиртует, то сама этого не осознает. Она слишком невинна, чтобы это понимать.

— Трудно сказать, — бормочет он.

— Возможно, ее похитили, — мечтательно говорит мисс Лидия. — В книгах женщин всегда похищают. Но среди моих знакомых таких нет. А у вас?

Саймон отвечает, что никогда с такими не сталкивался.

— Ему отрубили голову. — Мисс Лидия понижает голос. — Макдермотту. И хранят ее в банке, в Университете Торонто.

— Не может такого быть, — возражает Саймон, вновь придя в замешательство. — Череп они, может, и сохранили, но не целую же голову!

— Засолили, как огромный огурец, — удовлетворенно отмечает мисс Лидия. — Ой, простите, матушка хочет, чтобы я пошла и поговорила с преподобным Верринджером. Я бы охотнее побеседовала с вами — он ведь так любит поучать. Но матушка считает, что это полезно для моей нравственности.

Преподобный Верринджер действительно только что вошел в комнату и улыбается Саймону с раздражающей доброжелательностью, словно своему протеже. Или, возможно, он улыбается Лидии?

Саймон смотрит, как Лидия скользит по комнате той плавной походкой, которой обучают юных барышень. Оставшись в одиночестве на диванчике, он думает о Грейс, которую видит каждый будний день: она сидит напротив него в комнате для шитья. На портрете Грейс кажется старше своих лет, а сейчас, наоборот, выглядит моложе. У нее бледное лицо, кожа гладкая, без единой морщинки и необыкновенно тонкая — наверное, потому, что ее не выпускают на улицу. Или, возможно, это следствие скудного тюремного питания. Она похудела, немного осунулась, но если даже на рисунке изображена хорошенькая женщина, теперь она стала еще краше. Или нет — красота у нее сейчас другая. Скулы приобрели мраморную, классическую простоту. Посмотришь на нее — и поверишь, что страдания и впрямь облагораживают.

Но в тесной комнатке для шитья Саймон не только видит ее, но и обоняет. Он старается не обращать на запах внимания, но это глубинное течение отвлекает его. От нее пахнет дымом, хозяйственным мылом и выступающей на коже солью. А еще самой кожей — влажной, натянутой, зрелой. Чем еще? Папоротником и грибами, раздавленными и забродившими фруктами. Он задается вопросом, как часто узницам разрешается мыться. Хоть ее волосы заплетены и заправлены под чепец, они тоже пахнут — это сильный мускусный запах скальпа. Перед ним — самка животного, настороженная и похожая на лисицу. Он настораживается в ответ: по коже бегают мурашки. Порой Саймону кажется, что он увязает в зыбучем песке.

Каждый день он кладет перед Грейс какой-нибудь небольшой предмет и просит ее рассказать, на какие мысли тот ее наводит. На этой неделе он перепробовал разные корнеплоды, надеясь выстроить нисходящую цепочку: например, «Свекла — Погреб — Трупы» или «Репа — Подземелье — Могила». Согласно его теории, соответствующий предмет должен вызвать у Грейс цепочку тревожных ассоциаций. Но пока что она принимает все его подарки за чистую монету, и ему удалось выудить у нее лишь несколько кулинарных рецептов.

В пятницу он решил взять быка за рога.

— Вы можете быть со мной абсолютно откровенны, Грейс, — сказал он. — Вам не нужно ничего утаивать.

— А с чего мне утаивать, сэр? — возразила она. — Это леди есть что скрывать, ведь она боится уронить свое доброе имя. Ну а мне терять нечего.

— Что вы хотите этим сказать, Грейс?

— Я никогда не была леди, сэр, и уже давно уронила свое доброе имя. Я могу говорить все, что вздумается, а захочу — и вообще ничего не скажу.

— Вас не волнует, какого я о вас мнения, Грейс?

Она быстро, внимательно на него посмотрела, а потом снова вернулась к шитью.

— Меня уже осудили, сэр. И что бы вы ни думали про меня — все едино.

— Справедливо осудили, Грейс? — Он не удержался, чтобы не задать этот вопрос.

— Справедливо или несправедливо — какая разница, — сказала она. — Людям нужно найти виноватого. Если есть преступление, они хотят знать, кто его совершил. Они не любят оставаться в неведении.

— Значит, вы оставили надежду?

— Надежду на что, сэр? — кротко переспросила она.

Саймон почувствовал себя неловко, словно бы нарушил этикет.

— Ну... на освобождение.

— А с какой радости меня выпускать, сэр? — сказала она. — Убивицы ведь не каждый день встречаются. А надежды у меня скромные. Я живу надеждой, что завтра меня накормят вкуснее, чем сегодня. — Она слабо улыбнулась. — Говорят, меня наказали, чтоб другим неповадно было. Поэтому и заменили смертную казнь пожизненным.

«Ну и какой прок от этого примерного наказания? — подумал Саймон. — Ее история завершена, вернее, завершена главная ее часть, определившая всю ее судьбу. Чем заполнить оставшееся время?»

— Вам не кажется, что с вами обошлись несправедливо? — спросил он.

— Не знаю, о чем вы толкуете, сэр.

Она как раз продела нитку в иголку, смочив кончик нитки языком, чтобы проще было пропустить его сквозь ушко. Этот жест показался Саймону вполне естественным и в то же время — невыносимо интимным. Будто бы он подглядывал в щелку за тем, как она раздевалась. Словно бы она, как кошка, умывалась языком.

V
РАЗБИТАЯ ПОСУДА

Меня зовут Грейс Маркс, я дочь Джона Маркса, который живет в городе Торонто и по профессии каменщик. Мы приехали в эту страну из Северной Ирландии три года назад. У меня четверо сестер и четверо братьев, одна сестра и один брат старше меня. В июле прошлого года мне исполнилось 16 лет. Все три года, что я жила в Канаде, я работала служанкой в разных местах...

Чистосердечное признание Грейс Маркс,
сделанное мистеру Джорджу Уолтону
в тюрьме 17 ноября 1843 г.,
«Стар энд Транскрипт», Торонто

...За те семнадцать лет
Меня нередко поражало, сколь
Отлична моя участь от судьбы
Всех прочих женщин, что живут на свете.
Удел мой становился шаг за шагом
Всё необычней, скорбней и ужасней:
На цыпочках подкрадывалось горе,
Селилось по соседству и со мной
Сидело вместе и лежало рядом;
Когда же к страху я уже привыкла,
Ворвались с факелом друзья, воскликнув:
«Помпилия, что́ ты сидишь в пещере,

Зачем рукою обнимаешь волка?
И что за гибкий гад обвил колени
Тебе и ноги — это же змея!»

Роберт Браунинг.
«Кольцо и книга», 1869[1]

12

СЕГОДНЯ ДЕВЯТЫЙ ДЕНЬ, как я сижу в этой комнате с доктором Джорданом. Дни шли не подряд, ведь есть еще воскресенья, а в некоторые дни он не приходил. Сначала я считала по своим дням рождения, потом от первого дня, когда я приехала в эту страну, потом считала с последнего дня Мэри Уитни на этом свете, потом — с того дня в июле, когда стряслась беда, а после этого я считала с первого своего дня в тюрьме. Но сейчас я считаю с того первого дня, который провела в комнате для шитья с доктором Джорданом, ведь нельзя же постоянно считать время от одного и того же события: становится скучно, время все больше и больше растягивается, и у меня просто терпение лопается.

Доктор Джордан сидит напротив. От него пахнет английским мылом для бритья, кукурузными початками и кожаными сапогами. Этот запах меня успокаивает, и я всегда с нетерпением жду его: хорошо, когда мужчины моются. Сегодня он положил на стол картошку, но еще не спросил меня про нее, так что она просто лежит между нами. Не знаю, что он хочет от меня услышать. В свое время я перечистила целую гору картошки и съела ее тоже изрядно: свежая молодая картошечка с маслицем да сольцой — просто объедение, особенно с петрушкой, и даже большую старую картошку можно превкусно запечь, но долго говорить тут ведь не о чем. Одни картофелины похожи на детские рожицы, другие — на зверюшек, а как-то раз я видала картошку, похожую на кота. Но эта — самая обычная картошка, ничего особенного. Иногда мне кажется, что доктор Джордан немного не в себе. Но лучше уж говорить с ним про картошку, если ему так хочется, чем не говорить с ним вовсе.

Сегодня на нем новый галстук — то ли красный в синюю крапинку, то ли синий в красную, немного ярковатый на мой вкус, но я никак не могу внимательно его рассмотреть. Мне нужны ножницы, и я говорю об этом. Тогда он вызывает меня на разговор, и я рассказываю:

— Сегодня я дошиваю последний лоскуток для стеганого одеяла, потом сошью все лоскутки вместе и простегаю. Это для одной из молодых дочек коменданта. Называется «Бревенчатый сруб».

Стеганое одеяло «Бревенчатый сруб» должно быть у каждой барышни на выданье: оно означает домашний очаг, и в центре всегда есть красный лоскут, который означает огонь в очаге. Про это мне рассказала Мэри Уитни. Но я не говорю об этом, ведь одеяло — вещь обыденная, вряд ли его заинтересует. Хотя картошка — еще обыденнее.

И он спрашивает:

— Что вы будете шить потом? — А я говорю:

— Не знаю, наверно, мне скажут, мое дело — шить лоскутки, а не стегать, ведь это такая тонкая работа. И жена коменданта сказала, что меня переведут на простое шитье, как в исправительном доме: почтовые сумки, мундиры и всяко-разно. Но в любом случае стегают вечером, причем всей компанией, а в компании меня не приглашают. — И он говорит:

— А если бы вы могли сшить одеяло для себя, какой бы узор выбрали?

Ну уж на этот вопрос я знаю точный ответ. Я вышила бы Райское древо, как на одеяле миссис ольдермен Паркинсон: я вытаскивала его, делая вид, будто смотрю, не надо ли его подлатать, а сама им любовалась. Такая красотища: сплошные треугольники, для листьев — темные, а для яблок — светлые, очень тонкая работа, стежки мелкие-мелкие, я бы и себе такие сделала, только у меня была бы другая кайма. У нее — кайма «Журавль в небе», а у меня была бы двойная:

один цвет — светлый, а другой — темный, ее называют «Виноградная лоза»: лозы переплетаются, как на зеркале в гостиной. Работы была бы тьма, и она отняла бы кучу времени, но если бы это было мое и только мое одеяло, я бы с удовольствием его сшила.

Но ему я этого не говорю. Я говорю:

— Не знаю, сэр. Может, «Слезы Иова», «Райское древо», «Змеиную изгородь» или «Головоломку старой девы», я ведь старая дева, как по-вашему, сэр, да и голову себе вечно ломаю.

Я сказала это назло. Я не ответила прямо, ведь если сказать вслух, чего на самом деле хочешь, это принесет несчастье, а твоя мечта никогда не сбудется. Может, она и так никогда не сбудется, но на всякий случай не надо рассказывать о своих желаниях и вообще о том, что ты чего-нибудь хочешь, иначе тебя за это накажут. С Мэри Уитни так и случилось.

Он записывает названия одеял и спрашивает:

— Райские дерева или Райское древо?

— Древо, сэр, — отвечаю. — На одеяле может быть несколько деревец, и я видела на одном целых четыре штуки, с повернутыми к середине верхушками, но одеяло все равно называлось просто «Древо».

— А почему, как вы думаете, Грейс? — спрашивает он. Иногда он как дитя: всё почему да почему.

— Потому что так называется узор, сэр, — отвечаю. — Есть еще «Древо жизни», но это другой узор. Можно еще вышить «Древо искушения» или «Сосенку» — тоже очень красиво. — Он это записывает. Потом берет картошку, смотрит на нее и говорит:

— Удивительно, что она растет под землей. Можно сказать, картошка растет во сне, в темноте, где ее никому не видно.

А где же еще картошке-то расти? Сроду не видала, чтобы она висела на кустах. Я ничего не говорю, и тогда он спрашивает:

— Что еще находится под землей, Грейс?

— Свекла, — отвечаю. — А еще морковка, сэр. Так в природе устроено. — Его вроде как огорчил мой ответ, и он его не записывает. Смотрит на меня и думает. Потом говорит:

— Вы о чем-нибудь грезили, Грейс? — А я переспрашиваю:

— Что вы хотите сказать, сэр?

Наверно, он спрашивает, мечтаю ли я о будущем и есть ли у меня жизненные планы, но это бессердечно. Ведь я останусь здесь до самой смерти — какие уж тут радужные надежды? Или, может, он спрашивает про сны наяву, не мечтаю ли я о каком-нибудь мужчине, как молодая девица, но ведь это еще бессердечнее. И я говорю, немного рассерженно и с укором:

— Какие еще грезы? Не стыдно вам такое спрашивать? — И он говорит:

— Вы неправильно меня поняли. Я спрашиваю: снятся ли вам по ночам сны? — Опять он со своей джентльменской чепухой — и я отвечаю немного резковато, потому как еще злюсь на него:

— Я так думаю, всем они снятся, сэр.

— Верно, Грейс, но снятся ли они вам? — спрашивает он. Он не заметил моего тона или решил не обращать на него внимания. Я могу сказать ему все что угодно, и его это не выведет из себя, не возмутит и даже не удивит: он просто запишет мои слова. Наверно, его интересуют мои сны, потому что сон может что-нибудь означать. Так написано в Библии: фараону снились тучные и тощие коровы[1], а Иакову — ангелы, что восходили и нисходили по лестнице[2]. Одно стеганое одеяло так и называется: «Лествица Иакова».

— Снятся, сэр, — говорю.

— И что же вам снилось сегодня ночью?

Мне снилось, что я стою у дверей кухни мистера Киннира. Это летняя кухня, и я только что помыла полы: подол подобран, ноги босые и мокрые, и я еще башмаков не обула. На крыльце стоит мужчина, какой-то коробейник, вроде Джеремайи, у которого я один раз купила пуговицы для нового платья, а Макдермотт — четыре рубашки.

---

[1] Быт. 41:1—36.
[2] Быт. 28:12.

Только это не Джеремайя, а кто-то другой. Он раскрыл свой короб и разложил на земле товары: ленты, пуговицы, гребешки и штуки полотна, все это было такое яркое: шелковые, кашемировые шали и набивные ситцы переливались на ярком солнышке, ведь лето в самом разгаре.

Мне показалось, что я его раньше знала, но он отворачивал лицо, и я не могла его рассмотреть. Я чувствовала, что он смотрит вниз, на мои босые ноги: голые до колен и не совсем чистые, ведь я мыла полы. А ноги всегда остаются ногами, чистые они или грязные, так что я не опустила подола. Подумала: «Пусть его, бедолага, поглядит: там, откуда он пришел, такого нет ведь. Наверно, он чужеземец какой-то, прошел долгий путь, и вид у него угрюмый, изголодавшийся». Так примерно я думала во сне.

Но потом он перестал на меня смотреть и решил что-нибудь мне продать. У него была моя вещица, и я хотела ее себе вернуть, но у меня не было денег, чтоб ее выкупить.

«Давай поторгуемся, — сказал он. — Что ты мне дашь за нее?» — дразнил он меня.

У него была одна моя рука. Теперь я это увидела — он держал ее, белую и сморщенную, за запястье, будто перчатку. Но потом я посмотрела и увидела, что обе мои руки на месте и выглядывают, как обычно, из рукавов, так что я поняла, что третья рука, быть может, — какой-то другой женщины. Видно, бродила она, искала ее повсюду, и если бы эта рука оказалась у меня, женщина сказала бы, что я ее украла. Но мне она была не нужна, потому что ее, наверно, отрубили. И правда: на ней появилась кровь, потекла густыми, как сироп, каплями. Но я вовсе не испугалась, как испугалась бы настоящей крови наяву. Меня тревожило что-то другое. У себя за спиной я слышала флейту, и это меня очень нервировало.

«Уходи прочь, — сказала я коробейнику, — уходи сейчас же!»

Но он стоял, отвернув голову, и не двигался. Мне показалось, он надо мной смеется.

И я подумала: «Пол испачкает».

Я говорю:

— Не помню, сэр. Запамятовала, что мне снилось сегодня ночью. Что-то сумбурное. — И он это записывает.

У меня так мало своего: ни пожитков, ни имущества, ни секретов, и мне нужно хоть что-нибудь сохранить в тайне. Да и вообще, какой прок ему от моих снов? Тогда он говорит:

— Ну что ж, не все коту масленица. — Странные он выбирает слова, и я говорю:

— Я не кот, сэр. — И он говорит:

— Помню-помню, вы не кот и не собака. — Он улыбается. — Вопрос в том, кто же вы, Грейс? Рыба, мясо или отменная копченая птица? — А я переспрашиваю:

— Как вы сказали, сэр? — Мне не нравится, когда меня называют рыбой, мне хочется выйти из комнаты, но не хватает смелости. И он говорит:

— Давайте начнем сначала. — А я говорю:

— С какого такого начала, сэр? — И он говорит:

— С начала вашей жизни.

— Я родилась, сэр, как все, — говорю я, а сама все еще злюсь на него.

— У меня здесь ваше признание, — говорит он, — позвольте мне его зачитать.

— Вовсе это не мое признание, — говорю. — Просто адвокат велел мне так сказать. Все это выдумали журналисты, которые торгуют своими дрянными газетенками. Когда я в первый раз увидала журналиста, подумала: «Ты хоть мамке сказал, что гулять пошел?» Он был почти моих лет. Как можно писать для газеты, если еще и борода не растет? Все они такие, молоко на губах не обсохло, и ни за что не отличат лжи от правды. Они писали, что мне восемнадцать, девятнадцать или не больше двадцати, тогда как мне только-только стукнуло шестнадцать. Не могли даже фамилии правильно написать — фамилию Джейми Уолша писали то Уолш, то Уэлч, то Уолч. Макдермотта — тоже: Макдермот и Мак-Дермот, с одной и двумя «т». А имя Нэнси записали как Энн — да ее в жизни так никто не называл! Чего от них еще можно ждать? Напридумывают небылиц, лишь бы самим нравилось.

— Грейс, — спрашивает он тогда. — Кто такая Мэри Уитни? — Я быстро гляжу на него.

— Мэри Уитни, сэр? Откуда вы узнали это имя? — спрашиваю.

— Оно стоит под вашим портретом, — отвечает. — На заглавной странице вашего признания. «Грейс Маркс, она же Мэри Уитни».

— Ах да, — говорю. — Портрет совсем не похож на меня.

— А на Мэри Уитни? — спрашивает он.

— Это имя я просто так сказала, сэр. Там, в льюистонской таверне, куда мы убежали с Джеймсом Макдермоттом. Он сказал, чтоб я не называла своего имени, если нас будут разыскивать. Помню, он очень крепко сжал мне руку. Чтобы я обязательно сделала, как он мне велел.

— И вы назвали себя первым именем, какое пришло на ум? — спрашивает он.

— Нет, сэр, — говорю. — Мэри Уитни была когда-то моей лучшей подругой. К тому времени она уже померла, сэр, и я подумала, что она не стала бы возражать, если б я назвалась ее именем. Иногда она давала мне поносить свою одежду. — Я на минутку умолкаю, думая, как бы это понятнее объяснить. — Она всегда была добра ко мне, — говорю. — И без нее моя жизнь сложилась бы совсем иначе.

13

Я С ДЕТСТВА ПОМНЮ ОДИН СТИШОК:

> Дверь отвори, открывай ворота:
> Вслед за женитьбой приходит беда.

Наверно, ко мне беда пришла с самого рождения. Как говорится, родителей не выбирают, сэр, но сама бы я не выбрала по своей воле тех родителей, которых дал мне Господь.

В начале моего признания написана сущая правда. Я действительно родом из Северной Ирландии, но считала большой несправедливостью, когда написали, что «оба обвиняемых, по их же собственному признанию, приехали из Ирландии». Звучит так, будто это преступление, а я не думаю, что быть ирландкой — преступление, хотя часто ко мне так и относились. Но, конечно, семья наша была протестантской, а это меняет дело.

Я помню маленькую скалистую бухточку и зеленовато-серую землю с редкими деревцами. Поэтому я так испугалась, когда впервые увидела большие деревья, что росли здесь: я просто не понимала, как дерево может быть таким высоким. Я оставила те места еще ребенком и плохо их помню: только обрывками, как осколки разбитой тарелки. Все время кажется, будто некоторые — от совсем другой посуды, а еще есть дырки, и нельзя их ничем заполнить.

Мы жили в деревянном домике — две комнатки, крыша протекает. Он стоял на отшибе, деревенька недалеко от города, названия которого я журналистам не сказала: может, моя тетушка Полина еще жива, а позорить ее мне бы не хотелось. Она всегда хорошо обо мне отзывалась, хоть я и подслушала, как она говорила моей матушке, чего от меня на самом деле можно ожидать с такими видами на будущее да с таким отцом. Она считала, что матушка вышла замуж за недостойного, говорила, что в нашей семье так уж повелось, и думала, что я тоже этим кончу. Но мне она говорила, что нужно с этим бороться, набивать себе цену, а не сходиться с первым попавшимся дружком, как моя мать, не узнав, чтó у него за семья да какое происхождение, и еще — что мне следует остерегаться незнакомцев. В восемь лет я не шибко понимала, о чем она толкует, но все равно это был дельный совет. Моя матушка говорила, что тетушка Полина желает нам добра, но у нее слишком высокие запросы.

Тетушка Полина и ее муж, дядюшка Рой, сутулый, чистосердечный человек, держали в соседнем городе лавочку: кроме обычных товаров, они продавали ткани, кружева, белфастское белье и жили в достатке. Моя матушка приходилась младшей сестрой тетушке Полине и была красивее, чем она: лицо тетушки Полины напоминало наждачную бумагу, и вся она была костлявая, пальцы узловатые, что куриные ноги. А у моей матери были длинные каштановые волосы, — я в нее пошла, — и голубые глаза, круглые и кукольные. До замужества она жила вместе с тетушкой Полиной и дядюшкой Роем и помогала им в лавке.

Моя матушка и тетушка Полина были дочерьми покойного священника-методиста: говорили, он куда-то задевал церковные деньги и не мог после этого получить место. Когда отец умер, они остались без гроша, им пришлось самим добывать себе пропитание. Но обе получили образование, умели вышивать и играть на фортепьяно. Так что тетушка Полина тоже считала свой брак неравным, ведь леди не пристало держать лавку. Но дядюшка Рой был добропорядочным, хоть

131

и грубоватым человеком, он ее уважал, а это очень важно. И всякий раз, когда тетушка заглядывала в свой бельевой шкаф или пересчитывала два своих сервиза: один на каждый день, а другой, из настоящего фарфора, для праздников, — она мысленно благословляла свою счастливую звезду, ведь женщине иногда выпадает и не такая завидная доля; она имела в виду мою мать.

Не думаю, что она так говорила, чтобы обидеть мою матушку, хотя матушка обижалась и плакала. С детства она во всем повиновалась тетушке Полине, а потом появился еще один тиран — мой отец. Тетушка Полина всегда говорила маме, чтоб не слушала отца, а отец говорил ей, чтоб не слушала тетушку Полину, и она буквально разрывалась на части между ними двумя.

Мама была робкой женщиной, нерешительной, слабой и хрупкой, и это меня раздражало. Мне хотелось, чтоб она была сильнее — я бы тогда брала с нее пример.

Отец же мой даже не был ирландцем. Он был англичанин с севера, и так и осталось неясно, почему приехал в Ирландию, ведь большинство любителей путешествовать уезжает в обратном направлении. Тетушка Полина говорила, что, наверно, в Англии у него какие-то неприятности, и он быстренько смотал удочки.

— Возможно даже, Маркс — не его настоящее имя, — говорила она. — Его нужно было назвать Марком, Каиновой маркой, ведь он похож на душегубца. — Но она говорила об этом позже, когда все пошло наперекосяк.

— Поначалу, — рассказывала матушка, — он показался мне довольно приятным и уравновешенным молодым человеком, и даже тетушка Полина соглашалась, что он мужчина видный: высокий, белокурый и почти все зубы на месте.

Когда они поженились, у него еще водились деньжата и имелись планы на будущее, ведь он и впрямь был каменщиком, как писали в газетах. Но тетушка Полина говорила, что матушка все равно не пошла бы за него, кабы ее не вынудили обстоятельства. Все было шито-крыто, хоть и пошел слушок, дескать моя старшая сестра Марта — слишком крупная для семимесячного ребенка. А все потому, что матушка была слишком услужливой, многие молодые женщины на таком обжигались, и тетушка рассказала мне об этом лишь затем, чтобы я сама не совершила подобной ошибки. По ее словам, матушке очень повезло, что отец согласился на ней жениться, этого у него не отнимешь, ведь другой на его месте как только услыхал об этой новости, так сел бы на ближайший пароход до Белфаста, а ее оставил на берегу несолоно хлебавши. И что бы тогда могла сделать для нее тетушка Полина, памятуя о своем добром имени и о своей лавке?

Поэтому отец и мать чувствовали, что они оба угодили в ловушку.

Мне кажется, мой отец не был плохим человеком, просто его легко было сбить с толку, и к тому же он оказался в очень невыгодном положении. Как англичанина его не сильно жаловали даже протестанты, ведь они недолюбливают чужаков. И, по словам моего дядюшки, отец уговорил мою матушку выйти за него замуж, чтобы вести привольную и беззаботную жизнь, пользуясь доходами от лавочки. В этом была доля правды, ведь они ему не могли отказать из-за моей матушки и детей.

Все это я узнала в самом раннем возрасте. Двери нашего дома были не слишком толстыми, так что я держала ухо востро, а отец, когда напивался, всегда повышал голос. Стоило ему завестись, и он уже не обращал внимания, что я стояла за дверью или под окном, притаившись, как мышка.

Во-первых, говорил он, у него слишком много детей — а их было много даже для богатого человека. Как писали в газетах, нас было девятеро — тех, что остались в живых. О мертвых не упоминалось: их было трое, не считая мертворожденного ребеночка, который так и остался некрещеным. Матушка и тетушка Полина называли его «потерянным», и в детстве я все думала над тем, где же его потеряли. Ведь мне казалось, что его потеряли, будто грошик, а если вещь потерялась, когда-нибудь она, возможно, найдется.

Троих остальных похоронили на кладбище. Хотя мать молилась все чаще, мы все реже ходили в церковь: матушка сказала, что не собирается выставлять своих бедных оборванцев на всеобщее обозрение, как босоногих пугал. Церковь была приходская, но, несмотря на свою слабохарактерность, матушка была женщина гордая и как дочь священника знала толк в церковном этикете. Она изо всех сил старалась соблюдать приличия и хотела, чтобы мы тоже прилично выглядели. Но очень трудно, сэр, прилично выглядеть без пристойной одежды.

Сама же я повадилась ходить на кладбище. Церковь размером была с коровник, а кладбище все заросло травой. Наша деревня когда-то была большая, но многие разъехались — кто на белфастские фабрики, а кто за океан. И часто из всей семьи не оставалось никого, так что некому было ухаживать за могилками. Погост — одно их тех мест, куда я водила младших братьев и сестер, когда матушка просила с ними погулять. Мы шли проведать трех покойников и посмотреть на могилки. Некоторые были очень старыми, с ангельскими головками на могильных плитах, хотя эти головки больше напоминали лепешки с выпученными глазами и торчащими из ушей крыльями. Я не понимала, как голова может летать сама, без тела. И еще я не понимала, как человек может пребывать в раю и в то же время лежать на кладбище. Но всех остальных это не удивляло.

У троих умерших детей надгробий не было — одни лишь деревянные кресты. Наверно, все они сейчас заросли бурьяном.

Когда мне исполнилось девять, моя старшая сестра Марта пошла в услужение, и вся работа, которой Марта раньше занималась по дому, легла теперь на меня. Через два года мой брат Роберт ушел в море на торговом судне, и с тех пор от него ни слуху ни духу. Но вскоре после этого мы сами переехали, и если бы даже он прислал весточку, она бы до нас просто не дошла.

В доме осталось пять малышей да я сама, и еще один был на подходе. Помнится, матушка всегда была «в деликатном положении», как его обычно называют, хоть я и не вижу в нем ничего деликатного. Его еще называют «несчастным положением», и вот это ближе к истине — несчастное положение, за которым наступает счастливое событие, хоть и само событие далеко не всегда бывает счастливым.

К тому времени наш отец был уже сыт всем этим по горло. Он говорил:

— На кой ты их рожаешь? Тебе что, мало? Разве нельзя остановиться? Это же лишний рот!

Отец говорил так, словно сам он не имел к этому никакого отношения. Когда я была совсем маленькой, шести-семи лет от роду, то положила ладошку на мамин живот, весь такой круглый и упругий, и спросила:

— Что там внутри? Лишний рот? — А матушка грустно улыбнулась и ответила:

— Видать...

И я представила себе огромный рот и голову, похожую на ангельские головки на могильных плитах, но с большими такими зубами: этот рот поедал матушку изнутри, и я расплакалась, подумав, что она от этого помрет.

Наш отец уезжал на заработки, бывало, аж в самый Белфаст, и нанимался строителем. Когда работа заканчивалась, он приезжал на пару дней домой, а потом снова искал новую работу. Возвращаясь домой, он уходил в таверну, чтобы спрятаться от детского ора. Он говорил, что мужчина не может думать в таком шуме, а ему ведь нужно все обмозговать да осмотреться: семья у нас огромная, и он ума не мог приложить, как же всех нас одеть да накормить. Но чаще всего засматривался в стакан, и всегда находились те, кто готов был ему в этом помочь. И если он напивался, становился буйным и начинал клясть ирландцев на чем свет стоит, называя их шайкой подлых, никчемных воров и негодяев, и после этого завязывалась драка. Но рука у отца была тяжелая, и скоро у него почти не осталось друзей: хоть им и нравилось выпивать с ним, но не хотелось попадаться ему под руку, когда до этого дело доходило. Поэтому он пил в одиночестве — пил все больше и больше: и чем крепче напитки, тем длиннее становились вечера, и случалось, он даже не выходил на следующий день на работу.

Так он прослыл человеком, на которого нельзя положиться, и работу ему давали все реже. А если он оставался дома — еще хуже: собутыльников нет, вымещать злобу не на ком. Отец говорил, что не знает, зачем Господь наградил его таким пометом, от нас нет никакого проку и всех нас надобно утопить, как котят в мешке. И тогда младшие пугались, а я уводила четверых старших погулять. Мы брали друг друга за руки, уходили на кладбище и рвали там траву или спускались в бухту и карабкались по скалам, тыкали палками в медуз, выброшенных на берег, или искали что-нибудь в лужах после прилива.

Еще мы ходили на небольшой причал, где швартовались рыбацкие суда. Нам нельзя было туда ходить: матушка боялась, что мы поскользнемся, упадем в воду и утонем, но я все равно водила туда детей, ведь рыбаки иногда нам давали рыбку — вкусную селедочку или макрель, а у нас дома хоть шаром покати. Иногда мы даже не знали, что́ будем завтра есть. Матушка запрещала нам попрошайничать, да мы почти и не попрошайничали: но пятеро маленьких оборвышей с голодными глазками — печальное зрелище, кого угодно в нашей деревне разжалобит. Так что чаще всего удавалось раздобыть рыбку, и мы возвращались домой с такой гордостью, будто поймали ее сами.

Признаюсь, когда малыши сидели рядышком на причале, свесив над водой босые ножки, у меня в голове мелькнула шальная мысль. Я подумала: можно просто столкнуть парочку из них в воду, и не надо будет кормить столько ртов и стирать столько одежды. Ведь к тому времени почти всю стирку свалили на меня. Но это была только мысль, которую наверняка внушил мне сам дьявол. Или, точнее, мой отец, ведь в том возрасте я еще старалась ему угодить.

Через какое-то время он связался с сомнительной компанией, его видели с подозрительными оранжистами[1], и в двадцати милях от нас сожгли дом одного джентльмена-протестанта, вставшего на сторону католиков, а еще одного нашли с дырой в голове. У отца с матерью был разговор по этому поводу, и отец сказал: а как же ему, черт возьми, заработать денег? Матери лучше про это молчок, хотя женщинам ни в чем доверять нельзя: они на мужика едва глянут, так сразу и предадут, и гореть им за это в аду. И когда я спросила матушку, что это за секрет, она достала Библию и заставила меня поклясться на ней, что я тоже сохраню все в тайне, и сказала, что Господь накажет меня, если я нарушу эту святую клятву. Я страшно перепугалась — ведь я не знала, о чем речь, и могла нечаянно проболтаться. А наказание Божье — наверно, жуткое дело, ведь Господь намного больше отца. После этого я всегда очень ревностно хранила чужие секреты, даже самые пустяковые.

На время появились деньги, но лучше от этого не стало: ссоры перешли в мордобой, хотя моя бедная матушка ни в чем не была повинна. И когда тетушка Полина приходила к нам в гости, мама шепталась с ней, показывая синяки, плакала и говорила:

— Он раньше таким не был.

А тетушка Полина отвечала:

— Да ты погляди на него! Он же как худой мех — чем больше в него наливаешь, тем больше из него вытекает. Стыд и позор!

Они приехали вместе с дядюшкой Роем в своей бричке и привезли куриных яиц и грудинки, ведь у нас уже давно не было ни кур, ни свиней. Они сидели в передней, сплошь завешанной одеждой, ведь в тех краях только закончишь стирку, развесишь белье на солнышке — тут же набегут тучи и заморосит дождик. И дядюшка Рой, который был человеком очень прямым, сказал, что не знает другого такого мужчину,

---

[1] Оранжисты — ирландские протестанты, сторонники английского владычества над Ирландией, противники ирландского гомруля; с 1798 по 1836 гг. образовывали несколько «лож оранжистов».

который мог бы пустить деньги коту под хвост быстрее, чем мой отец. И тетушка Полина заставила его добавить: «Простите за выражение». Хотя моя матушка и не такое слыхала, ведь когда отец напивался, то ругался, как сапожник.

Теперь нас уже поддерживали не те жалкие гроши, которые отец приносил в дом, а моя матушка с ее шитьем, да и я помогала ей вместе с младшей сестренкой Кейти. Тетушка Полина искала работу, привозила и забирала ее, и наверно, это было для нее накладно из-за лошади, потери времени и прочих хлопот. Но она всегда прихватывала с собой какой-нибудь еды, ведь хотя у нас была грядка с картошкой, да и капуста своя, овощей не хватало. Еще она отдавала нам обрезки ткани из лавки, и мы шили себе хоть какую-то одежонку.

Отец давно уже не спрашивал, откуда что в доме берется. В те времена, сэр, мужчины гордились тем, что содержат семью, что бы они сами о ней ни думали. А моя матушка была женщина хоть и слабовольная, но мудрая, и ничего ему не говорила. Еще об этом почти ничего не знал дядюшка Рой — хотя он, наверно, догадывался и замечал, как некоторые вещи у него из дома исчезали, а появлялись у нас. Но тетушка Полина была женщиной решительной.

Родился еще один ребеночек, и у меня прибавилось стирки, как всегда прибавлялось с каждым новым младенцем, а матушке недужилось дольше обычного. Так что мне пришлось готовить не только завтраки, которые я и так уже готовила, а еще и обеды. И отец сказал, что нужно просто шмякнуть новорожденного по головке, а потом закопать его на капустной грядке, потому что под землей ему будет намного лучше, чем на земле. И потом он сказал, что ребенок вызывает у него аппетит: он славно смотрелся бы на тарелке с жареной картошкой и с яблоком во рту. А потом спросил, чего это мы все так на него уставились.

И тут произошло чудо. Тетушка Полина отчаялась заиметь собственных детей и поэтому считала всех нас своими детишками. Но вдруг мы заметили, что она в интересном положении. Тетушка очень этому радовалась, а матушка радовалась за нее. Но дядюшка Рой сказал тетушке Полине, что теперь все изменится, ведь он не может и дальше поддерживать нашу семью, а должен подумать о своей и уже строить планы на будущее. Тетушка Полина сказала, что нас нельзя бросить на произвол судьбы, хоть у нас и такой скверный отец, ведь сестра — это ее кровинушка, а дети ни в чем не повинны. И дядюшка Рой сказал, что никто и не говорит о том, чтобы бросить нас на произвол судьбы, а на самом деле он подумывает об эмиграции. Сейчас многие эмигрируют, и в Канадах есть свободная земля, а моему отцу нужно начать с чистого листа. Там полным ходом идет строительство, и каменщики пользуются большим спросом. И еще дядюшка знал из достоверного источника, что скоро там начнут строить много железнодорожных вокзалов. Так что работящий мужчина сможет семью прокормить.

Тетушка Полина сказала, что все это очень хорошо, но кто же переезд оплатит? И дядюшка Рой ответил, что он отложил немного денег, да еще хорошенько пороется у себя в карманах. Этого хватит не только на переезд, но и на еду, которая нам понадобится в пути. И еще он нашел человека, который все устроит за разумную мзду. Перед тем как сделать это предложение, дядюшка Рой все распланировал, ведь он любил вначале семь раз отмерить, а уж потом резать.

На том и порешили, и тетушка Полина приехала к нам, хоть и была в положении, чтобы пересказать все это матушке, и матушка сказала, что должна поговорить с отцом и спросить его согласия, но все это было только ради приличия. Нищим выбирать не приходится, а другого пути у них не было. А тут еще в деревне появились какие-то чужаки — говорили о сгоревшем доме и убитом джентльмене и задавали всякие вопросы. Так что отцу моему нужно было поскорее уносить ноги.

Поэтому он весь напыжился и сказал, что для него начинается новая жизнь, и это очень великодушно со стороны дядюшки Роя: отец берет деньги на переезд взаймы и вернет их, как только разбогатеет. Дядюшка Рой сделал вид, будто поверил. Ему хотелось не унижать отца, а просто от него избавиться. Что же касается великодушия, наверно, дядюшка подумал: лучше выплатить разом всю сумму, чем годами выдавать ее по чайной ложке. И на его месте я поступила бы точно так же.

И вот все пришло в движение. Решено было отплыть в конце апреля: так мы прибудем в Канады в начале лета, когда стоит теплая погода, и можно как следует обосноваться. Мама с тетушкой Полиной строили кучу планов, разбирали и укладывали вещи. Обе пытались казаться веселыми, но обе грустили. Ведь они были сестрами, делили меж собой все радости и горести и понимали, что вряд ли им доведется снова увидеться.

Тетушка Полина принесла из лавки добротную льняную простыню, правда, слегка подпорченную; плотную теплую шаль — ведь она слыхала, что за океаном холодно; и плетеную корзинку, а в ней — фарфоровый чайник, две чашки и блюдца с розочками, обложенные соломой. И матушка горячо ее поблагодарила, сказав, что тетушка всегда была к ней так добра, и в память о ней она будет хранить этот чайник как зеницу ока.

И они еще долго, беззвучно плакали.

14

До Белфаста мы добирались на повозке, нанятой дядюшкой. Поездка выдалась долгой, нас сильно трясло, но дождя почти не было. Белфаст оказался большим каменным городом, такого я еще никогда не видела, повсюду громыхали кареты да экипажи. Там было несколько высоких зданий и много бедняков, которые днем и ночью трудились на ткацких фабриках.

Вечером, когда мы приехали, горели газовые фонари. Я увидела их впервые — свет был похож на лунный, только зеленее.

Мы спали на постоялом дворе, кишевшем блохами, что собачья конура. Мы внесли все сундуки в комнату, чтобы у нас пожитки не украли. Больше я ничего не видела, ведь утром нужно было сразу же сесть на корабль, и поэтому я подгоняла детишек. Они не понимали, куда мы плывем, да и сказать по правде, сэр, никто из нас этого не понимал.

Судно уже стояло у причала: тяжелая неповоротливая громадина, прибывшая из Ливерпуля. Позднее мне рассказали, что она перевозила из Канад на восток бревна, а на обратном пути — эмигрантов. И бревна, и эмигранты для них — все едино груз, который нужно переправить на другой берег. Люди уже садились на борт со всеми своими узелками и сундуками, и некоторые женщины истошно причитали. Но я молчала, потому что не видела в этом проку, а отец наш был мрачнее тучи — ему хотелось тишины, и он с удовольствием влепил бы кому-нибудь тумака.

Корабль раскачивался на волнах, и мне было страшновато. Младшие дети радовались, особенно мальчишки, а у меня сердце в пятки уходило, ведь я никогда не плавала на корабле, даже на маленьких рыбацких лодках у нас в бухте. И я знала, что мы должны переплыть через океан, а оттуда даже не видно суши, и если мы попадем в кораблекрушение или шлепнемся за борт, то утонем, потому что никто из нас не умеет плавать.

Я увидела три вороны — они сидели в ряд на перекладине мачты, — и матушка тоже их увидела и сказала, что это дурной знак: три вороны в ряд предвещают смерть. Я удивилась ее словам, ведь она никогда не была суеверной. А она, наверно, просто затосковала: я заметила, что когда люди грустят, им всюду мерещатся зловещие предзнаменования. Но я очень сильно испугалась, хотя перед младшими виду не показывала. Если бы они увидели, что я волнуюсь, то и сами бы расстроились, а гвалта и суеты хватало и без этого.

Отец с храбрым видом зашагал вверх по сходням. Он нес самый большой узел с одеждой и постельным бельем, как ни в чем не бывало озираясь по сторонам, словно все это ему было знакомо и он ничего не боялся. А матушка поднималась с тяжелым сердцем, закутавшись в платок и украдкой роняя слезы. Заламывая руки, она сказала мне:

— И кто нас туда гонит? — И когда мы сели на корабль, сказала: — Я больше никогда не ступлю на сушу. — А я спросила:

— Мама, зачем ты так говоришь? — И она ответила:

— Костьми чую.

Именно так все и случилось.

Отец заплатил за то, чтобы самые большие наши сундуки погрузили на корабль. Обидно было тратить на это деньги, но ничего другого не оставалось: он бы не смог втащить все сам — грубые и назойливые носильщики все равно бы ему помешали. На палубе толпилась целая куча народу, люди сновали взад и вперед, а мужчины орали нам: «Прочь с дороги!» Сундуки, которые во время плавания нам не понадобятся, отнесли в особую каюту и заперли от воров, а еду, которую мы взяли с собой в дорогу, положили в другое место. Но одеяла и простыни свалили на койки, а чайник тетушки Полины мама оставила у себя, чтобы он всегда был перед глазами. Плетеную же корзинку она привязала бечевкой к кроватному столбику.

Спать мы должны были под палубой — в так называемом «трюме», куда спускались по склизкой лестнице. Весь трюм заполняли нары — жесткие, неструганые деревянные доски шести футов в длину и ширину, плохо прибитые гвоздями. На каждой койке помещалось двое взрослых или трое-четверо детей. Они располагались в два уровня, а между нижней и верхней койкой можно было втиснуться с большим трудом. Если ты занимала нижнюю, не хватало места, чтобы сесть прямо, и ты вечно стукалась головой о верхнюю доску. А если была наверху, то в любую минуту могла свалиться вниз. Люди набились в трюм, как сельди в бочку, окон там не было, и воздух поступал только через люки в потолке. Стояла страшная духота, но потом стало еще хуже. Нам пришлось хвататься за койки руками и сразу же сбрасывать на них свои вещи. Все толкались и дрались за места, и я боялась, как бы нас не разделили и перепуганные дети не остались ночью одни, среди чужих.

Мы отплыли в полдень, когда погрузили все вещи. Как только подняли сходни и пути на сушу не осталось, всех нас колоколом созвали выслушать речь капитана — сухопарого шотландца-южанина. Он сказал, что мы должны подчиняться корабельным правилам, на судне запрещено разжигать костры для готовки, а всю нашу еду будет варить корабельный кок, если быстро приносить съестное под бой склянок. Нельзя курить трубки, особенно в трюме, потому что это приводит к пожарам, а если кто-то не в силах обойтись без табака, пусть жует его и сплевывает. Стирать можно только в хорошую погоду, он сам скажет когда. Ведь если поднимется шторм, наши вещи может смыть волной, а если пойдет дождь, ночью весь трюм будет забит мокрой одеждой, и он уверяет, что испарения особого удовольствия нам не доставят.

Нельзя без разрешения выносить постельное белье на палубу для проветривания, и все должны подчиняться его приказам, а также приказам первого и всех остальных помощников, потому что от этого зависит безопасность на корабле. В случае нарушения дисциплины нас запрут в карцер, и он надеется, что никто не захочет испытывать его терпение. Кроме того, продолжал капитан, на судне запрещено пьянство, поскольку оно приводит к падению за борт. Как только сойдем на берег, сможем напиться как сапожники, но только не на его корабле. И для нашей же безопасности нам не разрешалось подниматься ночью на палубу, чтобы мы случайно не упали за борт. Нельзя мешать матросам выполнять свои обязанности или подкупать их, добиваясь их расположения. У него даже на затылке есть глаза, и если кто-нибудь посмеет его ослушаться, он тотчас об этом узнает. Его подчиненные могут подтвердить, что он держит команду в ежовых рукавицах, и в открытом море слово капитана — закон.

Если мы заболеем, на корабле есть врач, но многим придется помучиться, пока мы не привыкнем к морской качке. Так что не следует докучать врачу такими пустяками, как легкая морская болезнь. Если все пройдет гладко, мы снова сойдем на сушу уже через шесть-восемь недель. В заключение он сообщил, что на каждом корабле водятся крысы, и это хороший знак — крысы покидают тонущий корабль первыми. Поэтому капитан просил его не беспокоить, если какая-нибудь благовоспитанная леди случайно увидит где-нибудь крысу. Возможно, никто из нас раньше крыс не видал, — при этих словах раздался смех, — и если нам интересно, он может показать одну свежеубитую тварь, кстати, весьма аппетитную, если кто из нас проголодался. И снова раздался смех, ведь он просто шутил, чтобы мы расслабились.

Когда смех умолк, капитан подытожил: его корабль — не Букингемский дворец, а мы — не французская королева и в этой жизни все мы получаем то, за что заплатили. И пожелал нам приятного плавания. После чего ушел в свою каюту и оставил нас разбирать вещи. Наверно, в глубине души ему хотелось, чтобы все мы оказались на дне морском, если деньги за перевозку останутся у него. Но, по крайней мере, он ничего от нас не скрывал, и на душе у меня стало спокойнее. Нет нужды говорить, что многие его указания не выполнялись, особенно насчет курения и пьянства. Но тем, кто пил и курил, приходилось делать это втихую.

Поначалу все шло не так уж и плохо. Тучи поредели, временами выглядывало солнце. Я стояла на палубе и смотрела, как судно выходит из гавани. Пока еще видно было сушу, я не замечала качки. Но как только мы вышли в Ирландское море и матросы подняли все паруса, я почувствовала себя неважно, и меня начало тошнить. Вскоре весь мой завтрак очутился в шпигате, и я держала за обе руки одного малыша, которого тоже рвало. Мы были не одни: многие другие пассажиры тоже выстроились в ряд, как свиньи у корыта. Матушка лежала без сил, а отца тошнило еще сильнее, чем меня, так что никто из них не мог помочь детям. Хорошо еще, что мы не успели пообедать, а то могло быть и хуже. Матросы давно к такому привыкли и таскали наверх соленую воду ведрами — смывать нечистоты.

Потом мне чуть полегчало: возможно, подействовал свежий морской воздух или я просто освоилась с корабельной качкой. Извините за выражение, сэр, но мне уже нечем было тошнить, и пока оставалась на палубе, я чувствовала себя не так уж и плохо. Об ужине и речи быть не могло, потому что всем нездоровилось. Но один матрос сказал мне, что если выпить немножко воды и грызнуть сухарик, станет лучше. Мы запаслись сухарями по совету дядюшки, и теперь налегали на них изо всех сил.

Наше состояние немного улучшилось, но вечером пришлось спуститься вниз, и тут-то начался сущий ад. Как я уже сказала, никаких перегородок там не было, все пассажиры сбились в кучу, и всех ужасно тошнило. Отовсюду было слышно, как тужились и охали соседи, и от одних этих звуков уже делалось дурно. В трюм почти не поступало свежего воздуха, и стояло такое зловоние, что желудок наизнанку выворачивало.

Простите меня за подробности, сэр, но облегчиться мы тоже не могли по-человечески. Ведра стояли у всех на виду — хорошо еще, что ни зги не видать. Люди двигались ощупью в темноте, чертыхались и ненароком переворачивали ведра, но если даже не переворачивали, многие в это ведро просто не попадали. К счастью, в полу были щели, и нечистоты стекали вниз. Тогда я и задумалась над тем, сэр, что женщинам в юбках удобнее, чем мужчинам в брюках. Ведь у нас есть как бы переносной шатер, а несчастным мужчинам приходится ковылять в штанах, спущенных до самых лодыжек. Правда, как я уже сказала, там была такая темень, что хоть глаз выколи.

Корабль со скрипом раскачивался из стороны в сторону, волны бились о борт, кругом шум и смрад, а крысы бегали себе, как ни в чем не бывало, — похоже на муки грешной души в преисподней. Я вспомнила об Ионе во чреве кита, но он ведь просидел там всего три дня, а нам здесь предстояло провести восемь недель. К тому же Иона сидел во чреве один и не слышал, как стонали и рыгали другие.

Через несколько недель стало легче — морская болезнь у многих прошла, но воздух по ночам всегда был спертым, и гам ни на миг не утихал. Рыгали, конечно, меньше, но зато больше кашляли и храпели. А еще много плакали и молились, что и понятно в таком-то положении.

Но я не хочу оскорблять ваших чувств, сэр. Ведь корабль — такая передвижная трущоба, только без питейных заведений. И я слышала, сейчас корабли стали намного лучше.

Может, открыть окно?

Все эти страдания имели одно хорошее последствие. Среди пассажиров были католики и протестанты, да еще в придачу несколько англичан и шотландцев, приплывших из Ливерпуля. Если бы они были здоровы, то ссорились бы и дрались, ведь они друг друга терпеть не могут. Но сильный приступ морской болезни отбивает всякое желание затевать ссору. И те, кто на суше с радостью перерезали бы друг другу глотку, порой с материнской нежностью поддерживали друг дружке голову над шпигатом. То же самое я иногда замечала в тюрьме, ведь нужда с кем только не сведет! Возможно, корабль и тюрьма — это Божье напоминание о том, что все мы — люди из плоти, а всякая плоть — трава[1] и обратится во прах. Так мне, во всяком случае, хочется думать.

Через несколько дней я привыкла к морской качке и уже могла бегать вверх и вниз по лестнице, готовя еду. У каждой семьи была своя пища, которую приносили корабельному коку, складывали в сетку и опускали в котел с кипящей водой. Поэтому обед получался не только свой, но и со вкусом чужой еды. У нас была солонина, свиная и говяжья, немного лука и картошки, но совсем чуточку, потому что тяжелые, да еще сушеный горох и капуста, которая быстро закончилась: я решила, что ее нужно съесть скорее, пока не завяла. Овсянку мы не могли варить в общем котле и поэтому заливали ее кипятком и настаивали, чай тоже. И как я уже говорила, у нас были еще сухари.

Тетушка Полина дала маме три лимона, которые были для нас на вес золота. Она сказала, что лимоны очень хорошо помогают от цинги. Я бережно хранила их на случай нужды. Короче говоря, еды хватало, чтобы поддерживать силы, а некоторые и этим не могли похвастать, потому что все деньги потратили на переезд. Мне даже казалось, что мы немного сэкономили, ведь родители из-за болезни не съедали своей доли. Поэтому я дала пару сухариков нашей соседке, пожилой женщине по имени миссис Фелан, и она горячо поблагодарила меня и сказала:

— Благослови тебя Господь! — Она была католичкой и ехала с двумя детьми своей дочери, которые остались у нее, когда семья эмигрировала. Теперь она везла их в Монреаль —

---

[1] Парафраз Ис. 40:6, 1 Пет. 1:24.

переезд оплатил зять. Я помогала ей ухаживать за детьми и позже об этом не жалела. Если сделать доброе дело, оно вернется к тебе сторицей. Уверена, сэр, вы не раз это слышали.

И когда нам сказали, что можно заняться стиркой, потому что погода хорошая и дует сухой ветер, — из-за этой морской болезни мы все извозились, — я взяла не только наши вещи, но и ее покрывало. Это, конечно, была не стирка, а одно название: нам дали ведра с морской водой, и мы просто смыли грязь с вещей, которые потом все равно пахли солью.

Полторы недели спустя мы попали в ужасный шторм, и наш корабль швыряло из стороны в сторону, как пробку в лохани. Все истово молились и визжали от страха. Никакой еды не готовили, а ночью невозможно было уснуть: если не держаться руками за койку, свалишься вниз. И капитан прислал первого помощника сказать нам, чтобы мы успокоились, это обычный шторм и нет никаких причин для паники. К тому же ветер дует как раз в нужную нам сторону. Но в люки затекала вода, и поэтому их задраили. Нас заперли в кромешной темноте, дышать совсем стало нечем, и я думала, мы все задохнемся насмерть. Но капитан, наверно, знал об этом, и люки время от времени открывали. Однако лежавшие рядом с ними промокли насквозь: так они расплачивались за свежий воздух, которым дышали раньше.

Буря улеглась два дня спустя, и протестанты устроили благодарственный молебен, а оказавшийся на борту священник отслужил для католиков мессу. Из-за тесноты мы не могли избежать ни того, ни другой. Но никто не возражал: как я уже сказала, католики и протестанты относились там друг к другу намного терпимее, чем на суше. Сама я очень подружилась со старенькой миссис Фелан, к тому времени она уже встала на ноги, а матушка все еще была слаба.

После шторма похолодало. Густой пеленой опустился туман, а потом начали попадаться айсберги, которых, как нам сказали, в этом году больше, чем обычно. И мы замедлили ход, чтобы в них не врезаться. Матросы говорили, что бо́льшая часть айсберга находится под водой и ее не видно. Нам повезло, что ветер был не сильный, а не то мы бы могли налететь на один, и судно раскололось бы в щепки. Но я не могла налюбоваться айсбергами. Огромные такие горы льда с белыми пиками и башенками, что сверкали на солнце, и с голубыми огоньками в середине. И я думала, что райские стены, наверно, тоже сделаны изо льда, только не такие холодные.

Но там, среди айсбергов, наша матушка тяжело захворала. Почти все время она не вставала с койки из-за морской болезни и ничего не ела, кроме сухарей с водой да жидкой овсяной кашки. Отцу было немногим лучше, а если судить по его стонам, то даже хуже. Белье было в плачевном состоянии, ведь во время шторма мы не могли ни постирать, ни проветрить постель. Поэтому я не сразу заметила, что с матушкой творится неладное. Она сказала, у нее так сильно болит голова, что она почти ничего не видит, и я принесла мокрую тряпку и положила ей на лоб. Я поняла, что у нее жар. Потом она стала жаловаться, что у нее очень болит живот, и я его ощупала. Твердый и вздутый, и я подумала, что это еще один лишний рот, хоть и не поняла, как он мог появиться так быстро.

Поэтому я рассказала все старенькой миссис Фелан, которая говорила мне, что приняла за свою жизнь шестнадцать младенцев и девятерых из них родила сама. И она сразу же пришла, и стала тыкать да щупать, а матушка громко закричала. Тогда миссис Фелан сказала, что нужно послать за корабельным доктором. Мне этого не хотелось, потому что капитан говорил, чтобы мы не докучали врачу по пустякам. Но миссис Фелан сказала, что это не пустяк и никакой не младенец.

Я спросила отца, но он ответил, чтобы я поступала, как знаю, черт возьми, потому что ему худо и вообще не до того. Поэтому я в конце концов послала за врачом. Но тот не пришел, а моей матушке становилось все хуже и хуже. Она уже почти не разговаривала, только лопотала какую-то бессмыслицу.

Миссис Фелан сказала:

— Какой позор! К корове и то лучше относятся. — И еще добавила: — Нужно сказать врачу, что, возможно, это тиф или холера — на корабле этого боятся больше всего на свете. — Я так и сделала, и врач тотчас пришел.

Но, как говаривала Мэри Уитни, толку от него было, как от козла молока, уж извините за выражение, сэр. Он пощупал у матушки пульс и потрогал лоб, задал несколько вопросов, на которые нельзя ответить ничего путного, и сказал нам, что холеры у нее нет, но я это и без него знала, потому что сама ее придумала. Он не мог точно сказать, что с ней, — скорее всего, опухоль, киста или аппендицит, — и пообещал дать ей что-нибудь от боли. Наверно, дал ей настойку опия, причем большую дозу, потому что матушка вскоре затихла, чего он наверняка и добивался. Врач сказал, нам остается лишь надеяться на то, что кризис пройдет, но нельзя установить его причину без вскрытия, от которого она уж точно умрет.

Я спросила, можно ли вынести ее на палубу, на свежий воздух, но он ответил, что тормошить ее нежелательно. Потом быстренько ушел, на ходу отметив, какой спертый здесь воздух, дескать, задохнуться можно. Это я тоже без него знала.

Той же ночью матушка померла. Мне хотелось бы рассказать вам, что ей привиделись ангелы и что она, как в книгах, произнесла красивую речь на смертном одре. Но если ей что-то и привиделось, она сохранила это в тайне и не проронила ни звука. Я заснула, хотя собиралась не спать и дежурить, и когда утром очнулась, мама была уже мертвая, глаза открытые и застыли, как у скумбрии. Миссис Фелан обняла меня, закутала в платок и дала отпить из бутылочки со спиртом, которую держала при себе для лечения. Она сказала, что лучше мне поплакать: бедняжка, по крайней мере, отмучилась, и теперь она в раю со святыми, хоть и протестантка.

Еще миссис Фелан сказала, что надо было открыть окно, чтобы выпустить душу на волю. Но, возможно, моей бедной матушке это не навредит, ведь в днище корабля окон нет и открывать, стало быть, нечего. А я никогда и не слыхала о таком обычае.

Я не плакала. Мне казалось, что умерла не матушка, а я сама. Я сидела, как в столбняке, и не знала, что мне делать. Но миссис Фелан сказала, что мы не можем так ее оставить, и спросила, нет ли у меня белой простыни, чтобы ее схоронить. И тогда я ужасно разволновалась, ведь простыней у нас осталось всего три. Две старые износились, и тогда мы разрезали их пополам и перевернули, а еще одну новую дала нам тетушка Полина. И я теперь не знала, какую выбрать. Взять старую — неуважительно, но если взять новую, для живых это будет пустым изводом. И все мое горе перешло на эти простыни. Под конец я спросила себя, как бы поступила здесь матушка, и поскольку при жизни она всегда вела себя очень скромно, то я остановилась на старой простыне: по крайней мере, она была более-менее чистая.

Когда капитана обо всем известили, пришли два матроса, чтобы вынести матушку на палубу. Миссис Фелан поднялась вместе со мной, и мы ее прибрали: закрыли ей глаза и распустили красивые волосы — миссис Фелан сказала, что нельзя хоронить с собранными волосами. Я оставила матушку в той одежде, что была на ней, только без туфель. Туфли и шаль я приберегла для себя: они ведь ей уже не понадобятся. Матушка была бледной и хрупкой, как весенний цветок, а дети стояли вокруг и плакали. Я велела каждому поцеловать ее в лоб — вряд ли она умерла от какой-нибудь заразной болезни. И один матрос, хорошо разбиравшийся в этих делах, очень аккуратно завернул ее в простыню, туго зашил и привязал к ногам кусок железной цепи, чтобы тело опустилось на дно. Надо было отрезать на память прядь волос, но я так растерялась, что совсем забыла.

Как только лицо скрылось под простыней, мне показалось, что на самом деле это не моя матушка, а какая-то чужая женщина. Или матушка вся переменилась, и если я сейчас отдерну простыню, то увижу совершенно другого человека. Наверно, такие мысли бывают от потрясения.

К счастью, в одной из кают на корабле плыл священник — тот, что отслужил благодарственный молебен после шторма. Он прочитал короткую молитву, а отец насилу выбрался по лестнице из трюма и стоял, понурив голову, помятый и небритый, но хоть живой. Когда нашу бедную матушку спустили в море, вокруг плыли айсберги, а судно со всех сторон обволакивал туман. До самой последней минуты я не задумывалась, что́ с ней будет дальше, но едва представила, как она идет ко дну в белом саване, посреди всех этих пучеглазых рыб, меня пробрала жуть. Это пострашнее, чем хоронить в земле — тогда хоть знаешь, где лежит тело.

Затем все быстро закончилось, и следующий день прошел как обычно, только без матушки.

Той ночью взяла я один лимон, разрезала его и дала каждому ребенку по дольке. И сама одну съела. Лимон был такой кислый, что обязательно должен был принести пользу. Только до этого я и додумалась.

Мне осталось рассказать вам лишь об одном. Пока стоял штиль и над морем стелился густой туман, плетеная корзинка с чайником тетушки Полины упала на пол, и чайник разбился. А весь шторм, когда нас швыряло и раскачивало из стороны в сторону, корзинка преспокойно провисела на кроватном столбике.

Миссис Фелан сказала, что, наверно, корзинка отвязалась, когда кто-то попытался ее украсть, но испугался, что его поймают. Так она никому и не досталась. Но сама-то я думала иначе. Мне казалось, что корзинку задела мамина душа, которая угодила в ловушку, потому что мы не открыли окно, и теперь она сердилась на меня из-за старой простыни. Ее душа навсегда останется в трюме, словно мотылек в бутылке, и будет бороздить туда и обратно этот страшный, безрадостный океан: в одну сторону — вместе с эмигрантами, а в другую — вместе с бревнами. И от этого мне стало очень-очень грустно.

Видите, какие странные мысли приходят иногда в голову. Но я ведь тогда была еще маленькой девочкой, совсем несмышленой.

15

По счастью, штиль закончился, иначе бы наши запасы пищи и пресной воды иссякли. Подул ветер, туман рассеялся, и нам сказали, что мы благополучно миновали Ньюфаундленд, хоть я его даже не заметила и не поняла, город это или страна. Вскоре мы вошли в реку Святого Лаврентия, хоть никакой суши еще и близко не было. И когда мы ее увидели к северу от корабля, то это оказались сплошные скалы и леса, на вид — темные, грозные и вовсе не пригодные для человеческого жилья. В воздухе парили стаи птиц, кричавших, как неприкаянные души, и я надеялась, что нам все же не придется жить в таком месте.

Но через какое-то время на берегу показались фермы и дома, и суша приобрела более мирный или, можно сказать, прирученный вид. Мы должны были причалить к одному острову и провериться на холеру, потому что ее много раз завозили в эту страну на кораблях. Но на нашем судне люди умирали по другим причинам. Кроме матушки, покойников было четверо: двое умерли от чахотки, одного хватил удар, а четвертый выпрыгнул за борт. Поэтому нас пропустили без проверки. Я успела хорошенько отмыть детишек в речной воде, хоть она и была очень студеной, — по крайней мере, их лица и руки, которые вконец испачкались.

На следующий день мы увидели город Квебек, который возвышался на крутом утесе над рекой. Дома были каменные, а в порту коробейники и уличные торговцы продавали свои товары. Я купила у одной торговки свежего лука. Она говорила только по-французски, но мы сумели объясниться на пальцах. И мне кажется, она сбавила цену — из-за детишек с осунувшимися лицами. Мы так соскучились по луку, что съели его сырым, как яблоки, и нас после этого пучило, но раньше я даже не догадывалась, что лук может быть таким вкусным.

Некоторые пассажиры сошли с корабля в Квебеке, чтобы попытать счастья там, а мы поплыли дальше.

Что же мне вам рассказать об оставшейся части поездки? Обычное путешествие, в основном — неприятное. Иногда мы двигались по суше, обходя речные пороги, а потом пересели на другой корабль на озере Онтарио, которое больше похоже на море, чем на озеро. Там летали целые тучи маленьких кусачих мошек и комаров размером с мышонка. Я боялась, что дети зачешут себя до смерти. Отец пребывал в угрюмости, подавленном настроении и часто говорил, что не знает, как он теперь будет справляться без матушки. В ту пору лучше было вообще ничего ему не отвечать.

Наконец мы добрались до Торонто, где, по слухам, можно было бесплатно получить земельный участок. Городок плохонький — сырой и низкий. В тот день шел дождь: повсюду экипажи, толпы людей спешили туда и сюда, повсюду грязь, и только главные улицы мощеные. Дождик был теплый, а воздух — душный и вязкий, как масло, что липнет к коже. Позже я узнала, что это здесь обычная погода для теплого времени года, когда люди страдают от лихорадки и других летних болезней. В городе имелось газовое освещение, правда, не такое роскошное, как в Белфасте.

Население было смешанное: много шотландцев, ирландцы, ну и конечно англичане, много американцев и чуток французов. Еще индейцы, хоть и без перьев, и немного немцев. Кожа всех оттенков — это было для меня в новинку; и ни за что не догадаешься, чей говор услышишь в следующую минуту. В городе было много таверн, а в порту — толпы пьяных матросов, и все это напоминало вавилонское столпотворение.

Но в тот первый день мы еще толком не успели осмотреть город, ведь нам нужно было найти себе крышу над головой за самую низкую цену. Отец познакомился с одним человеком на корабле, который ввел нас в курс дела. Поэтому родитель запихнул нас вместе с нашими сундуками в одну комнатку таверны, грязнее поросячьей лужи, и оставил там с кувшином сидра, а сам ушел наводить справки.

Вернулся он утром и рассказал, что нашел жилье, и мы туда отправились. Жилье находилось к востоку от порта близ Лот-стрит, в задней части дома, много повидавшего на своем веку. Хозяйку звали миссис Бёрт — почтенная вдова-морячка, она сама так представилась, дородная и краснощекая. От нее пахло копченым угрем, и она была немного старше отца. Хозяйка жила в передней части дома, давно не крашенного, а мы заняли две комнаты на задах, больше похожих на пристройку. Подвала у нас не было, и я обрадовалась, что сейчас не зима, потому что ветер продувал комнаты насквозь. На полу — широкие доски, уложенные слишком близко к земле, и в щели между ними вползали жуки и прочие букашки. После дождя становилось еще хуже, и однажды утром я нашла на полу живого червяка.

Комнаты сдавались без мебели, но миссис Бёрт дала нам на время две кровати с тюфяками, набитыми кукурузной лузгой, пока отец не оправится, как она выразилась, от пережитого им тяжелого удара. Воду мы брали из колонки во дворе, а еду готовили на железной печке, стоявшей в коридоре между половинами дома. Это была не кухонная плита, а печка для обогрева, но я приноровилась, после некоторых усилий изучила ее повадки и даже умудрялась кипятить на ней чайник. Это была первая железная печка в моей жизни, и можете себе представить, каких треволнений она мне стоила, не говоря уже об удушливом дыме. Но топлива было навалом, ведь вся страна была покрыта лесами, которые постоянно вырубали, чтобы расчистить место для новых домов. И после стройки оставались куски досок, так что можно было поулыбаться рабочим и унести несколько штук домой.

Но, по правде говоря, сэр, готовить было особо нечего. Отец сказал, что нужно приберечь денежки, чтобы он мог хорошо устроиться, как только осмотрится в этом новом городе. Так что поначалу мы питались в основном овсянкой. Но миссис Бёрт держала в сарае на заднем дворе козу и угощала нас свежим козьим молоком. Был конец июня, и поэтому она давала нам еще и лука с огорода, а мы за это выпалывали на нем бурьян, которого было немало. И когда она пекла хлеб, то выпекала одну лишнюю буханку для нас.

Миссис Бёрт говорила, что ей нас очень жалко из-за того, что мы остались без матери. Своих детей у нее не было: единственный ребеночек умер от холеры вместе с ее дорогим покойным супругом, и она скучала по топоту детских ножек. Во всяком случае, так она говорила отцу. Миссис Бёрт с тоской смотрела на нас и называла бедными сиротками, ягнятками и ангелочками, хотя на самом деле мы были оборвышами и замарашками. Мне кажется, она подумывала даже выйти за отца замуж. Он выпячивал свои достоинства и всячески о себе заботился. Наверно, такой мужчина, недавно овдовевший и с кучей детей, казался миссис Бёрт плодом, готовым упасть с дерева в заботливые руки.

Стараясь утешить, она обычно залучала его в переднюю часть дома. Миссис Бёрт говорила, что она сама вдова и как никто другой понимает, что значит потерять свою половину. Это сокрушительный удар, и такие люди, как он, нуждаются в верном, сочувствующем друге, который разделил бы их горе. Намекала на то, что сама как раз для этой роли подходит. И возможно, она была права, потому что больше никто на эту роль себя не предлагал.

И отец намек понял и стал ей подыгрывать: ходил потерянный, с носовым платком в руке. Говорил, что ему заживо сердце из груди вырвали, он не знает, что будет делать без своей любимой помощницы, которая оказалась слишком хороша для этой земной юдоли, и вот теперь она на небесах. И как ему теперь кормить всех эти невинных чад? Я подслушивала, как он распинался в гостиной миссис Бёрт: стена между половинами было не шибко толстой, и если приставить к ней стакан, а к стакану приложить ухо, то становилось еще слышнее. Всего у нас было три стакана, которые одолжила нам миссис Бёрт, и, перепробовав их по очереди, я выбрала самый подходящий.

С тех пор как матушка преставилась, мне приходилось туго, но я старалась изо всех сил справиться с бедой и молча тянула лямку. И когда я слышала, как отец распускает нюни, меня просто с души воротило. Наверно, тогда я его по-настоящему и возненавидела — особенно если вспомнить, как он обращался с матушкой при жизни, будто с обувной тряпкой. И я знала, — хотя миссис Бёрт это было невдомек, — что все это показуха, отец играет на ее чувствах, потому что задолжал за квартиру, просадив деньги в ближайшей таверне. И потом он продал мамины фарфоровые чашки с розочками, и хотя я просила оставить разбитый чайник, он и его тоже продал, сказав, что разлом ровный и его можно будет склеить. Мамины туфли и нашу лучшую простыню постигла та же участь — лучше бы я похоронила их вместе с бедной матушкой, это хоть было бы по-людски.

Он выходил из дома, напыжившись, как индюк, и делая вид, будто отправляется искать работу, но я-то знала, куда он намылился, — это было ясно по перегару, которым от него потом разило. Я видела, как он шагал с важным видом по улочке, запихивая в карман носовой платок. И скоро миссис Бёрт перестала его утешать, а чаепития в гостиной прекратились. Она больше не давала нам молока и хлеба, потребовала вернуть стаканы и заплатить за квартиру, а не то вышвырнет нас со всеми пожитками на улицу.

Тогда-то отец и сказал мне, что я уже почти взрослая и только объедаю его, так что пора мне зарабатывать себе на хлеб самой, как моя старшая сестра, хоть эта неблагодарная дрянь и присылает так мало денег. И когда я спросила, кто же будет ухаживать за малышами, он сказал, что за ними присмотрит моя младшая сестренка Кейти. Ей девять лет, почти уже десять. И я поняла, что спорить с ним бесполезно.

Я понятия не имела, как мне найти себе место, и спросила миссис Бёрт — ведь она у меня была единственная знакомая в городе. Ей хотелось поскорее от нас избавиться, — да и кто бы стал ее за это упрекать? — однако она надеялась, что я смогу вернуть ей долг. У миссис Бёрт была подруга, знакомая с экономкой миссис ольдермен Паркинсон, и она слыхала, что у них не хватает пары рабочих рук. Поэтому миссис Бёрт велела мне привести себя в божеский вид, одолжила свой чистый чепец и, сама отведя меня туда, представила экономке. Сказала, что я очень старательная, прилежная работница с покладистым характером, и она за меня ручается. Затем пояснила, что моя матушка умерла на корабле и ее похоронили в море. Экономка согласилась, что это очень досадно, и присмотрелась ко мне повнимательнее. Я заметила, что смерть родных открывает перед человеком любые двери.

Экономку звали миссис Медок, хотя сладкой в ней была только фамилия: это была иссохшая женщина с острым, как колпачок для нагара, носом. Судя по ее внешности, она питалась черствыми хлебными корками и сырными обрезками. Скорее всего, так оно и было, ведь миссис Медок была обедневшей дворянкой, которая стала экономкой лишь после смерти мужа и очутилась в этой стране без гроша в кармане. Миссис Бёрт сказала ей, что мне тринадцать лет, и я не перечила ей, ведь она заранее предупредила меня, что так я скорее смогу получить работу. И ложью это было лишь наполовину, потому что меньше чем через месяц мне и впрямь исполнялось тринадцать.

Миссис Медок взглянула на меня, поджав губы, и сказала, что больно уж я тощая. Не больна ли я чем, и от чего померла моя матушка? Но миссис Бёрт ответила, что болезнь незаразная, а я просто чуть-чуть маловата для своих лет, но еще подрасту. К тому же я очень жилистая, и она сама видела, что я таскаю дрова, как настоящий мужик.

Миссис Медок поверила этому на слово, хмыкнула и спросила, какой у меня нрав, — ведь рыжие часто бывают злобными. И миссис Бёрт ответила, что нрав у меня очень мягкий и все свои невзгоды я переношу с христианским смирением. Это напомнило миссис Медок о том, что нужно спросить, не католичка ли я, как и большинство ирландцев. И если так, то разговор окончен, потому что все католики — суеверные и взбалмошные паписты, которые хотят погубить эту страну. Однако на это с облегчением услышала, что я не католичка. Еще миссис Медок спросила, шью ли я, а миссис Бёрт ответила, что я шью просто на загляденье, и миссис Медок сразу спросила меня, правда ли это. И я робко ответила, что с детства помогала матушке шить рубашки, что я умею метать петли и латать чулки, и не забыла добавить «мадам».

После этого миссис Медок немного подумала, словно складывая в уме, а потом попросила меня показать руки. Наверно, хотела посмотреть, натруженные или нет. Но ей не стоило беспокоиться: руки мои были красными и шершавыми — лучшего и желать нельзя, так что она осталась довольной. Было такое впечатление, будто она торгует лошадь, и я удивилась, почему она не попросила меня показать зубы. Но, видать, коли платишь жалованье, хочешь получать полную отдачу.

В конце концов миссис Медок посоветовалась с миссис ольдермен Паркинсон и на следующий день велела мне прийти. Моим жалованьем было питание и один доллар в месяц — самая низкая плата, какую она по совести могла предложить. Но миссис Бёрт сказала, что я смогу получать больше, как только кое-чему научусь и подрасту. А на доллар в те времена можно было купить больше, чем сейчас. И я радовалась, что могу сама зарабатывать деньги, которые казались мне целым состоянием.

Отец думал, что я буду бегать из одного дома в другой, а спать «дома», — так он стал называть две наши комнатенки с покосившимися стенами, — и вставать каждое утро, разжигать эту чертову печь и кипятить воду в чайнике, а в конце дня прибираться и в придачу стирать белье, если это можно назвать стиркой: медного котла не было и в помине, а просить отца потратить деньги хоть на самое плохонькое мыло было совершенно бесполезно. Но у миссис ольдермен Паркинсон хотели, чтобы я жила у них, и велели приходить в начале следующей недели.

И хотя мне было жаль расставаться с братишками и сестренками, я благодарила судьбу, что ухожу, иначе рано или поздно мы с отцом переломали бы друг другу ребра. Чем старше я становилась, тем меньше мне хотелось ему угождать: я потеряла врожденное доверие ребенка к родителю, ведь он вырывал у собственных детей кусок хлеба изо рта и пропивал его, так что скоро нам пришлось бы просить подаяния, воровать или заниматься кое-чем похуже. Возвратились его приступы бешенства, которые стали еще страшнее, чем при матушке. Мои руки и так уже все были в синяках, но однажды вечером он ударил меня об стенку, как бил порой матушку, и заорал, что я шлюха и потаскуха, а я упала в обморок. После этого я боялась, что когда-нибудь он переломает мне хребет и сделает меня калекой на всю жизнь. Но наутро после таких приступов он говорил, что ничего не помнит, был не в себе и сам не знает, что на него нашло.

Хоть я и уставала каждый день как собака, но по ночам не могла сомкнуть глаз и без конца над этим думала. Ведь я же не знала, когда он снова с ума спятит и начнет буянить, угрожая кого-нибудь убить — вплоть до собственных детей. Причем никаких причин, кроме его пьянства, для этого не было.

Я уже начала подумывать о тяжелом железном котелке: если бы он случайно упал на отца во сне, то размозжил бы ему череп и пришиб насмерть, а я сказала бы, что это несчастный случай. Не хотелось мне брать на душу такой тяжкий грех, хоть я и боялась, что лютый гнев, пылавший в моем сердце, меня к этому подтолкнет.

Поэтому, собравшись переехать к миссис ольдермен Паркинсон, я возблагодарила Господа за то, что Он от меня отвел это искушение, и помолилась, чтобы Он оберегал меня и впредь.

Миссис Бёрт поцеловала меня на прощанье и пожелала всех благ, и хотя лицо у нее было толстое и рябое и от нее воняло копченой рыбой, я обрадовалась — ведь на этом свете доброта на дороге не валяется, и нужно всегда принимать ее с благодарностью. Когда я уходила с небольшим узелком, куда положила и мамину шаль, малыши расплакались, но я сказала, что буду их проведывать. Тогда еще я так и собиралась делать.

Отца дома не было, и это даже к лучшему, потому что, скорее всего, мы осыпали бы друг друга проклятиями, хоть с моей стороны и безмолвными. Никогда не стоит открыто проклинать тех, кто сильнее тебя, — если только между вами нет высокого забора.

16

МАРГАРЕТ ЭТВУД

От доктора Саймона Джордана,
через майора Ч. Д. Хамфри, Лоуэр-Юнион-стрит,
Кингстон, Западная Канада,
доктору Эдварду Мёрчи,
Дорчестер, Массачусетс, Соединенные Штаты Америки.

15 мая 1859 года

Дорогой Эдвард!

Пишу тебе при свете ночника — помнишь, как часто мы с тобою засиживались в том чертовски холодном доме, по своей зябкости не уступавшем нашей лондонской квартире? Но скоро здесь станет очень жарко, и нагрянут влажные миазмы и летние болезни, на которые я в свою очередь буду тебе жаловаться.

Благодарю тебя за письмо и за долгожданное известие. Так, значит, ты предложил руку и сердце очаровательной Корнелии, и она их приняла! Надеюсь, ты простишь своего старинного друга за то, что он не выразил особого удивления, поскольку это давно можно было вычитать между строк твоих писем, читателю которых не нужно обладать большой проницательностью, дабы обо всем догадаться. Прими мои искренние поздравления! Судя по тому, что я знаю о мисс Резерфорд, тебе крупно повезло. В такие минуты я завидую тем, кто обрел безопасную гавань, где можно отдохнуть сердцем, или, возможно, завидую тем, у кого сие сердце имеется. Мне же часто мнится, что сам я его лишен и что заместо этого органа у меня в груди камень в форме сердечка. Посему я обречен «блуждать, как одинокий облак», по выражению Вордсворта[1].

Известие о твоей помолвке, наверняка, воодушевит мою дорогую матушку, и она предпримет еще более энергичные попытки меня женить. Не сомневаюсь, что она примется говорить о тебе как о превосходном образце моральной стойкости и при каждой удобной возможности использовать тебя вместо палки, которою будет меня поколачивать. И, наверное, она в чем-то права. Рано или поздно мне придется отбросить привычные сомнения и послушаться библейской заповеди «плодиться и размножаться»[2]. Я буду вынужден отдать свое каменное сердце на хранение какой-нибудь любезной барышне, которую не будет слишком сильно волновать, что оно не настоящее и не живое; а также она будет обладать материальными средствами, необходимыми для должного за ним ухода. Ведь общеизвестно, что каменные сердца больше нуждаются в удобствах, нежели все остальные.

Несмотря на этот мой недостаток, моя дорогая матушка продолжает плести свои тайные матримониальные интриги. Сейчас она всячески восхваляет мисс Веру Картрайт, которую ты встречал несколько лет назад во время одного из своих к нам визитов. Она якобы похорошела после пребывания в Бостоне, которое, как нам с тобой, Эдвард, достоверно известно (ведь мы же вместе закончили Гарвард), еще никого краше не сделало. Но судя по тому, как моя матушка превозносит ее *моральные* качества, боюсь, что недостаток прочих ее прелестей так и не был восполнен. Увы, такие достойные и безупречные девицы, как Вера, не в силах превратить твоего старого циничного друга в некое подобие влюбленного юноши.

Но довольно жалоб и брюзжанья! Я сердечно рад за тебя, дорогой мой друг, и с величайшей охотою отпляшу на твоей свадьбе, ежели ко времени твоего бракосочетания окажусь где-нибудь поблизости.

---

[1] Уильям В о р д с в о р т (1770—1850) — английский поэт, представитель «озерной школы».

[2] Быт. 1:28.

Весьма любезно с твоей стороны, что, находясь в столь восторженном настроении, ты все же спрашиваешь о моих успехах в деле Грейс Маркс. Мне пока нечего тебе сообщить, но поскольку я пользуюсь методами, оказывающими постепенный кумулятивный эффект, быстрых результатов я и не ожидал. Моя цель — пробудить дремлющую часть ее психики, пересечь порог ее сознания и оживить воспоминания, которые там обязательно должны скрываться. Я приближаюсь к ее психике, словно к запертому сундуку, ключ от которого необходимо найти. Но пока, признаться, не очень-то в этом преуспел.

Мне бы очень помогло, если бы она и впрямь была сумасшедшей или хотя бы немножко безумнее, чем кажется, но она до сих пор проявляла самообладание, которому могла бы позавидовать даже герцогиня. Я еще никогда не встречал женщины, обладающей такой выдержкой. Если не считать инцидента в день моего приезда, — к сожалению, мне не удалось стать его очевидцем, — никаких срывов больше не наблюдалось. Речь у нее тихая, мелодичная и культурнее, чем обычно бывает у слуг, — наверное, она переняла эту особенность, долгое время находясь в услужении у высших классов. И в ее произношении почти не осталось следов северо-ирландского акцента, который у нее, наверняка, был по приезде. Впрочем, в этом нет ничего странного, ведь тогда она была еще ребенком и бóльшую часть жизни провела на этом континенте.

Она «сидит на диване и крестиком шьет»[1], невозмутимая, словно статуя, с поджатыми, как у гувернантки, губами, а я устраиваюсь напротив, облокотившись на стол, ломаю себе голову и тщетно пытаюсь ее расколоть, точно устрицу. Хоть она и беседует со мной достаточно откровенно, но умудряется не говорить почти ничего о том, что меня действительно интересует. Мне удалось многое выяснить о ее семье в детстве, об эмиграции и переезде через Атлантику, но во всем этом нет ничего оригинального: обычная бедность, лишения и т. п. Верящих в наследственную природу душевных болезней, возможно, отчасти утешит тот факт, что ее отец

---

[1] Строка из детской новогодней пьесы «Рождественский сбор» М.Д. Стерлинг.

был алкоголиком и, возможно также, поджигателем. Но, несмотря на ряд противоположных теорий, я далек от убеждения, что подобные тенденции неизбежно наследуются детьми.

Что же касается меня, то если бы не этот увлекательный случай, я бы сам, вероятно, сошел с ума от скуки. Здесь почти не с кем общаться, и никто не разделяет моих мнений и интересов, за возможным исключением некоего доктора Дюпона, который также гостит в городе. Впрочем, он приверженец этого шотландского сумасброда Брейда, да и сам тот еще гусь. Забав и развлечений здесь негусто, и поэтому я попросил у своей хозяйки разрешения покопаться у нее в огороде, — который, кстати, ужасно запущен, — и посадить там капусты или еще чего-нибудь, просто для развлечения и моциона. Видишь, до чего я докатился? Ведь я же никогда в жизни не брал в руки лопату!

Однако уже за полночь — я заканчиваю это письмо и ложусь в свою холодную, одинокую постель. Шлю тебе свои наилучшие пожелания и надеюсь, что ты ведешь более разумную и менее беспутную жизнь, нежели

Твой старинный друг

Саймон.

VI

ПОТАЙНОЙ ЯЩИК

Истерика. — Эти припадки случаются, главным образом, у молодых, нервных, незамужних женщин... Молодые женщины, подверженные таким припадкам, склонны полагать, что они страдают «всеми хворями, терзающими плоть». Проявляемые ими ложные симптомы болезни так похожи на истинные, что зачастую чрезвычайно трудно обнаружить между ними разницу. Самим припадкам обыкновенно предшествует подавленное настроение, плач, тошнота, учащенное сердцебиение и т. д... Затем пациентка, как правило, лишается чувств и падает в обморок: больная мечется, у нее изо рта идет пена, она выкрикивает бессвязные фразы, смеется, плачет и кричит. Когда припадок проходит, пациентка обычно горько рыдает, порою помня обо всем, что произошло, а иногда не помня ничего...

Изабелла Битон.
«Учебник по домоводству», 1859—1861

*Пусть сердце распадется в прах —
Его ты пробудишь,
Истлеет пусть оно в веках —
Ты жизнь в нем возродишь:
Оно забьется, словно птах,
Пронзив могилы тишь.*

Лорд Альфред Теннисон. *«Мод», 1855*

17

САЙМОНУ СНИТСЯ КОРИДОР. На верхнем этаже его старого дома — дома его детства. Большого дома, который был у них до банкротства и смерти отца. Там спали служанки. То был таинственный мир, куда мальчику вход был воспрещен, но он бесшумно крался туда, как шпион, в одних чулках. Подслушивал у приоткрытых дверей. О чем они говорили, думая, что их никто не слышит?

Набравшись смелости, он заходил в их комнаты, если знал, что обитательницы сейчас внизу. Дрожа от волнения, рассматривал их вещи — их запретные вещи. Осторожно выдвигал ящики комода, дотрагивался до серебряного гребня с двумя сломанными зубьями и аккуратно свернутой ленты. Он рылся в углах и за дверью: измятая юбка, бумажный чулок — один, без пары. Саймон дотрагивался до него, чулок был теплым.

Во сне коридор такой же, только больше. Стены выше и желтее: они сияют, словно их просвечивает солнце. Но двери закрыты — и даже заперты. Он пробует одну за другой, отодвигая задвижку и легко толкая дверь, но ни одна не поддается. Однако за ними люди, это он чувствует. Женщины: служанки. Сидят на краю своих узких кроватей, в белых хлопчатобумажных сорочках, с распущенными по плечам волосами: приоткрытые губы, блестящие глаза. Ждут его.

Дверь наконец открывается. Внутри — море. Не успев опомниться, он уходит под воду, волны смыкаются над головой, вверх поднимается цепочка серебристых пузырьков. В ушах звон, приглушенный, припадочный смешок. Потом его ласкает множество рук. Это служанки: только они умеют плавать. Но вот они уплывают прочь, бросая его. Он зовет их на помощь, но их уже и след простыл.

Он за что-то цепляется: это поломанный стул. Волны поднимаются и опускаются. Несмотря на это волнение, ветра нет, и воздух пронзительно чист. Мимо него — рукой не дотянуться — проплывают различные предметы: серебряный поднос, пара подсвечников, зеркало, резная табакерка, золотые часы, стрекочущие, словно кузнечик. Эти вещи когда-то принадлежали отцу, но после его смерти их распродали. Они поднимаются из морских глубин, подобно пузырькам, их все больше и больше. Достигая поверхности, они медленно переворачиваются, будто вздувшиеся рыбины. Вещи не твердые, как металл, а мягкие: они покрыты чешуей, словно угри. Саймон смотрит на них с ужасом, потому что они постепенно собираются вместе, сплетаются между собой и преображаются. У них вырастают щупальца. Рука мертвеца. Это его отец мучительно возвращается к жизни. Саймона охватывает такое чувство, будто он согрешил.

Он просыпается, его сердце бешено колотится. Простыни и одеяло сбились, подушки — на полу. Он обливается потом. Полежав пару минут спокойно и немного поразмыслив, он восстанавливает цепочку ассоциаций, которая, должно быть, вызвала этот сон. Это история Грейс, переезд через Атлантику, похороны в открытом море, опись домашней утвари, ну и, конечно, властный отец. Каков отец — таков венец.

Саймон смотрит на свои карманные часы, лежащие на ночном столике: в кои-то веки он проспал. К счастью, завтрак сегодня тоже запоздал, но угрюмая Дора должна прийти с минуты на минуту, и ему бы не хотелось, чтобы она застала его в ночной рубашке, праздно валяющимся в постели. Саймон набрасывает халат и быстро садится за стол, повернувшись к двери спиной.

Он запишет свой сон в дневник, который специально завел с этой целью. Одна из школ французских *aliénistes*[1] советует записывать сны для последующей диагностики, чтобы можно было сравнить собственные сновидения со снами своих пациентов. Французы считают сны — наряду с сомнамбулизмом — проявлением животной жизни, незримо и независимо от нашей воли протекающей на подсознательном уровне. Быть может, именно там и расположены те крючки — точнее, шарниры, — что соединяют цепочку воспоминаний?

Нужно перечитать работу Томаса Брауна[2] об ассоциации и внушении, а также освежить в памяти теорию Гербарта[3] о пороге сознания — той черты, что отделяет идеи, возникающие при ярком свете дня, от идей, таящихся в сумерках бессознательного. Моро де Тур[4] считает сны ключом к познанию психических болезней, а Мен де Биран[5] утверждает, что сознательная жизнь — лишь поплавок в безбрежном океане подсознания, откуда он вылавливает, словно рыбешку, различные мысли. Нам известна лишь малая толика из того, что может сберегаться в этом сумрачном хранилище. Воспоминания лежат там, подобно затонувшим сокровищам, которые если и можно поднять на поверхность, то лишь частично. И в сущности, сама амнезия — своего рода сновидение наоборот: это как бы утопление воспоминаний, их погружение под...

За его спиной открывается дверь: прибыл завтрак. Саймон прилежно обмакивает перо. Он ждет глухого стука подноса и звона посуды, но не слышит ничего.

---

[1] Алиенистов (психиатров) (*фр.*).

[2] Т о м а с Б р а у н (1778—1820) — шотландский философ, предтеча аналитической психологии.

[3] Иоганн Фридрих Г е р б а р т (1776—1841) — немецкий философ, математик и психолог, последователь Лейбница и Канта.

[4] М о р о д е Т у р (1804—1884) — французский психиатр, основатель современной психофармакологии, автор книги «Гашиш и психическое расстройство» (1845).

[5] Франсуа-Пьер-Готье М е н д е Б и р а н (1766—1824) — французский философ и психолог.

— Просто поставьте на стол, — говорит он, не оборачиваясь.

Слышится глухой свист, будто из маленьких мехов выпускают воздух, а затем — оглушительный грохот. Первая мысль Саймона — Дора швырнула в него подносом: служанка всегда внушала ему мысль о едва скрываемой ярости, способной привести к преступлению. Он невольно вскрикивает, подскакивает и разворачивается на месте. На полу, среди осколков посуды и разбросанной еды, растянулась во весь рост его хозяйка — миссис Хамфри.

Саймон подбегает к ней, опускается на колени и щупает пульс. По крайней мере, жива. Саймон оттягивает веко и видит матовый белок. Он поспешно снимает с нее не особо чистый на груди фартук и узнает в нем тот, что носит обычно неряшливая Дора. Затем расстегивает спереди платье, попутно замечая, что одной пуговицы не хватает и на ее месте торчат нитки. Он роется в многослойной одежде, наконец разрезает карманным ножом шнуровку корсета и вдыхает аромат фиалковой воды, палой осенней листвы и душной плоти. Она полнее, чем он предполагал, но вовсе не пышка.

Он переносит ее в свою спальню — диванчик в гостиной для этого слишком мал — и кладет на кровать, подтыкая под ноги подушку, чтобы кровь прилила к голове. Подумывает, не снять ли с нее ботинки, — которые, кстати, еще не чищенные, — однако решает, что это было бы неуместной фамильярностью.

У миссис Хамфри стройные лодыжки, от которых Саймон отводит взгляд, а ее волосы растрепались при падении. Сейчас она кажется моложе и намного привлекательнее, поскольку вместе с потерей сознания лицо ее лишилось привычного выражения преувеличенной тревоги. Саймон прикладывает ухо к ее груди и прислушивается: сердце бьется ровно. Обыкновенный обморок. Он смачивает водой из кувшина полотенце и прикладывает его к лицу и шее хозяйки. Ее веки судорожно подергиваются.

Саймон наливает полстакана воды из бутылки, стоящей на ночном столике, подсыпает туда двадцать щепоток нюхательной соли, — средство, которое он всегда носит с собой во время утренних визитов на случай подобного же приступа дурноты у Грейс Маркс, склонной, по слухам, к обморокам, — и, поддерживая миссис Хамфри одной рукой, подносит к ее губам стакан.

— Выпейте.

Она неловко выпивает воду большими глотками и хватается рукой за голову. Теперь он замечает у нее на щеке красный след. Наверное, муж у нее не только пьяница, но и подлая скотина. Хотя это больше похоже на увесистую пощечину, а такой человек, как майор, наверняка ударил бы кулаком. Саймон чувствует прилив снисходительной жалости, которая в данной ситуации неуместна. Ведь эта женщина — всего лишь его хозяйка, к тому же он совершенно ее не знает. Он не желает менять этого положения вещей, но в его сознании всплывает непроизвольный образ — без сомнения, вызванный видом беспомощной женщины, лежащей на его смятой постели. Это образ миссис Хамфри: в полузабытьи она взмахивает в воздухе руками, без корсета, в разорванной сорочке, ноги — что любопытно, в ботинках — судорожно взбрыкивают, а сама она слабо постанывает; между тем на нее с яростью наваливается какой-то громила, совершенно не похожий на Саймона. Впрочем, сверху и со спины, откуда он мысленно наблюдает за этой отталкивающей сценой, стеганый халат кажется ему хорошо знакомым.

Его всегда интересовали подобные капризы воображения, когда он их наблюдал у самого себя. Откуда они берутся? Если это случается с ним, значит, подобное происходит и с большинством мужчин. Он психически здоровый, нормальный человек с высокоразвитыми мыслительными способностями, и все же ему не всегда удается обуздывать подобные фантазии. Разница между человеком цивилизованным и бесчеловечным извергом — сумасшедшим, например, — возможно, заключается в тонком барьере добровольного самоограничения.

— Вы в полной безопасности, — доброжелательно говорит он ей. — Вы упали. Вам нужно полежать спокойно, пока не оправитесь.

— Но я же в кровати. — Она озирается.

— Это моя кровать, миссис Хамфри. Я был вынужден вас сюда отнести — за неимением более подходящего места.

Теперь ее лицо зарделось. Она заметила, что на нем халат:

— Я должна сейчас же уйти.

— Прошу вас не забывать, что я — врач, а вы сейчас — моя пациентка. Если вы попытаетесь встать, возможен рецидив.

— Рецидив?

— Вы упали в обморок, когда вносили... — казалось неделикатным об этом напоминать, — ...поднос с моим завтраком. Могу ли я вас спросить, что сталось с Дорой?

К его испугу — но не удивлению, — она расплакалась:

— Я не смогла ей заплатить. Я была должна ей за три месяца. Я сумела продать несколько... несколько личных вещей, но муж два дня тому назад отнял у меня все деньги. С тех пор он не возвращался. Я не знаю, куда он ушел.

Она с видимым усилием пытается сдержать слезы.

— А сегодня утром?

— У нас вышла... размолвка. Дора настаивала на оплате. Я сказала, что не могу, это невозможно. Она ответила, что в таком случае она заберет жалованье сама. И начала рыться в ящиках моего комода — наверное, искала драгоценности. Ничего не отыскав, потребовала у меня обручальное кольцо. Оно золотое, но очень простенькое. Я пыталась защищаться. Она меня назвала бесчестной женщиной и... ударила меня. Потом забрала кольцо, сказала, что больше не желает быть моей бесплатной рабыней, и ушла из дома. После этого я сама приготовила вам завтрак и понесла его наверх. Что мне еще оставалось делать?

«Значит, не муж, а эта свинья Дора», — думает Саймон. Миссис Хамфри снова начинает плакать — тихо, без усилий, словно это не рыдания, а птичья песенка.

— Наверное, у вас есть близкая подруга, к которой вы могли бы сходить. Или она могла бы прийти к вам. — Саймону не терпится куда-нибудь спровадить миссис Хамфри. Женщины друг другу помогают: забота о тех, кто попал в беду, — это их дело. Готовят бульоны и студни. Вяжут утешительные теплые платки. Гладят и успокаивают.

— У меня здесь нет подруг. Мы переехали в этот город совсем недавно — после того, как пережили... столкнулись с финансовыми проблемами на прежнем месте. Мой муж не любил гостей. И запрещал мне выходить из дома.

Саймону приходит в голову спасительная идея:

— Вам нужно чего-нибудь поесть. Чтобы набраться сил.

Она слабо ему улыбается:

— В доме нечего есть, доктор Джордан. Ваш завтрак — это все, что осталось. Я не ела уже два дня, с тех пор как ушел муж. Остатки доела Дора. Я пила одну воду.

Вот так Саймон очутился на рынке и закупает на собственные деньги провизию для поддержания своей хозяйки. Он помог миссис Хамфри спуститься на первый этаж. Она очень настаивала, утверждая, что не переживет, если муж возвратится и застанет ее в спальне жильца. Саймон не удивился, обнаружив, что в хозяйских комнатах нет почти никакой мебели: стол и два стула — вот и все, что осталось в гостиной. Но в дальней спальне обнаружилась кровать, куда он положил миссис Хамфри — не только в нервном истощении, но и оголодавшую: неудивительно, что она была такой костлявой. Саймон отогнал от себя мысли об этой кровати и отвратительных супружеских сценах, которые на ней, вероятно, разыгрывались.

Затем поднялся к себе с насилу найденным помойным ведром: на кухне был сущий погром. Собрал с пола рассыпанный завтрак и разбитую посуду, обнаружив, что яйцо в кои-то веки сварено как следует.

Саймон думает, что нужно сообщить миссис Хамфри о своем намерении сменить квартиру. Будет неудобно, но все же лучше, нежели ставить крест на своей жизни и работе, что неминуемо произойдет, если он останется. Хаос, суматоха, судебные исполнители, которые наверняка придут описывать мебель в его комнатах. Но что станет с этой несчастной женщиной, если он уйдет? Ему не хочется, чтобы ее смерть оказалась на его совести, если она околеет на улице от голода.

Он покупает немного яиц, грудинки, сыра и невзрачного масла у крестьянки с лотка, затем в лавке — бумажный фунтик чаю. Неплохо бы и хлеба, только он не может его найти. На самом деле Саймон неважно во всем этом разбирается. На рынке он бывал и раньше, но мимоходом, когда покупал овощи, которыми надеялся расшевелить воспоминания Грейс. Но сейчас он в совсем другом положении. Где купить молока? Почему нигде нет яблок? Этот мир он никогда не исследовал и не интересовался тем, откуда берется еда, покуда ее было вдоволь. По рынку ходят служанки с хозяйскими корзинками в руках или женщины из беднейших сословий, в бесформенных чепчиках и замызганных платках. Он чувствует, что они хихикают у него за спиной.

Вернувшись, он видит, что миссис Хамфри уже встала. Закуталась в одеяло, уложила волосы и сидит у печки, которая, к счастью, топится — сам бы он с этим устройством не справился, — сидит, потирая руки и дрожа в ознобе. Саймон сумел заварить чаю, приготовить яичницу с грудинкой и поджарить черствую булочку, которую в конце концов он отыскал на рынке. Они едят все это вместе за единственным оставшимся столом. Саймон жалеет, что нет повидла.

— Так любезно с вашей стороны, доктор Джордан.

— Пустяки. Не мог же я допустить, чтобы вы умерли с голоду.

В его голосе звучит больше теплоты, чем ему того хотелось бы: это голос жизнерадостного, неискреннего дядюшки, который вручает лебезящей бедной племяннице долгожданные четверть доллара, нежно щиплет ее за щечку и поскорее улепетывает в оперу. Саймон спрашивает себя, где же сейчас носит этого негодного майора Хамфри, и мысленно проклинает его, в то же время ему завидуя. Где бы его ни носило, все равно ему повезло больше, нежели Саймону.

Миссис Хамфри вздыхает:

— Я этого боялась. У меня кончились все запасы. — Сейчас она совершенно спокойна и трезво оценивает свое положение. — Нужно платить за аренду дома, а денег нет. Скоро налетят владельцы, словно стервятники на падаль, и вышвырнут меня на улицу. Возможно даже, меня арестуют за долги. Уж лучше умереть.

— Но вы же наверняка умеете что-нибудь делать, — говорит Саймон, — и сможете заработать себе на жизнь.

Она не теряет уважения к себе, и это восхищает Саймона.

Миссис Хамфри смотрит на него. В этом освещении ее глаза приобретают странноватый цвет морской волны.

— Что вы предлагаете, доктор Джордан? Затейливое рукоделие? Такие женщины, как я, не обладают талантами, за которые платят деньги. — В ее голосе сквозит злобная ирония. Знала бы она, о чем он думал, пока она лежала без сознания на его незастеленной кровати!

— Я заплачу вам за два месяца вперед, — неожиданно для себя говорит Саймон. Дурак, сердобольный идиот! Если б у него было хоть немного здравого смысла, он драпал бы отсюда со всех ног, словно бы за ним гнался сам дьявол. — Этого должно хватить на первое время, а вы пока сможете подумать о будущем.

На глаза у нее наворачиваются слезы. Не проронив ни звука, она поднимает его руку со стола и осторожно прижимается к ней губами. Картину слегка портят остатки размазанного по губам масла.

18

Cегодня доктор Джордан кажется растерянным, словно бы он что-то задумал, но не знает, с чего начать. Поэтому я не отрываюсь от шитья, пока он не соберется с духом. Потом он спрашивает:

— Вы работаете над новым одеялом, Грейс? — И я отвечаю:

— Да, сэр, это «Ящик Пандоры» для мисс Лидии.

Это настраивает его на учительский лад, и я понимаю, что он собирается преподать мне урок, — все джентльмены это любят. Мистер Киннир тоже любил. И этот вот говорит:

— А знаете ли вы, Грейс, кто такая Пандора? — И я отвечаю:

— Да, это в древности была такая гречанка. Она заглянула в ящик, хоть ей было и не велено, а оттуда вышли всякие болезни, войны и прочие людские напасти. Я узнала это давным-давно, еще у миссис ольдермен Паркинсон. Мэри Уитни эта история не понравилась. Она сказала: «Зачем же оставили такой ящик на видном месте, если не хотели, чтоб его открыли?» — Его удивляет, что я это знаю, и он спрашивает:

— Но знаете ли вы, что лежало на дне ящика?

— Да, сэр, — отвечаю, — надежда. И можно в шутку сказать, что надежда — то, что остается, если доскребаешь бочонок до дна. Так некоторые, совсем уже отчаявшись, под конец выходят замуж. Или можно назвать этот ящик сундуком надежды. Но все это, конечно, выдумки, хоть узор на одеяле и красивый.

— По-моему, каждому из нас иногда нужна хоть небольшая надежда, — говорит он. Я чуть было не сказала, что уже давно без нее обхожусь, но сдержала себя. А потом и говорю:

— Вы сегодня сам не свой, сэр, — чай, не захворали?

А он улыбается своей кривой усмешкой и говорит, что здоров, просто забот много. Но если я продолжу свой рассказ, ему это поможет и отвлечет от неприятностей. Но не говорит, какие же у него неприятности.

Ну я и рассказываю дальше.

Теперь, сэр, я перехожу к более веселой части моей истории. Я расскажу вам о Мэри Уитни, и вы поймете, зачем я взяла себе ее имя, когда оно мне понадобилось. Ведь она никогда не бросала друзей в беде, и я надеюсь, что я ей тоже помогла бы, если бы настал мой черед.

Дом, куда меня взяли на работу, был очень богатым и считался одним из лучших в Торонто. Он находился на Фронт-стрит — эта улица возвышалась над озером, и на ней стояло много других больших домов. Впереди у дома выступало изогнутое крыльцо с белыми колоннами. Столовая — овальной формы, гостиная — тоже, просто загляденье, хоть ее и продувало насквозь. А еще там была библиотека — огромная, как бальный зал, с полками до самого потолка, заставленными книжками в кожаных переплетах, и в них было столько слов, что ни в жизнь не перечитать. В спальнях стояли высокие кровати с балдахинами и портьерами, а летом — с сетками от мух, и еще туалетные столики с зеркальцем и комоды из красного дерева с забитыми до отказа ящиками. Хозяева были англиканами, как и все уважаемые люди в те времена или те, кто стремился добиться уважения, ведь англиканская церковь была государственной.

Главой семьи был мистер ольдермен Паркинсон — видели его нечасто, поскольку он занимался делами и политикой. Он походил на большое яблоко с двумя палочками, вставленными в него вместо ножек. У хозяина было так много золотых цепочек для часов, золотых булавок, золотых табакерок и прочих безделушек, что расплавь его — и выйдет штук пять ожерелий с серьгами в придачу. Еще была миссис ольдермен Паркинсон, и Мэри Уитни говорила, что ей-то и следовало быть самим ольдерменом, потому что она в доме главный мужчина. Фигура у хозяйки была внушительная, хотя без корсета не имела никакого вида. Но когда ее туго зашнуровывали, грудь выпирала, словно скалистый утес, и миссис ольдермен могла бы унести на ней целый чайный сервиз, не пролив ни капли. Она родилась в Соединенных Штатах и была зажиточной вдовой, а потом, как сама говорила, ее «уволок» за собой мистер ольдермен Паркинсон, — забавное, поди, было зрелище. А Мэри Уитни говаривала: диву даешься, мол, как мистер ольдермен Паркинсон после этого выжил.

У хозяйки было два взрослых сына, которые учились в колледже в Штатах, и еще — спаниель по кличке Бевелина: его я называю членом семьи, потому что к нему так и относились. Вообще-то я животных люблю, но Бевелину выносила с трудом.

Слуг было много: одни приходили, другие уходили, так что я не буду всех перечислять. Горничная миссис ольдермен Паркинсон называла себя француженкой, хоть мы в этом и сомневались, и ни с кем не водилась. Экономка миссис Медок занимала довольно большую комнату в задней части дома, дворецкий — тоже, а кухарка и прачка жили рядом с кухней. Садовник и конюхи проживали вместе с двумя судомойками в надворных пристройках, рядом с конюшней — там держали лошадей и трех коров, которых я иногда помогала доить.

Меня поселили на чердаке, на самом верху черной лестницы, и я спала в одной кровати с Мэри Уитни, которая прислуживала в прачечной. Комната у нас была небольшая, летом жаркая, а зимой — холодная, поскольку находилась она под самой крышей и в ней не было ни камина, ни печки. Там стояла кровать с соломенным тюфяком, комодик, простой умывальник с оббитым по краям тазиком и ночной горшок, да еще стул с прямой спинкой, выкрашенный светло-зеленой краской, — сюда мы складывали на ночь одежду.

Дальше по коридору жили Агнесса и Эффи, горничные. Агнесса была девушкой набожной, но доброй и отзывчивой. В молодости она попробовала лекарство для снятия желтизны с зубов, которое вместе с желтизной сняло и белизну. Возможно, поэтому она так редко смеялась и старалась при этом не раскрывать рта. Мэри Уитни говорила, что она усердно молится, чтобы Господь вернул ей белые зубки, но пока у нее так ничего и не получилось. Эффи сильно затосковала, после того как ее молодого человека сослали в Австралию за участие в Восстании три года назад. И когда она получила письмо, где говорилось, что молодой человек скончался, то попыталась удавиться тесемками от фартука. Но тесемки порвались, и ее нашли на полу — полузадушенную и с помутившимся рассудком, так что ее пришлось отправить в больницу.

Я ничего не знала о Восстании, поскольку меня тогда еще здесь не было, но Мэри Уитни мне о нем рассказала. Восстание было против помещиков и мелких дворян, которые всем заправляли и забирали себе все деньги и всю землю. Его возглавил мистер Уильям Лайон Маккензи[1], который был радикалом, и после того, как Восстание подавили, он переоделся в женскую одежду и бежал — по снегу и льду, а затем переплыл через Озеро в Штаты. Его много раз могли предать, но не предали, потому что он был хорошим человеком и всегда защищал простых фермеров. Но многих радикалов схватили и сослали или повесили. И они лишились имущества или перебрались на Юг. А большинство из тех, кто остался, были тори или называли себя тори. Так что лучше было не говорить о политике, разве только с друзьями.

---

[1] Уильям Лайон Маккензи (1795—1861) — канадский журналист и глава повстанцев, первый мэр Торонто, основатель Партии реформ. В 1837 г. возглавил восстание, которое вскоре было подавлено. Маккензи бежал в Соединенные Штаты, но после всеобщей амнистии 1849 г. возвратился в Канаду.

Я сказала, что ничего не смыслю в политике, так что и говорить о ней ни с кем не собираюсь. И я спросила Мэри Уитни, уж не радикалка ли она. А она мне велела не говорить об этом Паркинсонам, которым она соврала, но ее отец тоже лишился фермы, для которой сам с большими трудами расчистил лес. Бревенчатый сруб, который отец построил своими руками, отгоняя медведей и прочих диких зверей, сожгли. А потом отец умер от болезни, которую подхватил, прячась в зимнем лесу, а ее матушка померла с горя. Но их время еще придет, и они за себя отомстят. И когда Мэри Уитни это говорила, лицо у нее было очень свирепое.

Я с удовольствием общалась с Мэри Уитни, потому что мне она сразу приглянулась. После меня она была там самая молодая — шестнадцатилетняя, милая, веселая девушка с опрятной фигуркой, темно-русыми волосами, блестящими карими глазами и ямочками на розовых щеках. От нее пахло мускатным орехом или гвоздиками. Она обо всем меня расспрашивала, и я рассказала ей о путешествии на корабле, о том, как умерла матушка и как ее похоронили в океане среди айсбергов. И Мэри сказала, что она мне очень сочувствует. А потом я рассказала ей об отце, — хоть и скрыла самое плохое, ведь негоже дурно говорить о родителях, — и о том, как я боялась, что он будет отбирать у меня все жалованье. И Мэри сказала, что я не должна отдавать ему свои деньги, ведь он их не заработал, и что они не принесут пользы моим сестричкам и братишкам, потому что отец потратит их все на себя, скорее всего — на выпивку. Я призналась, что боюсь его, а она сказала, что здесь ему до меня не добраться, и если он только попробует, она кликнет Джима из конюшни, а он мужик здоровый и у него есть друзья. И я немного успокоилась.

Мэри сказала, что я еще зеленая и тупая, как пробка, но я была очень даже смышленая, а разница между дурой и невеждой в том, что невежда может чему-то научиться. И она сказала, что я прилежная, добросовестная работница и что мы друг с другом поладим. У нее уже было две других работы, и если уж пришлось наниматься в прислуги, то у Паркинсонов ничуть не хуже, чем в других домах, потому что они не скупятся на еду. И это правда: скоро я начала поправляться и расти. В Канаде еду, конечно, проще раздобыть, чем по другую сторону океана, и она здесь намного разнообразнее. Даже прислуга каждый день ела мясо, хотя бы солонину или грудинку. И здесь вкусный хлеб, который пекут из пшеницы или из индейской кукурузы. У нас в хозяйстве было три своих коровы, огород, плодовые деревья, клубника, смородина и виноград, а еще цветочные клумбы.

Мэри Уитни любила шутить, и когда мы оставались одни, она становилась проказливой и дерзкой на язык. Но по отношению к старшим и высшим по положению она вела себя скромно и уважительно. Благодаря этому, а еще потому, что у нее спорилась любая работа, Мэри была всеобщей любимицей. Но за спиной у хозяев она отпускала на их счет шуточки и передразнивала их гримасы, походку и привычки. Я часто поражалась тем словам, что слетали у нее с языка, ведь многие были очень грубыми. Нельзя сказать, что я никогда раньше не слыхала таких выражений, например, дома, когда отец напивался вдрызг, на корабле во время переезда или в порту, возле таверн и трактиров. Но было странно слышать их от такой молодой и хорошенькой девушки, так опрятно и чисто одетой. Однако скоро я к этому привыкла и объясняла для себя тем, что она — коренная канадка и не питает особого уважения к званиям. И порой, когда я возмущалась ее речами, она говорила, что скоро я запою траурные гимны, как Агнесса, и буду ходить с угрюмо поджатыми губами, похожими на задницу старой девы. Я препиралась с ней, но под конец мы обе заливались смехом.

Однако ее раздражало, что одни люди имеют так много, а другие — так мало, и она не видела в этом никакого Божественного умысла. Мэри утверждала, что ее бабушка была индианкой, и поэтому у нее самой такие темные волосы. И при первом удобном случае она убежала бы в леса и бродила бы там с луком и стрелами, и ей не нужно было бы прикалывать волосы и носить корсеты. Я тоже могла бы уйти вместе с ней. Потом мы строили планы, как будем прятаться в чаще, нападать на путешественников и снимать с них скальпы, о чем она читала в книжках. И Мэри сказала, что ей хотелось бы снять скальп с миссис ольдермен Паркинсон, хоть это и не стоило труда, ведь своих волос у нее не было, а одни только парики, которые она хранила у себя в гардеробной. И однажды Мэри видела, как горничная-француженка намела их целую кучу, решив, что это шерсть от спаниеля. Но это мы просто так между собой беседовали, совершенно беззлобно.

Мэри с самого начала взяла меня под свое крылышко. Скоро она догадалась, что я прибавила себе один год, но поклялась никому об этом не рассказывать. А потом просмотрела мою одежонку и сказала, что она для меня мала и годится лишь на лоскуты, и зимой я долго не протяну с одной лишь маминой шалью, которую ветер будет продувать насквозь, как сито. Но она поможет мне раздобыть одежду, потому что миссис Медок сказала ей, что я похожа на оборванку и меня нужно прилично одеть, ведь миссис ольдермен Паркинсон дорожит своим добрым именем. Но сперва надо меня отмыть, как картошку, такая я грязная.

Мэри сказала, что возьмет у миссис Медок на время сидячую ванну, и тогда я переполошилась, потому что никогда не мылась в ванне, да к тому же боялась миссис Медок. Но Мэри сказала, что она лает, да не кусается, и в любом случае мы всегда услышим, как она подходит, ведь из-за всех этих ключей она гремит, будто целая телега старых чайников. А если я стану спорить, Мэри пригрозила вымыть меня на улице, раздев догола, у колонки на заднем дворе. Я возмутилась и сказала, что этого не допущу. Но она ответила, что сама она, конечно, никогда такого не сделает, но стоит лишь намекнуть об этом миссис Медок, и она охотно даст свое согласие.

Мэри вернулась довольно быстро и сказала, что мы можем взять ванну, но потом должны хорошенько ее почистить. И мы перенесли ее в прачечную, накачали воды, немного подогрели ее на плите и вылили в ванну. Я велела Мэри стоять у двери, чтобы никто не вошел, и отвернуться, потому что я никогда раньше не снимала с себя всю одежду, хоть и оставила на себе из скромности сорочку. Вода была еле теплая, и когда я помылась, то вся дрожала, — благо дело было летом, а не то бы я схватила простуду и померла. Мэри велела мне помыть и волосы. Правда, если мыть их слишком часто, то из тела уйдет вся сила, и она знала девушку, которая ослабла и умерла оттого, что слишком часто мыла волосы, но все равно это надо делать хотя бы раз в три-четыре месяца. Она посмотрела на мою голову и сказала, хорошо хоть вшей у меня нет, а не то пришлось бы втирать в волосы серу и скипидар. Она один раз себе втерла, так потом от нее еще много дней воняло тухлыми яйцами.

Мэри одолжила мне свою ночную рубашку, пока моя не просохнет, потому что всю мою одежду она постирала. И она завернула меня в простыню, чтобы я могла выйти из прачечной и подняться по черной лестнице. Мэри сказала, что я очень смешно выгляжу и похожа на сумасшедшую.

Мэри попросила миссис Медок выдать мне жалованье наперед, чтобы купить приличное платье, и на следующий день мы отправились в город. Перед этим миссис Медок прочитала нам наставление и сказала, чтобы мы вели себя скромно, нигде не останавливались и не разговаривали с незнакомыми людьми, особенно с мужчинами. Мы пообещали, что сделаем все, как она велела.

Но, боюсь, мы пошли дальней дорогой — поглядеть на цветы в огороженных садах да на торговые лавки: их оказалось не так уж много и они были не такими роскошными, как те, что я мельком видела в Белфасте. Потом Мэри спросила, не хочу ли посмотреть улицу, на которой живут шлюхи, и я испугалась, но она сказала, что там нет ничего страшного. Мне и впрямь интересно было взглянуть на тех женщин, что зарабатывали на жизнь своим телом, ведь я думала: коли придется помирать с голоду, на худой конец, у меня еще будет что продать. И мне захотелось глянуть, как выглядят эти женщины. Поэтому мы пошли на Ломбард-стрит, но утром там смотреть было не на что. Мэри сказала, что там есть несколько публичных домов, хотя внешне они ничем не отличаются от других зданий. Хотя говорят, что внутри они очень красивые, с турецкими коврами, хрустальными канделябрами и бархатными шторами. И шлюхи живут там в собственных спальнях, а служанки приносят им завтраки, моют полы, застилают постель и выносят помои. А им самим нужно лишь надевать одежду, а потом снова ее снимать и ложиться на спину. Это намного приятнее, чем работать на угольной шахте или ткацкой фабрике.

В этих домах живут самые лучшие и дорогие шлюхи, и к ним приходят джентльмены и обеспеченные клиенты. А те, что подешевле, вынуждены ходить по улицам и снимать комнаты на час. Среди таких многие больны и к двадцати годам уже начинают стареть, так что им приходится подкрашивать лица, чтобы обмануть бедных пьяных матросов. И хоть издалека они кажутся очень элегантными, все в перьях да в атласе, если подойти поближе, можно увидеть, что платья у них затасканные и сидят плохо, потому что за каждый стежок приходится платить, так что у них едва остаются деньги на хлеб. Это ужасная жизнь, и даже удивительно, почему они не топятся в озере. Некоторые, правда, топятся, и в порту часто находят их всплывшие трупы.

Я спросила, откуда Мэри все это знает, а она рассмеялась и сказала, что я много чего смогу услышать, если буду держать ухо востро, особенно на кухне. И еще одна ее знакомая девушка из деревни сбилась с пути истинного, и Мэри встретила ее на улице. Но что с ней потом сталось, неизвестно: видать, ничего хорошего.

После этого мы пошли на Кинг-стрит, в магазин тканей, где задешево продавались всевозможные обрезки: там были шелка, бумажная ткань, поплин, фланель, атлас и шотландка — все, что душе угодно. Но мы должны были прикинуть цену и подумать, что можно из них сшить. В конце концов, мы купили прочную льняную материю в белую и голубую полоску, и Мэри сказала, что поможет мне ее раскроить. Потом, правда, она очень удивилась, что я умею так хорошо шить и делать такие маленькие стежки, и сказала, что зря я подалась в прислуги — лучше бы мне стать портнихой.

Мы купили ниток и пуговиц на платье у коробейника, который зашел к нам на следующий день и был всем здесь хорошо знаком. Кухарка в нем души не чаяла: она заварила ему чашку чаю и отрезала кусок пирога, пока он открывал короб и раскладывал свои товары. Его звали Джеремайя, и когда он поднимался по аллее к черному входу, пятеро или шестеро маленьких оборвышей шли за ним, как на параде, один стучал ложкой по котелку, и все вместе пели:

> Джеремайя, жар раздуй,
> Пыхай-пыхай, не мухлюй!
> Поперву — слабее,
> Погодя — сильнее!

Услыхав этот грохот, все мы бросились к окну. Как только вся компания добралась до черного входа, коробейник дал сорванцам пенни, и они убежали. И когда кухарка спросила, зачем он это сделал, Джеремайя ответил, что лучше пускай они ходят за ним по команде, чем забрасывают его комьями грязи да конским навозом. Так они обычно поступают с коробейниками, которые не могут их прогнать, ведь если поставить короб на землю, эти маленькие разбойники живо растащат весь товар. Поэтому он решил поступить мудрее, нанял их к себе на работу и сам научил этой песенке.

Джеремайя был шустрым, расторопным мужчиной с длинным носом и длинными ногами, с загоревшей на солнце кожей и курчавой черной бородой. И Мэри говорила, что хотя Джеремайя, как многие коробейники, похож на еврея или на цыгана, вообще-то он янки, а отец его — итальянец, приехал в Массачусетс работать на фабрике. Фамилия его была Понтелли, но все его очень любили. Он хорошо говорил по-английски, правда, с небольшим иностранным акцентом. У него были проницательные черные глаза и широкая, обворожительная улыбка, и он грубо льстил женщинам.

У Джеремайи имелось много вещей, которые я хотела купить, но не могла себе позволить, хоть он и говорил, что возьмет одну половину денег сейчас, о вторую подождет до следующего раза. Только не хотелось мне влезать в долги. У него были ленты и кружева, а еще нитки и пуговицы: железные, перламутровые, деревянные и костяные — я выбрала костяные; белые хлопчатобумажные чулки, воротнички, манжеты, галстуки и носовые платки; несколько нижних юбок, две пары корсетов, подержанных, но хорошо вымытых и почти новых; и светлые летние перчатки, очень красиво сшитые. Еще сережки, серебряного и золотого цвета, хотя Мэри сказала, что они сотрутся; настоящая серебряная табакерка; и флакончики духов с очень сильным ароматом роз. Кухарка купила себе несколько штук, но Джеремайя сказал, что они ей не нужны, от нее и так пахнет, как от принцессы. А кухарка покраснела и захихикала, хоть ей и было уже под пятьдесят, и фигуру она имела не больно-то изящную. Она сказала:

— Скорее уж луком. — А Джеремайя возразил, что у нее очень вкусный запах, а путь к сердцу мужчины лежит через его желудок, и потом обнажил в улыбке свои большие белые зубы, которые казались еще больше и еще белее из-за темной бороды. Он глянул на кухарку голодным взглядом и облизнулся, будто она — вкуснейший торт, который ему очень хочется съесть. А кухарка еще сильней зарделась.

Потом Джеремайя спросил, нет ли у нас чего-нибудь на продажу, ведь мы же знаем, что он хорошо заплатит. И Агнесса продала свои коралловые сережки, которые достались ей от тетушки, — сказала, что это вещь суетная. Но нам-то было известно, что деньги ей нужны для бедствующей сестры. Пришел еще Джим из конюшни и сказал, что меняет свою рубашку и большой цветастый носовой платок на другую рубашку понаряднее, которая ему больше нравится. Он отдал в придачу карманный ножик с деревянной ручкой, и сделка состоялась.

Мы устроили с Джеремайей посиделки на кухне, и миссис Медок пришла узнать, что у нас за шум. И она сказала:

— Джеремайя, вижу, ты опять принялся за старое — снова с женщинами озорничаешь. — Но при этом она улыбалась, что бывает нечасто. И он ответил, дескать, что же ему остается делать, ведь кругом столько красавиц — он просто не в силах устоять, хотя сама она красивее всех. И миссис Медок купила у него два батистовых платка, но сказала, чтоб он поторапливался, а не рассиживал тут весь день, потому что у девушек много работы. И потом, звеня ключами, вышла из кухни.

Некоторые хотели, чтобы Джеремайя погадал им по руке, но Агнесса сказала, что грешно путаться с дьяволом, и миссис ольдермен Паркинсон не допустит, чтобы по округе ползли слухи, будто у нее на кухне занимаются этакой цыганщиной. Поэтому Джеремайя гадать не стал. Но после долгих уговоров все-таки изобразил джентльмена, показал и голос, и манеры, и все остальное, а мы захлопали в ладоши от радости — так было похоже. Потом он еще вытащил у кухарки из уха серебряную монету и показал, как он умеет глотать вилки — или притворяться, что глотает. Джеремайя сказал, что всем этим фокусам он научился в дни своей шальной юности, когда был бесшабашным парнем и работал на ярмарках. Потом он, правда, стал честным торговцем, но с тех пор его уже сотню раз обчищали и разбивали ему сердце такие жестокие красавицы, как мы. И все в кухне рассмеялись.

Но когда Джеремайя сложил все обратно в короб, выпил чашку чаю и съел кусок пирога, сказав, что никто его так вкусно не готовит, как наша кухарка, и собрался уже уходить, рукой он поманил меня к себе и дал еще одну костяную пуговицу — в придачу к четырем купленным. Он положил ее мне в руку и сжал ее в кулак своими жесткими и сухими пальцами. А вначале быстро заглянул в мою ладошку и потом сказал:

— Пять на счастье. — Те, кто ворожит, называют четыре несчастливым числом, а нечетные числа считают счастливее четных. И он понимающе посмотрел на меня своими блестящими карими глазами и сказал тихо-тихо, чтобы никто больше не услышал: — Впереди острые скалы.

Но я думаю, сэр, скалы всегда впереди, и позади их тоже было немало, но я через них прошла. Так что меня этим не запугать.

Но потом он сказал мне очень странную вещь. Он молвил:
— Ты — одна из нас.

Затем взвалил на плече свой короб, взял посох и пошел прочь, а я все не могла взять в толк, что он имел в виду. Но, хорошенько все обмозговав, я решила, что он хотел сказать: я такая же бездомная странница, как коробейники и ярмарочные шуты. Что же еще могло быть у него на уме?

После его ухода всем стало немножко грустно и тоскливо: ведь нам, жившим в задней части дома и в надворных пристройках, нечасто выпадало такое счастье — посмотреть красивые вещички, посмеяться да пошутить средь бела дня.

Но платье вышло на славу, и поскольку пуговиц было не четыре, а пять, то мы пришили три к вороту и по одной на манжеты. И даже миссис Медок заметила, как сильно я изменилась: в новом платье я выглядела очень опрятно и прилично.

19

ОТЕЦ ПРИШЕЛ В КОНЦЕ ПЕРВОГО МЕСЯЦА и потребовал все мое жалованье, но я отдала ему только четверть, потому что остальное растратила. И тогда он начал ругаться и схватил меня за руку, но Мэри натравила на него конюхов. Он опять пришел в конце второго месяца, и я снова отдала ему четверть жалованья, а Мэри сказала ему, чтобы он больше не приходил. И он начал обзывать ее всякими бранными словами, но она не дала себя в обиду и свистнула людей, которые его прогнали. Я не знала, что и делать, ведь мне жалко было малышей, и я попыталась передать им немного денег через миссис Бёрт, только вряд ли детишки их получили.

Вначале меня поставили работать судомойкой — чистить кастрюли и сковороды, — но скоро заметили, что железные котлы для меня слишком тяжелы. А потом наша прачка уволилась, и вместо нее пришла другая, не такая проворная. И миссис Медок велела мне помогать Мэри полоскать и выкручивать белье, развешивать его, складывать, катать и штопать, так что мы обе остались очень довольны. Мэри сказала, что обучит меня самому необходимому, ведь я девушка сметливая и все схватываю на лету.

Когда я делала что-то не так и потом об этом переживала, Мэри меня успокаивала и говорила, чтобы я не принимала все так близко к сердцу, ведь не ошибается тот, кто ничему не учится. А когда миссис Медок резко меня отчитывала и я готова была разреветься, Мэри говорила, чтобы я не обращала на нее внимания, это у нее такая манера: просто она выпила целый графинчик уксуса, который теперь льется у нее изо рта. И еще я должна помнить, что мы — не рабы, мы слугами не рождались и не останемся ими до скончания века, это просто такой рабочий труд. Она сказала, что в этой стране молодые девушки обычно нанимаются в прислуги, чтобы заработать себе на приданое. А потом выходят замуж, и если мужья у них обеспеченные, то они скоро сами нанимают прислугу, ну хотя бы одну служанку. Когда-нибудь я стану состоятельной и независимой женщиной, хозяйкой опрятной фермы и буду лишь посмеиваться над теми бедами и испытаниями, которым подвергала меня миссис Медок. Один человек ничем не хуже другого, и по эту сторону океана люди добиваются всего упорным трудом, а не благодаря заслугам своего дедушки — именно так и должно быть.

Мэри говорила, что работа служанки — ничем не хуже остальных, и для нее необходима сноровка, которой многим ни за что не приобрести, и все дело в том, как смотреть на вещи. Например, нам велели всегда ходить по черной лестнице, чтобы не мешать хозяевам, но на самом деле все наоборот: парадная лестница нужна для того, чтобы хозяева не мешали работать нам самим. Они могут шляться туда-сюда по парадной лестнице в своих нарядных одежках, увешанные безделушками, а настоящая работа кипит у них за спиной, и поэтому они не ворчат на нас, не вмешиваются и не надоедают. Они хилые, невежественные людишки, даром что богатые, и большинство даже огня не сумеют разжечь, если пальцы на ногах зазябнут. Странно, что они еще в состоянии высморкаться да задницу подтереть, ведь толку-то от них, как от поповского кола, — простите, сэр, но она так и сказала. И если бы назавтра они лишились всех своих денег и оказались на улице, то не смогли бы заработать себе на жизнь даже проституцией, потому что не знают, куда что вставлять, и под конец засунули бы, — я не могу произнести это слово, — себе в ухо. И большинство из них не отличит своего зада от ямки в земле. Она сказала еще что-то о женщинах, но это было так грубо, что я не буду повторять, сэр, и мы обе от души расхохотались.

Мэри говорила, что весь фокус в том, чтобы хозяева никогда не видели тебя за работой. И если кто-нибудь из них застанет тебя врасплох, нужно сразу же уйти. В конце концов, сказала она, мы в более выгодном положении, потому что стираем их грязное белье и, стало быть, многое о них знаем, а они нашего белья не стирают и не знают о нас ровным счетом ничего. Некоторые вещи они могут, конечно, скрывать от слуг, и если я когда-нибудь стану горничной, то научусь выносить целые ведра помоев, словно вазы с розами. Эти люди терпеть не могут, когда им напоминают, что у них тоже есть тело, но дерьмо у них воняет точно так же, как и у нас, если не хуже. И потом она всегда читала стишок: «Когда Адам пахал, а Ева пряла, кого же дворянином величали?»[1]

Как я уже говорила, сэр, Мэри была девушкой прямой и не любила говорить обиняками. У нее были очень демократические взгляды, к которым я не сразу привыкла.

Наверху дома находился большой чердак, разделенный на несколько частей. И если подняться по лестнице, пройти мимо комнаты, в которой мы спали, а потом спуститься по другой лестнице, можно попасть в сушильню. Там были натянуты веревки, и под самой крышей располагалось несколько окошек. Через эту комнату проходила дымовая труба из кухни. Здесь обычно сушили одежду зимой или когда на улице шел дождь.

Вообще-то мы не затевали стирку, если небо хмурилось, но летом с утра иногда бывало ясно, а потом вдруг набегали тучи и обрушивался ливень. Грозы были очень бурными, с оглушительными раскатами грома и яркими вспышками молнии. Иногда казалось, что настал конец света. Первый раз я перепугалась, залезла под стол и принялась реветь, но Мэри сказала, что это пустяки — обычная гроза. А потом рассказала несколько случаев, когда людей прямо в поле или даже в хле-

---

[1] Английская народная поговорка времен Крестьянского восстания 1381 г. под руководством Уота Тайлера и Джона Болла.

ву убивало молнией, иногда вместе со стоявшей под деревом коровой.

Если у нас на улице висело белье и с неба падали первые капли, то мы выбегали из дома с корзинами и как можно быстрее все снимали, а потом заносили наверх по лестнице и снова развешивали в сушильне. Нельзя было надолго оставлять белье в корзинах, иначе оно могло заплесневеть. Мне нравилось, как пахнет высушенное на улице белье: у него был такой вкусный, свежий запах. А рубашки и ночные сорочки колыхались в солнечный день на ветру, словно большие белые птицы или как ликующие ангелы, хоть и безголовые.

Но когда мы вешали их в доме, в сером полумраке сушильни, они выглядели иначе и напоминали парящих бледных призраков, белевших во тьме. Я боялась их молчаливого, бестелесного присутствия. И Мэри, которая была девушкой сообразительной, вскоре об этом догадалась и начала прятаться за простынями — вжиматься в них лицом, чтобы можно было различить его контуры, и издавать ужасные стоны. Или, бывало, заходила за ночные сорочки и шевелила их рукавами. Она хотела напугать меня, и когда ей это удавалось, я визжала. А потом мы гонялись друг за дружкой между рядами белья, смеялись и кричали, но старались не слишком шуметь. Поймав Мэри, я начинала ее щекотать, ведь она очень боялась щекотки. Иногда мы примеряли поверх одежды корсеты миссис ольдермен Паркинсон и расхаживали с туго затянутой грудью, поглядывая друг на друга свысока. Потом от усталости мы валились навзничь в корзины с бельем и лежали там, хватая ртом воздух, как рыбы, пока наши лица снова не разглаживались.

Так в нас играл молодой задор, который не всегда принимает благородные формы, как вы, сэр, наверняка знаете из опыта.

У миссис ольдермен Паркинсон было столько лоскутных одеял, сколько я никогда в своей жизни не видела, ведь по ту сторону океана они не в моде, там мало набивных тканей, да и не такие они дешевые. Мэри говорила, что девушке нельзя выходить замуж, пока она сама не сошьет три одеяла, и самыми красивыми были свадебные — «Райское древо» и «Цветочная корзина». Другие, например «Журавль в небе» и «Ящик Пандоры», состояли из множества лоскутков и требовали большого умения, а «Бревенчатый сруб» и «Девять заплаток» были повседневными и шились намного быстрее. Мэри еще не начала своего свадебного одеяла, потому что была служанкой и ей не хватало времени, но она уже сшила «Девять заплаток».

В один погожий сентябрьский день миссис Медок сказала, что пора вытащить зимние одеяла, проветрить их и залатать дыры и прорехи, перед тем как наступят холода. Она поручила эту работу Мэри и мне. Одеяла хранились на чердаке, в стороне от сушильни, чтобы не отсырели. Они лежали в сундуке из кедрового дерева, переложенные муслиновыми простынями и таким количеством камфары, от которого даже кошка сдохла бы, — у меня аж голова закружилась от этого сильного запаха. Мы должны были снести одеяла вниз, развесить их на веревках, вычистить щеткой и посмотреть, не завелась ли моль. Ведь несмотря на кедровое дерево и камфару, моль иногда все же заводилась: в зимних одеялах, в отличие от летних, подбивка была не хлопчатобумажной, а шерстяной.

Зимние одеяла были ярче летних: красные, оранжевые, голубые и фиолетовые, а на некоторых встречались шелковые, бархатные и парчовые лоскутки. В тюрьме, когда я оставалась одна, — а я очень много времени провожу в одиночестве, — я закрывала глаза, поворачивала голову к солнцу и видела красный и оранжевый цвета, напоминавшие эти яркие одеяла. И когда мы развешивали в ряд с полдюжины одеял, они казались мне флагами, поднятыми армией, выступающей в поход.

С тех пор я часто задумывалась: для чего женщины шьют эти флаги, а затем кладут их сверху на кровать? Из-за них кровать сразу бросается в глаза. А потом я решила, что это предостережение. Вам может показаться, что кровать — вещь мирная, сэр, и она будет означать для вас отдых, покой и крепкий ночной сон. Но так бывает не всегда: в кровати происходит много опасных вещей. В кровати мы рождаемся, и это самая первая опасность в нашей жизни. В кровати женщины рожают, что нередко сводит их в могилу. Здесь же происходит то действо между мужчиной и женщиной, которое я называть не стану, сэр, но надеюсь, вы понимаете, о чем я. Одни называют это любовью, а другие — отчаянием или просто унижением, которое приходится терпеть. Наконец, в кровати мы спим, видим сны и нередко также умираем.

Впрочем, все эти фантазии об одеялах появились у меня только в тюрьме. Там можно думать сколько влезет, а рассказать о своих мыслях некому, и поэтому приходится их пересказывать самой себе.

Доктор Джордан просит меня сделать небольшой перерыв, чтобы он мог все записать. Он говорит, что его очень заинтересовало то, о чем я только что рассказала. Меня это радует, ведь я люблю говорить о тех днях, и кабы моя воля, я задержалась бы на них как можно дольше. Поэтому я жду, смотрю, как он водит рукой по бумаге, и думаю, что, наверно, очень приятно уметь так быстро писать, но этому нужно долго учиться, как игре на пианино. И мне становится интересно, хороший ли у него голос и поет ли он по вечерам дуэтом с юными барышнями, когда я сижу одна взаперти в своей камере. Видать, поет, он ведь статный, дружелюбный и неженатый.

— Итак, Грейс, — говорит он, поднимая глаза от бумаги, — вы считаете кровать опасным местом?

В его голосе звучит незнакомая нотка — возможно, он в тайне надо мной насмехается. Я не должна говорить с ним столь откровенно, и если он перейдет на такой тон, я ничего ему не расскажу.

— Конечно, не всегда, сэр, — говорю, — а только в тех случаях, что я назвала. — И после этого молчу и продолжаю шить.

— Я чем-нибудь вас обидел, Грейс? — спрашивает он. — Я этого не хотел.

Я молча шью еще несколько минут. А потом и говорю:

— Поверю вам на слово, сэр. Надеюсь, впредь вы отплатите мне той же монетой.

— Ну разумеется, — говорит он с теплотой. — Прошу вас, продолжайте. Я не должен был вас прерывать.

— Но вам наверняка не хочется слушать о таких заурядных, житейских вещах, — говорю я.

— Я хочу слышать все, что вы можете мне рассказать, Грейс, — возражает он. — Незначительные житейские подробности нередко таят в себе глубокий смысл.

Уж не знаю, что он имеет в виду, но я продолжаю.

Наконец мы снесли все одеяла вниз, развесили их на солнце и почистили, а два снова внесли в дом, чтобы залатать. Мы сидели в прачечной, где никто не стирал, и поэтому там было прохладнее, чем на чердаке. И еще там стоял большой стол, на котором мы могли разложить одеяла.

Одно из них было очень странное: четыре серых урны, из которых вырастают четыре зеленых ивы, а в каждом углу — по белой горлице. Я так подумала, что это должны быть горлицы, хоть по внешнему виду они больше напоминали цыплят. И посредине — вышитое черными нитками женское имя: «Флора». И Мэри сказала, что это «памятное одеяло», которое сшила миссис ольдермен Паркинсон в память об усопшей близкой подруге, как это было модно в то время.

Другое одеяло называлось «Чердачный скарб» и состояло из множества лоскутков. Посмотришь с одной стороны, и увидишь закрытые коробки, а взглянешь с другой — открытые. Наверно, закрытые коробки означали скарб, а открытые — чердак. С одеялами всегда так: можно смотреть на них под разным углом: то на темные, то на светлые лоскутки. А когда Мэри сказала название, я его не расслышала, и подумала, что одеяло называется «Чердачная скорбь», и я сказала:

— Очень странное название для одеяла. — И тогда Мэри сообщила мне правильное, и мы рассмеялись, представив себе чердак, где толпятся скорбящие вдовы в черных платьях, вдовьих чепчиках и креповых вуалях. Они корчат кислые рожи, заламывают руки, выводят буквы на писчей бумаге с черной каймой и прикладывают к глазам платки с такой же черной каемкой. И Мэри сказала:

— А коробки и сундуки на чердаке до краев набиты отрезанными локонами их дорогих покойных мужей. — А я сказала:

— И, наверно, их дорогие покойные мужья тоже лежат в этих сундуках.

И мы залились смехом пуще прежнего. Не могли остановиться, даже когда услышали, что по коридору идет миссис Медок, звеня своими ключами. Мы уткнулись лицами в одеяла, и когда она открыла дверь, Мэри уже успокоилась, а я еще не подняла голову, и плечи у меня тряслись. И миссис Медок спросила:

— Что случилось, девочки? — А Мэри встала и молвила:

— Простите, миссис Медок, просто Грейс оплакивает свою покойную матушку. — И миссис Медок ответила:

— Это очень хорошо. Можешь отвести ее на кухню и напоить чаем, но только недолго. — И еще она сказала, что молодые девицы часто плачут, но Мэри не должна мне потакать, а не то я стану неуправляемой.

И когда она ушла, мы обнялись и так хохотали, что чуть не померли со смеху.

Теперь вы можете сказать, сэр, что глумиться над вдовами — очень легкомысленно, и после всех этих смертей в моей семье я должна была уже понимать, что над этим не шутят. Но если бы рядом были какие-нибудь вдовы, мы никогда бы так не поступили, потому что негоже смеяться над чужими страданиями. Но ни одна вдова нас не слышала, и я могу лишь добавить, сэр, что мы были молоденькими девушками, а молоденькие девушки часто ведут себя глупо, но лучше уж хохотать, чем реветь.

Потом я задумалась о вдовах — о вдовьем горбе, вдовьей походке и о лепте вдовицы из Библии[1]: эту лепту нас, слуг, всегда заставляли отдавать из нашего жалованья беднякам. И еще я вспомнила, как мужчины перемигивались и кивали, когда речь заходила о молодой и богатой вдовушке; если же вдова была старой и бедной, то все, наоборот, отзывались о ней уважительно, хотя, если вдуматься, это очень странно.

В сентябре погода была теплая, почти как летом, но в октябре листва на деревьях покраснела и пожелтела, будто ее подожгли, и я все никак не могла ею налюбоваться. А однажды ближе к вечеру мы с Мэри снимали на улице простыни с веревок и услыхали множество хриплых голосов, и Мэри сказала:

— Смотри, дикие гуси летят на юг зимовать. — Все небо аж потемнело от них, и Мэри добавила: — Завтра утром выйдут на охоту. — Мне стало жалко этих птиц, в которых будут стрелять.

Однажды ночью в конце октября со мной случилось что-то страшное. Я бы не стала вам этого пересказывать, сэр, но вы ведь доктор, а доктора и так об этом знают, и поэтому вы не испугаетесь. Я уселась на горшок, поскольку уже надела рубашку, приготовилась ко сну и не хотелось выходить в потемках в нужник. И когда я заглянула в горшок, то увидела кровь, и на рубашке тоже. Между ног у меня текла кровь — я решила, что умираю, и от горя расплакалась.

Мэри застала меня в таком виде и спросила:

— Что случилось?

И я ответила, что у меня какая-то ужасная болезнь и что я обязательно умру. Еще у меня болел живот, но вначале я не обращала на это внимания и решила, что просто объелась свежим хлебом, который в тот день как раз пекли. Однако потом я вспомнила матушку, у которой перед смертью тоже разболелся живот, и разревелась пуще прежнего.

---

[1] Мар. 12:41—44, Лук. 21:1—4.

Мэри посмотрела на меня и, надо отдать ей должное, не посмеялась надо мной, а все объяснила. Возможно, вы удивитесь, что я этого не знала, если учесть, сколько детей нарожала моя матушка. О детях-то я знала все, откуда они берутся и даже как они туда попадают: видела собачек на улице, но вот об этом даже не догадывалась. У меня не было подруг моего возраста, а то бы я, наверно, обо всем давно проведала.

А Мэри сказала:

— Теперь ты женщина, — и я снова расплакалась. Но она обняла и успокоила меня еще лучше, чем матушка, которой всегда было некогда, она часто уставала или болела. Потом Мэри одолжила мне свою красную фланелевую юбку, пока я не сошью себе такую же, и показала, как подворачивать и прикалывать одежду. Мэри сказала, что некоторые называют это Евиным проклятием, но сама она считает, что глупо так говорить, ведь настоящее Евино проклятие — терпеть бестолкового Адама, который, чуть что, все сваливает на Еву. Еще она сказала, что если будет очень больно, она принесет мне пожевать ивовой коры, а если и это не поможет, нагреет на кухонной плите кирпич и завернет его в полотенце, чтобы унять боль. Я была ей очень благодарна, ведь она и впрямь оказалась доброй и заботливой подружкой.

Потом Мэри усадила меня, нежно и ласково расчесала мне волосы и сказала:

— Грейс, ты станешь красавицей и скоро начнешь кружить мужикам головы. Хуже всего — джентльмены, они думают, что все обязаны выполнять их желания. Когда выходишь ночью в нужник, мужики уже поджидают тебя снаружи пьяные, а потом внезапно на тебя набрасываются: никакого сладу с ними нет, но, в крайнем случае, можно пнуть их между ног — там у них самое больное место. А лучше всего запереть дверь и пользоваться ночным горшком. Но все мужики одинаковые: наобещают с три короба, мол, сделают все, чего ни пожелаешь. Но просить их нужно очень осторожно и не делать для них ничего, пока они не выполнят обещанного. А если подарят колечко, то к нему должен прилагаться священник. — Я наивно спросила:

— Почему? — И она ответила, потому что мужчины обманщики от природы и скажут что угодно, лишь бы получить то, чего от тебя хотят, а потом возьмут да и передумают — и тогда ищи ветра в поле. Все это мне напомнило ту историю, которую тетушка Полина обычно рассказывала о моей матери, и я кивнула со знанием дела и сказала, что она права, хотя еще толком и не понимала, что она имела в виду. Тогда Мэри крепко обняла меня и сказала, что я умница.

Вечером 31 октября, когда, как вам, сэр, известно, празднуется канун Дня всех святых и, согласно поверьям, духи мертвых выходят из могил, хоть это и суеверие, — этим-то вечером Мэри принесла что-то в фартуке и сказала:

— Смотри, я выпросила у кухарки четыре яблока. — В это время года яблок было полно — в погребе хранились целые бочки.

— Их можно съесть? — спросила я. Но она ответила:

— Съедим потом. Сегодня ночью можно узнать своего будущего жениха. — Она сказала, что взяла четыре штуки, чтобы у каждой из нас было по две попытки.

Мэри показала мне маленький ножик, который тоже будто бы взяла у кухарки. Правда, иногда Мэри брала вещи без спросу, и это меня беспокоило, хоть она и говорила, что если класть их потом на место, воровством это не считается. Но временами она даже на место их не клала. Мэри взяла книжку сэра Вальтера Скотта «Дева озера»[1] в библиотеке, где их было пять штук, и читала мне ее вслух. Еще у нее был запас огарков, которые она по одному выносила из столовой и прятала под отставшей половицей: если бы Мэри разрешали это делать, она бы их не прятала. Нам давали одну свечу, чтобы при ней вечером раздеваться, но миссис Медок сказала, что-

---

[1] Вальтер Скотт (1771—1832) — шотландский поэт, прозаик, историк. Поэма «Дева озера» была написана в 1810 г.

бы мы ее берегли: одной свечи должно хватать на неделю, а Мэри хотелось больше света. Она припасла несколько спичек, которые тоже прятала, и когда мы из экономии задували нашу законную свечку, Мэри могла в любой момент зажечь свою. И теперь она запалила аж два огарка.

— Вот нож и яблоко, — сказала она, — и ты должна снять с него кожуру, чтобы получилась сплошная длинная лента. Потом, не оглядываясь, нужно бросить ее через левое плечо. Кожура укажет первую букву имени мужчины, за которого ты выйдешь замуж, и сегодня ночью он тебе приснится.

Я была еще маленькой и о женихах не помышляла, но Мэри говорила о них постоянно. Когда накопит достаточно денег, выйдет замуж за хорошего молодого фермера с уже расчищенной землей и хорошим домом. А если ей не удастся заполучить такого мужа, она согласна и на мужчину с бревенчатым срубом, ну а потом они построят дом поприличнее. Она даже знала, какие у них будут куры и корова: ей хотелось белых и красных леггорнов, а корову джерсейской породы — из ее молока, по словам Мэри, получались самые вкусные сливки и сыр.

Так что я взяла яблоко и начала его чистить, снимая кожуру одной сплошной полоской. Потом бросила ее за спину, и мы посмотрели, как она упала. Мы не знали, где у буквы верх, а где низ, но в конце концов решили, что это Д. И Мэри начала дразнить меня, перечисляя имена всех знакомых мужчин, имена которых начинались с Д. Она сказала, что я выйду замуж за Джима из конюшни, который был косоглазым, к тому же от него жутко воняло. Или за коробейника Джеремайю, который намного привлекательнее, хотя мне бы пришлось бродить с ним по белу свету, а заместо дома я носила бы на спине короб, как улитка. А еще она сказала, что перед тем, как это сбудется, я трижды пересеку воду. И я сказала, что она все это придумала, но Мэри улыбнулась, поскольку я догадалась, что она меня обманывает.

Потом настал ее черед, и она принялась срезать кожуру. Но на первом яблоке кожура порвалась, на втором — тоже. Тогда я дала ей свое добавочное яблоко, но она так разволновалась, что почти сразу же разрезала его напополам. А потом рассмеялась и сказала, что все это дурацкие бабушкины сказки и тут же съела третье яблоко. Два остальных она положила на подоконник, оставив их на утро, а я съела свое. Затем мы начали хихикать над корсетами миссис ольдермен Паркинсон, но хоть Мэри и старалась казаться веселой, она все же переживала.

Когда мы легли в кровать, я видела, что она не спит, а лежит рядом со мной на спине и смотрит в потолок. И когда я сама уснула, то никакие мужья мне не снились. Вместо них мне приснилась моя матушка в саване, которая медленно тонула в холодной сине-зеленой воде. Простыня сверху разошлась и колыхалась, будто на ветру, а мамины волосы развевались, словно водоросли. Но они закрывали ей лицо, так что я не могла его рассмотреть, и они были темнее маминых. Потом я поняла, что это вовсе не матушка, а какая-то другая женщина, и внутри савана она была вовсе не мертвой, а еще живой.

Я перепугалась и проснулась в холодном поту, сердце у меня бешено колотилось. Но Мэри уже спала и ровно дышала, а за окном занимался серовато-розовый рассвет. На дворе уже покрикивали петухи, и все было как обычно. Так что я быстро успокоилась.

20

Так прошёл ноябрь — листья с деревьев опали, и начало рано темнеть, а погода стала хмурой и пасмурной, с проливными дождями. А потом наступил декабрь, землю сковало морозом, и в воздухе закружились снежинки. В нашей чердачной комнатке теперь было очень холодно, особенно по утрам, когда мы вставали затемно и становились босыми ногами на ледяной пол. И Мэри говорила, что когда у нее будет свой дом, рядом с каждой кроватью она положит плетеный коврик, а сама будет ходить в теплых войлочных тапках. Мы нагревали одежду у себя в кровати и надевали ее под одеялом, а перед сном грели кирпичи на печке, заворачивали их во фланель и клали в кровать, чтобы пальцы на ногах не превратились в сосульки. Вода в тазу было такой холодной, что когда я мыла руки, их ломило до самых плеч, и я была рада, что в постели нас все-таки двое.

Но Мэри говорила, что это еще ничего, ведь настоящая зима еще не наступила и скоро станет намного холоднее. А единственная польза от зимы в том, что начнут топить камин. И зимой лучше быть слугой, по крайней мере — днем, потому что мы всегда можем погреться на кухне, а в гостиной сквозит, как в хлеву, и от камина не нагреешься, если только к нему не прижмешься. Миссис ольдермен Паркинсон, когда остается одна в комнате, задирает юбки, чтобы погреть задницу. И прошлой зимой у нее загорелся подол, а горничная Агнесса услыхала крик, вбежала в гостиную и насмерть перепугалась. Тогда Джим из конюшни бросил на миссис ольдермен Паркинсон шерстяное одеяло и катал ее по полу, как бочонок. Слава Богу, она не сгорела, а только чуть-чуть опалилась.

В середине декабря отец прислал мою бедную сестренку Кейти, чтобы она выпросила у меня побольше денег. Сам не пришел, и мне стало жаль Кейти, ведь теперь на нее взвалили ношу, лежавшую когда-то на мне. И я привела ее на кухню, посадила у печки и попросила у кухарки ломоть хлеба, а кухарка сказала, что не обязана кормить всех голодных сирот в городе, но хлеба все равно дала. И Кейти расплакалась и призналась, что очень по мне скучает. И я дала ей четверть доллара и велела сказать отцу, что это все, что у меня есть. Это было, конечно, вранье, но я уже поняла, что не обязана говорить ему правду. И еще я дала Кейти от себя десять центов и велела хранить их на случай нужды, хоть она и так уже очень нуждалась. А еще я подарила ей свою юбку, которая стала мне слишком мала.

Кейти сказала, что отец так и не нашел постоянной работы и перебивался случайными заработками, но он собирается поехать зимой на север — деревья рубить. И еще он прослышал, что на западе есть свободная земля, и он отправится туда с наступлением весны. Так он и сделал, причем неожиданно, и миссис Бёрт пришла ко мне и сказала, что отец съехал с квартиры, почти ничего ей не заплатив. Вначале она хотела, чтобы я с ней рассчиталась, но Мэри заявила: нельзя требовать от тринадцатилетней девочки, чтобы она уплатила долги взрослого мужчины. Миссис Бёрт в душе была доброй женщиной и в конце концов согласилась, что моей вины в этом нет.

Не знаю, что сталось с моим отцом и с детишками. Я не получила от них ни единого письма и даже на суде ничего о них не слыхала.

Когда подошло Рождество, настроение у всех улучшилось. В камине сильнее разожгли огонь, от бакалейщика доставили корзины с едой, а от мясника — большие клинья говядины и тушку поросенка, которого собирались зажарить целиком. В кухне велись шумные приготовления. Нас с Мэри позвали из прачечной подсобить кухарке, и мы размешивали еду, чистили и разрезали на ломтики яблоки, перебирали изюм и смородину, терли мускатный орех и взбивали яйца. Нам это очень нравилось, потому что мы могли перехватить кусочек по ходу дела или соскоблить немного сахарку. А кухарка этого не замечала или просто не обращала внимания, ведь у нее и так дел было невпроворот.

Мы с Мэри готовили нижние коржи для всех сладких пирогов, а кухарка — верхние. Она говорила, что мы еще очень молодые и этому искусству не обучены. Кухарка вырезáла звезды и другие затейливые узоры. И еще разрешила нам снять с рождественских тортов муслиновую обертку и налить сверху немного бренди и виски, а потом снова их завернуть. Это был самый вкусный запах на моей памяти.

Нужно было наготовить кучу пирогов и тортов, ведь наступала пора приемов, званых обедов, вечеринок и балов. Двое хозяйских сыновей приехали домой на каникулы из Гарварда, что в Бостоне. Их звали мистер Джордж и мистер Ричард, и оба они были довольно милыми и высокими. Я не обращала на них особого внимания: из-за них только стирки прибавилось, да приходилось крахмалить и утюжить намного больше рубашек. Но Мэри всегда выглядывала во двор из окошка на верхнем этаже, чтобы мельком взглянуть, как они уезжают на своих лошадях, или подслушивала в коридоре, когда они пели дуэтом с приглашенными барышнями. Больше всего ей нравилась песня «Роза Тралú» — там упоминалось ее имя: «Так преданно очи ее просияли, что в Мэри влюбился я — в Розу Трали»[1]. Мэри и сама хорошо пела и знала наизусть множество песен. Хозяйские сыновья иногда приходили на кухню и приставали к ней с просьбой спеть. А она их называ-

---

[1] Ирландская народная баллада XIX в., главную героиню которой, девушку по имени Мэри, прозвали «розой Тралú» за ее красоту. Трали — город в графстве Керри, Ирландия.

ла юными бездельниками, хотя оба они были всего на несколько лет ее старше.

В день Рождества Мэри подарила мне теплые варежки, которые сама связала. Я видела ее за работой, но Мэри схитрила и сказала мне, что вяжет их для своей юной подружки. Я и не думала, что она имела в виду меня. Варежки были красивого синего цвета с вышитыми красными цветами. Сама я подарила Мэри игольник, который сшила из пяти квадратиков красной фланели, перевязав их двумя ленточками. И Мэри меня поблагодарила, крепко обняла и поцеловала. Она сказала, что это самый лучший игольник на свете, что такого ни в одной лавке не купишь, и она будет его беречь как зеницу ока.

В тот день был сильный снегопад, и люди вышли на улицу с санками и вывели лошадей с колокольчиками, которые очень красиво звенели. Накормив семейство рождественским обедом, слуги тоже отобедали индейкой и сладкими пирогами: мы все вместе пели рождественские гимны и веселились.

Это было самое счастливое Рождество в моей жизни.

После каникул мистер Ричард вернулся в колледж, а мистер Джордж остался дома. Он подхватил простуду, которая перешла на легкие, и теперь он сильно кашлял. Мистер и миссис ольдермен Паркинсон ходили с унылым видом, потом пришел доктор, и я запереживала. Но оказалось, что у него не чахотка, а просто лихорадка с прострелами, и ему нужны покой и горячее питье. Питья было предостаточно, ведь слуги очень любили молодого барина. А Мэри нагрела на плите железную пуговицу, которую считала лучшим средством от прострелов, и отнесла ее мистеру Джорджу, чтобы он приложил ее к больному месту.

Ему стало лучше только к середине февраля: он пропустил почти целый семестр и заявил, что останется дома до следующего. Миссис ольдермен Паркинсон согласилась и сказала, что мистеру Джорджу нужно восстановить силы. Поэтому мы все с ним возились — у него была куча свободного времени, а заняться нечем, бойкому юноше немудрено и заскучать. Он мог ходить на разные вечеринки и танцевать с девицами, а их матушки без его ведома строили планы о женитьбе. Боюсь, его разбаловали, да и сам он потакал своим желаниям. Ведь если тебе хорошо живется, сэр, начинаешь считать, что ты этого заслужил.

Мэри сказала о зиме правду. На Святки выпало много снега, но он был похож на пуховое одеяло, и в воздухе даже потеплело. Конюхи дразнили друг друга и играли в снежки, но снежки были мягкими и, попадая в цель, рассыпались.

Однако скоро наступила настоящая зима, и снег повалил нешуточный. Теперь он был не мягкий, а твердый и похож на обжигающие льдинки. Подул резкий, пронизывающий ветер — он наметал большие сугробы, и я боялась, что всех нас засыплет заживо. На крыше выросли сосульки, и под ними нужно было ходить очень осторожно, потому что они острые и могли упасть. Мэри слышала, как одну женщину убило сосулькой, которая пронзила ее, точно вертел. Однажды пошел дождь со снегом, и ветви деревьев покрылись ледяной коркой, а на следующий день засверкали на солнце, как тысячи алмазов, но под весом льда многие ветки обломились. Все вокруг стало твердым и белым, и когда светило солнце, приходилось прикрывать рукой глаза или отворачиваться, чтобы не ослепнуть.

Мы в основном сидели дома, чтобы не отморозить пальцы на руках и ногах. А мужчины ходили, обвязав уши и нос шарфами, а изо рта у них валил пар. Члены семейства садились в сани на меховые коврики, укутывались в пледы и шубы и отправлялись в гости, но у нас такой теплой одежды не было. По ночам мы с Мэри укрывались поверх одеяла платками и спали в чулках и нескольких юбках, но все равно замерзали. К утру огонь угасал, наши кирпичи остывали, и мы дрожали, как кролики.

В последний день февраля погода немного улучшилась, и мы вышли с поручением, хорошо обмотав ноги в шерстяную фланель и обув сапоги, которые выпросили у конюхов. Мы укутались во все платки, которые смогли найти или одолжить, и дошли аж до самого порта. Его сковало морозом, и на берегу громоздились огромные глыбы льда. Одно место было очищено от снега, и там леди и джентльмены катались на коньках. Это было так красиво: казалось, будто барышни ездят на колесиках, спрятанных у них под платьями, и я сказала Мэри, что это, наверно, такое удовольствие! Там был и мистер Джордж, который скользил по льду, взявшись за руки с юной леди в меховом шарфе. Он увидел нас и весело помахал рукой. Я спросила Мэри, каталась ли она когда-нибудь на коньках, и она ответила, что нет.

Примерно в это время я заметила в Мэри перемену. Она нередко ложилась спать поздно и не хотела со мной разговаривать. Она не слышала, что я ей говорю, и казалось, будто прислушивается к чему-то другому. Постоянно выглядывала в коридор, в окно или заглядывала мне через плечо. Однажды ночью я увидела, как она, видимо, думая, что я уже сплю, спрятала что-то завернутое в носовой платок под половицу, где хранились свечные огарки и спички. На следующий день, когда ее не было в комнате, я нашла там золотое колечко. Сначала я решила, что она его украла: таких ценных вещей Мэри никогда еще не воровала, и если бы ее поймали с поличным, ей бы не поздоровилось, но в доме никто не говорил о пропавшем кольце.

Однако Мэри перестала веселиться и смеяться, как раньше, уже не так проворно выполняла свою работу, и я заволновалась. Когда я спросила, не случилось ли с ней чего, она рассмеялась и сказала, с чего это я взяла. Но запах ее изменился: теперь от нее пахло не мускатным орехом, а соленой рыбой.

Снег и лед начали таять, и вернулись первые птицы, которые запели и защебетали. Я поняла, что скоро наступит весна. Однажды в конце марта, когда мы по черной лестнице несли в корзинах чистое белье, чтобы развесить его в сушильне, Мэри сказала, что ей дурно. Она сбежала вниз и выскочила на задний двор, за службы. Я поставила корзину на пол и погналась за ней, как была, без платка. Она стояла на коленях в мокром снегу рядом с нужником, до которого не успела добежать, и ее сильно стошнило.

Я помогла ей подняться — лоб у нее был холодный и влажный, и я сказала, что ей нужно лечь в постель. Но Мэри рассердилась и ответила, что она просто съела что-то несвежее, наверно, вчерашнее жаркое из баранины, и вот теперь ее вырвало. Но я ела то же самое жаркое, и у меня все было хорошо. Она взяла с меня слово никому об этом говорить, и я пообещала, что не расскажу. Но когда то же самое произошло через несколько дней, а потом на следующее утро опять, я не на шутку забеспокоилась. Ведь я очень часто видела в таком же положении свою матушку и хорошо знала этот молочный запах. Я прекрасно понимала, что произошло с Мэри.

Все хорошенько обдумав, я в конце апреля сделала ей выговор, торжественно поклявшись, что если она доверит мне свой секрет, я никому его не выдам. Мне казалось, что ей очень нужно с кем-нибудь поделиться своим горем, ведь она не спала по ночам, под глазами у нее появились черные круги, и ее тяготила какая-то тайна. Тогда Мэри не выдержала и разрыдалась, сказав, что мои подозрения не напрасны: один мужчина пообещал на ней жениться и подарил кольцо. В кои-то веки она ему поверила, потому что считала его не таким, как другие мужики, но он не сдержал обещания и теперь с ней даже не разговаривает. Мэри была в отчаянии и не знала, что делать.

Я спросила ее, кто этот мужчина, но она не призналась: сказала, что если все выплывет наружу, ее тотчас вышвырнут на улицу, потому что миссис ольдермен Паркинсон — женщина очень строгих нравов. И что с ней тогда будет? Некоторые девушки на ее месте вернулись бы в семью, но у нее семьи нет. Ни один порядочный мужчина на ней теперь не женится, и ей придется пойти на панель и стать матросской шлюхой, потому что иначе она не сможет прокормить себя и малыша. И такая жизнь скоро сведет ее в могилу.

Я очень переживала за нее и за себя, ведь она была моей самой верной и на самом деле единственной подругой на свете. Я утешала ее, как могла, но не знала, что и посоветовать.

Весь май мы с Мэри часто говорили о том, что же ей предпринять. Есть, наверно, работный дом или что-нибудь подобное, утверждала я, куда ее должны будут взять. А она отвечала, что не знает ни одного такого места, но если бы даже девушек туда принимали, они все равно в конце концов умирают, потому что вскоре после родов у них открывается лихорадка. Мэри считала, что новорожденных в таких домах тайком душат, чтобы они не становились лишней обузой для казны, и лучше уж ей умереть в каком-нибудь другом месте. Мы говорили с ней и о том, как родить и спрятать ребенка, а потом выдать его за сироту. Но Мэри сказала, что ее положение скоро станет заметным, а у миссис Медок глаз наметан, и она уже обратила внимание, что Мэри поправилась, так что ее секрет скоро будет раскрыт.

Я сказала, что она должна в последний раз поговорить с тем мужчиной и воззвать к его благородству. Она так и сделала, но, вернувшись со свидания, — которое, наверно, проходило где-то рядом, поскольку Мэри отлучилась совсем ненадолго, — она сердилась пуще прежнего. Сказала, что он дал ей пять долларов, и тогда она спросила, неужели его ребенок стоит так мало? И он ответил, что она не на того напала, — нужно еще доказать, что это его ребенок, ведь она была такой услужливой: впору предположить, что и с другими мужчинами Мэри ведет себя точно так же. Если же она будет угрожать ему скандалом или заявится в его семью, он будет все отрицать и опорочит ее доброе имя, которого у нее и так нет. А чтобы положить конец неприятностям, никогда не поздно утопиться.

Мэри сказала, что когда-то по-настоящему его любила, но больше не любит. И она бросила на пол пять долларов и целый час плакала навзрыд. Но я заметила, что потом она старательно спрятала деньги под отставшую половицу.

В следующее воскресенье она заявила, что не пойдет в церковь, а лучше прогуляется. Когда же вернулась — сказала, что ходила в порт и хотела утопиться в озере. И я стала слезно умолять ее не брать столь тяжкий грех на душу.

Через два дня она сказала, что ходила на Ломбард-стрит и узнала там о докторе, который мог бы ей помочь. К этому доктору ходят проститутки, когда это необходимо. Я спросила ее, чем он может ей помочь, но она велела не задавать глупых вопросов. Я не поняла, о чем она, потому что никогда не слыхала про таких врачей. Она спросила, не одолжу ли я ей свои сбережения, которые к тому времени равнялись трем долларам, — я собиралась купить на них новое летнее платье. И я ответила, что одолжу с радостью.

Потом она достала лист писчей бумаги, который вынесла из библиотеки, перо и чернила и написала: «В случае моей смерти завещаю свое имущество Грейс Маркс». И подписалась своим именем. А потом сказала:

— Скоро я, возможно, умру. Но ты-то останешься жить. — И глянула на меня холодно и презрительно, как смотрела на других людей у них за спиной, а на меня — никогда.

Меня это очень встревожило, я схватила ее за руку и умоляла не ходить к этому страшному доктору. Но Мэри сказала, что так надо, и я должна взять себя в руки, а потом тайком положить перо и чернила на письменный стол в библиотеке и дальше заниматься своими делами. Назавтра после обеда она незаметно уйдет, и если меня спросят, я должна буду сказать, что она только что вышла в нужник либо поднялась в сушильню, или придумать любую другую отговорку. Потом я должна буду тоже выскользнуть на улицу и встретиться с ней, потому что ей, возможно, будет трудно дойти до дома.

В ту ночь мы обе плохо спали, а на следующий день Мэри все сделала, как говорила: ухитрилась незаметно выйти из дома, завязав деньги в носовой платок, а я потом тоже вышла и с ней встретилась. Доктор жил в большом доме в хорошем районе. Мы попали к нему через черный ход, и доктор сам нас встретил. Первым делом он пересчитал деньги. Это был крупный мужчина в черном сюртуке. Очень сурово на нас посмотрев, он велел мне подождать в судомойне, а потом прибавил, что если я кому-нибудь об этом проболтаюсь, то он скажет, что первый раз меня видит. После этого снял сюртук, повесил его на крючок и закатал рукава, словно собирался драться.

Он был очень похож, сэр, на того доктора, который хотел измерить мою голову и довел меня до припадка, перед тем как вы сюда приехали.

Мэри вышла вместе с ним из комнаты, и лицо у нее было белым как полотно. Потом я услышала крик и плач, а через некоторое время доктор вытолкнул ее в дверь судомойни. Ее платье намокло от пота и прилипло к телу, как мокрая повязка, а сама она еле переставляла ноги. Я обняла ее за талию и помогла оттуда выйти.

Когда мы добрались домой, она уже сгибалась в три погибели, держась руками за живот, — и попросила, чтобы я помогла ей подняться по лестнице. Я поддерживала ее, потому что она была очень слабой. Я надела на нее ночную рубашку и уложила в постель, но юбку, заткнутую между ног, Мэри не сняла. Я спросила, что там произошло, а она ответила: доктор взял нож и что-то внутри у нее вырезал. Сказал, что еще несколько часов поболит и будет идти кровь, но потом все пройдет. И Мэри назвалась чужим именем.

Тогда до меня дошло, что доктор вырезал из нее ребенка, а я считала это тяжким грехом. Но потом я подумала, что мог быть не один, а целых два трупа, потому что Мэри наверняка утопилась бы, так что в глубине души я не могла ее за это корить.

Мэри было очень больно, и вечером я нагрела кирпич и внесла его наверх, но она не разрешила мне никого звать. И я сказала, что буду спать на полу, чтобы ей было удобнее. А Мэри сказала, что я — самая лучшая ее подруга, и что бы ни случилось, она никогда меня не забудет. Я закуталась в платок, подложила под голову фартук и легла на пол, который был очень жестким. Из-за этого, да еще из-за стонов Мэри я поначалу не могла уснуть. Но потом она затихла, и я заснула и очнулась только на рассвете. Когда я встала, то увидела в кровати мертвую Мэри с широко раскрытыми, застывшими глазами.

Я дотронулась до нее, но она была холодная. Я замерла на месте от страха, но потом опомнилась и вышла в коридор, разбудила горничную Агнессу и с плачем бросилась в ее объятия. А она спросила:

— Что случилось? — Я не могла говорить, а лишь взяла ее за руку и привела в нашу комнату, где лежала Мэри. Агнесса схватила ее и тряхнула за плечо, а потом сказала:

— Батюшки-светы, преставилась! — И я сказала:

— Агнесса, что мне делать? Я не знала, что она умирает, а теперь меня обвинят в том, что я никому об этом не рассказала. Но она же взяла с меня слово. — И я рыдала и заламывала руки.

Агнесса подняла покрывало и заглянула под него. Ночная рубашка и юбка насквозь пропитались кровью, и простыня тоже была красной, а там, где кровь высохла, — коричневой. Агнесса сказала:

— Плохи дела, — и велела мне оставаться в комнате, а сама сразу же пошла за миссис Медок.

Я слышала ее шаги, и мне показалось, что ее не было очень долго.

Я сидела на стуле и смотрела в лицо Мэри: ее глаза были открыты, и мне померещилось, будто она краем глаза наблюдает за мной. Мне почудилось, что она шелохнулась, и я сказала:

— Мэри, ты что, притворяешься? — Ведь она иногда прикидывалась мертвой за простынями в сушильне, чтобы меня напугать. Но сейчас она не притворялась.

Потом я услышала шаги двух человек, бежавших по коридору, меня охватил ужас, и я вскочила. В комнату вошла миссис Медок, но она была не грустной, а сердитой, и еще в отвращении скривилась, точно почуяла дурной запах. В комнате и впрямь стоял скверный запах намокшей соломы из тюфяка и солоноватый дух крови, как в мясной лавке.

Миссис Медок сказала:

— Какой позор! Возмутительно! Я должна обо всем рассказать миссис Паркинсон. — И мы стали ждать, а потом пришла миссис ольдермен Паркинсон и сказала:

— И это в моем-то доме! Какая обманщица! — Она смотрела прямо на меня, хоть и говорила о Мэри. Потом спросила: — Почему ты мне не доложила, Грейс? — И я ответила:

— Простите, мадам, мне Мэри не велела. Она сказала, что утром ей станет лучше. — Я расплакалась и сказала: — Я же не знала, что она умирает!

Агнесса, которая была очень набожной, как я уже вам говорила, сказала:

— Смерть — расплата за грех. — А миссис ольдермен Паркинсон сказала:

— Это нехорошо с твоей стороны, Грейс. — Но Агнесса возразила:

— Она же еще ребенок, к тому же очень послушный. Она делала, что ей велели.

Я думала, миссис ольдермен Паркинсон отругает Агнессу за то, что она вмешивается, но вместо этого она нежно взяла меня за руку, посмотрела мне в глаза и спросила:

— Кто этот человек? Этого негодяя нужно вывести на чистую воду, он должен расплатиться за свое преступление. Наверное, это какой-то портовый матрос, совести у них ни на грош. Ты его знаешь, Грейс? — И я ответила:

— Мэри не водилась с матросами. Она встречалась с джентльменом, и они обручились. Только он не сдержал обещания и не захотел на ней жениться. — Миссис ольдермен Паркинсон насторожилась:

— Какой такой джентльмен? — Я ответила:

— Простите, мадам, я с ним не знакома. Только Мэри говорила, что лучше вам не знать, кто он.

Мэри такого не говорила, но у меня были свои подозрения на этот счет.

После этого миссис ольдермен Паркинсон задумалась и начала шагать взад и вперед по комнате. Потом она сказала:

— Агнесса и Грейс, давайте не будем больше ничего обсуждать. Это приведет лишь к новым несчастьям. Слезами горю не поможешь. Из уважения к покойнице мы не будем говорить, отчего умерла Мэри. Скажем, что она подхватила лихорадку. Так будет лучше для всех.

И она очень пристально на нас обеих посмотрела, а мы сделали реверанс. И все это время Мэри лежала на кровати и слышала, как мы собирались говорить о ней неправду. А я подумала: «Ей это не понравится».

Я ничего не сказала о докторе, да меня и не спрашивали. Возможно, они даже не подумали об этом. Наверно, решили, что Мэри просто умерла от выкидыша, как это часто случается с женщинами. Вы — первый, сэр, кому я рассказала о докторе, но я убеждена, что именно доктор с ножом ее и погубил: доктор на пару с джентльменом. Ведь тот, кто наносит удар, — это не всегда настоящий убийца. А Мэри свел в могилу тот незнакомый джентльмен — можно сказать, что он-то и вонзил в нее этот нож.

Миссис ольдермен Паркинсон вышла из комнаты, и через некоторое время явилась миссис Медок, которая сказала, чтобы мы взяли простыню, ночную рубашку и юбку и отстирали их от крови, обмыли тело и сожгли тюфяк. Рядом с кладовкой, где хранились стеганые одеяла, был еще один чехол для тюфяка, и мы могли набить его соломой, а еще нам нужно было принести чистую простыню. Миссис Медок спросила, нет ли для Мэри лишней ночной рубашки, и я сказала, что есть, потому что у Мэри их было две, но вторая рубашка была в стирке. Тогда я сказала, что дам одну из моих. Миссис Медок велела нам никому не рассказывать о смерти Мэри, пока она не будет прилично выглядеть: укрытая стеганым одеялом, с закрытыми глазами и аккуратно расчесанными волосами. Потом миссис Медок вышла из комнаты, а мы с Агнессой сделали, как она велела. Поднять Мэри оказалось легко, но уложить — намного тяжелее.

Тогда Агнесса сказала:

— Что-то здесь нечисто. Интересно, кто же этот мужчина? — И глянула на меня. А я ответила:

— Кем бы он ни был, он по-прежнему жив и здоров и, наверно, сейчас завтракает, даже не думая о бедняжке Мэри, будто она — обычная туша в мясной лавке.

— Это Евино проклятие, которое все мы на себе несем, — сказала Агнесса. А я знала, что Мэри над этим бы рассмеялась. И тут я отчетливо услышала ее голос, сказавший мне на ухо: «Впустите меня». Я испугалась и пристально посмотрела на Мэри, которую мы к тому времени уже переложили на пол, чтобы застелить постель. Но она не подавала никаких признаков жизни: ее глаза по-прежнему оставались открытыми и недвижно смотрели в потолок.

И тогда я со страхом вспомнила: «Ведь я же не открыла окно!» Помчалась через всю комнату и раскрыла его; наверно, я ослышалась, и Мэри сказала: «Выпустите меня». Агнесса спросила:

— Что ты делаешь? На улице зимняя стужа. — А я ответила:

— Меня тошнит от запаха.

И она согласилась, что надо проветрить комнату. Я надеялась, что душа Мэри вылетит теперь в окно, а не останется здесь, чтобы шептать у меня над ухом. Только я не знала, не поздно ли я хватилась?

Наконец мы все сделали, и я связала в узел простыню и ночную рубашку, отнесла их в прачечную и накачала целую лохань холодной воды, потому что горячей кровь не отстирывается. К счастью, прачки на месте не оказалось: она грела на главной кухне утюги и судачила с кухаркой. Я замочила белье, и кровь почти вся отстиралась, а вода стала красной. Тогда я спустила ее в водосток, набрала еще одну лохань и опять замочила белье, налив туда немного уксуса, чтобы перебить запах. Зубы у меня стучали теперь не то от холода, не то от потрясения, и когда я бежала обратно вверх по лестнице, у меня закружилась голова.

Агнесса ждала в комнате, а Мэри теперь красиво лежала с закрытыми глазами и скрещенными на груди руками, будто спала. Я доложила Агнессе, что закончила стирку, и она послала меня сказать миссис ольдермен Паркинсон, что все готово. Я так и сделала и вернулась наверх. Очень скоро пришли служанки, некоторые плакали и горевали, как принято в таких случаях. Но смерть всегда вызывает какое-то странное возбуждение, и я обратила внимание, что они заметно оживились, а кровь по жилам заструилась у них быстрее, чем в обычные дни.

Агнесса сказала, что Мэри скоропостижно умерла от лихорадки, — для такой набожной женщины она очень хорошо солгала. А я молча стояла в ногах у Мэри. Кто-то сказал:

— Бедняжка Грейс! Проснуться утром и найти рядом с собой закоченевший труп! — А кто-то другой добавил:

— Аж мурашки по телу бегут — такое пережить! Мои нервы ни за что б не выдержали.

И мне показалось, что так все и было на самом деле. Я представила, как просыпаюсь с Мэри в одной постели, дотрагиваюсь до нее, а она молчит, и тут меня охватывает неописуемый ужас. В тот же миг я замертво повалилась на пол.

Мне сказали, что я пролежала так десять часов кряду, и никто не мог меня разбудить, хотя меня щипали и шлепали по щекам, обливали холодной водой и жгли у меня под носом перья. Очнувшись, я не могла понять, где я и что со мной, и постоянно спрашивала, куда подевалась Грейс. А когда мне сказали, что я сама и есть Грейс, я не поверила им и заплакала, а потом пыталась выбежать из дома. Я говорила, что Грейс заблудилась и бросилась в озеро, и мне нужно ее найти. Позже мне рассказывали, что все опасались за мой рассудок, который, видимо, помутился от потрясения, да это и немудрено.

Потом я снова забылась глубоким сном, а проснулась только на следующий день и поняла, что Грейс — это я, а Мэри умерла. И я вспомнила ту ночь, когда мы бросали через плечо яблочную кожуру, и как у Мэри она три раза оборвалась. Все сбылось, ведь Мэри так и не вышла замуж и теперь уже не выйдет никогда.

Но я совершенно не помнила, что же я говорила или делала в промежутке между первым и вторым долгим забытьем, и это меня беспокоило.

Вот так и закончилась самая счастливая пора моей жизни.

VII

ЗМЕИСТАЯ ИЗГОРОДЬ

Макдермотт... был замкнутым и неприветливым человеком. Его характер не вызывал особого восхищения... [Он]
был проворным юношей и благодаря своей гибкости мог,
словно белка, пробежать по извилистому забору или пере-
прыгнуть через ворота высотой в пять бочек, не откры-
вая их или не перелезая на другую сторону...
Грейс обладала веселым нравом и приятными манерами и
могла вызывать ревность у Нэнси... Есть основания предпо-
лагать, что во всем этом жутком деле она была не подст-
рекательницей и зачинщицей совершённых ужасных деяний,
а всего лишь несчастной жертвой обмана. В личности девушки, безусловно, нельзя отметить никаких черт, кои
могли бы породить то воплощение абсолютного зла, каким
пытался представить ее Макдермотт, если только он произнес хотя бы половину тех заявлений, которые ему при-
писываются в его признании. Его пренебрежение к правде
хорошо известно...

Уильям Харрисон,
«Воспоминания о Киннировой трагедии»,
написанные для «Ньюмаркет Эра», 1908

Но ежели забудешь ты меня,
А после снова вспомнишь, — не грусти:
Ведь если доведется мне прийти
Тебе на память и в загробной тьме,

То лучше уж забыть, покой храня,
Чем вспоминать, печалясь, обо мне.

Кристина Россетти. «Помни», 1849[1]

[1] Кристина Джорджина Россетти (1830—1894) — английская поэтесса, сестра Данте Габриэля Россетти.

21

САЙМОН БЕРЕТ ШЛЯПУ И ТРОСТЬ из рук служанки комендантовой жены и, пошатываясь, выходит на солнце. Дневной свет кажется ему слишком ярким и резким, словно бы Саймон долго просидел взаперти в темной комнате, хотя комнату для шитья темной не назовешь. Темна сама история Грейс, и у него такое чувство, будто он только что покинул живодерню. Но почему его так взволновал этот рассказ о смерти? Он, конечно, знал: такое иногда случается, такие врачи существуют, и нельзя сказать, что он никогда не видел покойниц. Он перевидал их достаточно, но они были уже давно мертвы. Это были препараты. Он никогда не заставал их, так сказать, тепленькими. А этой Мэри Уитни еще не исполнилось... и скольки? Семнадцати? Совсем молодая. Какая жалость! Ему хотелось вымыть руки.

Такой поворот событий, несомненно, застал его врасплох. Надо признаться, Саймон слушал рассказ Грейс с некоторым удовольствием: в его жизни тоже были свои счастливые дни и приятные воспоминания. В памяти запечатлелись чистые простыни, веселые каникулы и неунывающие молодые служанки...

И вдруг, посреди всего этого — такой зловещий сюрприз! У нее был провал в памяти, — всего на несколько часов и во время обычного истерического припадка, — но эта деталь может оказаться существенной. Пока это единственный провал у нее в памяти, ведь всевозможные пуговицы и огарки она помнит вполне отчетливо. Но по зрелом размышлении Саймон уже теряет уверенность: у него появляется тревожное предчувствие, что само обилие ее воспоминаний может быть своего рода маневром, отвлекающим внимание от какого-либо скрытого, но очень важного факта, подобно высаженным на могилке нежным цветочкам. К тому же, напоминает он себе, единственным свидетелем, способным подтвердить ее показания, — если бы дело слушалось в суде, — могла стать лишь сама Мэри Уитни, а до нее уже не добраться.

Слева на дорогу выходит сама Грейс: она шагает с опущенной головой, а с боков ее сопровождают двое сомнительного вида мужчин, которых Саймон принимает за тюремных конвоиров. Они очень близко наклоняются к ней, будто она не убийца, а драгоценное сокровище, которое необходимо заботливо беречь. Ему не нравится, как они к ней прижимаются, но если она сбежит, у конвоиров, конечно, возникнет немало хлопот. Хотя Саймон всегда знал, что каждый вечер ее уводят и запирают в темной камере, сегодня это обстоятельство поражает его своей несуразностью. Они проговорили с ней весь день — так обычно беседуют в гостиной, и теперь он свободен, как вольный ветер, и может делать все, что пожелает, а ее запрут на засов. Посадят, точно в клетку, в мрачную тюрьму. Обязательно мрачную, ведь если тюрьма не мрачна, в чем же тогда состоит наказание?

Даже само слово *наказание* режет ему сегодня слух. Саймону не дает покоя Мэри Уитни, обернутая своим кровавым саваном.

На сей раз он задержался дольше обычного. Через полчаса он должен явиться на ранний ужин к преподобному Верринджеру. Но Саймон абсолютно не голоден. Он решает пройтись вдоль берега озера: ветерок поднимет ему настроение и, возможно, вызовет аппетит.

Хорошо, размышляет Саймон, что я перестал заниматься хирургией. Самый грозный его наставник из лондонской «Га-

228

евой больницы»[1], знаменитый доктор Бренсби Купер, часто говорил: для того чтобы стать хорошим хирургом или хорошим скульптором, необходимо уметь мысленно отрешаться от своего дела. Скульптору нельзя отвлекаться на мимолетные прелести своей модели, он должен рассматривать ее объективно, как исходный материал или глину, из которой следует создать произведение искусства. Точно так же хирург — этот скульптор человеческой плоти — должен уметь рассекать человеческое тело осторожно и деликатно, словно бы вырезая камею. Ему требуются твердая рука и хороший глазомер. У тех, кто принимает страдания пациентов близко к сердцу, скальпель выскальзывает из рук. Больные нуждаются не в нашем сочувствии, а в нашем мастерстве.

Все это замечательно, думает Саймон, но мужчины и женщины — не безжизненные мраморные статуи, хотя часто ими становятся после операции, сопровождаемой душераздирающими криками и невыносимыми страданиями. В «Гаевой больнице» Саймон быстро понял, что не выносит вида крови.

Тем не менее он получил там несколько полезных уроков. Узнал, например, что люди умирают, во-первых, — без труда, а во-вторых, — часто. А еще — о коварной связи между телом и душой. Стоит лишь соскользнуть скальпелю, и пациент станет идиотом. Но возможно ли обратное? Нельзя ли что-нибудь сшить или вырезать и тем самым сварганить гения? Какие еще секреты таит в себе нервная система, это сплетение материальных и эфирных структур, этот охватывающий все тело клубок, который состоит из тысяч ариадниных нитей, ведущих к головному мозгу — сумрачной центральной пещере, где разбросаны человеческие кости и где притаились чудовища...

И ангелы, напоминает он себе. Чудовища и ангелы.

---

[1] «Гаева больница» в районе Саутуорк южного Лондона была основана в 1721 г. издателем сэром Томасом Гаем для лечения «неизлечимо больных».

Вдалеке он замечает женщину. Она одета в черное платье, юбка напоминает легкий волнистый колокол, вуаль развевается сзади, подобно клубу темного дыма. Она быстро оглядывается: это его угрюмая хозяйка миссис Хамфри. К счастью, она идет прочь, возможно, избегая его нарочно. Вот и хорошо, он не расположен к общению, особенно — к выражениям благодарности. Саймон удивлен, почему она с такой настойчивостью облачается во вдовий наряд. Наверное, выдает желаемое за действительное. Саймон шагает вдоль берега, пытаясь представить себе, чем сейчас занят майор — бега, бордель или трактир, что-нибудь в этом роде.

Затем у него почему-то возникает желание снять обувь и зайти в воду. Саймон неожиданно вспоминает, как в раннем детстве плескался в ручье на задворках имения под присмотром няньки. Подобно большинству их служанок, девушка прежде работала на текстильной мануфактуре. Саймон весь извозился, и матушка отругала его самого, а также няньку за то, что за ним не уследила.

Как ее звали? Элис? Или, может, это было позднее, когда он уже учился в школе и носил длинные штаны? Во время очередной своей тайной эскапады он поднялся на чердак, и эта девушка застала его в своей комнате. Поймала, как говорится, с поличным — он как раз поглаживал рукой ее сорочку. Девушка рассердилась на него, но не смогла, конечно, излить свой гнев, поскольку не хотела потерять работу. Поэтому она поступила совершенно по-женски — расплакалась. Он обнял ее, пытаясь утешить, и в конце концов они поцеловались. Чепчик свалился с ее головы, а волосы рассыпались — длинные темно-русые волосы, пышные, не очень чистые и пахнущие свернувшимся молоком. Руки у нее были красные, потому что перед этим она чистила клубнику, вкус которой сохранился у нее на губах.

Потом на его рубашке остались красные мазки — там, где служанка начала расстегивать ему пуговицы. Саймон впервые целовался с женщиной: вначале он смутился, а потом разволновался и не знал, что делать дальше. Вероятно, в душе она над ним смеялась.

Каким же неопытным юнцом и простофилей он был! Саймон улыбается своим воспоминаниям. Этакая сценка из его непорочного детства. Спустя полчаса ему становится значительно лучше.

Экономка преподобного Верринджера встречает его неодобрительным кивком. Если бы она улыбнулась, ее лицо бы треснуло, как яичная скорлупа. Наверное, существует школа уродства, думает Саймон, куда подобных женщин отправляют на учебу. Она проводит его в библиотеку, где разожжен камин и уже стоят наготове две рюмки неведомого ликера. На самом деле Саймону хотелось бы сейчас хорошего крепкого виски, но среди трезвенников-методистов надеяться на такую роскошь не приходится.

Преподобный Верринджер как раз стоял у шкафов, заставленных кожаными томами, но теперь идет поздороваться с Саймоном. Они садятся и отпивают снадобья, напоминающего по вкусу водоросли вперемешку с малиновыми клопами.

— Очищает кровь. Моя экономка сама готовит, по старинному рецепту, — говорит преподобный Верринджер.

«Наверное, очень старинному», — думает Саймон. В голову сразу приходят ведьмы».

— Есть какие-нибудь успехи... в нашем совместном проекте? — спрашивает Верринджер.

Саймон предвидел этот вопрос, но отвечает все же с небольшими запинками.

— Я действую с предельной осторожностью, — говорит он. — Несомненно, какие-то нити полезно проследить. Во-первых, необходимо было завоевать доверие, и это мне, как я полагаю, удалось. Затем я попытался выяснить историю семьи. Похоже, наша подопечная помнит свою жизнь до прихода в дом Киннира весьма отчетливо и подробно, так что проблема не связана с ее памятью в целом. Я узнал о ее переезде в эту страну, а также о первом годе ее работы домашней прислугой, который не был отмечен никакими отклонениями от нормы, за исключением одного эпизода.

— Какого эпизода? — спрашивает преподобный Верринджер, поднимая свои жидкие брови.

— Знакомы ли вы с семейством Паркинсонов из Торонто?

— Кажется, припоминаю, — отвечает Верринджер. — Я знавал их в юности. Глава семьи, помнится, был ольдерменом. Но он умер несколько лет назад, а вдова, полагаю, вернулась к себе на родину. Она была, как и вы, американкой. Наши зимы показались ей слишком холодными.

— Это прискорбно, — говорит Саймон. — Я надеялся с ними поговорить, чтобы они подтвердили некоторые предполагаемые факты. Первое свое место Грейс получила в этом семействе. У нее там была подруга — тоже служанка — по имени Мэри Уитни. Если вы помните, как раз этим именем Грейс называла себя при побеге в Соединенные Штаты со своим... с Джеймсом Макдермоттом, если, конечно, это был побег, а не своего рода вынужденная эмиграция. Во всяком случае, та девушка скоропостижно скончалась. И когда наша подопечная сидела в комнате рядом с телом, ей показалось, что покойная подруга с ней заговорила. Разумеется, то была слуховая галлюцинация.

— В этом нет ничего необычного, — говорит Верринджер. — Я сам нередко присутствовал у смертного одра и знаю, что у сентиментальных и суеверных натур даже считается позором *не услышать* голоса покойника. А еще лучше, если запоет целый ангельский хор, — добавляет он сухим, возможно даже, ироническим тоном.

Саймон слегка удивлен: наверняка духовенство обязано поощрять подобный благочестивый вздор.

— За этим последовал, — продолжает он, — эпизод с обмороком, затем истерика, сопровождавшаяся, очевидно, сомнамбулизмом. После чего наступил глубокий, продолжительный сон с последующей амнезией.

— Ах вот как, — восклицает Верринджер, подаваясь вперед. — Значит, у нее уже были провалы в памяти!

— Мы не должны делать поспешных выводов, — рассудительно возражает Саймон. — В настоящее время Грейс — мой единственный информатор. — Он делает паузу, не желая показаться бестактным. — Для вынесения заключения специалиста мне было бы крайне полезно поговорить с теми, кто знал Грейс во время... обсуждаемых событий и кто впоследствии был свидетелем ее поведения в исправительном доме в первые годы заключения, а также в Лечебнице.

— Сам я при этом не присутствовал, — отвечает преподобный Верринджер.

— Я прочитал отчет миссис Муди, — говорит Саймон. — Она там рассказывает очень много интересного для меня. По ее словам, адвокат Кеннет Маккензи посетил Грейс в исправительном доме на шестом или седьмом году заключения, и Грейс сообщила ему, что ее повсюду преследует Нэнси Монтгомери: ее залитые кровью, сверкающие глаза Грейс вдруг замечает даже у себя на коленях и в тарелке супа. Сама же миссис Муди видела Грейс уже в Лечебнице, — я полагаю, в палате для буйных, — и описывает сумасшедшую с нечленораздельной речью: она вопила, как привидение, и бегала взад и вперед, будто ошпаренная мартышка. Конечно, миссис Муди еще не знала о том, что менее чем через год Грейс будет выписана из Лечебницы, поскольку ее сочтут если и не совершенно здоровой, то все же достаточно нормальной для возвращения в исправительный дом.

— Ну, для этого не нужно быть совершенно здоровой, — говорит Верринджер с коротким смешком, напоминающим скрип дверной петли.

— Я думал навестить миссис Муди, — говорит Саймон. — Но ищу вашего совета. Я не знаю, каким образом ее опрашивать, чтобы не подвергать сомнению правдивость ее отчета.

— Правдивость? — вежливо переспрашивает Верринджер. Похоже, он не удивлен.

— Там есть явные неувязки, — говорит Саймон. — Например, миссис Муди не уверена в точном местонахождении Ричмонд-Хилла, неправильно указывает некоторые фамилии и даты, называет нескольких участников этой трагедии чужими именами и присвоила мистеру Кинниру воинское звание, которого он, похоже, не заслужил.

— Должно быть, посмертная награда, — бормочет Верринджер.

Саймон улыбается:

— Кроме того, по ее словам, обвиняемые расчленили тело Нэнси Монтгомери, перед тем как спрятать его за лоханью, чего они наверняка не делали. Вряд ли газеты не упомянули бы о столь сенсационной детали. Боюсь, эта добрая женщина не понимает, насколько трудно разрубить тело на части, поскольку никогда не делала этого сама. Короче говоря, прочие несуразности удивления уже не вызывают. Например, мотивы убийства: миссис Муди называет среди них безумную ревность со стороны Грейс, завидовавшей Нэнси, которая сожительствовала с мистером Кинниром, и распутный нрав Макдермотта, которому Грейс пообещала свою благосклонность в обмен на услуги мясника.

— В то время таковым было популярное мнение.

— Вне сомнения, — продолжает Саймон. — Публика всегда предпочитает скабрезную мелодраму неприкрашенному рассказу о простом ограблении. Но вы же понимаете, что залитые кровью глаза тоже можно принять лишь с оговорками.

— Миссис Муди, — отвечает преподобный отец Верринджер, — публично заявляла, что очень любит Чарльза Диккенса, особенно его роман «Оливер Твист». Кажется, я припоминаю, что в этом произведении такие же глаза были у мертвой женщины по имени Нэнси. Как бы поточнее вам сказать? Миссис Муди подвержена влияниям. Если вы поклонник сэра Вальтера Скотта, то, возможно, с удовольствием прочтете его поэму «Одержимая». Там есть полный набор: утес, луна, бурное море и обманутая дева, распевающая безумную песнь и облаченная в мокрые одежды, не способствующие укреплению здоровья. Помнится, ее развевающиеся волосы также украшены гирляндами ботанических образцов. По-моему, она в конце концов прыгнула с живописного утеса, который был столь заботливо для нее предусмотрен. Позвольте мне зачитать... — Закрыв глаза и отбивая правой рукой ритм, он декламирует:

> На ветру развевались ее волоса,
> И блестели в них капли дождя, как роса.
> Обнажала полночная буря ей грудь
> И сурово хлестала, мешая вздохнуть.
> И безумно сверкали во мраке глаза,
> А вокруг бушевала, ярилась гроза,
> И, как призрак могильный, печали полна,
> Погребальную песню мычала она.
>
> А злодей, что ее на безумье обрек
> И лишил ее чести и счастья навек,
> Позабыл, как ей сердце жестоко разбил,
> И о клятве нарушенной тоже забыл.
> Только где же теперь нам младенца искать,
> Что покоя лишил свою бедную мать?..

Он вновь открывает глаза.

— Где же и впрямь? — спрашивает он.

— Вы меня изумляете, — говорит Саймон. — У вас феноменальная память!

— К сожалению, да. На стихи определенного типа. Это все от гимнопения, — отвечает преподобный Верринджер. — Впрочем, сам Господь пожелал изложить бо́льшую часть Библии стихами, и это доказывает, что в принципе Он одобряет данную форму, какие бы посредственности ею ни пользовались. Тем не менее с моралью миссис Муди не поспоришь. Я уверен, вы понимаете, что́ я хочу сказать. Миссис Муди — женщина-литератор, и, подобно всем женщинам-литераторам, да и всему слабому полу в целом, она склонна...

— К приукрашиванию, — подхватывает Саймон.

— Вот именно, — подтверждает преподобный Верринджер. — Разумеется, все это я говорю строго конфиденциально. Хотя во времена Восстания Муди и принадлежали к тори, с тех пор они признали свои заблуждения и стали теперь стойкими реформаторами. За это им пришлось пострадать от некоторых злобных особ, чье положение позволяет досаждать им судебными исками и тому подобными неприятностями. Я не могу сказать ничего плохого об этой даме. Но также я бы не советовал вам ее навещать. Я слышал, кстати, что ее перетянули на свою сторону спириты.

— Вот как? — спрашивает Саймон.

— Так мне сказали. Она долгое время оставалась скептиком, и первым был обращен ее муж. Наверняка, ей надоело коротать вечера в одиночестве и захотелось тоже послушать призрачные трубы и пообщаться с духами Гёте и Шекспира.

— Надо полагать, вы этого не одобряете.

— Священники, принадлежащие к моей конфессии, были отлучены от церкви за увлечение этими, на мой взгляд, нечестивыми занятиями, — отвечает преподобный Верринджер. — Правда, некоторые члены Комитета принимали в этом участие и даже являются ревностными поборниками спиритизма, но я вынужден мириться с ними, пока это помешательство не пройдет и они не образумятся. Как сказал мистер Натаниэль Готорн[1], все это сплошное надувательство, а если это и правда, тем хуже для нас. Ведь духам, которые являются при столоверчении и тому подобных процедурах, вероятно, не удалось попасть в царство блаженных, и они наводняют наш мир, подобно некоему духовному праху. Вряд ли они желают нам добра, и чем меньше мы будем с ними общаться, тем лучше.

— Готорн? — переспрашивает Саймон. Он удивлен тем, что священнослужитель читает Готорна: этого писателя обвиняли в чрезмерной чувственности и — особенно после «Алой буквы» — аморализме.

---

[1] Натаниэль Готорн (1804—1864) — американский писатель. Его самый известный роман — «Алая буква» (1850).

— Нельзя отставать от своей паствы. Но что касается Грейс Маркс и ее давнего поведения, вам лучше обратиться к мистеру Кеннету Маккензи, который защищал ее в суде. У него-то, я полагаю, голова на плечах есть. В настоящее время он стал партнером одной адвокатской конторы в Торонто и быстро пошел в гору. Я отправлю ему рекомендательное письмо и уверен, что он вам поможет.

— Благодарю вас, — говорит Саймон.

— Я рад, что удалось поговорить с вами наедине, до прихода женщин. Но я слышу, они уже приехали.

— Женщин? — переспрашивает Саймон.

— Жена коменданта и ее дочери почтили нас сегодня своим визитом, — говорит Верринджер. — Сам комендант, к сожалению, отбыл по делам. Разве я вас не предупредил? — На его бледных щеках появляется румянец. — Давайте же их поприветствуем.

Пришла лишь одна из дочерей. По словам матери, Марианна слегла из-за простуды. Саймон встревожен: он хорошо знаком с подобными уловками и знает об интригах матерей. Жена коменданта решила сосредоточить все его внимание на Лидии, чтобы он не отвлекался на Марианну. Возможно, ему следовало бы сразу предупредить эту женщину о своем незавидном доходе. Но Лидия — такой лакомый кусочек, и ему не хочется слишком быстро лишать себя подобного эстетического наслаждения. Пока дело не дойдет до признаний в любви, никакого вреда от этого не будет, и Саймону очень приятно, когда на него смотрят такими блестящими глазами.

Произошла официальная смена сезона: Лидия по-весеннему расцвела. Теперь она облачена в кокон из бледных цветочных оборок, которые развеваются над ее плечами, подобно прозрачным крылышкам. Саймон ест рыбу, — слегка пережаренную, но на этом континенте никто не умеет как следует ее готовить, — и восхищается белой и гладкой девичьей шеей и той части груди, что видна в вырезе. Лидия будто вылеплена из взбитых сливок. Ее следовало бы выложить на тарелку вместо рыбы. Саймон слышал о том, как одна известная парижская куртизанка предстала в таком виде на пиру — голая, разумеется. И он мысленно раздевает и украшает Лидию: вот бы увесить ее гирляндами из цветов, — розовых, как раковины, или цвета слоновой кости, — и, возможно, окружить окантовкой из оранжерейного винограда и персиков.

Ее пучеглазая матушка, как всегда, напряжена до предела. Она перебирает гагатовые бусы у себя на шее и почти сразу же переходит к делу. Вторничный кружок страстно желает, чтобы доктор Джордан обратился к ним с речью. Никаких формальностей, просто серьезная дискуссия друзей, которых интересуют одни и те же насущные вопросы, — она смеет надеяться, что Саймон тоже считает их своими друзьями. Возможно, он скажет пару слов по поводу отмены рабства? Эта проблема их всех сильно беспокоит.

Саймон говорит, что в этом вопросе не сведущ: он действительно очень плохо в нем разбирается, поскольку несколько последних лет провел в Европе. В таком случае, предлагает преподобный Верринджер, возможно, доктор Джордан любезно поделится с ними новейшими теориями нервных болезней и умопомешательства? Это было бы тоже весьма кстати, поскольку один из давнишних проектов их группы — реформа общественных приютов для умалишенных.

— Доктор Дюпон говорит, что это интересует его в особенности, — говорит жена коменданта. — Доктор Джером Дюпон, с которым вы уже свели знакомство. Его занимает такой широкий, просто необъятный спектр... того, что его интересует.

— Это было бы прелестно, — говорит Лидия, поглядывая на Саймона из-под длинных темных ресниц. — Надеюсь, вы выступите! — Сегодня она говорила немного, но ведь ей почти не давали такой возможности, если не считать ее отказа от очередной порции рыбы, которую навязывал ей преподобный Верринджер. — Меня всегда интересовало, каково это — сойти с ума. Ведь Грейс мне об этом не желает рассказывать.

Саймон представляет себя в темном уголке с Лидией. За драпировкой из тяжелой розовато-лиловой парчи. Если бы он обвил рукой ее талию, — нежно, чтобы не спугнуть, — она бы, наверное, вздохнула. Сдалась или оттолкнула бы его? Или и то и другое сразу?

Вернувшись на квартиру, Саймон наливает себе большой бокал хереса из бутылки, хранящейся в шкафчике. Весь вечер он ничего не пил — за ужином у Верринджера подавали только воду, — но голова почему-то мутная. Зачем он согласился выступить перед этим чертовым вторничным кружком? Кто они ему такие — кто им он? Что такого уж ценного он может им сказать, учитывая их полную некомпетентность? Его привлекает и манит к себе Лидия. Саймону кажется, будто на него устроил засаду цветущий куст.

Сегодня он слишком устал и не будет, как обычно, допоздна читать и работать. Он ложится в постель и сразу же засыпает. Саймон на огороженном дворе, где на веревке плещется белье. Там больше никого нет, и поэтому возникает ощущение какого-то тайного наслаждения. Простыни и белье развеваются на ветру, словно обтягивая невидимые выпуклые бедра, которые кажутся живыми. Пока Саймон за ними наблюдает, — должно быть, он еще мальчик, к тому же невысокий, поскольку все время смотрит вверх, — с веревки срывается шарф или вуаль из белого муслина, и, грациозно трепеща, летит по воздуху, подобно длинному разворачивающемуся бинту или краске, расплывающейся в воде. Саймон гонится за вуалью, выбегает со двора и мчится по дороге: вот он уже за городом, затем — в поле. Фруктовый сад. Материя запуталась в ветвях увешанного зелеными яблоками деревца. Он тянет ее вниз, и вуаль падает ему на лицо; потом Саймон понимает, что это вовсе не ткань, а волосы — длинные благоухающие волосы невидимой женщины, которые обвивают его шею. Он сопротивляется, но его крепко обнимают: ему нечем дышать. Ощущение неприятное и почти невыносимо эротическое. Саймон резко просыпается.

22

СЕГОДНЯ Я ПОДНЯЛАСЬ В КОМНАТУ для шитья еще до прихода доктора Джордана. Что толку спрашивать, почему он опаздывает, — джентльмены встают и ложатся, когда им заблагорассудится. Так что я сижу и шью, тихонько напевая себе под нос:

> О, расщелина в скале,
> Спрячь меня скорей в себе!
> И пускай кровь и вода,
> Что прольются вмиг туда,
> Смоют грех с души моей
> Чистою струей своей.

Мне нравится эта песня — сразу вспоминаются скалы, вода и морской берег, одним словом, раздолье, а ведь вспомнить о чем-нибудь — все равно что там побывать.

— Не знал, что вы так хорошо поете, Грейс, — говорит доктор Джордан, входя в комнату. — У вас красивый голос. — У него темные круги под глазами и такой вид, будто он всю ночь не смыкал глаз.

— Спасибо, сэр, — отвечаю. — Раньше у меня было больше поводов для пения.

Он садится, вынимает свою тетрадь и карандаш, а еще пастернак, который кладет на стол. Я бы такой не выбрала — он оранжевого цвета, значит, корнеплод уже старый.

— О, пастернак, — говорю.

— О чем-нибудь напоминает? — спрашивает он.

— Да, есть поговорка: «красными речами пастернака не подсластишь», — отвечаю. — А еще его очень трудно чистить.

— Я полагаю, его хранят в погребе, — говорит он.

— Нет, сэр, — возражаю. — На улице, в выложенной соломой яме, потому что мороженый пастернак намного вкуснее.

Он устало на меня смотрит, а мне интересно, отчего же он не спал всю ночь. Наверно, думал о какой-то юной леди, не отвечающей ему взаимностью, или плотно поел перед сном.

— Продолжим ваш рассказ? — говорит он.

— Только я запамятовала, на чем мы остановились, — отвечаю. Это неправда, но мне хочется узнать, слушает ли он меня или только притворяется.

— На смерти Мэри, — подсказывает он. — Вашей бедной подруги Мэри Уитни.

— Ах да, — говорю. — Мэри.

Ну, сэр, про обстоятельства кончины Мэри все помалкивали. Одни верили, а другие, возможно, не верили в то, что она померла от лихорадки, но никто открыто этого не отрицал. И ни один человек не спорил с тем, что свои вещи Мэри оставила мне, ведь она об этом написала. Хотя кое у кого это вызывало недоумение: выходило, она заранее знала, что помрет. Но я сказала, что богачи заранее составляют завещания, так почему бы и Мэри не поступить точно так же? И никто больше ничего не сказал. Равно как и о писчей бумаге, и о том, где же она ее раздобыла.

Я продала ее шкатулку, которая была хорошего качества, и ее лучшее платье коробейнику Джеремайе — он пришел сразу же после ее смерти. И еще я продала ему золотое колечко, которое Мэри прятала под половицей. Я сказала Джеремайе, что денег должно хватить на приличные похороны, и он предложил мне справедливую цену и даже слегка ее надбавил. Он сказал, что видел на лице Мэри печать смерти, но все мы задним умом крепки. Джеремайя сказал еще, что ему жалко Мэри и он будет за нее молиться, хоть я и не представляла себе, какими такими молитвами, ведь он язычник и занимался всеми этими фокусами да ворожбой. Но сдается мне, слова молитвы не имеют значения, ведь Бог различает лишь между доброй и худой волей.

С похоронами мне помогла Агнесса. Мы положили в гроб цветы из сада миссис ольдермен Паркинсон, попросив у нее сперва разрешения. Дело было в июне, и мы срезали только белые розы да пионы с длинными стеблями. Я усыпала все тело Мэри лепестками и незаметно вложила сшитый для нее игольник, но так, чтоб его не было видно, потому что он ведь ярко-красный и выглядеть может неправильно. И еще я отрезала на память прядь волос у нее с затылка и связала их ниткой.

Мэри похоронили в ее лучшей ночной рубашке, и она ни капельки не была похожа на мертвую, а казалось, просто спит, хоть и очень бледная. Лежит вся в белом, будто невеста. Гроб был самый простой, сосновый, потому что я хотела еще заказать надпись на могильном камне, но денег хватило только на имя и фамилию. Мне же хотелось выбить стишок: «В юдоли сей уж нет тебя — на небе вспоминай меня», но средства не позволяли. Ее похоронили вместе с методистами, на Аделаид-стрит, в уголке для нищих, но в пределах кладбища, и мне казалось, что я сделала для нее все, что могла. На похоронах были только Агнесса и две другие служанки, чтобы не возникло подозрений, будто Мэри умерла неправедной смертью. И когда на гроб бросили комья земли, а молодой священник сказал: «Прах во прах возвратится»[1], я очень горько расплакалась, вспомнив о своей бедной матушке: ее ведь не засыпали землей, как положено, а просто бросили в море.

Мне было очень трудно поверить, что Мэри действительно умерла. Я по-прежнему ждала, что она войдет в комнату, и когда я лежала ночью в кровати, мне иногда мерещилось ее

---

[1] Быт. 3:19.

дыхание или ее смех за дверью. Каждое воскресенье я приносила на ее могилу цветы, но не из сада миссис ольдермен Паркинсон, — тогда был просто особый случай, — а обычные полевые, которые я собирала на пустошах, на берегу озера и в прочих местах.

Вскоре после смерти Мэри я ушла от миссис ольдермен Паркинсон. Мне не хотелось там оставаться, ведь с тех пор, как Мэри умерла, миссис ольдермен Паркинсон и миссис Медок относились ко мне недоброжелательно. Наверно, думали, что я помогала Мэри встречаться с тем джентльменом, имя которого я, по их мнению, знала. И хоть я никому не помогала, трудно было рассеять их подозрения. Когда я сказала, что хочу уволиться, миссис ольдермен Паркинсон не возражала, но отвела меня в библиотеку и еще раз очень серьезно спросила, знаю ли я этого мужчину. И когда я ответила, что не знаю, она велела мне поклясться на Библии, что, если даже я его знаю, то никому об этом не расскажу, и тогда она мне напишет хорошую рекомендацию. Мне претило ее недоверие, но я исполнила ее требование, и миссис ольдермен Паркинсон написала рекомендацию. Она добродушно сказала, что я честно выполняла свою работу, и, расщедрившись, подарила на прощание два доллара и нашла мне новое место у мистера Диксона, который тоже был ольдерменом.

У Диксонов мне платили больше, ведь теперь я стала обученной и имела при себе рекомендацию. Хороших слуг было мало, потому что многие уехали после Восстания в Штаты, и хотя все время прибывали новые иммигранты, прислуги по-прежнему не хватало и спрос на нее оставался велик. Поэтому я знала, что не обязана оставаться там, где мне не нравится.

А у мистера Диксона мне сразу не понравилось: я чувствовала, что хозяева слишком хорошо знакомы со всей этой историей и относятся ко мне холодно. Поэтому через полгода я предупредила, что увольняюсь, и ушла к мистеру Макманусу, но это место тоже меня не устроило, потому что из слуг там была только я да один батрак, который постоянно твердил о конце света, адских муках и скрежете зубовном, так что за обедом не с кем было словом перемолвиться. Я проработала там всего лишь три месяца, после чего меня нанял мистер Коутс, у которого я прослужила несколько месяцев после своего пятнадцатилетия. Там была еще одна служанка — она мне завидовала, потому что я трудилась усерднее, чем она. Так что при первой же возможности я ушла к мистеру Хараги на такой же оклад, как у Коутсов.

Какое-то время все шло хорошо, но я начала беспокоиться, когда мистер Хараги стал позволять себе вольности в заднем коридоре, когда я уносила посуду из столовой. И хотя я помнила совет Мэри насчет пинка между ног, мне показалось, что пинать своего хозяина не след, иначе это может закончиться увольнением без рекомендации. Но однажды ночью я услыхала за дверью своей чердачной комнаты его хриплый кашель. Он возился с задвижкой. На ночь я всегда запиралась, но знала, что все равно он рано или поздно отыщет способ пробраться внутрь, хотя бы с помощью лестницы, и, памятуя об этом, спать спокойно я не могла. А мне ведь нужно было хорошо выспаться, потому что за день я сильно уставала. Если тебя застают в твоей комнате с мужчиной, то виновата ты сама, каким бы путем он туда ни проник. Как говаривала Мэри, некоторые хозяева считают, что ты должна им служить круглые сутки, а главная твоя работа — лежа на спине.

Думаю, миссис Хараги о чем-то подозревала. Она была из хорошей семьи, для которой настали тяжелые времена, и замужество оказалось единственным шансом: мистер Хараги сколотил состояние на торговле свининой. Сомневаюсь, что мистер Хараги впервые вел себя подобным образом, потому что, когда я предупредила об увольнении, миссис Хараги даже не спросила меня, почему я ухожу, а вздохнула и сказала, что я славная девушка, и сразу же написала мне рекомендацию на самой лучшей писчей бумаге.

Я ушла к мистеру Уотсону. Конечно, можно было найти место и получше, если б у меня было время осмотреться, но пришлось торопиться, поскольку мистер Хараги, пыхтя и отдуваясь, зашел в прачечную, пока я жирными, грязными руками скоблила кастрюли, и все равно попытался схватить меня, а это значило, что он готов на все. Мистер Уотсон был сапожником и очень нуждался в прислуге: у него было трое детей да жена на сносях. Единственная служанка не справлялась со стиркой, хоть и была хорошей простой кухаркой. Поэтому мистер Уотсон готов был платить мне два доллара пятьдесят центов в месяц и давать еще пару обуви в придачу. Обувь мне была нужна, ведь та, что досталась от Мэри, не подходила мне по размеру, моя собственная почти вся износилась, а новая стоила очень дорого.

Я пробыла там недолго, пока не познакомилась с Нэнси Монтгомери, которая пришла к нам в гости: дело в том, что она выросла в деревне вместе с кухаркой миссис Уотсон Салли. Нэнси приехала в Торонто, чтобы сделать кое-какие покупки на распродаже в галантерее Кларксона. Она показала нам очень красивый малиновый шелк, который купила для зимнего платья, и я подумала: для чего экономке такое платье и зачем ее хозяину такие нарядные перчатки да льняная ирландская скатерть? Нэнси сказала, что лучше покупать на распродаже, чем в магазине, потому что цены там ниже, а ее хозяин человек прижимистый. Она приехала в город не дилижансом, а в повозке вместе с хозяином: по ее словам, это гораздо удобнее, чем толкаться со всякими чужаками.

Нэнси Монтгомери была видной, темноволосой женщиной лет двадцати четырех. У нее были красивые карие глаза; как и Мэри Уитни, она много смеялась и шутила, и казалась очень добродушной. Она сидела на кухне, пила чай и беседовала с Салли о прежних временах. Они вместе ходили в школу к северу от города — первую школу в округе, где местный священник проводил занятия субботним утром, когда детей освобождали от работы. Школа размещалась в бревенчатом доме, по словам Нэнси, больше похожем на хлев, и им приходилось пробираться сквозь чащу, где тогда водилось много медведей. Однажды они увидели медведя, и Нэнси с криком побежала и влезла на дерево. Салли сказала, что медведь испугался больше, чем Нэнси, а Нэнси добавила, что этот медведь, наверно, был джентльмен и, когда она влезала на дерево, что-то приметил и с перепугу убежал, потому что учуял новую опасность. И они от души рассмеялись. Они рассказывали, как мальчишки толклись возле уборной за школой, пока там сидела одна из девочек, а они этой девочке ничего не сказали и подсматривали за ней в щелку всей гурьбой, а потом им было стыдно. Салли сказала, что для такого выбирали всегда самых стеснительных, а Нэнси добавила:

— Да уж, но в этой жизни нужно уметь за себя постоять. — И я подумала, что она права.

Складывая свою шаль и другие вещи, — у нее был чудесный розовый зонтик от солнца, правда, уже не совсем чистый, — Нэнси сказала мне, что она служит экономкой у мистера Томаса Киннира, эсквайра, который живет в Ричмонд-Хилле, на Янг-стрит, за Гэллоуз-Хиллом и Хоггз-Холлоу.

Нэнси сказала, что ей нужна еще одна служанка, потому что дом большой, а девушка, которая была у них раньше, вышла замуж. Мистер Киннир — джентльмен из хорошей шотландской семьи, беззаботный и неженатый. Так что работы немного, и к тому же нет хозяйки, которая стала бы придираться и выговаривать за каждую мелочь. Может, меня заинтересует это место?

Нэнси утверждала, что скучает по женской компании, поскольку ферма мистера Киннира далеко от города. Кроме того, она — женщина одинокая, живет в одном доме с джентльменом, и ей не хочется давать повод для досужих слухов. Мне показалось, что она говорила со мной искренне. Нэнси прибавила, что мистер Киннир — щедрый хозяин, и, если ему угодить, он проявит свою широкую натуру. Если я соглашусь, то заключу выгодную сделку и займу более высокое положение в обществе. Потом она спросила, какое у меня сейчас жалованье, и сказала, что будет платить мне три доллара в месяц. И мне показалось, что это очень приличная сумма.

Нэнси сказала, что через неделю опять приедет в город по делам и до этого времени может подождать моего решения. Всю неделю я обдумывала ее предложение. Меня беспокоило, что придется переехать из города в деревню, ведь я уже привыкла к жизни в Торонто: бегая по поручениям, там можно столько всего увидеть. Иногда устраивались представления и ярмарки, где, правда, приходилось остерегаться воров; выступали также уличные проповедники, а на углу всегда стоял и пел какой-нибудь мальчик или женщина, живущие подаянием. Я видела человека, глотавшего огонь, и еще одного, чревовещателя, а также поросенка, умевшего считать, и пляшущего медведя в наморднике, только это было похоже на обман, и оборвыши тыкали в него палками. А в деревне грязно, там нет красивых высоких тротуаров, а по ночам — никакого тебе газового освещения. Там нет шикарных магазинов, церковных шпилей, нарядных экипажей и новых кирпичных банков с колоннами. Но я подумала, что если мне в деревне не понравится, я всегда смогу вернуться обратно.

Когда я спросила совета у Салли, она сказала, что не знает, насколько это место подходит для такой юной девушки, как я. И когда я спросила, почему она так считает, Салли ответила, что Нэнси всегда была к ней добра, и ей не хочется об этом говорить, и человек — сам кузнец своего счастья, а еще слово — серебро, а молчание — золото, и коль скоро она ничего толком не знает, то и говорить не о чем. Однако Салли считала своим долгом мне об этом сказать, потому что у меня ведь нет матери и некому дать совет. А я не имела ни малейшего понятия, о чем это она толкует.

Я спросила ее, не говорят ли о мистере Киннире чего-нибудь скверного, и Салли ответила:

— Ничего такого, что в народе зовут скверной.

Я ломала голову над этой загадкой, и, наверно, для всех было бы лучше, если бы Салли сказала мне все напрямик. Но такого высокого жалованья у меня никогда еще не бывало, а для меня это было очень важно, но еще важнее оказалась сама Нэнси Монтгомери. Она живо напомнила мне Мэри Уитни, после смерти которой я сильно приуныла. Поэтому я и решила согласиться.

23

Нэнси дала мне денег на дорогу, и в условленный день я села на утренний дилижанс. Поездка была долгой, ведь Ричмонд-Хилл находился в шестнадцати милях по Янг-стрит. Прямо к северу от города дорога была сносной, хотя нередко встречались крутые холмы, и нам приходилось выходить из кареты и идти пешком, а не то лошади не втащили бы нас на гору. Возле канав росло много цветов, — маргаритки и все такое, — вокруг них кружились бабочки, и эти участки дороги были очень красивыми. Я собралась было нарвать букет, но передумала — он все равно бы завял по пути.

Потом дорога ухудшилась, появились глубокие колеи и камни: нас трясло и подбрасывало так, что казалось, кости повыскакивают из суставов. На вершинах холмов мы задыхались от пыли, а в низинах было по колено грязи, но топкие места загатили. Люди сказывали, что во время дождя дорога превращается в болото, а в марте, при весеннем половодье, становится и вовсе непроезжей. Самое лучшее время года — зима, когда все сковано морозом и сани ездят быстро. Однако дуют метели, и можно околеть от мороза, если сани случайно перевернутся. Иногда ветер наметает сугробы высотой с лошадь, и тогда единственное спасение — короткая молитва да большая бутыль виски. Все это и многое другое поведал мне сидевший рядом мужчина, который сказал, что он торгует фермерской утварью да семенами, и утверждал, что хорошо знает дорогу.

Мы проезжали мимо больших, красивых домов и мимо низких, убогих бревенчатых хижин. Поля окружали разнообразные заборы: змеистые изгороди из жердей или ограды из корней деревьев, вырванных из земли и похожих на исполинские мотки деревянных волос. Временами попадались перекрестки, на которых теснились несколько домишек да постоялый двор, где можно было дать отдых лошадям или сменить их и пропустить рюмку виски. Там, правда, слонялись такие мужчины, что выпивали не по одной рюмке, а намного больше. Одетые в какие-то обноски, они подходили к дилижансу и нахально заглядывали мне под шляпку. Когда мы остановились в полдень, торговец фермерской утварью предложил мне зайти внутрь, опрокинуть вместе с ним по рюмашке и чем-нибудь подкрепиться, но я отказалась, потому что приличной женщине негоже заходить в такие места с незнакомцем. У меня были с собой хлеб и сыр, и я могла напиться воды из колодца во дворе, а большего мне и не надо.

В дорогу я надела хорошие летние вещи: поверх чепца — соломенная шляпка, украшенная голубым бантом из шкатулки Мэри; и платье из набивного ситца с наставленными плечами, которые тогда уже вышли из моды, но мне было некогда их переделать. Раньше это платье было в красный горошек, но застиралось до розового, и я получила его в счет жалованья от Коутсов. Две юбки, одна рваненькая, но аккуратно зашитая, а другая уже коротковата, но кто на нее будет смотреть? Хлопчатобумажная сорочка, подержанный корсет от Джеремайи и белые хлопчатобумажные чулки, заштопанные, но еще будут носиться. Пара обуви от сапожника мистера Уотсона, которая была не самого лучшего качества и мне не в пору, ведь лучшую обувь привозят из Англии. Летняя шаль из зеленого муслина и носовой платок, оставленный мне Мэри, а ей он достался от матери: голубоватые цветочки «девица в зелени» по белому полю. Его складывали треугольником и носили на шее, чтобы на коже не появились от солнца веснушки. Меня очень утешала эта память о Мэри. Но перчаток у меня не было. Никто мне их не дарил, а купить было дорого.

Моя зимняя одежда — красная фланелевая юбка и теплое платье, шерстяные чулки и фланелевая ночная сорочка, а также две хлопчатобумажных на лето, летнее рабочее платье, башмаки, два чепца, передник и смена белья — была упакована вместе с маминой шалью в узелок, который забросили на крышу кареты. Узелок хорошо перетянули ремнями, но я всю дорогу боялась, что он свалится и потеряется по пути, и оглядывалась то и дело.

— Никогда не оглядывайтесь назад, — сказал торговец фермерской утварью.

— Почему? — спросила я. Я знала, что с незнакомыми мужчинами разговаривать не следует, но этого трудно избежать, когда сидишь в такой тесноте.

— Что прошло, то быльем поросло, — ответил он, — и жалеть об этом нечего. Знаете, что стало с Лотовой женой? — продолжал он. — Превратилась в соляной столп[1]. Славная была женщина! Правда, чуток сольцы вам, женщинам, никогда не повредит, — и он рассмеялся. Я не знала, о чем он, хотя догадывалась, что ни о чем хорошем, и решила больше с ним не разговаривать.

Комары были очень злыми, особенно в болотистых местах и на лесных опушках, ведь хотя землю рядом с дорогой расчистили, еще оставались большие островки из очень высоких, темных деревьев. Воздух в лесу был другим: холодным и влажным, и там пахло мхом, землей и опавшими листьями. Лес меня пугал, ведь он кишел дикими зверьми — медведями и волками; я запомнила рассказ Нэнси о медведе.

Торговец фермерской утварью спросил:

— Боитесь в лес ходить, мисс? — А я ответила:

— Не боюсь, но без нужды ходить туда не стану. — И он сказал:

— Правильно, молодым женщинам не след ходить в лес самим, мало ли что может приключиться. Давеча нашли одну с

---

[1] Быт. 19:26.

разорванной одеждой, а голова лежала в стороне от тела. — И я спросила:

— Так это был медведь? — А он говорит:

— Медведь или краснокожие, в этих лесах их полно. Могут появиться в любой момент и в два счета снять с вас шляпку, а вслед за нею — и скальп. Краснокожие любят отрезать дамам волосы, которые по хорошей цене продают в Штатах. — Потом он добавил: — Видать, у вас под чепцом тоже красивые волосы. — Он все время ко мне прижимался, и мне это было неприятно.

Я знала, что он лжет, если не про медведей, то уж наверняка про краснокожих, и просто хочет нагнать на меня страху. Поэтому я дерзко сказала:

— Краснокожим я доверяю больше, чем вам, — и он засмеялся, но я говорила серьезно. Я видела краснокожих в Торонто: иногда они приходили туда забирать договорные деньги[1] или околачивались у черного входа в дом миссис ольдермен Паркинсон — торговали корзинами и рыбой. У них были непроницаемые лица, и трудно было понять, что же у них на уме, но если их прогоняли, они тут же уходили. Однако я все равно обрадовалась, когда мы выехали из лесу, увидали изгороди, дома и развешанное на веревках белье и вдохнули запах дыма от кухонных плит и деревьев, которые пережигали на угли.

Потом мы проехали мимо развалин здания, от которого остался лишь почерневший фундамент, и торговец показал на него и объяснил, что это знаменитая «Таверна Монтгомери», где Маккензи со своей шайкой проводил сходки повстанцев и откуда они отправились маршем по Янг-стрит. Перед этой таверной застрелили человека, собиравшегося предупредить правительственные войска о готовящемся Восстании, а потом здание подожгли.

— Некоторых изменников повесили, — сказал торговец, — а трусливого шельмеца Маккензи следовало бы притащить

---

[1] Денежное пособие, выплачиваемое правительством индейцам, живущим в резервации.

обратно из Штатов, куда он сбежал, оставив своих друзей болтаться в петле. — В кармане у торговца лежала фляга, и к тому времени он уже успел набраться хмельной удали, как я могла понять по перегару у него изо рта. А когда мужчины в таком состоянии, лучше их не злить, и поэтому я промолчала.

В Ричмонд-Хилл мы приехали поздно вечером. Он был больше похож не на город, а на деревню — дома выстроились в цепочку вдоль Янг-стрит. Я сошла на постоялом дворе, где мы договорились встретиться с Нэнси, и кучер снял с крыши мой узелок. Торговец фермерской утварью слез тоже и спросил, где я остановлюсь, а я ответила:

— Меньше будете знать, крепче будете спать. — Тогда он взял меня за руку и сказал, что я должна пойти с ним в трактир и выпить пару рюмок виски за нашу дружбу, ведь мы так хорошо зазнакомились в дилижансе. Я попробовала вырвать руку, но он не отпускал и стал вести себя очень развязно, пытался обнять меня за талию, а несколько бездельников его подбадривали. Я поискала глазами Нэнси, но ее нигде не было. Мне подумалось, что я произведу на нее очень плохое впечатление, если она увидит, как я отбиваюсь от пьяного мужика на постоялом дворе.

Дверь в трактир была открыта, и в ту же минуту из нее вышел Джеремайя с коробом на спине и длинным посохом в руке.

Я обрадовалась и позвала его, а он в недоумении оглянулся и тотчас поспешил ко мне.

— Ба! Грейс Маркс, — сказал он. — Не ожидал тебя здесь увидеть.

— Я тоже, — сказала я и улыбнулась. Но меня все же нервировал торговец фермерской утварью, который по-прежнему держал меня за руку.

— Это твой друг? — спросил Джеремайя.

— Нет, — ответила я.

— Ваше общество леди не по вкусу, — сказал Джеремайя, подражая голосу элегантного джентльмена. А торговец фермерской утварью ответил, что я никакая не леди, прибавив парочку нелюбезных слов и пройдясь насчет матушки Джеремайи.

Схватив посох, Джеремайя ударил им по руке торговца, и тот меня отпустил. Потом Джеремайя толкнул его, и мужчина попятился к стене трактира и уселся прямо в кучу конского навоза. Тогда все ротозеи рассмеялись над ним, ведь они всегда потешаются над тем, кто слабее.

— Ты где-то поблизости работаешь? — спросил Джеремайя, когда я его поблагодарила. Я ответила, что работаю, и он сказал, что зайдет ко мне со своими товарами. Тогда-то и появился третий мужчина.

— Это вас зовут Грейс Маркс? — примерно так спросил он. Точно я не запомнила. Я ответила:

— Да, — а мужчина сказал, что он мистер Томас Киннир, мой новый хозяин, и приехал меня забрать. У него была легкая коляска с запряженной в нее лошадью; позже я узнала, что ее звали Чарли. Это был очень статный гнедой мерин с такой красивой гривой, хвостом и большими карими глазами, что я с первого взгляда горячо его полюбила.

Мистер Киннир велел конюху погрузить мой узелок сзади на коляску, где уже лежало несколько свертков, и сказал:

— Вы и пяти минут не пробыли в городе, а уже успели завоевать двух поклонников-джентльменов. — Я ответила:

— Нет. — И он переспросил:

— Что нет? Не джентльменов или не поклонников? — Я смешалась, не зная, чего он от меня добивается. Тогда он сказал: — Залезайте, Грейс. — И я спросила:

— Вы хотите, чтобы я села спереди? — А он ответил:

— Ну не сзади же вас класть — вы ведь не багаж, — и помог мне сесть рядом. Я застеснялась, ведь я не привыкла сидеть рядом с джентльменом, тем более своим хозяином, но он, недолго думая, влез в коляску с другой стороны и стегнул кнутом лошадь. И вот мы поехали по Янг-стрит, как будто я была изысканной леди, и, наверно, тем, кто поглядывал на нас из окон домов, было о чем посудачить. Но, как я позднее узнала, мистер Киннир никогда не обращал внимания на пересуды, поскольку ему было наплевать на то, что о нем говорили. Он был человеком при деньгах, в политику не вмешивался и мог не обращать внимания на сплетни.

— А как выглядел мистер Киннир? — спрашивает доктор Джордан.

— Джентльменская осанка, сэр, — отвечаю, — да еще усы.

— И это все? — говорит доктор Джордан. — Плохо же вы его рассмотрели!

— Не могла же я на него пялиться, — говорю, — а в коляске так я и вовсе на него не глядела. Из-за шляпки пришлось бы поворачивать голову. Вы ведь никогда не носили шляпки, сэр?

— Нет, не носил, — отвечает доктор Джордан. Он кривовато усмехается. — Полагаю, это очень неудобно, — говорит.

— То-то и оно, сэр, — говорю. — Зато я видела перчатки у него на руках, которыми он держал поводья: перчатки были бледно-желтые, из мягкой кожи и так хорошо сшиты, что сидели почти без единой морщинки — их даже можно было перепутать с его собственной кожей. Тогда мне взгрустнулось, оттого что у меня самой перчаток вообще не было, и я старательно прятала руки в складках шали.

— Наверное, вы очень устали, Грейс, — сказал он. И я ответила:

— Да, сэр. — А он добавил:

— Сегодня очень тепло. — И я сказала:

— Да, сэр.

Так мы и ехали, и, сказать вам по правде, это было еще хуже, чем трястись по ухабам в дилижансе рядом с торговцем фермерской утварью. Не знаю даже почему, ведь мистер Киннир был гораздо любезнее. Но Ричмонд-Хилл — местечко небольшое, и мы его быстро проехали. Мистер Киннир жил на краю деревни, в доброй миле к северу от нее.

Наконец мы миновали фруктовый сад и свернули в подъездную аллею, которая была изогнутой, около ста ярдов в длину и пролегала меж двумя рядами средней высоты кленов. В конце аллеи стоял дом с верандой вдоль фасада и белыми колоннами. Довольно большой, хоть и поменьше, чем у миссис ольдермен Паркинсон.

Из-за дома доносился стук топора. На заборе сидел мальчик лет четырнадцати, и когда мы подъехали, он спрыгнул и подошел придержать лошадь. У него были рыжие, неровно остриженные волосы и вдобавок к этому веснушки. Мистер Киннир сказал ему:

— Здравствуй, Джейми, это Грейс Маркс. Она приехала из Торонто. Я встретил ее на постоялом дворе. — А мальчик посмотрел на меня и оскалился, будто увидел что-то смешное. Но он просто был очень застенчивым и нескладным.

Перед верандой росли цветы — белые пионы и красные розы, которые сре́зала женщина, одетая в изящное платье с тройными оборками. В руке у нее была неглубокая корзина, куда она складывала цветы. Услыхав скрип колес и стук копыт, женщина выпрямилась и подняла голову, прикрывая глаза ладонью, и я заметила, что она в перчатках. Тогда я узнала в этой женщине Нэнси Монтгомери. На ней была шляпка того же цвета, что и платье, и казалось, будто надела она свой лучший наряд только для того, чтобы выйти из дому и нарезать цветов. Она грациозно помахала рукой, но даже не подумала ко мне подойти, и у меня впервые защемило сердце.

Сесть в коляску — это ведь только полдела, надобно еще с нее слезть. А мистер Киннир даже не помог мне сойти вниз: сам-то он выскочил и поспешил по дорожке к дому, навстречу

Нэнси, а мне оставалось сидеть в коляске, будто мешок с картошкой, или вылезать самостоятельно — так я и сделала. Из-за дома вышел мужчина с топором в руке: наверно, он-то и рубил дрова. У него на плече висела плотная куртка, рукава рубашки закатаны, а ворот расстегнут, шея обвязана красным платком, и штаны заправлены в сапоги. Он был темноволос, строен и невысок, на вид ему было не больше двадцати одного года. Он ничего не сказал, но пристально посмотрел на меня, подозрительно и немного насупленно, словно я чуть ли не личный его враг. Но, видимо, он глядел вовсе не на меня, а на кого-то прямо у меня за спиной.

Мальчик Джейми сказал ему:

— Это Грейс Маркс, — но он так ничего и не ответил. А потом Нэнси позвала:

— Макдермотт, уведи-ка лошадь и отнеси вещи Грейс в ее комнату, заодно и покажешь ей, где она. — После этого он весь вспыхнул, словно охваченный злостью, и недружелюбно кивнул мне, чтобы я шла за ним.

Я замерла на мгновение — вечернее солнце светило мне прямо в глаза — и посмотрела на Нэнси и мистера Киннира, которые стояли возле пионов. Их окружала золотистая дымка, будто с небес просыпалась золотая пыльца, и я слышала их смех. Я взопрела, устала, проголодалась и с ног до головы покрылась дорожной пылью, а она со мной даже не поздоровалась.

Потом я пошла вслед за лошадью и коляской на задний двор. Мальчик Джейми шагал рядом со мной и робко спрашивал:

— А Торонто большой город? Красивый? Я никогда там не бывал. — Но я лишь сказала:

— Ну да, красивый. — Я не могла говорить с ним о Торонто — я в тот момент горько пожалела, что оттуда уехала.

Я до сих пор вспоминаю этот дом во всех подробностях и отчетливо, будто на картинке: веранда с цветами, окна и белые колонны в ярком солнечном свете. Я могла бы с завязанными глазами обойти все его комнаты, хотя в тот момент у меня еще не было никаких особых предчувствий, и просто хотелось напиться воды. Подумать только: спустя полгода из всех обитателей этого дома в живых осталась только я.

Не считая, конечно, Джейми Уолша, но так он ведь с нами не жил.

24

МАКДЕРМОТТ ПОКАЗАЛ МНЕ КОМНАТУ, рядом с зимней кухней. Он был не больно-то учтив и сказал только:

— Будешь спать здесь. — Пока я развязывала свой узелок, вошла Нэнси, которая теперь просто сияла от счастья. Сказала:

— Очень рада тебя видеть, Грейс. Как хорошо, что ты приехала! — Она усадила меня за стол в зимней кухне, где было холоднее, чем в летней, потому что печь не топили, и показала мне раковину, где можно умыться и сполоснуть руки. Потом она дала мне стакан слабого пива и немного холодной говядины из кладовки и сказала: — Ты, наверное, устала с дороги. Это так утомительно. — И она посидела со мной, пока я подкреплялась, что было очень любезно с ее стороны.

Нэнси носила очень красивые сережки, можно сказать, из настоящего золота, и я удивлялась, как она их может себе позволить на жалованье экономки.

Когда я перекусила, она показала мне дом и надворные постройки. Летняя кухня была полностью отделена от основного здания, чтобы оно не перегревалось, — это очень разумно и всем нужно взять на заметку. В каждой их кухонь — мощеный пол и внушительных размеров железная печь с плоской плитой спереди, для нагревания; тогда это была новейшая модель. В обеих кухнях была своя раковина с трубой, соединявшейся со сточным колодцем, своя прачечная и кладовая. Водопроводная колонка стояла во дворе между двумя кухнями, и я обрадовалась, что это не открытый колодец, потому что иногда туда падают всякие предметы и там часто заводятся крысы.

За летней кухней помещалась конюшня, примыкавшая к сараю для экипажей, где ставили коляску. В сарае хватило бы места для двух экипажей, но у мистера Киннира была лишь одна легкая коляска — наверно, по здешним дорогам настоящий экипаж просто не проехал бы. В конюшне имелось четыре стойла, но мистер Киннир держал лишь корову и двух лошадей: Чарли и жеребенка, который со временем должен был стать верховой лошадью. Чулан для сбруи находился возле зимней кухни, что было необычно, да и не очень удобно.

Над конюшней располагалась чердачная комната, где спал Макдермотт. Нэнси сказала, что он жил у них около недели, и хотя был расторопен, когда мистер Киннир отдавал распоряжения, на нее, похоже, злился и вел себя вызывающе. И я сказала, что, возможно, он обозлен на весь мир, потому что со мной он тоже был груб. А Нэнси сказала, что, по ее мнению, ему бы стоило вести себя поучтивее, а не то пусть убирается восвояси, ведь там, откуда он родом, полно безработных солдат, которых не надо долго упрашивать.

Мне всегда нравился запах конюшни. Я погладила нос жеребенку и поздоровалась с Чарли и с коровой, ведь я должна была ее доить и надеялась, что мы с нею поладим. Макдермотт как раз стелил солому для скотины. Он что-то проворчал и сердито посмотрел на Нэнси, и я поняла, что они друг друга недолюбливают. Когда мы вышли из конюшни, Нэнси сказала:

— Сегодня он туча тучей. Что ж, придется ему приспосабливаться. Или улыбайся, или скатертью дорога! Вернее, милости просим в канаву! — И она рассмеялась, а я боялась, как бы он этого не услышал.

Затем мы осмотрели курятник и птичий двор, окруженный плетенкой из ивовых прутьев, чтобы куры не выбегали наружу, хотя эта ограда и не остановила бы лисиц, ласок да енотов, которые, как известно, любят воровать яйца. Потом мы зашли на огород, густо засаженный, но давно не полотый, а в дальнем конце тропинки увидали нужник.

Мистер Киннир владел большим поместьем: пастбищем для коровы и лошадей, небольшим фруктовым садом ниже по Янг-стрит и несколькими полями, которые уже возделывали или пока только расчищали от деревьев. Нэнси сказала, что за ними ухаживает отец Джейми Уолша: они жили в четверти мили отсюда. Оттуда, где мы стояли, можно было увидеть их крышу и дымоход, торчавший над деревьями. Сам Джейми был смышленым и многообещающим мальчиком, он выполнял поручения мистера Киннира и умел играть на флейте — вернее, он называл флейтой дудочку, больше похожую на сопелку. Нэнси разрешила ему приходить вечерами и играть для нас, ведь ему это нравилось. Она и сама любила музыку и даже училась играть на пианино. Это меня удивило, поскольку было непривычно для экономки, но я промолчала.

Во дворе между кухнями были натянуты веревки для белья. Отдельной прачечной не было, но принадлежности для стирки — медные котлы, лохань и стиральная доска — стояли теперь в летней кухне рядом с печью, и все было в хорошем состоянии. Я обрадовалась, что здесь не варили мыла сами, а брали покупное, которое намного приятнее к рукам.

Поросенка не держали, и этому я тоже обрадовалась, потому что поросята больно хитрые, любят выбегать из загородок и очень неприятно пахнут. В конюшне жили две кошки, которые ловили мышей и крыс, а вот собаки не было — старый пес мистера Киннира по кличке Каприз к тому времени издох. Нэнси сказала, что ей спокойнее на душе, если собака лает на чужаков, и мистер Киннир подыскивал хорошего охотничьего пса. Хозяин не был, конечно, заядлым охотником, но по осени любил подстрелить пару уток или дикого гуся, которых в тех местах водилось в избытке, хотя, по словам Нэнси, мясо у них жестковатое.

Мы вернулись в зимнюю кухню и прошли по коридору в вестибюль — большой, с камином и оленьими рогами над ним, стены оклеены дорогими зелеными обоями, а пол застелен красивым турецким ковром. В вестибюле находился люк в погреб, и чтобы спуститься туда, нужно было приподнять край ковра. Странное место для погреба, ведь намного удобнее было бы поместить его в кухне, но там никакого погреба не было. Ступеньки оказались слишком крутыми, а сам погреб разделен на две части невысокой стенкой: с одной стороны молочная, где хранились масло и сыр, а с другой — вино и пиво в бочках, зимой яблоки, морковь, капуста, свекла и картошка в ящиках с песком, а также пустые винные бочки. Там имелось окно, но Нэнси сказала, что нужно всегда брать с собой свечу или фонарь, потому что внизу тьма кромешная, и можно споткнуться, упасть с лестницы и свернуть себе шею.

В тот раз мы не стали спускаться в погреб.

Рядом с вестибюлем находилась парадная гостиная с печью и двумя картинами: семейный портрет, наверно, предков — с чопорными физиономиями и в старомодной одежде, — и крупный, тучный, коротконогий бык. Там стояло также пианино: не фортепьяно, а простое стоячее пианино для гостиных, и шарообразная лампа, заправленная лучшим китовым жиром, привезенным из Штатов, — тогда еще не было керосина для ламп. За гостиной располагалась столовая, тоже с камином, серебряными канделябрами, хорошим фарфором и столовым серебром в запертой горке. Над каминной полкой висела картина с тушками фазанов, и мне подумалось, что это зрелище аппетита не возбуждает. С гостиной столовая соединялась несколькими двустворчатыми дверьми, а еду из кухни можно было внести через одностворчатую дверь, выходившую в коридор. С другой его стороны помещалась библиотека мистера Киннира, но в тот раз мы в нее не заходили, потому что хозяин как раз читал, а за библиотекой — небольшой кабинет с письменным столом, где он писал письма и вел свои дела.

Из вестибюля наверх вела красивая лестница с полированными перилами. Мы поднялись по ней, и на втором этаже увидели спальню мистера Киннира с большой кроватью и смежную комнату для одевания, туалетный столик с овальным зеркалом и резной гардероб, а в спальне — картину с раздетой женщиной, лежащей на софе и изображенной со спины. Женщина оглядывалась через плечо, на голове у нее был какой-то тюрбан, а в руке — веер из павлиньих перьев. Всем известно, что павлиньи перья приносят в дом несчастье. Они были просто нарисованы, но в своем доме я бы ни за что подобного не допустила. Там была еще одна картина, тоже с обнаженной женщиной, принимающей ванну, но я не успела ее толком рассмотреть. Меня поразило то, что в спальне мистера Киннира висело аж две обнаженных женщины, ведь у миссис ольдермен Паркинсон были в основном пейзажи да цветы.

В дальнем конце вестибюля находилась спальня Нэнси, меньше хозяйской, и в каждой комнате лежал ковер. По всем правилам эти ковры нужно было выбивать, чистить и складывать на лето, но у Нэнси руки до этого не доходили, потому что в доме не хватало прислуги. Я удивилась, что ее спальня на одном этаже со спальней мистера Киннира, однако ни третьего этажа, ни чердака здесь не было, в отличие от дома миссис ольдермен Паркинсон, который был намного роскошнее. Имелась и комната для гостей. В конце коридора помещался чулан для зимней одежды и доверху заполненный шкаф для белья со множеством полок. А рядом со спальней Нэнси — крошечная комнатка, которую она называла швейной, со столом и стулом.

Осмотрев верхний этаж, мы спустились по лестнице и обсудили мои обязанности. Я подумала про себя, хорошо, мол, что на дворе лето, а не то мне пришлось бы разжигать все эти камины, да еще чистить и драить решетки с печами. И Нэнси сказала, что к работе мне следует приступить не сегодня, конечно, а завтра. Наверное, я очень устала и хочу пораньше лечь спать. И поскольку так на самом деле и было, а солнце уже садилось, я отправилась на боковую.

— И потом в течение двух недель все было спокойно, — говорит мистер Джордан. Он зачитывает мое «Признание».

— Да, сэр, — подтверждаю я. — Более или менее спокойно.

— Что значит — все? Как это выглядело?

— Простите, не поняла, сэр.

— Чем вы занимались изо дня в день?

— Ну, как обычно, сэр, — отвечаю. — Выполняла свои обязанности.

— Извините меня, — говорит доктор Джордан, — но в чем именно состояли эти обязанности?

Я смотрю на него. На нем желтый галстук с белыми квадратиками. Он не шутит. Он и вправду не шутит. Таким мужчинам, как он, не нужно расхлебывать кашу, которую они же сами и заварили, а нам приходится расхлебывать не только свою собственную, но и их кашу в придачу. Они как дети — им не надо думать о будущем или волноваться о последствиях своих поступков. Но они в этом не виноваты, просто их так воспитали.

25

На следующее утро я проснулась на рассвете. В моей спаленке было жарко и душно, ведь начался летний зной, да еще темно, потому что ставни на ночь запирали от грабителей. Окна тоже закрывали из-за комаров и мух, и я подумала, что надо бы раздобыть кисеи на окно или на кровать и поговорить об этом с Нэнси. Из-за жары я спала в одной рубашке.

Я встала с кровати, раскрыла окно и ставни, чтобы впустить немного света, и вывернула постель — проветрить, а потом надела рабочее платье и фартук, заколола булавкой волосы и нахлобучила чепец. Волосы я собиралась расчесать позднее, перед зеркалом над кухонной раковиной, потому что в моей комнатке зеркала не было. Я подвернула рукава, обула башмаки и отперла дверь спальни. Я всегда запирала ее на засов, ведь если бы кто-нибудь ворвался в дом, то первым делом очутился бы в моей комнатушке.

Я любила рано вставать — так я могла хотя бы на время почувствовать себя хозяйкой в доме. Сначала я вылила горшок в помойное ведро, а потом с этим ведром вышла через дверь зимней кухни, отметив в уме, что пол нужно хорошенько помыть, поскольку Нэнси запустила хозяйство и в дом нанесли кучу грязи. Воздух во дворе был свежим, на востоке занималась розовая заря, а над полями стелился жемчужно-серый туман. Где-то рядышком пела птица, — кажется, крапивник, — а вдали каркали вороны. На рассвете кажется, будто вся жизнь начинается сызнова.

Наверно, лошади услышали, как открылась кухонная дверь, и заржали. Но кормить их или отгонять на пастбище не входило в мои обязанности, хоть я с радостью этим бы занялась. Корова тоже замычала, вымя у нее наверняка набухло, но ей пришлось подождать, ведь не могла же я делать все сразу.

Я прошла по тропинке, мимо птичьего двора и огорода и обратно — по росистой траве, сметая на ходу сплетенную за ночь прозрачную паутину. Я бы никогда в жизни не смогла убить паука. Мэри Уитни считала, что это приносит несчастье, да и не она одна так говорила. Когда я находила в доме паука, то подбирала его концом метлы и отряхивала на улице. Но, видать, случайно прибила пару штук, потому что мне все равно не повезло в жизни.

Я добралась до нужника, опорожнила помойное ведро, ну и так далее.

— И так далее, Грейс? — спрашивает доктор Джордан.

Я смотрю на него. Если он не знает, что делают в нужнике, значит, с ним и в самом деле плохи дела.

Я задрала юбки и уселась поверх жужжащих мух, на то сиденье, куда садятся все в доме — начиная леди и кончая ее служанкой. Все они писают и одинаково пахнут, причем вовсе не сиренью, как говаривала Мэри Уитни. Для подтирки там лежал старый номер женского альманаха «Годи», и я всегда рассматривала картинки, перед тем как использовать их по назначению. Там были последние моды, портреты английских герцогинь, великосветских нью-йоркских дам и прочее в том же духе. Никогда не отдавайте свои изображения в журналы или газеты, потому что никогда не знаешь, на какие цели пустят твой портрет другие люди, когда он уже будет не твой.

Но доктору Джордану я ничего такого не рассказала.

— И так далее, — твердо повторила я, потому что он имеет право лишь на это «и так далее». Я вовсе не обязана ему обо всем рассказывать только потому, что он изводит меня расспросами.

Потом я отнесла помойное ведро к колонке во дворе, — продолжаю, — и залила его водой из ведра, которое там для этого специально стояло. Ведь если вы хотите что-нибудь выжать из насоса, надо сперва в него что-то влить. И Мэри Уитни говорила, что мужчины точно так же относятся к женщине, коли преследуют низменные цели. Как только насос заработал, я ополоснула помойное ведро, умылась, а затем сложила ладони лодочкой, чтобы напиться. Вода в колонке мистера Киннира была приятной, без привкуса железа или серы. К тому времени взошло солнце, туман рассеялся, и можно было сказать, что наступило ясное утро.

После этого я зашла в летнюю кухню и принялась разжигать огонь в печи. Вычистила вчерашнюю золу и оставила ее, чтобы потом высыпать в нужник или на огород, против улиток и слизней. Печь была новая, но со своими причудами, и когда я впервые зажгла ее, она пыхнула в меня черным дымом, словно ведьма на костре. Мне пришлось ее улещивать, подбрасывая обрывки газет, — мистер Киннир газеты любил и выписывал аж несколько штук, — и щепки для растопки. Печь кашляла, а я дула сквозь решетку, и наконец огонь вспыхнул и разгорелся. Дрова были порублены слишком крупно, и мне приходилось заталкивать их в печь кочергой. Нужно сказать об этом Нэнси, чтоб она поговорила с Макдермоттом, который за это отвечал.

Потом я вышла во двор, накачала целое ведро воды и притащила его обратно в кухню. Ковшом наполнила чайник и поставила его на плиту.

Затем я взяла две старых морковки из закрома в чулане для сбруи, рядом с зимней кухней, положила в карман и направилась в хлев с подойником. Морковку я украдкой дала лошадям — это была конская морковка, но я не спросила разрешения ее взять. Я прислушалась, не шевелится ли на чердаке Макдермотт, но никаких звуков оттуда не доносилось: он спал мертвым сном или же притворялся.

Потом я подоила корову. Она была добрая и сразу меня полюбила. Бывают очень злые коровы, которые норовят поддеть тебя рогом или лягнуть копытом, но эта была не из таких, и как только я прижалась лбом к ее боку, она тотчас принялась за дело. Жившие в хлеву кошки ходили вокруг да мяукали, выпрашивая молока, и я им немного отлила. После чего попрощалась с лошадьми, и Чарли потянулся головой к карману у меня на переднике. Знал, хитрец, где морковка лежит.

Выйдя на улицу, я услыхала сверху странный шум. Казалось, будто кто-то бешено колотит двумя молотками или стучит по деревянному барабану. Вначале я вообще ничего не могла понять, но, прислушавшись, сообразила: наверно, это Макдермотт отбивал чечетку на голом полу чердака. Судя по звукам, плясал он довольно умело, но почему совершенно один, наверху, да еще в такую рань? Возможно, просто от избытка сил и от радости жизни, но мне так почему-то не показалось.

Я отнесла парное молоко в летнюю кухню и отлила немного для чая. Потом накрыла ведро с молоком тряпкой от мух и оставила, чтобы сливки подошли. Я хотела позже сбить из них масло, если не случится грозы, потому что масло в грозу не взбивается. Потом улучила минутку, чтобы прибраться в своей комнате.

Ее и комнатой-то было трудно назвать: ни обоев, ни картин, ни даже занавесок. Я быстро подмела пол метлой, ополоснула ночной горшок и задвинула его под кровать. Там были целые залежи пыли, которую, видно, давно уже не выметали. Я вытряхнула тюфяк, расправила простыни, взбила подушку и застелила кровать стеганым одеялом. То было старое потрепанное одеяло, хоть когда-то и красивое — «Журавль в небе». И я подумала о тех одеялах, которые сошью для себя, когда накоплю денег, выйду замуж, и у меня будет свой дом.

Мне было приятно, что у меня есть прибранная комнатка. Когда приду в конце дня, она будет чистой и опрятной, как будто ее убрала для меня служанка.

Потом я взяла корзину для яиц, полведра воды и пошла в курятник. Джеймс Макдермотт стоял во дворе, подставив темноволосую голову под струю из колонки, но, наверно, услышал мои шаги у себя за спиной. И когда вынырнул из-под струи, вид у него был потерянный, испуганный и безумный, как у захлебнувшегося ребенка. Я подумала: кто же его преследует? Но потом он увидел меня, небрежно махнул рукой, и это, по крайней мере, был первый дружеский жест с его стороны. Руки у меня были заняты, так что я просто кивнула.

Я налила курам в корыто воды и выпустила их из курятника, и пока они пили, отпихивая друг друга от поилки, зашла и собрала яйца — большие, ведь для них как раз наступила самая пора. Потом я насыпала курам зерна и вчерашних кухонных отбросов. Кур я недолюбливала и всегда считала, что один пушистый зверек намного лучше стаи неряшливых, кудахчущих птиц, которые постоянно роются в грязи. Но если тебе нужны яйца, приходится мириться с их буйными повадками.

Петух ударил меня шпорой по лодыжке, чтобы отогнать от своих женушек, но я так сильно пнула его ногой, что с нее чуть не слетел башмак. Говорят, один петух на стаю — курам счастье, но мне кажется, и одного многовато.

— Веди себя прилично, не то я тебе шею сверну! — крикнула я ему, хотя на самом деле никогда бы ничего подобного не сделала.

Макдермотт наблюдал за мной через забор, ухмыляясь во весь рот. Когда он улыбался, то казался привлекательнее, надобно это признать, хоть он и был весь такой смуглый, с жуликовато искривленным ртом. Но, возможно, сэр, я просто фантазирую, памятуя о том, что случилось потом.

— Ты это мне? — спросил Макдермотт.

— Нет, не вам, — сказала я холодно, проходя мимо. Мне казалось, я знала, что у него на уме, и в этом не было ничего удивительного. Подобные неприятности мне были не нужны, и лучше не допускать никаких фамильярностей.

Чайник наконец-то закипел. Я поставила на плиту кастрюлю с уже замоченной овсянкой. Потом заварила чай и оставила его настаиваться, а сама вышла во двор, накачала еще одно ведро воды и внесла обратно. Я затащила большой медный котел на заднюю часть печи и наполнила его водой, ведь мне нужно было много горячей воды для мытья грязной посуды и прочей утвари.

Тут вошла Нэнси, одетая в простое хлопчатобумажное платье и фартук, а вовсе не в то нарядное, которое было на ней вчера. Она сказала:

— Доброе утро, — и я тоже с ней поздоровалась. — Чай готов? — спросила она, и я сказала, что готов. — Утром я еле жива, пока не выпью чашку чаю, — пояснила она, и я ей налила. — Мистер Киннир пьет чай наверху, — сказала Нэнси, но это я и так уже знала, потому что накануне вечером она выложила поднос с небольшим заварочным чайником, чашкой и блюдцем — не серебряный поднос с фамильным гербом, а простой, из крашеного дерева. — И когда он спустится, — добавила Нэнси, — то захочет выпить еще одну чашку, перед завтраком — такой уж у него обычай. — Я поставила кувшинчик свежего молока и сахар на поднос и взяла его в руки. — Я сама отнесу, — сказала Нэнси.

Я удивилась и сказала, что у миссис ольдермен Паркинсон экономка ни за что не стала бы относить поднос с чаем наверх, потому что это ниже ее достоинства и входит в обязанности служанок. Нэнси недовольно посмотрела на меня, но потом сказала, что она, конечно, относила поднос наверх лишь потому, что не хватало прислуги и кроме нее этого некому было сделать, так что за последнее время она привыкла. Поэтому я отправилась с подносом наверх.

Дверь в спальню мистера Киннира находилась на самом верху лестницы. Там некуда было поставить поднос, и я постучалась, удерживая его в одной руке.

— Ваш чай, сэр, — сказала я. Изнутри послышалось невнятное бормотание, и я вошла. В комнате было темно, и я поставила поднос на круглый низенький столик рядом с кроватью, подошла к окну и немного отдернула шторы. Они были из темно-коричневой парчи, с бахромой и шелковистые на ощупь. Но я считаю, что летом лучше вешать белые хлопча-тобумажные или кисейные шторы, потому что белый цвет не поглощает тепла, и дом от этого не нагревается, а еще они намного прохладнее на вид.

Я не видела мистера Киннира: он лежал в темном углу комнаты, и лицо его было в тени. На кровати я заметила не лоскутное одеяло, а темное покрывало под цвет штор. Оно было откинуто, и мистер Киннир укрывался одной лишь простыней. Его голос доносился словно из-под нее.

— Спасибо, Грейс, — сказал он. Он всегда говорил «пожалуйста» и «спасибо». Нужно признать, он умел разговаривать вежливо.

— Всегда рада вам услужить, сэр, — ответила я, действительно радуясь от всего сердца. Я всегда с удовольствием ухаживала за ним, и хоть он мне за это и платил, мне казалось, будто я делаю это задаром. — Сегодня утром куры снесли прекрасные яйца, сэр, — сказала я. — Хотите одно на завтрак?

— Да, — сказал он нерешительно. — Спасибо, Грейс. Уверен, оно пойдет мне на пользу.

Мне не понравилось, каким тоном он это сказал: говорил он так, будто хворал. Но ведь Нэнси ни словом об этом не обмолвилась.

Спустившись вниз, я сказала Нэнси:

— Мистер Киннир хочет съесть на завтрак яйцо. — И она ответила:

— Пожалуй, я тоже одно съем. Он любит яичницу с грудинкой, а мне яичницу нельзя, так что приготовь мне вареное яйцо. Мы позавтракаем вместе в столовой. Он нуждается в моем обществе, потому что не любит есть один. — Мне это показалось немного странным, но не такой уж и невидалью. Потом я спросила:

— А мистер Киннир не болен? — Нэнси усмехнулась и ответила:

— Иногда он воображает себя больным. Но все это выдумки. Ему хочется, чтобы с ним возились.

— Интересно, почему он не женат, — сказала я, — ведь он такой видный мужчина. — Я как раз доставала сковороду для яичницы и спросила из праздного любопытства, ничего такого не имея в виду. Однако Нэнси ответила сердито — во всяком случае, так мне показалось:

— Некоторые джентльмены не предрасположены к супружеству, — сказала она. — Они довольствуются собой и полагают, что вполне могут без этого обойтись.

— Видать, могут, — промолвила я.

— Конечно, могут, если они достаточно богаты, — добавила она. — Если им что-нибудь понадобится, то они просто смогут это купить. Для них нет никакой разницы.

Теперь я расскажу о своей первой размолвке с Нэнси. Это произошло, когда я убирала комнату мистера Киннира в первый день, и надела свой фартук для спальни, чтобы на белые простыни не попала грязь и сажа из плиты. Нэнси вертелась поблизости и рассказывала мне, куда класть вещи, как подгибать углы простыней, как проветривать ночную рубашку мистера Киннира, как раскладывать его щетки и туалетные принадлежности на туалетном столике, как часто натирать их серебряные ручки и куда класть его сложенные рубашки и готовое к носке белье. И вела себя она так, будто я никогда этого раньше не делала.

Тогда я впервые подумала о том, что труднее работать на женщину, которая сама раньше была служанкой, чем на ту, что ею никогда не была. Ведь у бывших служанок есть свои привычки, а кроме того, они знают маленькие хитрости: сами высыпали дохлых мух за кровать или сметали песок и пыль под ковер, и этого никто не замечал. У таких женщин глаз наметан, и они тебя живо раскусят. Я, конечно, не такая уж неряха, но у всех у нас бывают хлопотные деньки.

И когда я говорила, например, что у миссис ольдермен Паркинсон что-нибудь делали иначе, Нэнси резко отвечала, что ее это не волнует, потому что теперь я служу вовсе не миссис ольдермен Паркинсон. Ей не нравилось вспоминать, что я когда-то работала в таком роскошном доме и общалась с людьми, которые ей не чета. Но потом я поняла, что она волновалась так потому, что не хотела оставлять меня одну в комнате мистера Киннира, на тот случай, если он вдруг туда войдет.

Чтобы как-то ее отвлечь, я спросила про картину на стене — не про ту, что с веером из павлиньих перьев, а про другую — с юной леди, принимающей ванну в саду, который мне казался не подходящим для этого местом. Волосы женщины были связаны узлом, служанка держала наготове полотенце, а несколько бородатых стариков подсматривали за ней из-за кустов. Судя по одеждам, дело было в давние времена. Нэнси сказала, что это раскрашенная от руки гравюра — копия знаменитой картины «Сусанна и старцы», написанной на библейский сюжет. Она очень гордилась тем, что знает так много.

Но она раздражала меня своими придирками и брюзжаньем, и я сказала, что прочитала Библию вдоль и поперек, — и это было недалеко от истины, — но подобной истории там и близко нет. Так что этот сюжет никак не может быть библейским[1].

И Нэнси возразила, что такая история есть, а я ответила, что нет, и я готова это доказать. Но она сказала, что мое дело — не пререкаться с ней, а застилать постель. И тут как раз в комнату вошел мистер Киннир. Наверно, он подслушивал в коридоре, потому что вид у него был довольный.

— Ну и ну, — сказал он, — вы спорите на богословские темы, да еще в такую рань? — И он захотел, чтобы мы все ему рассказали. Нэнси ответила, что это сущие пустяки, но он все равно настаивал и сказал: — Ну что ж, Грейс, я вижу, Нэнси желает сохранить от меня это в тайне, но ты должна мне все рассказать. — И я застеснялась, но в конце концов

---

[1] Повесть о Сусанне является неканоническим отрывком библейской Книги пророка Даниила (гл. 13).

спросила его, написана ли картина на библейский сюжет, как утверждает Нэнси. Он рассмеялся и ответил, что, говоря строго, нет, поскольку эта история приведена в Апокрифах. Я удивилась и спросила, что же это такое. Я была уверена, что Нэнси тоже впервые слышала это слово. Но она рассердилась, потому что оказалась неправа, и угрюмо насупилась.

Мистер Киннир сказал, что я очень любознательна для своих юных лет и что скоро у него будет самая ученая служанка во всем Ричмонд-Хилле, так что ему придется показывать меня за деньги, как свинью-математичку из Торонто. А потом объяснил, что Апокрифы — это книги, куда вошли все истории из библейских времен, которые решили не включать в Библию. Я очень удивилась и спросила:

— А кто решил? — Ведь я всегда считала, что Библия написана Богом, потому что все ее называли Словом Божьим.

И он улыбнулся и сказал, что хотя ее, возможно, написал и Бог, но записали-то люди, а это большая разница. Но говорят, что эти люди были богодухновенны, то есть Бог разговаривал с ними и говорил им, что нужно делать.

Поэтому я спросила, они слышали голоса или как, и он ответил, что слышали. И я обрадовалась, что с кем-то еще такое же случалось, но промолчала. В любом случае, тот голос, который я однажды услышала, принадлежал не Богу, а Мэри Уитни.

Мистер Киннир спросил меня, знаю ли историю о Сусанне, и я ответила, что не знаю. И тогда он рассказал, что эта была юная леди, которую несколько стариков облыжно обвинили в том, что она согрешила с молодым человеком, потому что она отказалась совершить с ними точно такой же грех. Сусанну должны были забить камнями, но, к счастью, у нее был изворотливый адвокат, который сумел доказать, что старики лгут, заставив их дать противоречивые показания. Потом мистер Киннир спросил, какова, на мой взгляд, мораль всей этой истории? И я ответила:

— Мораль в том, что нельзя принимать ванну в саду. — А он рассмеялся и сказал, что, по его мнению, мораль состоит в том, что нужно всегда иметь изворотливого адвоката. И сказал Нэнси:

— Она вовсе не простушка, — и я догадалась, что так она меня называла. И Нэнси посмотрела на меня волком.

Потом он сказал, что нашел поглаженную и сложенную в шкаф рубашку без одной пуговицы и что очень досадно надеть чистую рубашку и вдруг обнаружить, что не можешь ее как следует застегнуть из-за отсутствия пуговицы. Мистер Киннир велел нам позаботиться о том, чтобы такого больше не повторялось. Взял свою золоченую табакерку, за которой он и приходил, и вышел из комнаты.

Теперь Нэнси провинилась дважды, ведь эту рубашку стирала и гладила она, когда меня еще здесь и в помине не было. Поэтому она дала мне список поручений длиной во всю руку, выбежала вон из комнаты, спустилась по лестнице и выскочила во двор. Там она принялась бранить Макдермотта за то, что он утром не вычистил как следует ее обувь.

Я сказала себе, что впереди меня ждут неприятности, и решила держать язык за зубами. Ведь Нэнси не нравилось, когда ей перечили, а больше всего она не любила чувствовать себя виноватой перед мистером Кинниром.

Когда она переманила меня от Уотсонов, я думала, что мы будем работать вместе, как сестры или, на худой конец, как хорошие подруги, какими были мы с Мэри Уитни. Но теперь я поняла, что все будет совсем иначе.

26

ЯПРОРАБОТАЛА СЛУЖАНКОЙ УЖЕ ТРИ ГОДА и могла довольно хорошо справляться со своими обязанностями. А Нэнси была человеком настроения, можно даже сказать, особой двуличной, и нелегко было предугадать, чего ей захочется через час. Она то заносилась, помыкая мною и ко всему придираясь, то становилась через минуту моей лучшей подругой или просто ею притворялась: брала меня за руку, говорила, что у меня усталый вид, и предлагала посидеть с ней и выпить чайку. Очень трудно работать на таких людей, ведь когда ты делаешь реверансы и называешь их «мадам», они начинают упрекать тебя в чопорности и церемонности, хотят с тобой пооткровенничать и ждут того же в ответ. А у тебя все получается невпопад.

Назавтра был ясный, солнечный день с легким ветерком, и поэтому я затеяла стирку, которой давно уже пора было заняться, ведь чистые вещи заканчивались. Работа была жаркая, потому что мне пришлось посильнее разжечь огонь в печи летней кухни, а накануне вечером я не успела перебрать и замочить грязное белье. Но я не могла ждать, ведь в это время года погода быстро меняется. Поэтому я тщательно выстирала все вещи, а под конец красиво их развесила, аккуратно разложив салфетки и белые носовые платки на траве для отбеливания. На нижней юбке Нэнси остались пятна от нюхательного табака, чернил и травы, — я удивлялась, как она умудрилась их посадить, но, скорее всего, она просто поскользнулась и упала. На вещах, отсыревших на самом дне груды, появилась плесень, а на скатерти, оставшейся после званого ужина, виднелись пятна от вина, которые вовремя не посыпали солью. Но с помощью хорошей белизны, из щелока и хлорной извести, о которой я узнала в прачечной у миссис ольдермен Паркинсон, я вывела почти все пятна, а в остальном положилась на солнце.

Я немного постояла, любуясь своей работой, ведь так приятно все перестирать и смотреть, как белье надувается на ветру, словно вымпелы на скачках или корабельные паруса. Плеск белья напоминает рукоплескания небесного воинства, которые доносятся как бы издалека. Говорят, что чистота сродни божественности, и порой, когда я видела, как после дождя в небе плывут чистые белые облака, мне казалось, что это сами ангелы развесили свое белье. Я думала: кто-то ведь должен этим заниматься, потому что на небесах все должно быть очень чистым и свежим. Но это были ребяческие фантазии: дети любят рассказывать друг другу истории о невидимых вещах, а я была тогда еще почти ребенком, хоть и считала себя взрослой женщиной, зарабатывающей деньги собственным трудом.

Пока я так стояла, из-за угла дома вышел Джейми Уолш и спросил, нет ли для него каких-нибудь поручений. И он очень робко сказал мне, что если Нэнси или мистер Киннир пошлют его в деревню, а мне нужна какая-нибудь вещица, он с радостью ее купит и мне принесет, коли я дам денег. Несмотря на свою неловкость, Джейми изо всех сил старался быть учтивым и даже снял свою старую соломенную шляпу, скорее всего — отцовскую, потому что для мальчика она великовата. Я сказала, что это очень мило с его стороны, но мне пока ничего не нужно. Но потом вспомнила, что в доме нет бычьей желчи для закрепления краски при стирке, а желчь мне понадобится для цветных тканей, ведь в то утро я стирала только белые вещи. Я пошла вместе с Джейми к Нэнси, и она поручила ему еще кое-чего купить и доставить письмо от мистера Киннира одному знакомому джентльмену. С тем Джейми и ушел.

Нэнси велела ему прийти вечером и прихватить с собой флейту. И когда Джейми ушел, она сказала, что он очень красиво играет — любо-дорого послушать. Нэнси снова была в хорошем настроении и помогла мне приготовить холодный обед из ветчины, солений и салата с огорода, потому что латук и лук-резанец еще не выросли. Но она, как и прежде, обедала в столовой вместе с мистером Кинниром, а мне пришлось кушать в компании Макдермотта.

Неприятно смотреть и слушать, как другой человек ест, особенно если он чавкает. Но Макдермотт был в угрюмом настроении и, видимо, не расположен к беседе. Поэтому я спросила его, любит ли он танцевать.

— А почему ты об этом спрашиваешь? — подозрительно сказал он. И, не желая признаваться, что я подслушала, как он упражнялся у себя на чердаке, я ответила, что все называют его хорошим танцором.

Он ответил, что, может, это и правда, а может, и нет, но, по-моему, остался доволен. Тогда я решила вызвать его на откровенность и спросила, чем он занимался до того, как поступил на работу к мистеру Кинниру. Он спросил:

— А кому какое дело? — И я ответила, что мне — меня интересуют всякие такие истории, и вскоре он начал рассказывать.

Макдермотт сказал, что он из довольно приличной семьи, жившей в Уотерфорде, на юге Ирландии, и отец его был управляющим. Но сам-то он — парень шальной и никогда не лизал пятки богачам, а вечно бедокурил, чем очень гордился. Я спросила, жива ли его мать, и он ответил, что жива она или нет — ему все равно, потому что мать была о нем невысокого мнения и приговаривала, что ад по нем плачет. Насколько он мог судить, она должна была уже помереть. И при этих словах голос его дрогнул.

В детстве он убежал из дома и поступил в Англии на военную службу, надбавив себе несколько годков. Но жизнь в армии показалась ему слишком тяжелой, он не вынес суровой дисциплины и грубого обращения, дезертировал и «зайцем» уплыл на корабле в Америку. Когда его обнаружили на борту, он отработал весь остаток пути, но высадился не в Соединенных Штатах, а в Восточной Канаде. Потом устроился на пароходы, ходившие по реке Святого Лаврентия, а после этого — на озерные, где его радушно принимали, потому что он был очень крепким и выносливым и мог работать без перерыва, как паровая машина, так что первое время ему жилось там довольно неплохо. Но вскоре Макдермотт заскучал и для разнообразия снова записался в солдаты — в полк легкой пехоты Гленгарри, который, как я знала от Мэри Уитни, пользовался дурной славой у фермеров. Во время Восстания солдаты сожгли немало фермерских домов — выгоняли женщин и детей на снег, издевались над ними, о чем никогда не писали в газетах. Так что пехотинцы были компанией буянов, предавались разгулу, азартным играм, пьянству и прочим занятиям, которые сам Макдермотт считал сугубо мужскими.

Но Восстание закончилось, и делать было нечего, а Макдермотт служил не кадровым военным, а денщиком капитана Александра Макдональда. Он вел спокойную жизнь, получал приличное жалованье, но, к сожалению, полк расформировали, и пришлось во всем полагаться на самого себя. Макдермотт отправился в Торонто и праздно жил на сэкономленные деньги, но потом его запасы начали истощаться, и он понял, что пора ему осмотреться. В поисках работы Макдермотт отправился на север по Янг-стрит и добрался аж до Ричмонд-Хилла. В одной из таверн услыхал, что мистеру Кинниру нужен слуга, и явился прямо к нему, однако на работу наняла его Нэнси. Макдермотт думал, что будет трудиться на самого джентльмена, лично за ним ухаживать, как за капитаном Макдональдом, но с раздражением узнал, что над ним стоит женщина, которая к тому же утомляла его своей нескончаемой болтовней и постоянно ко всему придиралась.

Я поверила всему, что он рассказал, но потом сложила в уме года и пришла к выводу, что он должен быть либо старше своих лет, — а Макдермотт приписывал себе двадцать один год, — либо он просто лжет. И когда я позднее слышала от соседей, включая Джейми Уолша, что Макдермотт слывет лжецом и бахвалом, то вовсе этому не удивлялась.

Потом мне подумалось, что зря я проявила такой интерес к его истории, потому что Макдермотт мог ошибочно принять его за интерес к своей собственной персоне. Осушив несколько стаканов пива, он начал строить мне глазки и спросил, нет ли у меня дружка, ведь у такой хорошенькой девицы, как я, обязательно должен быть дружок. Я должна была ответить, что мой дружок шести футов ростом и знатный боксер, но я была еще слишком молода и потому сказала правду. Я призналась, что дружка у меня нет, ну да он мне пока и не нужен.

Макдермотт сказал: жаль, но все ведь бывает когда-то в первый раз, меня нужно просто объездить, как кобылку, а потом я поскачу сама, и он, Макдермотт, как никто другой для этого дела подходит. Меня это очень раздосадовало, я тотчас вскочила и принялась с грохотом убирать посуду. Еще я сказала, что прошу его оставить эти обидные слова при себе, потому что я не кобыла. Тогда он сказал, что пошутил, ему просто хотелось узнать, что же я за девица. А я ответила: не его это дело, что я за девица, — из-за чего он нахмурился, будто я его оскорбила, вышел во двор и стал колоть дрова.

После того как я помыла посуду, — приходилось делать это осторожно из-за летавших вокруг мух, которые ползали по чистым тарелкам, если их не накрыть тряпкой, и оставляли пятнышки, — после того как я вышла на улицу посмотреть, как сушится белье, и обрызгала носовые платки и кухонные салфетки водой, чтобы они лучше отбелились: после всего этого настала пора снять сливки с молока и приготовить из них масло.

Я занялась этим на улице, в тени дома, чтобы немного подышать свежим воздухом. Маслобойка была с ножной педалью, так что я могла сидеть на стуле и одновременно чинить одежду. Некоторые люди, чтобы взбить масло, берут собаку — сажают ее в клетку и заставляют бегать по топчаку, сунув ей под хвост раскаленный уголек, но я считаю это жестокостью.

Когда я сидела и ждала, пока собьется масло, и пришивала пуговицу к рубашке мистера Киннира, мимо в конюшню прошел сам хозяин. Я хотела было встать, но он велел мне сидеть, потому что отменное масло для него важнее реверанса.

— Вся в делах, Грейс? — спросил он.

— Да, сэр, — ответила я, — бес вольным рукам покоя не дает. — Он рассмеялся и сказал:

— Надеюсь, ты не меня имеешь в виду, ведь руки у меня вольные, однако, на мой взгляд, вовсе не бесовские. — Я смутилась и сказала:

— Ах нет, сэр, я вовсе не имела вас в виду. — И он улыбнулся, добавив, что молодой женщине стыдливый румянец к лицу.

На это нечего было возразить, так что я промолчала, а он прошел мимо и вскоре выехал верхом на Чарли и поскакал по аллее. Нэнси пришла взглянуть, как у меня успехи, и я спросила ее, куда отправился мистер Киннир.

— В Торонто, — ответила она. — Он каждый четверг туда ездит и остается на ночь, чтобы уладить дела в банке и выполнить некоторые поручения. Но вначале он поедет к полковнику Бриджфорду: его жена и обе дочери уехали, так что мистер Киннир может спокойно его навестить, потому что когда жена дома, его не принимают.

Я удивилась этому и спросила, почему. И Нэнси ответила, что, по мнению миссис Бриджфорд, он дурно влияет на окружающих — видать, она считает себя королевой Франции, никто и туфли ей лизать не достоин. И Нэнси рассмеялась, но как-то невесело.

— Что же он такого сделал? — спросила я. Но как раз в этот момент я почувствовала, что масло взбилось, — стало твердым на ощупь, — и прекратила расспросы.

Нэнси помогла мне сбить масло, и большую его часть мы засолили и поместили в холодную воду, а немного свежего переложили в формочки. Две были с узором в виде чертополоха, а третья — с гербом рода Кинниров и девизом «Живу упованием». Нэнси сказала, что, если умрет старший брат мистера Киннира, живущий в Шотландии, который на самом деле был его единоутробным братом, то мистер Киннир получит в наследство большой дом и поместье. Но он на это не рассчитывает и утверждает, что вполне счастлив — по крайней мере, когда пребывает в добром здравии. Но с единоутробным братом они друг друга недолюбливают, что нередко бывает в подобных случаях. И я догадалась, что мистера Киннира спровадили в колонии, чтоб от него отделаться.

Приготовив масло, мы отнесли его по ступеням подвала в молочную, но оставили наверху немножко пахты, чтобы потом добавить ее в печенье. Нэнси сказала, что не любит погреб, потому что там всегда пахнет землей, мышами и старыми овощами. А я сказала, что когда-нибудь его можно будет хорошенько проветрить, если нам удастся открыть окно. Мы поднялись наверх и, после того как я сняла белье, уселись на веранде и стали вместе чинить одежду, как самые лучшие подруги на свете. Позже я обратила внимание, что когда рядом не было мистера Киннира, Нэнси всегда была очень любезной, но в его присутствии и когда я находилась с ним в одной комнате, становилась нервной и капризной, как кошка. Но тогда я этого еще не замечала.

Пока мы сидели, вдоль по змеистой изгороди быстро, словно белка, пробежал Макдермотт. Я поразилась и спросила:

— Что он там делает? — И Нэнси ответила:

— Он говорит, что занимается этим для зарядки, но на самом деле ему просто хочется пофорсить, не обращай внимания. — И я сделала вид, будто не смотрю на него, а сама украдкой поглядывала, ведь он действительно был очень проворен. Пробежав туда и обратно, Макдермотт спрыгнул вниз, а затем единым махом снова запрыгнул на изгородь, опираясь на нее одной рукой.

Я делала вид, что не смотрю на него, а он делал вид, будто не замечает наших взглядов. То же самое, сэр, происходит в любом изысканном обществе леди и джентльменов. Много чего можно увидеть искоса, особенно это касается леди, не желающих, чтобы их застали врасплох. Они могут также смотреть сквозь вуаль, занавески на окнах или поверх вееров, ведь так можно увидеть много такого, чего иначе ни за что не разглядеть. Но нам эти вуали и веера ни к чему, и потому нам удается заметить намного больше.

Вскоре явился Джейми Уолш — он шел полями и по Нэнсиной просьбе прихватил с собой флейту. Нэнси тепло с ним поздоровалась и поблагодарила за то, что пришел. Мне она велела принести Джейми кувшин пива, и пока я набирала его, в кухню вошел Макдермотт и сказал, что хочет пивка тоже. Тогда уж я не смогла удержаться, чтобы не сказать:

— Не думала, что у вас в жилах обезьянья кровь. Вы скачете, как мартышка. — И он не знал, радоваться ему, что я его заметила, или обижаться на то, что я назвала его мартышкой.

Макдермотт сказал, что без кота мышам раздолье, и когда Киннир в городе, Нэнси любит устраивать небольшие вечеринки, и, наверно, малыш Уолш будет сегодня дудеть в свою свистульку. А я сказала, что так оно и есть и я с удовольствием его послушаю, а Макдермотт возразил, что, по его мнению, никакого удовольствия в этом нет, и я сказала, что это уж он как знает. После этого он схватил меня за руку, очень серьезно на меня посмотрел и сказал, что не хотел меня тогда обидеть. Он так долго якшался со всякими грубиянами, манеры которых оставляли желать лучшего, что стал порой забываться и разучился с людьми разговаривать. Но он надеется, что я его прощу, и мы останемся друзьями. Я сказала, что всегда готова дружить с искренним человеком, и разве Библия не учит нас тому, что надо друг друга прощать? Я пообещала, что обязательно его прощу, как и сама надеюсь быть прощенной в будущем. И очень спокойно об этом сказала.

После этого я принесла на веранду пиво, а к нему немного хлеба и сыра на ужин, и мы сидели там вместе с Нэнси и Джейми Уолшем на закате солнца, когда уже стемнело и больше нельзя было шить. Стоял дивный, безветренный вечер, чирикали птицы и золотились в вечернем свете деревья во фруктовом саду близ дороги. Благоухали лиловые цветы молочая, росшего вдоль аллеи, несколько последних пионов у веранды и вьющиеся розы. Когда в воздухе повеяло прохладой, Джейми сел и заиграл на флейте — да так заунывно, что от этой музыки сладко сжималось сердце. Вскоре из-за дома крадучись, словно прирученный волк, вышел Макдермотт и, прислонившись к стене, тоже стал слушать. Между нами царило полное согласие, и вечер был так прекрасен, что даже сердце ныло — так бывает, когда не поймешь, радостно тебе или грустно. И я подумала: если бы мне можно было загадать желание, то я загадала бы, чтобы этот вечер никогда не кончался и мы остались такими навсегда.

Но остановить солнце по силам лишь Господу, и Он уже однажды это сделал, а больше не остановит его до скончания века. И в тот вечер солнце зашло, как обычно, оставив по себе лишь темно-бордовый закат, и на несколько мгновений весь фасад дома стал от него розовым. Потом в сумерках появились светляки, ведь это их пора: они зажигались и гасли в низких кустах и в траве, подобно мигающим сквозь тучи звездам. Джейми Уолш поймал одного в стеклянный стакан и закрыл его рукой, чтобы я могла вблизи рассмотреть жучка: он медленно вспыхивал холодным зеленоватым огнем, и я подумала, если бы у меня было два светлячка вместо сережек, я бы на золотые серьги Нэнси больше и не взглянула бы.

Потом сгустилась темнота: выступив из-за деревьев и кустов, она поползла по полям, а тени увеличились и слились промеж собой. И я подумала, что темнота похожа на воду, которая, выходя из-под земли, медленно вздымается, подобно океану. Я замечталась и вспомнила, как мы переплывали через огромный океан и как в это время суток небо и вода становились одинакового сине-фиолетового цвета, так что нельзя было различить, где кончается одно и начинается другое. И в памяти у меня всплыл ослепительно белый айсберг, и, несмотря на вечернюю теплынь, мне стало зябко.

Но потом Джейми Уолш сказал, что ему пора домой, а не то отец его будет искать. И я вспомнила, что не подоила корову и не заперла на ночь кур, и поспешила сделать то и другое, пока еще не совсем стемнело. Когда я вернулась на кухню, Нэнси по-прежнему сидела там, но уже при свече. Я спросила, почему она не ложится, и Нэнси ответила, что боится спать одна, когда дома нет мистера Киннира, и попросила меня лечь вместе с ней наверху.

Я сказала, что лягу, но спросила, кого она боится. Грабителей? Или, может, Джеймса Макдермотта? Я просто шутила.

Нэнси же игриво ответила, что, судя по его взгляду, это у меня больше причин бояться Макдермотта, если, конечно, я не ищу себе нового кавалера. И я сказала, что скорее уж испугаюсь старого петуха на птичьем дворе, нежели Макдермотта, а что касается кавалеров, то они мне нужны, как корове седло.

Она рассмеялась, и мы улеглись спать, словно закадычные подружки, но вначале я все же заперла все двери на засов.

VIII

ЛИСА И ГУСИ

Недели две все было спокойно, разве только экономка пару раз отругала Макдермотта за нерадивость и сделала ему двухнедельное предупреждение... После этого он часто говорил мне, что с радостью ушел бы, потому как не желает больше пахать на «б...и кусок», но прежде хочет отыграться. Он был уверен, что Киннир и экономка Нэнси спят вместе, я решила это проверить и убедилась, что так оно и было, ведь Нэнси спала в своей кровати, только когда мистера Киннира не было дома, и тогда я спала вместе с ней.

Признание Грейс Маркс.
«Стар энд Транскрипт», Торонто, ноябрь 1843 г.

Грейс Маркс была... красивой девицей и расторопной служанкой, но нрав имела молчаливый и хмурый. Очень трудно было понять, довольна она или нет... После рабочего дня нас обычно оставляли вдвоем на кухне, а [экономка] все свободное время проводила с хозяином. Грейс сильно ревновала его к экономке, которую ненавидела и которой очень часто дерзила и хамила... «Чем она лучше нас? — бывало, спрашивала она. — Почему с ней обходятся, как с леди, и почему она ест и пьет только самое лучшее? Ведь она такого же низкого происхождения и такая же необразованная, как мы...»
Меня привлекла красота Грейс, и хотя эта девушка мне чем-то не нравилась, я был бесшабашным, непутевым пар-

нем, а если женщина молода и красива, ее характер меня не заботил. Угрюмую и заносчивую Грейс нелегко было уломать, но чтобы ей понравиться, я покорно выслушивал все ее жалобы и недовольство.

Джеймс Макдермотт *Кеннету Маккензи,*
в пересказе Сюзанны Муди, «Жизнь на вырубках», 1853.

*И понимать я начал — в этот круг
Лишь околдован мог я забрести
Иль в страшном сне! Нет далее пути...
И я сдаюсь. Но в это время звук
Раздался вслед за мною, словно люк
Захлопнулся. Я, значит, взаперти.*

Роберт Браунинг.
«Роланд до замка черного дошел», 1855[1].

---

[1] Перевод В. Давиденковой.

27

С ЕГОДНЯ, КОГДА Я ПРОСНУЛАСЬ, занималась прекрасная алая заря, по полям стелился туман, похожий на белое, нежное кисейное облачко, и сквозь него просвечивало солнце, расплывчатое и розовое, как слегка подрумяненный персик.

На самом деле я не имею ни малейшего понятия, каким был этот рассвет. В тюрьме окна делают высоко вверху — наверно, для того, чтобы через них нельзя было вылезти или хотя бы выглянуть наружу: на окружающий мир. Им не хочется, чтобы ты выглядывала и даже мысленно произносила слово *снаружи*, чтобы ты смотрела на горизонт и думала, что когда-нибудь ты, возможно, сама за ним скроешься, как парус отплывающего корабля, или наездник, исчезающий за дальним склоном холма. Так что этим утром я увидела привычный, безликий свет, пробившийся сквозь высокие, грязные, серые окна, — свет, который не могли испускать ни солнце, ни луна, ни лампа, ни свеча. Просто бинт из дневного света, совершенно одинаковый на всем своем протяжении, будто кусок лярда.

Я сняла свою тюремную ночную сорочку, грубо сшитую и пожелтевшую. Мне не пристало называть ее своей, потому что здесь мы всем владеем сообща, как первые христиане, и, возможно, сорочка, которую носишь целую неделю, надевая ее перед сном на голое тело, предыдущие две недели плотно прилегала к сердцу твоего злейшего врага, и ее стирали и штопали другие люди, вовсе не желающие тебе добра.

Как только я оделась и зачесала назад волосы, в голове всплыла мелодия — песенка, которую иногда играл на флейте Джейми Уолш:

> Том-озорник, дударя сынок,
> Своровал свинью да с нею убёг,
> И далеко за горами пострел
> В дудку свою с той поры дудел.

Я знала, что переврала ее и что на самом деле в песне съели свинью, отлупили Тома, а он шел и ревел до самого дома. Но я не понимала, почему нельзя сделать так, чтобы все кончилось хорошо. А раз уж я никому не рассказывала о своих мыслях, некому было и призвать меня к ответу или исправить — так же, как некому было сказать, что настоящий рассвет совсем не похож на тот, что я для себя придумала, и что он, наоборот, грязного, желтовато-белого цвета, как плавающая в порту дохлая рыба.

В Лечебнице для душевнобольных хотя бы можно было выглядывать на улицу. Если, конечно, тебя не закутывали с головы до ног и не сажали в темный карцер.

Перед завтраком — порка во дворе. Ее проводят перед завтраком, как будто те, кого порют, уже поели: наверно, они выплевывают еду и месят ее ногами в грязи, переводя полезные продукты питания. Смотрители и охранники говорят, что им нравится заниматься зарядкой по утрам, потому что от этого повышается аппетит. Это была рядовая порка, ничего особенного, так что нас не позвали на нее смотреть: всего два или три человека, причем одни мужчины, ведь женщин так часто не порют. Первый был молодым, судя по тому, как он кричал: я различаю их по голосам, у меня много опыта в этих делах. Я старалась не слушать и думала о свинье, украденной воришкой Томом, и о том, как он ее съел, правда, в песне не говорилось, кто ее съел — сам Том или те, кто его поймал. Не пойман — не вор, как говаривала Мэри Уитни. А может, эту свинью уже закололи? Вряд ли. Скорее всего, на шее у нее висела веревка, а в носу торчало кольцо, и ей пришлось убежать вместе с Томом. Это имело бы хоть какой-то смысл, ведь тогда ее не нужно было бы уносить. Во всей этой песне одна только бедная свинья не совершила ничего предосудительного, но она-то как раз и погибла. Я заметила, что многие песни в этом смысле — несправедливые.

За завтраком было тихо, если не считать чавканья ртов, жующих хлеб и прихлебывающих чай, шарканья ног, сопенья носов и монотонного чтения вслух Библии: сегодня читали про Иакова и Исава, чечевичную похлебку, изреченную ложь, проданное благословение и право первородства[1] — обман и переодевания, против которых Бог совершенно не возражал, а, наоборот, поощрял. Как раз когда старый Исаак ощупывал своего косматого сына, который был вовсе не его сыном, а козлиной шкурой[2], Энни Литтл сильно ущипнула меня за ляжку под столом, чтобы никто не заметил. Она хотела, чтобы я закричала и меня наказали или решили, что со мной снова случился истерический припадок, но я была к этому готова, потому что всегда ожидала чего-нибудь подобного.

Сегодня в душевой, когда мы стояли у раковины, она наклонилась и шепнула мне:

— Коновалова любимица, шлюха избалованная. — Ведь прошел слушок, и все узнали о посещениях доктора Джордана, и кое-кто подумывал, что мне уделяют слишком много внимания и я этим загордилась. Если здесь так подумают, то живо собьют с тебя спесь. И это уже не первый раз, ведь они и так злились, что я прислуживаю в доме коменданта, но не решались выступить открыто из опасения, что я на них шепну кому надо. В тюрьме процветает мелочная зависть, и я видела, как дело доходило порой до драки и чуть ли не до смертоубийства из-за несчастного кусочка сыра.

Но я не стану жаловаться сестрам. Мало того, что они презирают ябед, предпочитая вести спокойную жизнь, так еще могут мне не поверить, или скажут, что не поверили, ведь ко-

---

[1] Быт. 25.
[2] Быт. 27.

мендант говорит, что слова заключенного — недостаточная улика, а Энни Литтл потом наверняка найдет способ мне отомстить. Нужно терпеливо все это сносить как неотъемлемую часть наказания, к которому нас присудили, хотя можно потом незаметно отыграться на враге. Таскать за волосы нежелательно, потому что на шум сбегутся смотрители, и вас обеих накажут за нарушение порядка. Можно из рукава подсыпать в еду земли, как это делают колдуны, не привлекая к себе особого внимания, что принесет хоть какое-то удовлетворение. Но Энни Литтл лежала со мной в Лечебнице за непредумышленное убийство: она стукнула конюшего поленом, и тот скончался от удара. Говорили, она страдает нервным расстройством, и ее отослали сюда обратно одновременно со мной. Но лучше бы ее не отсылали: мне кажется, что у нее не все дома. Поэтому я решила на первый раз ее простить, если она не выкинет еще какого фортеля. И видать, после щипка ей полегчало.

Потом пришли смотрители, чтобы вывести меня через ворота тюрьмы.

— Эй, Грейс, выходи на прогулку с двумя кавалерами. Ох, и повезло ж тебе! Да нет, это нам самим повезло конвоировать такую кралечку, — говорит один.

— Послушай, Грейс, — говорит другой, — а давай-ка свернем в переулок, заскочим в конюшню и приляжем на сенцо. Это недолго, если будешь лежать спокойно, и выйдет еще быстрее, ежели подмахнешь.

— Да зачем вообще ложиться? — говорит первый. — Приставь ее к стенке и — раз-два! — задери юбки. Стоя и по-быстрому, только б коленки не подкосились. Давай, Грейс, одно твое слово — и мы твои навеки, один и второй, зачем выбирать кого-то одного, если есть целых два, и оба готовы? Мы ведь всегда готовы, пособи нам и сама убедишься.

— И мы не возьмем с тебя даже пенни, — говорит другой. — Какие счеты промеж старых друзей?

— Не друзья вы мне, — говорю я, — только и знаете, что сквернословить. В канаве родились — в канаве и подохнете.

— Эхма, — говорит первый, — люблю в бабе этот задор да пламень, говорят, всё из-за рыжих волос.

— Но рыжина рыжине рознь, — замечает другой. — От огня на верхушке дерева никакого проку. Чтобы он тебя грел, надобно его запереть в камин али в печурку. Знаешь, почему Господь сотворил баб в юбках? Чтобы задирать их на голову и там узлом завязывать — так от баб шуму меньше. Терпеть не могу визжащих шлюх — бабам надо бы рождаться безротыми, одна у них полезная штучка — та, что пониже пупка.

— И не стыдно вам такое говорить? — возмущаюсь я, пока мы обходим лужу и пересекаем улицу. — Ведь ваша мать тоже была женщиной, так мне сдается.

— Чтоб ей пусто было, — говорит первый, — потаскухе старой. Она любила лишь глазеть на мою голую задницу, исполосованную ремнем. Сейчас, поди, горит в аду, и я жалею только, что не я сам туда ее отправил, а пьяный матрос, которому она попыталась обчистить карманы, а он стукнул ее бутылкой по башке.

— А моя матушка, — говорит другой, — была, конечно, земным ангелом и святой, по ее же собственным словам, и всегда мне об этом твердила. Уж не знаю, что и хуже.

— Я — философ, — говорит первый. — Мне подавай золотую середину: не больно худую, но и не больно толстую. Зачем дарам Божьим пропадать попусту? Ты ведь, Грейс, уже созрела — пора тебя сорвать. К чему висеть на дереве, чтоб никто тебя даже не попробовал? Все равно ведь упадешь и сгниешь под ногами.

— Сущая правда, — говорит другой. — Зачем молоку прокисать в чашке? Спелый орешек нужно расколоть, пока в нем еще вкус есть, ведь нет ничего противней заплесневелого старого ореха. Иди сюда, у меня аж слюнки текут, да ты и порядочного человека в людоеда превратишь. Как бы мне хотелось вцепиться в тебя зубами, будто надгрызть иль малость откусить окорочка — самой-то тебе еще хватит, еще и лишнее останется.

— Ты прав, — говорит другой. — Глянь, у ней талия — как ивовый прутик, а книзу вся раздобрела. Славно их в тюрьме кормят. Поднялась, как на дрожжах. Да ты сам потрогай — такую ляжку можно и к папскому столу подать. — И он принялся щупать да мять одной рукой то, что скрывали складки моего платья.

— Попрошу без вольностей, — говорю, отпрянувши.

— А я — обеими руками за вольности, — говорит первый, — хоть в душе я республиканец и не вижу от королевы Англии никакого проку, кроме того, для чего ее создала сама Природа. У королевы, само собой, груди на загляденье, и я в виде комплимента сжимал бы их по первому же ее требованию, но у нее вообще нет подбородка, что у домашней утки. И должен сказать: новый мужик всегда лучше прежнего, один другого стоит, а кого-нибудь одного все равно ведь не выберешь. И ежели ты отдашься нам, то другие тоже смогут стать в очередь, как истинные демократы. Почему это коротышке Макдермотту разрешалось то, в чем ты отказываешь мужикам почище его?

— Да, — сказал другой, — ему-то вольности ты позволяла. Не сомневаюсь, что вы веселились так, что дым коромыслом, и он пыхтел всю ночь напролет в льюистонской таверне, почти без роздыху. Ведь говорят, атлетом он был что надо, умело владел топором и лазал по веревке, как мартышка.

— Ты прав, — сказал другой. — И этот прощелыга решил под конец влезть на небо и так высоко подпрыгнул в воздух, что провисел аж два часа подряд и, как его ни звали обратно, не смог спуститься по своей доброй воле, пока его оттуда не сняли. И пока он оставался наверху, то бойко и весело плясал джигу с дочкой канатчика, как петух со свернутой шеей, — любо-дорого было поглядеть!

— И потом, мне говорили, был твердый, как доска, — сказал первый, — но ведь дамочкам это по нраву. — И тогда они громко рассмеялись, словно бы отпустили самую смешную шутку на свете. Но жестоко было смеяться над человеком лишь потому, что он умер. К тому же это приносит несчастье, ведь мертвые не любят, когда над ними потешаются. И я успокоила себя тем, что покойники могут себя защитить и со временем расквитаются со смотрителями, на земле или же под землей.

Все утро я чинила блонды[1] мисс Лидии, которые она порвала на званом вечере. Она беспечно относится к своей одежде, а надо сказать, что такая красивая одежда, как у нее, на деревьях не растет. Работа деликатная, глаза сильно устают, но я все же ее выполнила.

Доктор Джордан пришел, как обычно, после обеда — он казался уставшим и чем-то встревоженным. Не принес с собой никакого овоща, чтобы спросить меня, что я о нем думаю. И я немного растерялась, потому как уже привыкла к этим посещениям, и мне было интересно, что же он принесет в следующий раз и что захочет от меня услышать.

— Так вы, сэр, сегодня без всяких объектов? — спросила я. И он переспросил:

— Объектов, Грейс?

— Без картошки или морковки, — сказала я. — Без лука или свеклы. — И он сказал:

— Да, Грейс, я разработал другой план.

— Что это значит, сэр? — спросила я.

— Я решил спросить вас, что же вам принести?

— Ну, сэр, — сказала я. — Это и вправду другой план. Мне нужно его обмозговать.

Поэтому он сказал: ради Бога, а потом спросил, не снились ли мне какие-нибудь сны. И поскольку он выглядел несчастным и как бы растерянным, и я подозревала, что у него не все гладко, я не сказала, что не помню. А вместо этого ответила,

---

[1] Блонды (от фр. blonde — «золотистая, рыжеватая, русая, белокурая») — кружево из шелка-сырца золотистого (при сохранении естественного цвета сырья), а также белого или черного цвета.

что мне действительно приснился сон. И он спросил, о чем был этот сон, просияв от радости и завертев в руках карандашом. Я сказала ему, что мне приснились цветы, а он деловито это записал и спросил, какие именно. Я ответила, что красные, очень большие и с блестящими, как у пионов, лепестками. Но не призналась, что они были матерчатые, не сообщила, когда видела их в последний раз, и не уточнила, что это был не сон.

— А где они росли? — спросил он.

— Здесь.

— Здесь, в этой комнате? — переспросил он, насторожившись.

— Нет, — ответила я. — Во дворе, там, куда нас выводят на прогулку. — И он это записал тоже.

То есть мне так кажется, что записал. Я не уверена, потому что никогда не видела, что же он записывает. И порой у меня такое впечатление, будто он записывает вовсе не то, что слетает у меня с губ, поскольку он плохо понимает, что я говорю, хоть я и пытаюсь выражаться как можно яснее. Такое чувство, точно он глухой и еще не научился читать по губам. Но временами он вроде бы очень хорошо меня понимает, но, как и большинство джентльменов, стремится найти в моих словах какой-то скрытый смысл.

И когда он перестал писать, я сказала:

— Я придумала, что вам нужно принести мне в следующий раз, сэр.

— Что же это, Грейс? — спросил он.

— Редиску, — ответила я.

— Редиску? — переспросил он. — Красную редиску? А почему вы выбрали редиску? — И нахмурился, как будто это пища для глубоких размышлений.

— Ну, сэр, — ответила я. — Все остальное, что вы приносили, было на вид несъедобным. Эти овощи нужно сначала приготовить, и поэтому вы уносили их с собой, за исключением яблока, которое вы принесли в первый день, и это было очень мило с вашей стороны. Но я подумала, если бы вы принесли редиску, то ее можно было бы съесть сырой, а она сейчас как раз поспевает. В тюрьме нас очень редко кормят чем-нибудь свежим, и даже когда я ем на кухне этого дома, мне совсем не достается овощей с огорода, ведь их выращивают только для хозяев. Так что редиска для меня — настоящее лакомство. И я была бы вам очень признательна, сэр, если бы вы принесли еще немножко соли.

Он негромко вздохнул, а потом спросил:

— У мистера Киннира выращивали редиску?

— Да, сэр, — ответила я. — Но когда я туда приехала, сезон уже закончился. Ведь редиска вкуснее всего в начале сезона, а когда наступает жара, она вянет и идет в семена, и в ней заводятся черви.

Этого он не записал.

А когда он собрался уходить, то сказал:

— Спасибо вам, что рассказали свой сон, Грейс. Возможно, скоро вы расскажете мне еще один. — И я ответила:

— Может быть, сэр. — А потом добавила: — Я попробую их вспомнить, если это поможет вам, сэр, справиться с неприятностями. — Ведь мне его было жалко: он казался таким расстроенным.

— Почему вы решили, что у меня неприятности, Грейс? — спросил он. И я ответила:

— Люди, которые сами попадали в неприятности, сразу замечают их у других, сэр.

Он сказал, что это весьма любезно с моей стороны, потом минуту помедлил, как будто хотел добавить что-то еще, но затем передумал и кивнул мне на прощанье. Он всегда слегка кивает, когда уходит.

Я не закончила квадратик для стеганого одеяла, потому что доктор Джордан пробыл со мной в комнате меньше обычного. Поэтому я сидела и продолжала шить. Вскоре вошла мисс Лидия.

— Доктор Джордан ушел? — спросила она. Я сказала, что ушел. На ней было новое платье, которое я помогала ей шить: белый узор из птичек и цветочков на фиолетовом фоне. Платье очень ей шло, а подол раздувался, как половинка тыквы. И я подумала, что, наверно, мисс Лидии хотелось перед кем-нибудь покрасоваться.

Она уселась напротив меня в кресло, где перед этим сидел доктор Джордан, и начала рыться в корзине для шитья.

— Никак не могу найти своего наперстка, наверное, положила его сюда, — сказала она. А потом: — Он забыл про ножницы! Не думала, что он оставит их у вас под рукой.

— Нас это не беспокоит, — сказала я. — Он знает, что я не причиню ему вреда.

Она посидела немного с корзиной для шитья на коленях.

— Вы знаете, что у вас есть поклонник, Грейс? — спросила она.

— И кто же это? — сказала я, подумав о конюшем или каком-нибудь другом молодом пареньке, который, возможно, услышал мою историю, и она показалась ему романтичной.

— Доктор Джером Дюпон, — ответила она. — Сейчас он остановился у миссис Квеннелл. Он говорит, что вы прожили замечательную жизнь, и проявляет к вам огромный интерес.

— Не знаю я такого джентльмена. Видать, он читает газеты и путешествует по свету, а я для него — достопримечательность, которую полагается осмотреть, — сказала я резковато, подозревая, что она смеется надо мной. Мисс Лидия любит пошутить и порой заходит при этом слишком далеко.

— Он человек серьезный, — сказала она. — Изучает нейрогипноз.

— А что это? — спросила я.

— Ну, вроде месмеризма, только гораздо научнее, — сказала она, — это связано с нервами. Наверное, доктор Дюпон вас знает или, по крайней мере, видел вас, потому что он говорит, что вы по-прежнему красивы. Возможно, он встретил вас на улице, когда вас утром сюда вели.

— Возможно, — сказала я, представив себя с двумя ухмыляющимися мерзавцами по бокам.

— У него такие темные глаза, — продолжала она, — так и прожигают насквозь, как будто он способен заглянуть в душу.

Но я не могу сказать, что он мне нравится. Он, конечно, старый. Похож на матушку и всех остальных. Наверное, ходит на эти их столоверчения и сеансы. Я во все это не верю, и доктор Джордан тоже.

— Он так сказал? — переспросила я. — Значит, он человек здравомыслящий. Лучше с такими вещами не связываться.

— «Здравомыслящий человек» звучит примерно так же, как «банкир», — сказала она и вздохнула. Потом она промолвила: — Грейс, он говорит с вами больше, чем со всеми нами вместе взятыми. Что он на самом деле за человек?

— Джентльмен, — ответила я.

— Ну, это я и сама знаю, — отрывисто сказала она. — А на кого он похож?

— На американца, — ответила я, но это она тоже знала. Потом я смягчилась и сказала: — Он похож на порядочного молодого человека.

— Ох, не хотела бы я, чтобы он был чересчур порядочным, — сказала она. — Преподобный Верринджер — чересчур порядочный человек.

Про себя я с этим согласилась, но поскольку преподобный Верринджер пытался выхлопотать мне помилование, я сказала:

— Преподобный Верринджер — церковнослужитель, и он обязан быть порядочным.

— Мне кажется, доктор Джордан очень язвителен, — произнесла мисс Лидия. — С вами он тоже очень язвителен, Грейс?

— Не думаю, что поняла бы, если бы он съязвил, мисс, — ответила я. Она снова вздохнула и сказала:

— Он выступит на одном из маминых вторников. Обычно я их не посещаю, ведь там так скучно, хоть мама и говорит, что я должна больше интересоваться серьезными вопросами благосостояния общества, и преподобный Верринджер говорит то же самое. Но на сей раз я пойду: уверена, что доктор Джордан будет увлекательно рассказывать о лечебницах. Хотя лучше бы он пригласил меня к себе в гости на чай. Конечно, с мамой и Марианной, ведь я же должна иметь провожатых.

— Молодой девушке они завсегда нужны, — подтвердила я.

— Грейс, иногда вы становитесь старой ханжой, — сказала она. — А я ведь уже не девочка — мне девятнадцать лет. Наверное, для вас это ничего не значит, вы через все это прошли, но я никогда раньше не пила чай в гостях у мужчины.

— Раз уж вы этого никогда раньше не делали, мисс, — сказала я, — незачем и пробовать. Но если ваша матушка тоже пойдет, я уверена, что все будет вполне благопристойно.

Она встала и провела рукой по швейному столу.

— Да, — сказала она, — все будет вполне благопристойно. — Казалось, от этой мысли ей грустно. Потом она спросила: — Вы поможете мне сшить новое платье? Для вторничного кружка. Я хочу произвести впечатление.

Я ответила, что с радостью помогу, и она сказала, что я — прелесть. Хорошо бы меня никогда не выпускали из тюрьмы, потому что ей хотелось, чтобы я всегда помогала ей шить платья. Наверно, это был такой комплимент.

Но мне не понравился ее блуждающий взгляд и упавший голос, и я подумала, что впереди нас ждут неприятности, как всегда бывает, коль один любит, а другой нет.

28

На следующий день доктор Джордан приносит обещанную редиску. Она помытая и с обрезанной ботвой, совершенно свежая и твердая, а не вялая, какой становится, если долго пролежит в земле. Доктор Джордан забыл соль, но я ему об этом не напоминаю, ведь дареному коню в зубы не смотрят. Ем я редиску быстро — я научилась этому в тюрьме, где нужно скорее проглатывать еду, пока ее у тебя не вырвали из рук — и смакую острый вкус, напоминающий едкий запах настурции. Я спрашиваю, где он ее раздобыл, и он отвечает, что купил на рынке. Правда, он собирается разбить огородик возле дома, где снимает квартиру, поскольку там есть для этого место, и уже начал вскапывать землю. Как я ему сейчас завидую!

Потом я говорю:

— Благодарю вас от всей души, сэр, эта редиска — словно божественный нектар. — Доктор Джордан удивлен, что я знаю такие выражения, но он просто забыл, что я читала поэзию сэра Вальтера Скотта.

Поскольку он был так внимателен, что принес мне редиску, я охотно возвращаюсь к своему рассказу, стараясь сделать его как можно интереснее и богаче событиями. Это как бы ответный подарок, ведь я всегда считала, что за добро нужно платить добром.

Кажется, я остановилась на том, сэр, как мистер Киннир уехал в Торонто, а потом пришел Джейми Уолш и поиграл нам на флейте. Наступил чудесный закат, а затем я пошла спать вместе с Нэнси, потому что когда в доме не было мужчины, она боялась грабителей. Макдермотта она в расчет не брала, поскольку он спал не в доме, а снаружи. Или, возможно, не считала его мужчиной, или же думала, что он скорее встанет на сторону грабителей, чем выступит против них. Нэнси не уточняла.

И вот мы поднялись по лестнице со свечами в руках. Как я уже говорила, спальня Нэнси располагалась в задней части дома и была намного просторнее и красивее моей, хоть там и не было отдельной комнаты для одевания, как у мистера Киннира. Но у Нэнси кровать удобнее, с тонким летним одеялом — со светло-розовым и голубым рисунком по белому полю, — которое называлось «Сломанная лестница». Нэнси имела свой гардероб с платьями, и я удивилась, как она могла сэкономить столько денег, чтобы их накупить. Но она сказала, что мистер Киннир — щедрый хозяин, когда бывает в настроении. У Нэнси был к тому же туалетный столик с вышитой дорожкой, на которой изображались бутоны роз и лилий, и шкатулка из сандалового дерева, где хранились ее серьги и брошь, а также баночки с кремами и настойками: перед тем как лечь спать, Нэнси намазывала лицо, будто кожаный сапог. У нее была еще бутылочка с розовой водой, которая восхитительно пахла, и Нэнси дала мне ее немного попробовать, ведь в тот вечер она была очень общительной; и блюдце с помадой для волос, которую она себе втерла и сказала, что это придает волосам блеск. Нэнси попросила меня расчесать ей волосы, как будто она леди, а я — служанка, и я с удовольствием это сделала. У нее были красивые длинные волосы, темно-русые и волнистые.

— Ах, Грейс, — сказала она, — как приятно! У тебя очень нежные руки. — И мне это польстило. Но я тут же вспомнила Мэри Уитни и то, как она расчесывала мне волосы, ведь надолго я ее не забывала.

И как только мы нырнули в кровать, Нэнси очень дружелюбно сказала:

— Вот мы и улеглись, как две горошины в стручке. — Но, задув свечу, Нэнси вздохнула, и это был вздох не счастливой женщины, а человека, стойко переносящего несчастья.

Мистер Киннир вернулся утром в субботу. Он собирался возвратиться в пятницу, но его якобы задержали в Торонто дела, а на обратном пути он остановился на постоялом дворе, расположенном немного к северу от первой заставы, где взимали сбор. Нэнси это не понравилось, потому что это место пользовалось дурной славой, и поговаривали, будто привечают там беспутных женщин, как она сказала мне на кухне.

Пытаясь ее успокоить, я возразила, что джентльмен может оставаться в подобных местах без угрозы для своей репутации. Нэнси очень волновалась, потому что по дороге домой мистер Киннир повстречал двух своих знакомых, полковника Бриджфорда и капитана Бойда, и пригласил их к себе отобедать. В тот день должен был прийти мясник Джефферсон, но он до сих пор не явился, а в доме не было свежего мяса.

— Ох, Грейс, — сказала Нэнси, — придется зарезать курицу, выйди и попроси об этом Макдермотта. — Я сказала, что нам наверняка понадобятся две курицы, ведь вместе с дамами за столом будет шесть человек. Но она рассердилась и сказала, что дам не будет, поскольку жены этих джентльменов никогда не переступают порог нашего дома. Да и сама она не станет обедать вместе с ними в столовой, потому что они только пьют, курят да хвастают своими подвигами во времена Восстания. Мужчины засиживаются допоздна, а потом играют в карты: это вредно для здоровья мистера Киннира, и у него начнется кашель, как это всегда бывает, когда они приезжают в гости. Если это было в ее интересах, Нэнси признавала, что организм у хозяина слабый.

Когда я вышла поискать Джеймса Макдермотта, то нигде не могла его найти. Я звала его и даже поднялась по приставной лестнице на чердак над конюшней, где он спал. Там Макдермотта не было, но он никуда не сбежал, поскольку везде валялись его вещи. И мне подумалось, что он никогда не ушел бы, не получив жалованья, которое ему причиталось. Спустившись по ступенькам, я увидела внизу Джейми Уолша, и он с любопытством на меня взглянул, решив, наверно, что я ходила к Макдермотту в гости. Но когда я спросила, куда подевался Макдермотт, добавив, что он мне нужен, Джейми Уолш снова дружелюбно мне улыбнулся и ответил, что не знает, но, возможно, Макдермотт пошел через дорогу к Харви — грубияну, живущему в бревенчатом доме, почти что хибаре, с одной женщиной, с которой они не обручены. Я ее видела — эту женщину звали Ханна Аптон, внешность у нее была непривлекательная, и все ее сторонились. Но Харви был знакомым Макдермотта, — нельзя сказать, что другом, — и они вдвоем выпивали. А потом Джейми спросил, нет ли для него каких-нибудь поручений.

Я вернулась на кухню и сказала, что Макдермотта нигде нет, а Нэнси воскликнула, что этот бездельник ей уже надоел: вечно куда-то запропастится в самый неподходящий момент, оставив ее на произвол судьбы, и теперь мне придется резать курицу самой. Но я возразила:

— Я не смогу, ведь я никогда этого не делала, да и не умею. — Пустить кровь живому существу — это было выше моих сил, хоть я вполне могла бы ощипать уже убитую птицу. И Нэнси сказала:

— Не будь дурой, это же проще простого: возьми топор да стукни по голове, а потом с размаху перерубы шею.

Но я даже представить себе этого не могла и расплакалась. И мне горько в этом признаваться, — ведь о мертвых нельзя говорить плохо, — но она толкнула меня и влепила оплеуху, и, выгнав через кухонную дверь во двор, сказала, чтобы я не возвращалась без убитой птицы да поторапливалась, потому что времени у нас мало, а мистер Киннир не любит долго ждать обеда.

Я зашла на птичий двор и поймала упитанную молодую птицу, — она была белая и непрестанно кудахтала, — засунула ее себе под мышку и, вытирая фартуком слезы, пошла к поленнице, где стоял чурбан для колки дров. Я не понимала, как мне заставить себя это сделать. Но за мной пришел Джейми Уолш и добродушно поинтересовался, что случилось. И я попросила его убить вместо меня курицу, а он сказал, что нет ничего проще, и он с радостью это сделает, раз уж я такая чувствительная и мягкосердечная. Поэтому он взял у меня птицу и ловко отрубил ей голову, и курица побегала вокруг какое-то время, а потом упала, дрыгая лапками, наземь. Мне ее стало так жалко. Потом мы вместе ее ощипали, сидя рядышком на заборе и пуская по воздуху перья. Я была искренне признательна Джейми за помощь и сказала, что сейчас мне его отблагодарить нечем, но я рассчитаюсь с ним в будущем. А он неловко усмехнулся и сказал, что всегда охотно поможет, если мне понадобится.

Под конец Нэнси вышла на улицу и встала в дверях кухни, приложив ладонь к глазам и с нетерпением поджидая, когда будет готова птица. Поэтому я как можно быстрее ее выпотрошила, задержав дыхание, чтобы не слышать неприятного запаха, и, отложив потроха для подливки, ополоснула тушку под колонкой и внесла в кухню. И, пока мы ее начиняли, Нэнси сказала:

— А я вижу, ты сердцеедка. — И я спросила, что она имеет в виду. А она ответила: — Джейми Уолш по тебе сохнет, у него это на лице написано. Когда-то он был моим поклонником, а теперь стал твоим. — Я поняла, что Нэнси пытается загладить свою вину и помириться со мной. Поэтому я рассмеялась и сказала, что он мне не пара: еще совсем мальчонка, рыжий, что твоя морковка, и веснушчатый, как яичко, хоть и высокий для своих лет. А она возразила: — Червячок жуком оборотится. — Эти слова показались мне загадочными, но я не спросила, что она имеет в виду, чтобы не показаться невеждой.

Чтобы зажарить курицу, нам пришлось хорошенько растопить печь в летней кухне, поэтому остальную работу мы доделали в зимней. На гарнир к курице мы приготовили пюре из лука и морковки, а на десерт — клубнику с домашними сливками, и напоследок — наш собственный сыр. Мистер Киннир хранил вино в погребе — часть в бочке, а часть в бутылках, и Нэнси послала меня принести оттуда пять бутылок. Она не любила спускаться в погреб, потому что, по ее словам, там была тьма-тьмущая пауков.

Посреди всей этой кутерьмы в кухню, как ни в чем не бывало, вразвалочку пожаловал Джеймс Макдермотт. И когда Нэнси запальчиво спросила его, где он шляется, тот ответил, что это не ее собачье дело, потому как перед своим уходом он-де закончил свою утреннюю работу. А если ей непременно потребно знать, то он выполнял особое поручение мистера Киннира, данное ему перед тем, как мистер Киннир уехал в Торонто. И Нэнси сказала, что она бы сама с этим разобралась, а он не имеет права приходить и уходить, когда ему заблагорассудится. И он ответил, откуда ему знать, когда он может понадобиться, ведь он же не умеет предсказывать будущее. А она сказала, что если б умел, то уже давно понял бы, что надолго он в этом доме не задержится. Но сейчас она очень занята и поговорит с ним позднее, а пока пусть он поухаживает за лошадью мистера Киннира, которую после долгой поездки нужно почистить, если, конечно, он не считает это недостойным своего королевского высочества. И Макдермотт, насупившись, отправился в конюшню.

Приехали обещанные полковник Бриджфорд и капитан Бойд, которые вели себя так, как и говорила Нэнси: из столовой доносились громкие голоса и заливистый хохот. Нэнси велела мне прислуживать за столом, поскольку не хотела делать этого сама. Она села на кухне, выпила бокал вина и мне тоже налила, а я подумала, что она злится на этих джентльменов. Нэнси сказала, что не считает капитана Бойда настоящим капитаном, ведь некоторые получали подобные звания лишь за то, что во время Восстания оказались верхом на лошади. А я спросила про мистера Киннира — ведь в округе его тоже называли капитаном. И Нэнси ответила, что об этом не знает, потому что сам он никогда себя так не величал, а на его визитной карточке стоит просто «мистер». Но если бы он действительно был капитаном, то, конечно, встал бы на сторону правительства. И это, видимо, тоже ее злило.

Она себе налила еще один бокал и сказала, что мистер Киннир иногда ее дразнит, называя «пламенной мятежницей», потому что ее фамилия — Монтгомери, такая же, как у Джона Монтгомери, владевшего таверной, где собирались мятежники, которая теперь разрушена. Этот Джон Монтгомери похвалялся, что когда его враги будут гореть в аду, он снова станет владельцем таверны на Янг-стрит. И впоследствии это оказалось правдой, сэр, — в том, что касается таверны. Но тогда он еще находился в Соединенных Штатах, после того как совершил дерзкий побег из Кингстонской тюрьмы. Так что это было вполне возможно.

Нэнси налила себе третий бокал вина и сказала, что она располнела и не знает, что ей теперь делать, а потом опустила голову на руки. Но пора было нести кофе, и я не успела ее спросить, отчего она вдруг погрустнела. В столовой было очень весело, мужчины выпили все пять бутылок и требовали еще вина. А капитан Бойд спросил, где же мистер Киннир меня отыскал, и не растут ли на том дереве, с которого меня сорвали, другие плоды, а ежели растут, то зеленые они или зрелые. И полковник Бриджфорд спросил, куда Том Киннир подевал Нэнси: запер где-то в шкафу с остальным своим турецким гаремом? А капитан Бойд сказал, чтобы я берегла свои красивые голубые глазки, а не то Нэнси мне их выцарапает, если только старина Том искоса мне подмигнет. Все это было в шутку, но я все равно боялась, как бы Нэнси ничего не услышала.

В воскресенье утром Нэнси сказала, что я пойду с ней в церковь. Я возразила, что у меня нет приличного платья, но это было лишь отговоркой — мне очень не хотелось оказаться среди чужих людей, которые наверняка станут на меня пялиться. Только Нэнси сказала, что одолжит мне свое платье, и сдержала обещание, хоть и выбрала не самое лучшее и не такое красивое платье, как то, что надела сама. Еще она одолжила мне шляпку и сказала, что я выгляжу очень даже прилично, а еще дала поносить перчатки, которые, правда, оказались не в пору, потому что у Нэнси руки большие. Сверху мы надели легкие шали из узорчатого шелка.

У мистера Киннира разболелась голова, и он сказал, что в церковь не пойдет, — да он никогда и не был особо набожным человеком, — и добавил, что Макдермотт может отвезти нас в коляске, а потом забрать обратно, поскольку он, понятное дело, не останется на службе, ведь Макдермотт — католик, а церковь пресвитерианская[1]. Здесь это была пока что единственная церковь, и многие люди, которые не были ее полноправными членами, посещали ее за неимением лучшего. Возле церкви располагалось также единственное на весь город кладбище, так что она обладала исключительным правом как на живых, так и на мертвых.

Мы спокойно уселись в коляску, день был ясный и солнечный, кругом пели птицы, и я ощутила полное умиротворение, которое приличествует такому дню. Когда мы заходили в церковь, Нэнси взяла меня под руку — мне показалось, по-дружески. Кое-кто обернулся, но я решила, что они просто ни разу меня не видели. Там были самые разные люди: бедные фермеры со своими женами, слуги и купцы из города, а также те, кто, судя по платью и местам на передних скамьях, считали себя мелкопоместным дворянством или тянулись к нему. Мы же расположились на задних скамьях.

Священник был похож на цаплю с острым клювом вместо носа, длинной тощей шеей и хохолком на макушке. Проповедь была посвящена божественной благодати и тому, как мы можем быть спасены лишь ею одною, а не благодаря своим усилиям или совершаемым нами добрым делам. Однако это

---

[1] Пресвитерианство — разновидность кальвинизма в англоязычных странах, которая выдвигала на первый план вопросы церковного устройства и настаивала на возвращении к первоначальному строю христианской церкви, признавая лишь сан пресвитера, избираемого народом, и отрицая епископат, как позднейшее искажение.

не означает, что мы не должны прикладывать усилий или не совершать добрых дел, хотя мы не можем на них рассчитывать или быть уверенными, что спасемся только благодаря своим усилиям и добрым делам. Ведь божественная благодать есть тайна, и те, кто ее обретает, известны одному лишь Господу. И хотя в Писании сказано, что по плодам их узнаете их[1], имеются в виду плоды духовные и видимые не всякому, а одному лишь Богу. И хотя мы должны и обязаны молиться о божественной Благодати, нам не следует этим тщеславно кичиться и верить в то, что наши молитвы способны возыметь какое-либо действие, ибо человек предполагает, а Бог располагает, и нашим ничтожным, греховным и смертным душам не дано предопределять ход событий. Первые будут последними, а последние первыми[2], и те, кто долгие годы грелись у огня мира сего[3], вскоре будут жариться в геенне, к своему негодованию и удивлению. И среди нас бродит множество гробов повапленных, которые снаружи кажутся красивыми, а внутри полны костей мертвых и всякой нечистоты[4]. И нам следует остерегаться женщины, сидящей у дверей дома, о которой говорится в Книге притчей Соломоновых, глава 9, и всякого, кто искушает нас, говоря, что воды краденые сладки, и утаенный хлеб приятен. Ибо в Писании сказано, что мертвецы там и что в глубине преисподней зазванные ею. И более всего должны мы беречься самодовольства глупых дев и не давать угаснуть нашим светильникам. Ибо никто не знает своего дня и часа, и мы должны ждать его со страхом и трепетом[5].

Он некоторое время продолжал в том же духе, а я рассматривала дамские шляпки, насколько могла разглядеть их со спины, а также цветы на шалях. И сказала себе: если божественную благодать нельзя обрести с помощью молитвы или

---

[1] Мф. 7:16.
[2] Мф. 19:30.
[3] Иоан. 18:18.
[4] Мф. 23:27.
[5] Псал., 2:11; 2 Кор. 7:15; Фил. 2:12.

любым другим способом и нельзя даже узнать, обрела ты ее или нет, тогда можно обо всем этом забыть и заниматься своими делами, потому что погибель твоя или спасение от тебя не зависят. Незачем плакать над пролитым молоком, если даже не знаешь, пролилось оно или нет, и если об этом ведает только Бог, то пусть Он сам и убирает за собой, коли нужно. Но эти мысли нагоняли на меня сон, а священник говорил монотонным голосом, и я уже начала клевать носом, когда мы все вдруг встали и запели, помнится, «Пребудь со мною»[1]. Паства пела неважнецки, но все равно это была музыка, которая всегда приносит утешение.

На выходе со мной и Нэнси никто не поздоровался: нас скорее сторонились, хотя некоторые бедняки и кивали. За спиной шушукались, что показалось мне странным, ведь хотя меня здесь и не знали, с Нэнси-то они должны быть хорошо знакомы. И хотя мелкопоместные дворяне или те, кто себя таковыми считали, могли ее и не замечать, она не заслужила подобного обращения от фермеров и их жен, да и от наемной прислуги тоже. Нэнси высоко держала голову и не смотрела ни направо, ни налево. И я подумала: «Какие неприветливые, надменные люди! Они вовсе не добрые соседи. Они лицемерны и считают, будто церковь — это клетка, куда можно посадить Бога, чтобы Он сидел там взаперти, а не бродил всю неделю по земле и совал нос в их дела, заглядывая в темные глубины их лживых сердец, лишенных истинного милосердия. Они думают, что вспоминать о Нем нужно только по воскресеньям, когда надевают лучшую одежду, корчат постные рожи, моют руки, натягивают на них перчатки и выдумывают разные небылицы. Но Бог — везде, и Его нельзя посадить в клетку, как человека».

Нэнси поблагодарила меня, что я сходила с ней в церковь, и сказала, что была рада моей компании. Но в тот же день велела мне вернуть платье и шляпку — боялась, что я могу их запачкать.

---

[1] Один из самых популярных англосаксонских церковных гимнов, написанный шотландским поэтом Генри Фрэнсисом Лайтом (1793— 1847).

В конце недели Макдермотт зашел в обед на кухню с осунувшимся, хмурым лицом. Нэнси предупредила его об увольнении, и он должен был в конце недели уйти с работы. Он сказал, что этому только рад, ведь ему не нравится подчиняться женщине, и он с таким никогда не сталкивался, ни в армии, ни на кораблях. Но когда Макдермотт на это жаловался, мистер Киннир лишь говорил, что Нэнси — хозяйка в доме, и ей платят за то, чтобы она следила за порядком, поскольку мистеру Кинниру некогда заниматься всякими пустяками. Короче, это не предвещало ничего хорошего, но если учесть, что́ она была за женщина, так и вовсе плохи дела. Так что Макдермотт больше не желал оставаться под начальством у такого «шлюхи куска».

Меня его слова поразили, и я подумала, что Макдермотт выражается так просто ради красного словца. И я возмущенно спросила его, что он хотел этим сказать. А он ответил, дескать, разве я не знаю, что Нэнси и мистер Киннир спят вместе без стыда и совести и тайно сожительствуют, хоть вовсе и не женаты. Это ни для кого не секрет, и вся округа об этом знает. Я очень удивилась и призналась в этом, а Макдермотт ответил, что я идиотка и, несмотря на все свои «миссис ольдермен Паркинсон то, миссис ольдермен Паркинсон сё» и на все свои городские представления, я вовсе не такая смышленая, какой себя считаю, и не вижу дальше собственного носа. Что же касается блудливости Нэнси, то всякий, кроме таких дурочек, как я, сразу проведал бы, поскольку это всем известно, что, работая у Райтов, Нэнси прижила ребеночка от одного молодого повесы, который сбежал и бросил ее, а ребеночек потом умер. Но мистер Киннир все равно взял ее на работу, чего бы ни один порядочный человек никогда не сделал. И с самого начала было ясно, что́ у него на уме: раз уж лошадку выпустили из стойла, бесполезно запирать дверь конюшни, и раз уж баба легла на спину, то она, как и черепаха, вряд ли сумеет перевернуться обратно, и впредь будет принадлежать всем без разбору.

И хоть я по-прежнему возражала, до меня наконец дошло, что он в кои-то веки говорит правду. Я в один миг поняла, почему в церкви все от нас отворачивались и шушукались, да и множество других мелочей, на которые раньше не обращала особого внимания. Я вспомнила элегантные платья и золотые серьги, которые, можно сказать, были расплатой на прелюбодеяние. И даже предостережение Салли, кухарки миссис Уотсон, еще до того, как я согласилась наняться сюда прислугой. После этого я стала смотреть в оба, навострила ушки и рыскала по дому, как шпионка. Я убедилась, что Нэнси никогда не спала в своей кровати, если мистер Киннир был дома. И мне стало стыдно за то, что я была такой слепой и глупенькой и позволила обвести себя вокруг пальца.

29

Стыдно признаваться, но после этого я утратила уважение, которое раньше питала к Нэнси как старшей по возрасту и хозяйке дома. Я выказывала свое презрение и неблагоразумно дерзила ей, так что между нами разгорались споры, приводившие к тому, что мы повышали голос, а Нэнси порой отвешивала мне оплеухи, ведь нрав у нее был взрывной, а рука тяжелая. Но пока что я знала свое место и сдачи ей не давала, а если бы придержала язык, то меня бы реже таскали за уши. Поэтому я перекладывала часть вины на себя.

Кажется, мистер Киннир не замечал нашего разлада. Он даже стал ко мне добрее, чем прежде, и останавливался возле меня, когда я занималась какой-нибудь домашней работой, чтобы спросить, как дела. И я всегда отвечала: «Очень хорошо, сэр», потому что джентльмены быстренько избавляются от недовольных слуг — тебе платят за то, чтобы ты улыбалась, и нужно всегда об этом помнить. Он говорил мне, что я умница и проворная работница. И однажды, когда я тащила вверх по лестнице ведро с водой для ванны, которую мистер Киннир велел наполнить у себя в комнате для одевания, он спросил меня, почему этим не займется Макдермотт, ведь мне тяжело. Я ответила, что это моя работа, и мистер Киннир хотел взять у меня ведро и отнести его наверх, и он накрыл мою ладонь своей.

— Ах нет, сэр, — сказала я. — Я не могу вам этого позволить. — А он рассмеялся и сказал, что сам решает, что можно позволить, а чего нельзя, ведь он хозяин дома, не так ли? И мне пришлось с этим согласиться. И пока мы так стояли бок о бок на лестнице, а его ладонь лежала поверх моей, в вестибюль вошла Нэнси и увидела нас. Наши с ней отношения от этого не улучшились.

Я часто думала о том, что все могло бы сложиться иначе, если бы в задней части дома имелась, как обычно, отдельная лестница для слуг, но ее-то здесь и не хватало. А это означало, что нам приходилось постоянно сталкиваться друг с другом, что всегда нежелательно. В этом доме нельзя было даже кашлянуть или засмеяться, чтобы тебя не услышали, особенно — в вестибюле первого этажа.

А Макдермотт становился день ото дня все задумчивей и мстительней. Он сказал, что Нэнси собирается его выгнать еще до конца месяца и удержать жалованье, но он с этим не смирится. И если она с ним так обращается, то скоро точно так же будет обращаться и со мной, и нам нужно объединиться и заявить о своих правах. И когда мистера Киннира не было дома, а Нэнси уезжала с подругами в гости к Райтам, — поскольку эти соседи по-прежнему с ней дружили, — Макдермотт стал чаще прикладываться к виски мистера Киннира, которое покупали бочонками, так что его было много, и никто не замечал недостачи. В те времена Макдермотт говорил, что ненавидит всех англичан, и хотя мистер Киннир родом с Шотландских низин, это ничего не значит: все они воры и распутники, крадут земли и обирают бедноту, куда бы ни пришли. А мистера Киннира вместе с Нэнси он бы с радостью стукнул по голове да скинул в погреб, а он слов на ветер не бросает.

Но я подумала, что он просто так выражается, ведь он всегда был хвастуном и расписывал свои будущие подвиги. Мой отец по пьяной лавочке тоже часто грозился расправиться с матушкой, но на самом деле ничего такого не делал. В таких случаях лучше всего кивать да соглашаться, ничего не принимая близко к сердцу.

Доктор Джордан поднимает глаза от своих записей.

— Значит, вначале вы ему не поверили? — спрашивает он.

— Нисколечко, сэр, — говорю. — Да вы бы и сами не поверили, кабы его послушали. Я считала все это пустым бахвальством.

— Перед казнью Макдермотт признался, что вы сами его к этому подбили, — говорит доктор Джордан. — Он утверждал, что вы собирались убить Нэнси и мистера Киннира, подсыпав им в овсянку яда, и неоднократно просили его о помощи, в которой он вам весьма благоразумно отказывал.

— Да кто вам такого наговорил? — спрашиваю я.

— Это написано в «Признании» Макдермотта, — отвечает мистер Джордан, да я и сама это прекрасно знаю, потому что читала то же самое в альбоме для вырезок у комендантши.

— Если что-нибудь написано, сэр, то еще не значит, что это чистейшая правда, — говорю я. Он отрывисто смеется:

— Ха! — и говорит мне, что в этом я совершенно права. — Но все-таки, Грейс, — продолжает он, — что вы на это скажете?

— Ну, сэр, — отвечаю я, — сдается мне, я отродясь ничего глупее не слышала.

— Это почему же, Грейс?

Я позволяю себе улыбнуться.

— Если бы я хотела подсыпать яда в миску с овсянкой, сэр, то для чего мне понадобилась бы его помощь? Я могла бы все сделать сама и в придачу подсыпала бы еще немного отравы и в его кашу. Это ведь так же просто, как добавить ложку сахару.

— Вы так спокойно об этом рассуждаете, Грейс, — говорит доктор Джордан. — Как вы думаете, если это ложь, то зачем ему на вас наговаривать?

— Наверно, он хотел спихнуть всю вину на меня, — медленно отвечаю я. — Он не любил оставаться неправым. И, возможно, он хотел, чтобы я составила ему компанию. Дорожка к смерти ведь безлюдная и длиннее, чем кажется, даже если она ведет от эшафота по веревке прямо вниз. Это темный путь, который никогда не освещает луна.

— Для человека, никогда там не бывавшего, вы очень много об этом знаете, Грейс, — говорит он со своей криватой усмешкой.

— Я бывала там только во сне, — отвечаю, — но это продолжалось много ночей. Меня ведь тоже приговорили к повешенью, и я думала, что меня казнят. Лишь по счастливой случайности, благодаря умению мистера Маккензи, сославшегося на мой очень юный возраст, мне удалось спастись. Когда думаешь, что скоро тоже пойдешь дорожкой смерти, поневоле ее на себя примеряешь.

— Это верно, — задумчиво говорит он.

— Но я не виню беднягу Джеймса Макдермотта за подобное желание, — говорю я. — Я бы никогда не стала винить живую душу за то, что ей одиноко.

В следующую среду был день моего рождения. Поскольку отношения между мной и Нэнси охладели, я даже не надеялась, что она об этом вспомнит, хоть она и знала число, ведь при поступлении на работу я сообщила ей свой возраст и дату, когда мне исполнится шестнадцать. Но, к моему удивлению, когда она зашла утром на кухню, то вела себя очень дружелюбно и поздравила меня с днем рождения. Она сама вышла к фасаду особняка, нарвала букетик роз, посаженных шпалерами, и поставила их для меня в стакан в моей комнате. Я была так признательна ей за доброту, ставшую к тому времени большой редкостью из-за наших ссор, что чуть не расплакалась.

Потом она сказала, что после обеда я свободна, потому что сегодня день моего рождения. И я горячо ее поблагодарила. Но сказала: я не знаю, что мне делать, ведь в округе у меня нет друзей, к которым можно сходить в гости, здесь нет настоящих магазинов, да и вообще не на что посмотреть. Возможно, я просто останусь дома и займусь шитьем или начищу серебро. А Нэнси ответила, что если мне хочется, то я могу прогуляться в деревню или побродить по окрестностям, а она может дать мне на время свою соломенную шляпку.

Но позже я узнала, что мистер Киннир решил остаться дома после обеда, и я подозревала, что Нэнси хотела меня куданибудь спровадить, чтобы побыть с ним наедине, не опасаясь, что я могу неожиданно зайти в комнату либо подняться по лестнице, или что мистер Киннир может забрести ко мне на кухню и околачиваться там, расспрашивая меня о том о сем, как он с недавних пор повадился делать.

Тем не менее, подав обед для мистера Киннира и Нэнси — холодный ростбиф и салат, поскольку на улице стояла жара, — и пообедав вместе с Макдермоттом в зимней кухне, я затем сполоснула посуду и умыла лицо, сняла фартук и повесила его на крючок, чтобы надеть соломенную шляпку Нэнси и голубой платок, прикрывающий шею от солнца. И Макдермотт, который все еще сидел за столом, спросил, куда это я так вырядилась. А я ответила, что сегодня день моего рождения, и поэтому Нэнси разрешила мне прогуляться. Он сказал, что пойдет со мной, поскольку на дорогах полно всяких невеж и бродяг, от которых меня следует оградить. Меня так и подмывало сказать, что единственный известный мне невежа сидит сейчас передо мной. Но Макдермотт старался быть вежливым, так что я прикусила язык и поблагодарила его за доброту, но сказала, что в этом нет нужды.

Он сказал, что все равно пойдет, ведь я еще молодая да ветреная и не способна отличить хорошего от плохого. А я возразила, что это не его день рождения, и у него есть еще работа по дому. А он сказал, черт с ним, с днем рождения, наплевать ему на все эти дни рождения, он не считал это поводом для праздника и не испытывал благодарности к своей матери за то, что она родила его на свет. И если б это был его день рождения, Нэнси ни за что не освободила бы его от работы ради такого случая. А я сказала, пусть он не завидует мне, ведь я не просила Нэнси ни о чем и ее расположения не добивалась. И поскорее вышла из кухни.

Я ума не могла приложить, куда же мне пойти. На главную улицу деревни, где я ни с кем не была знакома, идти не хотелось, и тут вдруг я осознала, какая же я одинокая. Ведь у меня не было подруг, кроме Нэнси, если ее можно назвать подругой: она была как флюгер — сегодня подруга, а завтра хуже врага. Ну и, возможно, Джейми Уолша, но он же мальчишка. Еще был Чарли, но он конь, и хотя слушал меня внимательно и с ним мне становилось покойнее, когда требовался совет, от него было мало проку.

Я не знала, где моя семья, а это все равно что ее не иметь. Мне вовсе не хотелось видаться с отцом, но я была бы рада получить весточку от братьев и сестер. Была еще тетушка Полина, и я могла бы написать ей письмо, если б имела возможность оплатить почтовые расходы. Ведь реформ тогда еще не провели, и отправить письмо за океан было очень дорого. Если трезво взглянуть на вещи, я была одна-одинешенька на всем белом свете, и в будущем мне светила лишь однообразная тяжелая работа. И хотя я всегда могла найти себе другое место, работа была одна и та же — от рассвета и до заката, с вечной хозяйкой, которая постоянно тобой помыкает.

С такими мыслями я шла по аллее быстрым шагом, пока за мной, возможно, наблюдал Макдермотт. И действительно, обернувшись, я увидела, что он стоял в дверях кухни, прислонившись к косяку. Если б я замешкалась, он расценил бы это как приглашение. Но, дойдя до фруктового сада, я решила, что меня уже не видно, и замедлила шаг. Обычно я сдерживала чувства, да только день рождения, особенно в одиночестве, почему-то нагоняет тоску. Поэтому я свернула в сад и уселась на землю, прижавшись спиной к большому старому пню, оставшемуся после вырубки. Вокруг пели птицы, но я подумала, что даже птицы для меня здесь чужие, ведь я не знала их имен. И это было печальнее всего, у меня по щекам покатились слезы, а я их не вытирала, чтобы всласть нареветься.

Но потом я сказала себе: «Слезами горю не поможешь». И оглянулась вокруг на белые маргаритки, «кружева королевы

Анны»[1] и лиловые шарики молочая, которые так приятно пахли и были усеяны оранжевыми мотыльками. Потом я посмотрела вверх на ветви яблонь, на которых уже росли маленькие зеленые яблочки, и на лоскутки голубого неба, что сквозь них проглядывали. Я попробовала ободрить себя мыслями о том, что благой Господь, от души желающий нам добра и создавший всю эту красоту, возложил на меня тяжкое бремя лишь для того, чтобы испытать силу моей веры, как было с первыми христианами, Иовом и другими мучениками. Но, как я уже говорила, мысли о Боге часто нагоняют на меня дремоту, и поэтому я уснула.

Странное дело: как бы крепко я ни спала, всегда чувствую, если кто-то близко подходит или за мной наблюдает. У меня такое ощущение, будто одна моя половина вообще никогда не спит и оставляет один глаз немного приоткрытым. Когда я была помоложе, то думала, что это мой ангел-хранитель. Но, возможно, это осталось с детства: стоило мне тогда проспать и вовремя не начать работу по дому, и отец с криками и бранью вытаскивал меня из постели за руку или даже за волосы. В общем, мне приснилось, что из лесу вышел медведь и уставился на меня. Я внезапно проснулась, будто кто-то положил на меня руку, и увидела прямо перед собой мужчину, стоявшего против солнца, так что я не могла разглядеть его лицо. Я вскрикнула и подскочила. Но потом поняла, что это не мужчина, а всего лишь Джейми Уолш, и осталась сидеть на месте.

— Ах, Джейми, — сказала я, — ты меня напугал.

— Я не хотел, — сказал он и сел рядом со мной под деревом. Потом спросил: — Что ты здесь делаешь средь бела дня? А вдруг Нэнси станет тебя искать? — Он был очень любопытным мальчиком и всегда задавал вопросы.

Я рассказала ему про день рождения и добавила, что Нэнси любезно освободила меня от работы на полдня. Тогда он поздравил меня. А потом сказал:

---

[1] Дикая морковь (Daucus carota).

— Я видел, как ты плакала. — А я сказала:

— Так ты за мной шпионил!

Он признался, что часто приходит в сад, когда мистер Киннир не видит. В конце лета мистер Киннир иногда стоит на веранде и смотрит в телескоп, чтобы мальчишки не воровали фрукты в его саду, но яблоки и груши еще зеленые. Потом он спросил:

— Почему ты грустишь, Грейс? — Я почувствовала, что могу снова расплакаться, и просто сказала:

— У меня здесь нет друзей. — Джейми сказал:

— Я — твой друг. — Затем помолчал и спросил: — У тебя есть парень, Грейс? — И я ответила, что нету. А он сказал: — Я хочу быть твоим парнем. А через несколько лет, когда я стану взрослым и накоплю денег, мы поженимся.

Я не могла при этом не улыбнуться и в шутку сказала:

— Но ты ведь влюблен в Нэнси. — А он ответил:

— Нет, хоть она мне и нравится. — Потом он спросил: — Так что ты на это скажешь?

— Но Джейми, — возразила я, — ведь я намного тебя старше. — Я как бы дразнила его, ведь не могла же я поверить, что он говорит серьезно.

— На год с хвостиком, — сказал он. — Год — это чепуха.

— Но ты еще мальчик, — возразила я.

— Я выше тебя, — сказал он. И это была правда. Но почему-то девушка в пятнадцать-шестнадцать лет уже считается женщиной, а мальчик того же возраста — еще мальчиком. Впрочем, я промолчала, поняв, что это его больное место. Поэтому я серьезно поблагодарила Джейми за предложение и сказала, что подумаю над ним, поскольку не хотела ранить его чувства.

— Слушай, — сказал он, — раз у тебя сегодня день рождения, давай я тебе сыграю. — И он вынул свою дудку и сыграл песенку «Мальчик-солдат ушел на войну», очень красиво и с чувством, хоть и капельку резковато на верхних нотах. А потом «Поверь мне, если прелести твои». Наверно, это были новые мелодии, которые Джейми как раз разучивал, и он ими гордился. Поэтому я похвалила его игру.

После этого он сказал, что в честь такого дня сплетет мне венок из маргариток. И мы вдвоем принялись плести венки из маргариток, причем так усердно и старательно, словно малые дети. Наверно, я не веселилась так со времен дружбы с Мэри Уитни. Когда мы закончили, Джейми торжественно водрузил один венок мне на шляпку, а другой — на шею, вместо ожерелья, и сказал, что я — Майская королева. А я ответила, что скорее уж Июльская королева, ведь на дворе-то июль, и мы рассмеялись. И он спросил, можно ли поцеловать меня в щечку, и я разрешила, но только один раз, и он меня поцеловал. И я сказала, что он устроил мне чудесный день рождения, так что я позабыла обо всех своих горестях, а он этому улыбнулся.

Но время пролетело незаметно, и день подошел к концу. Возвращаясь по аллее обратно, я увидела мистера Киннира — он стоял на веранде и смотрел в телескоп. Пока я шагала к черному ходу, он обошел дом с другой стороны и сказал мне:

— Добрый день, Грейс. — Я тоже с ним поздоровалась, а он спросил: — Что за мужчина был с тобой в саду? И что ты с ним делала?

По его тону я поняла, какие у него закрались подозрения. И я ответила, что это был молодой Джейми Уолш, и мы просто плели венки из маргариток, потому что у меня сегодня день рождения. И он этому поверил, но все равно остался недоволен. А когда я пришла на кухню готовить ужин, Нэнси сказала:

— Откуда у тебя в волосах этот увядший цветок? До чего дурацкий вид!

Цветок застрял в волосах, когда я снимала ожерелье из маргариток.

Но из-за двух этих вопросов день лишился всей своей чистоты.

Поэтому я принялась готовить ужин. Позднее пришел Макдермотт с охапкой дров для печи и ехидно заметил:

— Значит, кувыркалась в траве и целовалась с мальчонкой на побегушках? Видать, у него от этого ум зашел за разум, я бы охотно вышиб ему мозги, кабы он не был таким сосунком.

Выходит, тебе больше нравятся не взрослые мужики, а сопливые мальчишки, только что из люльки? — А я сказала, что ничего такого не делала. Но он не поверил мне.

Я поняла, что мой день рождения вовсе не был моим. В нем не было ничего теплого и личного, и все они за мной шпионили, включая мистера Киннира, — я и не думала, что он до этого опустится. Казалось, будто они выстроились в ряд у двери моей спальни и по очереди подсматривали в замочную скважину. Меня это очень огорчило и рассердило.

30

Несколько дней прошло без особых событий. Я пробыла у мистера Киннира уже почти две недели, но казалось, будто намного дольше, ведь время тянулось медленно, как обычно бывает, сэр, когда ты несчастна. Мистер Киннир ускакал, наверно, в Торнхилл, а Нэнси отправилась в гости к своей подруге миссис Райт. Джейми Уолш давно к нам не приходил, и я подумала, не пригрозил ли ему Макдермотт, велев и близко не подходить к дому.

Не знаю, где был Макдермотт, — видимо, спал в сарае. Я с ним не ладила, ведь в то утро он прошелся на счет моих красивых глазок, которые уже можно строить молодым парням, хотя у них еще молоко на губах не обсохло. А я ответила, что лучше бы он помалкивал, поскольку его речи никому здесь не интересны. А Макдермотт возразил, что у меня язык, как у гадюки, и я сказала:

— Тогда иди в хлев и любись там с коровой, уж она-то огрызаться не станет. — Именно так отшила бы его Мэри Уитни, сказала я себе.

Я была на огороде: собирала молодой горох и по-прежнему молча злилась, — из-за подозрений и подглядываний, а также из-за назойливых приставаний Макдермотта, — как вдруг услыхала мелодичный пересвист и увидела мужчину, который шел по аллее с коробом за спиной, в потрепанной шляпе и с длинным посохом в руке.

Это был коробейник Джеремайя. Я так обрадовалась, увидев лицо человека, напоминавшее лучшую пору моей жизни, что выронила из фартука на землю целую груду гороха, и, помахав рукой, побежала по аллее ему навстречу. Я считала его своим старым другом, ведь в новой стране друзья очень быстро становятся «старыми».

— Ну, Грейс, — сказал он, — я же обещал тебе, что приду.

— Я очень рада тебя видеть, Джеремайя, — ответила я. Я пошла вместе с ним к черному ходу и спросила: — Что ты сегодня принес? — Ведь я всегда любила рассматривать, что у него в коробе, даже если большинство товаров мне были не по карману. Джеремайя сказал:

— Ты разве не пригласишь меня на кухню, Грейс? На улице жарко, а там прохладнее. — Я вспомнила, что именно так поступали у миссис ольдермен Паркинсон, и я тоже так сделала. И как только он вошел в кухню, я усадила его за стол, налила немножко пива из кладовки, чашку холодной воды и отрезала кусок хлеба и ломтик сыра. Я была очень внимательной, потому что считала его своим гостем, а себя хозяйкой и поэтому должна была проявлять гостеприимство. Себе я тоже налила стакан пива, чтобы составить ему компанию.

— За твое здоровье, Грейс, — сказал Джеремайя. Я поблагодарила его и предложила встречный тост. — Тебе здесь хорошо? — спросил он.

— Дом очень красивый, — сказала я, — с картинами и пианино. — Я не любила ни о ком говорить плохо, особенно о хозяевах.

— Но стоит в тихом, глухом месте, — добавил он, глядя на меня своими ясными, проницательными глазами. Они были похожи на ежевику, и казалось, будто эти глаза способны увидеть намного больше, нежели все остальные люди. Я почувствовала, что он пытается украдкой заглянуть мне в душу. Мне кажется, он всегда ко мне очень чутко относился.

— Да, здесь тихо, — сказала я, — но мистер Киннир — щедрый барин.

— И с барскими замашками, — продолжил Джеремайя, внимательно на меня посмотрев. — В округе поговаривают, что он увивается за служанками, в особенности — за теми, что в доме. Надеюсь, ты не кончишь так же, как Мэри Уитни.

Я удивилась его словам, потому что считала, будто я одна знаю правду об этом деле, и что это был за джентльмен, и принадлежал ли он к дому, и я никогда не рассказывала об этом ни одной живой душе.

— Как ты догадался? — спросила я.

Джеремайя приложил палец к губам, призывая к благоразумному молчанию, и ответил:

— Грядущее сокрыто в настоящем — нужно только уметь его разглядеть. — И раз уж он столько всего знал, я облегчила душу и поведала ему все, что рассказала вам, сэр, даже о том, как услыхала голос Мэри и упала в обморок, а потом в беспамятстве носилась по дому. Умолчала лишь о враче, потому что Мэри не хотелось, чтобы об этом все знали. Но я думаю, Джеремайя сам обо всем догадался, ведь он мастерски отгадывал то, о чем не говорят вслух, а только подразумевают.

— Грустная история, — произнес Джеремайя, когда я закончила. — А тебе, Грейс, я скажу: один стежок, сделанный вовремя, стоит девяти. Ты ведь знаешь, что еще недавно Нэнси была служанкой в доме и делала всю тяжелую и грязную работу, которую теперь делаешь ты. — Он говорил слишком откровенно, и я потупила взгляд.

— Я этого не знала, — сказала я.

— Если уж мужчина завел привычку, от нее трудно отделаться, — продолжал Джеремайя. — С ним — как с распоясавшимся псом: только задерет овцу, сразу же входит во вкус и норовит задрать следующую.

— Ты очень много странствовал? — спросила я, потому что мне не нравились все эти разговоры о задранных овцах.

— Да, — ответил он, — я же всегда на ногах. Недавно вот побывал в Штатах, где можно купить галантерею подешевле, а здесь продать подороже. Ведь так мы, коробейники, и зарабатываем свой хлеб насущный. Нужно же как-то окупать кожу на башмаках.

— А как там, в Штатах? — поинтересовалась я. — Некоторые говорят, что лучше.

— В основном так же, как здесь, — сказал он. — Жулики и негодяи есть повсюду, просто они оправдывают себя на разных языках. Там на словах поддерживают демократию и так же, как здесь, разглагольствуют о справедливом общественном устройстве и верности Королеве, но бедняк — он ведь в любом краю бедняк. А когда переходишь границу — будто по воздуху перелетаешь: не успел оглянуться, ан уже и пересек, деревья ведь с обеих ее сторон одинаковые. Я обычно иду лесом и по ночам. Ведь платить таможенные пошлины на свои товары мне не с руки, иначе их цена для таких славных покупателей, как ты, сильно подскочит, — добавил он с усмешкой.

— Но ты же нарушаешь закон! — сказала я. — Что, если тебя поймают?

— Законы существуют для того, чтобы их нарушать, — ответил Джеремайя. — Они ведь придуманы не для меня и не мною, а властями предержащими для их же собственной пользы. Но я же никому не причиняю вреда. А сильный духом человек любит бросать вызов и стремится перехитрить других. Ну а насчет того, что поймают, так ведь я старый лис и очень много лет этим занимаюсь. К тому же мне всегда везет, это можно прочесть по моей руке. — И он показал мне крест на ладони правой руки и еще один — на левой, оба в форме буквы Х. Джеремайя сказал, что он защищен во сне и наяву, потому что левая рука отвечает за сновидения. И я взглянула на свои руки, но никаких крестов там не увидела.

— Везенье может закончиться, — сказала я. — Надеюсь, ты будешь осторожен.

— Ба, Грейс! Ты никак заботишься о моей безопасности? — воскликнул он с улыбкой, а я потупилась в стол. — Я и сам подумывал бросить эту работку, — сказал он уже серьезнее. — Конкуренция растет, дороги становятся лучше, и многие ездят за покупками в город, а не сидят дома и отовариваются у меня.

Я расстроилась, услышав, что он может оставить торговлю, — ведь это означало бы, что он больше не придет со своим коробом.

— Но чем же ты займешься? — спросила я.

— Буду бродить по ярмаркам, — ответил он, — стану пожирателем огня или ясновидящим целителем и займусь месмеризмом да магнетизмом — это всегда притягивает людей. В молодости у меня была партнерша, хорошо знакомая с этим ремеслом, ведь в нем обычно работают парами. Я совершал пассы и собирал деньги, а она набрасывала на себя кисейное покрывало, входила в транс и вещала замогильным голосом, рассказывая людям, какие у них проблемы со здоровьем, за вознаграждение, разумеется. Это безотказный трюк, ведь не могут же люди заглянуть к себе вовнутрь, чтобы убедиться, прав ты или нет. Потом этой женщине подобная работа надоела, а может, она устала от меня и уплыла на пароходе вниз по Миссисипи. Еще я мог бы стать проповедником, — продолжал Джеремайя. — За границей на них огромный спрос, намного выше, чем здесь, особенно летом, когда можно проповедовать на улице или за переносной кафедрой. Люди там любят падать на землю в припадке, глаголать на разных языках и спасаться хотя бы один раз в году, а если повезет, то и больше. За это они готовы платить звонкой монетой. Это очень перспективная работа, и если заниматься ею по всем правилам, она приносит гораздо больше дохода, нежели торговля.

— Не знала, что ты верующий, — сказала я.

— Да не верующий я, — возразил Джеремайя. — Но, насколько мне известно, этого и не требуется. Многие тамошние проповедники верят в Бога ничуть не больше, чем какой-нибудь чурбак. — Я сказала, что грешно так говорить, но он лишь рассмеялся. — Если люди получают то, ради чего приходят, то какая разница? — воскликнул он. — Я воздавал бы им полной мерой. Неверующий проповедник с хорошими манерами и приятным голосом обратит в свою веру намного больше людей, чем мягкотелый дурень с унылой физиономией, каким бы он ни был святошей. — И Джеремайя принял важную позу и произнес нараспев: — Крепкие верой знают, что в руках Господа даже непрочный сосуд находит подобающее применение.

— Я вижу, ты уже освоил эту профессию, — сказала я, потому что он говорил точь-в-точь как проповедник, и он снова рассмеялся. Но потом посерьезнел и перегнулся через стол:

— Мне кажется, ты должна уйти со мной, Грейс, — сказал он. — У меня дурное предчувствие.

— Уйти? — переспросила я. — О чем это ты?

— Тебе со мною будет безопаснее, чем здесь, — сказал он. При этих словах я вздрогнула, потому что у меня тоже было похожее ощущение, хоть раньше я об этом и не думала.

— Но что же я стану делать? — спросила я.

— Можешь со мной путешествовать, — сказал он. — Станешь ясновидящей целительницей. Я научу тебя, что нужно говорить и как впадать в транс. Я вижу по твоей руке, что у тебя есть к этому талант, а если распустишь волосы, то у тебя будет и подходящий вид. Обещаю тебе, что так ты за два дня заработаешь больше, чем если будешь мыть здесь полы два месяца подряд. Тебе, конечно, понадобится другое имя — французское или какое-нибудь иностранное, ведь людям по эту сторону океана трудно поверить, что женщина с простым именем Грейс может обладать сверхъестественными способностями. Неизвестное всегда кажется им чудеснее и убедительнее известного. — Я спросила:

— Разве это не обман и не мошенничество? — И Джеремайя ответил:

— Ничуть не больше, чем в театре. Ведь если люди во что-нибудь верят, жаждут этого, уверены в том, что это правда, и им от этого лучше, разве мы обманываем их, укрепляя их веру таким пустяком, как имя? Разве это не милосердие и не человеческая доброта? — От таких его слов все представало в более выгодном свете.

Я сказала, что взять новую фамилию не составит для меня труда, потому что я не слишком привязана к своей собственной, ведь она же отцовская. И Джеремайя улыбнулся и воскликнул:

— Тогда по рукам!

Не стану от вас скрывать, сэр, это предложение показалось мне очень заманчивым. Ведь Джеремайя был мужчиной видным, с белыми зубами и карими глазами, и я вспомнила, что должна выйти замуж за человека, имя которого начинается на букву Д. Я подумала также о том, что у меня появятся деньги и я смогу купить на них одежду и, возможно, золотые сережки. К тому же я повидаю много мест и городов, а выполнять одну и ту же тяжелую и грязную работу не буду. Но потом я вспомнила, что случилось с Мэри Уитни, и хотя Джеремайя казался человеком добродушным, внешность бывает обманчивой, как моя подружка узнала на своем горьком опыте. Что, если дела пойдут плохо, и он бросит меня одну на произвол судьбы где-нибудь на чужбине?

— Так мы, стало быть, поженимся? — спросила я.

— А какой в этом прок? — сказал он. — Насколько я знаю, замужество никому еще не приносило пользы. Если двое хотят быть вместе, они и так будут вместе, а если нет, один из них все равно сбежит — и вся недолга. — Это меня встревожило.

— Думаю, мне лучше остаться здесь, — сказала я. — Да и в любом случае, для замужества я еще слишком молода.

— Подумай, Грейс, — сказал он. — Ведь я желаю тебе добра, хочу тебе помочь и забочусь о тебе. Говорю тебе честно: здесь тебе грозит опасность.

В этот миг в кухню вошел Макдермотт — он казался очень сердитым, и я стала гадать, не подслушивал ли он у двери, и если подслушивал, то как долго. Он спросил Джеремайю, кто он, черт возьми, такой и какого черта делает на кухне.

Я ответила, что Джеремайя — коробейник и мой старый знакомый. А Макдермотт глянул на короб, который Джеремайя открыл за нашим разговором, хоть и не успел еще выложить все товары, — и сказал, что все это очень хорошо, но мистер Киннир будет недоволен, если узнает, что я перевожу хорошее пиво и сыр на обычного жулика. Макдермотту было совершенно все равно, что́ подумает мистер Киннир, и он сказал это лишь для того, чтобы досадить Джеремайе.

А я возразила, что у мистера Киннира широкая душа, и он не отказал бы порядочному человеку в жаркий день в холодном питье. И после этого Макдермотт еще больше нахмурился, потому что не любил, когда я расхваливаю мистера Киннира.

Тогда Джеремайя, пытаясь нас помирить, сказал, что у него есть рубашки, хоть и ношеные, но вполне еще хорошие, причем по сходной цене. По размеру они как раз на Макдермотта, и хотя тот недовольно ворчал, Джеремайя их вытащил и показал, какого они качества. А я знала, что Макдермотту нужна пара новых рубашек, потому что одну он порвал, и ее уже нельзя было починить, а другую испортил, бросив ее грязную и влажную в корзину, так что она заплесневела. И я увидела, что Джеремайя привлек внимание Макдермотта, и молчком принесла ему кружку пива.

На рубашках была метка X. К., и Джеремайя объяснил, что они принадлежали солдату — доблестному воину, однако не погибшему, ведь носить одежду умершего — плохая примета, и он назвал цену за все четыре штуки. Макдермотт же сказал, что за такую цену осилит только три, и стал сбавлять цену. Так они торговались, пока Джеремайя не согласился отдать четыре рубашки по цене трех, но ни пенни меньше, хоть это и форменный грабеж, и если дела так дальше пойдут, он скоро обанкротится. А Макдермотт остался очень доволен тем, что так выгодно сторговался. Но, заметив озорной огонек в глазах Джеремайи, я поняла, что он лишь делал вид, будто Макдермотт его уговорил, а на самом деле получил хорошую прибыль.

И вот эти-то самые рубашки, сэр, так часто упоминались на суде, и с ними вышла большая чехарда — во-первых, из-за того, что Макдермотт сказал, будто купил их у коробейника, а потом запел на другой лад и заявил, что взял их у солдата. Но в некотором смысле и то, и другое правда, и мне кажется, он соврал для того, чтобы Джеремайя не выступил против него в суде, поскольку знал, что Джеремайя — мой друг и, помогая мне, даст показания против Макдермотта. А во-вторых, газетчики не могли правильно сосчитать рубашки. Но их было не три, как они писали, а четыре: две лежали в саквояже Макдермотта, а одну, окровавленную, нашли за кухонной дверью. Макдермотт был в этой рубашке, когда прятал труп мистера Киннира. А четвертую Джеймс Макдермотт надел на самого мистера Киннира. Так что получается не три, а четыре.

Я проводила Джеремайю до середины аллеи, а Макдермотт стоял в дверях кухни и злобно за нами наблюдал, но мне было все равно, что он подумает, ведь не он же мой хозяин. Когда пришла пора прощаться, Джеремайя очень серьезно посмотрел на меня и сказал, что скоро вернется за ответом. Он надеялся, что я соглашусь ради самой себя, да и ради него, и я поблагодарила его за добрые пожелания. Теперь я знала, что если мне захочется безопасности и счастья, я всегда смогу уйти.

Когда я вернулась в дом, Макдермотт сказал, что, слава Богу, мы от него избавились. Этот человек ему не понравился, потому что у него была вульгарная иноземная внешность, и наверно, он обнюхивал меня, как кобель обнюхивает суку во время течки. В ответ на это замечание я промолчала, посчитав его слишком грубым, и поразилась таким резким выражениям. Я вежливо попросила Макдермотта выйти из кухни, потому что мне пора было готовить ужин.

Тогда-то я и вспомнила о горохе, рассыпанном на огороде, и вышла его собрать.

31

ЧЕРЕЗ НЕСКОЛЬКО ДНЕЙ К НАМ приехал доктор. Его звали доктор Рид, и внешне он казался пожилым джентльменом. Но у докторов трудно определить возраст, ведь они ходят с серьезными лицами и носят с собой всевозможные недуги в кожаных саквояжах, где хранят скальпели, и от этого раньше времени стареют. Они как вороны: если увидишь, что два-три врача собрались вместе, значит, смерть уже близко, и они ее обсуждают. Вороны решают, какую часть тела им вырвать и с нею удрать, — точно так же поступают и врачи.

Я не вас имею в виду, сэр, ведь у вас нет ни саквояжа, ни скальпелей.

Когда я увидела, как по аллее в своей одноконной бричке едет доктор, у меня тягостно защемило сердце, и мне показалось, что я упаду в обморок. Но в обморок я не упала, потому что оставалась на первом этаже одна и должна была подносить все необходимое. От Нэнси не было никакого проку — она лежала наверху.

Накануне я помогала ей подгонять новое платье, которое она себе шила, и целый час простояла на коленях с булавками во рту, пока она крутилась, рассматривая себя перед зеркалом. Она заметила, что поправилась, а я сказала, что немного прибавить в весе — это даже хорошо, а иначе останутся одни кожа да кости. В наши дни юные леди морят себя голодом ради моды, чтобы выглядеть бледными и болезненными, и так туго затягивают корсеты, что стоит лишь взглянуть, и они тут же хлопаются в обморок. Мэри Уитни говаривала, что мужчинам не нравятся скелеты: они любят, чтоб было за что взяться и спереди и сзади, и чем толще задница, тем лучше, но я не стала пересказывать этого Нэнси. Она шила себе легкое платье из американского ситца кремового цвета с веточками и бутонами, с узким лифом, спускающимся ниже талии, и трехслойными оборками на подоле. Я сказала Нэнси, что оно ей очень идет.

Нэнси хмурилась, глядя на себя в зеркало, и говорила, что талия все равно слишком широкая, и если дальше будет так продолжаться, ей понадобится новый корсет, и скоро она превратится в толстенную торговку рыбой.

Я прикусила язык и не сказала, что если б она не так налегала на масло, это бы ей не грозило. Перед завтраком она заглатывала полбуханки хлеба, намазанного толстым слоем масла и сливовым вареньем в придачу. А накануне я видела, как она съела целый кусок сала, отрезанного от окорока в кладовке.

Нэнси попросила меня затянуть корсет чуть-чуть потуже и снова подогнать талию, но когда я это сделала, она сказала, что ей дурно. Оно и немудрено, если учесть, сколько она ест, хоть я объясняла это еще и тугой шнуровкой. Но в то утро у нее кружилась голова, как она призналась, при этом она почти не завтракала и вообще не затягивала корсет. Так что я заинтересовалась, в чем дело, и подумала, что, возможно, доктора вызвали к Нэнси.

Когда приехал доктор, я во дворе набирала еще одно ведро воды для стирки, ведь стояло чудесное утро: воздух сухой и чистый, ярко светило жгучее солнце — прекрасный день для сушки. Мистер Киннир вышел поздороваться с доктором, который привязал свою лошадь к забору, а потом они оба вошли в дом через парадную дверь. Я продолжила стирку и вскоре развесила белье на веревке: оно было белым и состояло из рубашек, ночных сорочек, нижних юбок и тому подобного, но без простыней. Все это время я гадала, какое же дело у доктора к мистеру Кинниру.

Оба они вошли в небольшой кабинет мистера Киннира и закрыли за собой дверь. Недолго думая, я незаметно шмыгнула в соседнюю библиотеку — якобы для того, чтобы протереть книги. Но мне не удалось расслышать ничего, кроме приглушенных голосов из кабинета.

Я представляла себе различные сцены: например, испускающий дух мистер Киннир харкает кровью, а я над ним взволнованно хлопочу. Поэтому, услышав, как повернулась дверная ручка, я быстро вышла через столовую в парадную гостиную с пыльной тряпкой в руках, потому что всегда лучше обо всем узнать сразу. Мистер Киннир проводил доктора Рида к парадной двери, и доктор сказал, что, наверняка, мы еще много лет будем наслаждаться обществом мистера Киннира и что мистер Киннир читает слишком много медицинских журналов, из-за которых у него возникают всякие фантазии. Он не страдает ни одним недугом, которого не излечила бы здоровая диета и правильный режим, — правда, в связи с состоянием его печени следует ограничить потребление спиртного. Эти слова меня успокоили, но я все же подумала, что доктор может говорить то же самое умирающему, стремясь избавить его от беспокойства.

Я осторожно выглянула из гостиной через боковое окно. Доктор Рид подошел к своей запряженной бричке, и в следующий миг я увидела Нэнси — закутанную в платок и с наполовину распущенными волосами: она с ним беседовала. Видать, неслышно для меня она спустилась по лестнице — стало быть, Нэнси хотела, чтобы мистер Киннир тоже этого не услышал. Я решила: возможно, она пытается выведать, что же случилось с мистером Кинниром, — но потом меня осенило, что она могла обратиться к врачу по поводу собственного внезапного недомогания.

Доктор Рид уехал, а Нэнси направилась к задней части дома. Я услыхала, как мистер Киннир позвал ее из библиотеки, но поскольку она была еще на улице и, возможно, не хотела, чтобы он узнал, куда она отлучалась, я вошла к нему сама. Мистер Киннир выглядел ничем не хуже обычного и читал один из номеров «Ланцета», сложенных большой стопкой у него на полке. Иногда я и сама туда заглядывала, когда убирала комнату, но не могла разобрать, о чем там толкуется, за исключением того, что речь шла о телесных отправлениях, которые нельзя упоминать в печати — даже под самыми затейливыми названиями.

— Ах это ты, Грейс, — сказал мистер Киннир. — А где же твоя хозяйка?

Я сказала, что ей нездоровится и она лежит наверху, но если ему нужно что-нибудь принести, то я могла бы сделать это сама. Он ответил, что хотел бы выпить кофе, если это меня не затруднит. Я сказала, что не затруднит, хоть и займет некоторое время, ведь мне придется снова разжигать огонь. Мистер Киннир попросил, чтобы я принесла ему кофе, когда тот будет готов. И, как всегда, меня поблагодарил.

Я прошла через двор к летней кухне. Там за столом сидела Нэнси — уставшая, грустная и бледная как полотно. Я понадеялась, что ей уже лучше, и она подтвердила мои слова, а затем, как только я принялась раздувать почти угасший огонь, спросила, что я делаю. Я ответила, что мистер Киннир велел мне сварить и принести ему кофе.

— Но кофе всегда приношу ему я, — сказала Нэнси. — Почему же он попросил тебя?

Я ответила: наверно, потому, что ее самой не было поблизости. Я просто пыталась оградить ее от работы, пояснила я, поскольку знала, что она болеет.

— Я сама отнесу, — отрезала она. — И еще, Грейс, я хочу, чтобы ты сегодня вымыла здесь пол. Он очень грязный, а мне надоело жить в свинарнике.

Я думаю, что грязный пол был здесь ни при чем, — она просто наказывала меня за то, что я сама вошла в кабинет мистера Киннира. И это было совершенно несправедливо, ведь я просто пыталась ей помочь.

Хотя с утра было ясно и солнечно, к середине дня стало очень душно и пасмурно. Во влажном воздухе не слышалось ни дуновения, и небо заволокло тучами зловещего желтовато-серого цвета, из-за которых пробивались лучи, похожие на раскаленный металл, — всем своим видом небо предвещало грозу. Нередко в такую погоду очень тяжело дышится. Но в полдень, когда я обычно садилась где-нибудь на улице, переводя дух за штопкой или просто давая роздых ногам, — ведь я почти весь день не приседала, — вместо всего этого я, ползая на коленях, мыла каменный пол летней кухни. Его, конечно, давно пора было помыть, но я бы управилась с этим быстрее в прохладу, а не в такую жару, что хоть яичницу жарь, и пот катился с меня ручьем, как вода с утки, если простите мне такое сравнение, сэр. Я беспокоилась о мясе, лежавшем в холодном чулане в кладовке, поскольку вокруг него жужжали целые тучи мух. На месте Нэнси я никогда не заказала бы такой большой кусок мяса в такую жаркую погоду, потому что наверняка оно испортится, а это досадно и расточительно, и его следовало бы отнести в погреб, где намного прохладнее. Но я знала, что давать Нэнси советы бесполезно, и я лишь нарвусь на неприятности.

Пол был грязный, как в хлеву, и я гадала, когда же его в последний раз тщательно мыли. Вначале я, разумеется, его подмела, а теперь как следует вымывала, стоя обеими коленями на старой тряпке, поскольку камень был очень жестким, сняв обувь и чулки, ведь для того чтобы хорошо выполнить работу, нужно приложить все усилия, и закатав по локоть рукава, а подол и нижние юбки пропустив между ног и заправив сзади за пояс фартука. Это для того, сэр, чтобы сберечь одежду и чулки, и этот прием знаком всякому, кто хоть раз мыл полы. У меня была хорошая жесткая щетка для мытья и старая тряпка для вытирания, и я начала с дальнего угла, пятясь к двери, а иначе, сэр, сама же загонишь себя в угол.

Я услыхала, как у меня за спиной кто-то зашел в кухню. Я оставила дверь открытой, чтобы с улицы тек свежий воздух, да и пол быстрее высыхал. Я подумала, что это, наверно, Макдермотт.

— Не ступай по моему чистому полу своими грязными сапожищами, — крикнула я ему, продолжая мыть.

Он не ответил, но и не ушел, а остался стоять в дверях. И тут до меня дошло, что он смотрит на мои голые, грязные лодыжки и ноги, а еще, — простите, сэр, — на мой зад, который покачивался, как у виляющей хвостом собаки.

— Тебе что, нечем больше заняться? — спросила я его. — Или тебе платят за то, чтоб ты стоял и таращился? — Я оглянулась на него через плечо и вдруг увидела, что это никакой не Макдермотт, а сам мистер Киннир с глупой ухмылкой на лице: видать, он счел это очень смешным. Я с трудом поднялась на ноги, одной рукой отдернув вниз подол, а в другой держа щетку, и грязная вода потекла с нее на мое платье. — Ой, извините, сэр, — произнесла я, а сама подумала, что он мог назваться хотя бы ради приличия.

— Ничего страшного, — ответил мистер Киннир, — даже коту не возбраняется смотреть на королеву. — И в этот миг в дверь вошла Нэнси — с белым как мел, болезненным лицом и колючими, будто иглы, глазами.

— Что такое? Что ты здесь делаешь? — Она сказала это мне, но обращалась к нему.

— Мою пол, мэм, — ответила я. — Как вы и велели. — А ей что показалось, подумала я, будто я танцую?

— Не дерзи мне, — сказала Нэнси. — Как я устала от твоей наглости! — Но я не дерзила, а просто отвечала на ее вопрос.

Мистер Киннир, как будто извиняясь, — а сам-то он что здесь делал? — произнес:

— Мне всего лишь захотелось еще одну чашечку кофе.

— Я сварю, — ответила Нэнси. — Грейс, ты можешь идти.

— Куда мне идти, мадам? — спросила я. — Я ведь только половину помыла.

— Куда угодно, только вон отсюда, — ответила Нэнси. Она очень злилась на меня. — И ради Бога, заколи волосы. Выглядишь неряхой.

Мистер Киннир сказал:

— Я буду в библиотеке. — И ушел.

Нэнси помешала кочергой угли в печке, как будто протыкая ее насквозь.

— Рот закрой, — сказала она мне, — а то муха залетит. И впредь его не открывай, тебе же лучше будет.

Мне захотелось швырнуть в нее половой щеткой, а для полного счастья вылить на нее сверху ведро с грязной водой. Я представила себе, как она стоит с облепившими лицо волосами, будто утопленница.

Но потом меня вдруг осенило, чтó же с ней происходит на самом деле. Я довольно часто замечала это и раньше. Я вспомнила, как она ела необычную еду в неурочное время суток, вспомнила ее приступы тошноты, зеленый ободок вокруг губ, и то, как она разбухала, подобно изюминке в горячей воде, а также ее раздражительность и ехидство. Она была в интересном положении. Она была в тягости.

Я стояла разинув рот, словно меня пнули ногой в живот. «Нет! Нет! — подумала я. Мое сердце колотилось, как молоток. — Не может быть».

В тот вечер мистер Киннир остался дома, они с Нэнси ужинали в столовой, и я накрыла им на стол. Вглядываясь в лицо мистера Киннира, я пыталась прочитать на нем, понимает ли он положение Нэнси, но он ни о чем не догадывался. Я спрашивала себя, что бы он сделал, если бы об этом прознал. Сбросил бы ее в канаву? Женился бы на ней? Я ума не могла приложить, но любая из этих возможностей не давала мне покоя. Я не желала Нэнси зла и не хотела, чтобы ее вышвырнули на улицу и она стала бездомной с большой дороги, добычей бродяг и негодяев. Но в то же время было бы нечестно и несправедливо, если бы она стала в конце концов почтенной замужней дамой с кольцом на пальце, да к тому же богатой. Это было бы совершенно неправильно. Мэри Уитни сделала то же самое — и умерла. Так почему же одну следует наградить, а другую наказать за один и тот же грех?

После того как они перешли в гостиную, я убрала со стола. К тому времени воздух на улице накалился, словно в духовке, а свинцовые тучи полностью закрыли солнце, хотя закат еще и не наступил. Было тихо, как в могиле — ни ветерка, лишь на горизонте вспыхивали зарницы, да слабо грохотал гром. В такую погоду можно услышать, как бьется твое сердце: возникает такое чувство, будто прячешься и ждешь, пока кто-нибудь тебя не найдет, и никогда не знаешь, кто же это будет. Я зажгла свечу, чтобы при ней поужинать с Макдермоттом холодным ростбифом, — ничего горячего я уже не в силах была приготовить. Мы съели его в зимней кухне вместе с пивом и хлебом, который был еще свежим и очень вкусным, и парой ломтиков сыра. После ужина я помыла посуду, вытерла ее и спрятала.

Макдермотт чистил обувь. За ужином он был угрюмым и спросил, почему мы не можем поесть нормальной пищи, например, бифштексов с горохом, как другие едят. И я ответила, что горох на дереве не растет, и он должен знать, кто в доме получает все отборное, ведь гороха хватило бы только на двоих, да и вообще — я прислуживаю не ему, а мистеру Кинниру. И Макдермотт сказал, что если бы я прислуживала ему, то это продлилось бы недолго, потому что у меня очень скверный характер, — пришлось бы постоянно лупить меня ремнем. А я ответила, что от грубых слов редька слаще не станет.

Из гостиной я услышала голос Нэнси и поняла, что она читает вслух. Ей нравилось это занятие, потому что она считала его признаком благовоспитанности, однако Нэнси всегда делала вид, будто читать вслух от нее требовал мистер Киннир. Окно гостиной было открыто, хотя через него залетали мошки, и поэтому я услышала ее голос.

Я зажгла свечу и сказала Макдермотту, что иду спать, но он ничего не ответил, а лишь недовольно проворчал. Взяв свою свечу, он вышел из кухни. После его ухода я открыла дверь и выглянула в коридор. Свет от круглой лампы падал через приоткрытую дверь гостиной, освещая часть двери в коридор, и в вестибюль долетал голос Нэнси.

Я тихо прошла по коридору, оставив свечу на кухонном столе, и остановилась, прислонившись к стене. Мне хотелось узнать, какую историю она читает. Это была «Дева озера», которую мы с Мэри Уитни когда-то читали вместе, и от этого мне стало грустно. Нэнси читала довольно хорошо, хотя медленно и порой запиналась.

Бедную сумасшедшую только что по ошибке застрелили, и она умирала, напоследок продекламировав несколько стихотворных строк. Я считала это место очень печальным, но мистер Киннир был другого мнения. Он сказал, что в таких романтических краях, как Шотландия, и шагу нельзя ступить, чтобы к тебе не пристала какая-нибудь сумасшедшая. Она всегда бросается навстречу вовсе не ей адресованным стрелам или пулям, которые в конце концов кладут конец ее кошачьему концерту и страданиям. Или же эти женщины бросаются в море с такой скоростью, что скоро все его дно будет забито до отказа телами утопленниц, — что, несомненно, представляет серьезную опасность для судоходства. Тогда Нэнси сказала, что он бесчувственный человек, а мистер Киннир возразил, что вовсе нет, но всем ведь известно, что сэр Вальтер Скотт заваливал свои книги трупами только ради женщин, ведь женщины любят кровь, и наибольший восторг у них вызывает качающееся на волнах бездыханное тело.

Нэнси весело сказала ему, чтобы он угомонился и вел себя прилично, а не то ей придется его наказать и перестать читать: вместо этого она поиграет на фортепьяно. И мистер Киннир рассмеялся и ответил, что способен вынести любую пытку, кроме этой. Послышался негромкий шлепок и шорох одежды, и я решила, что, наверно, она сидит у него на коленях. Какое-то время было тихо, пока мистер Киннир не спросил Нэнси, почему она стала такая задумчивая, язык что ли проглотила?

Я наклонилась вперед, ожидая, что сейчас она расскажет ему о своем положении, и тогда я узнаю, какой оборот примет дело. Но вместо этого Нэнси сказала ему, что она тревожится о слугах.

Мистер Киннир пожелал узнать, кого она имеет в виду. И Нэнси ответила, что обоих, а мистер Киннир рассмеялся и сказал, что в доме ведь не двое, а трое слуг, поскольку она и сама служанка. А Нэнси возразила, что очень любезно с его стороны ей об этом напоминать и что теперь она должна его покинуть, поскольку у нее есть дела на кухне. Снова послышался шорох и звуки возни, как будто она пыталась встать. Мистер Киннир опять засмеялся и сказал, чтобы она оставалась на месте: он повелевает ей как хозяин, и тогда Нэнси с горечью сказала, что, наверно, только за это ей и платят. Но потом он ее успокоил и спросил, что же ее беспокоит в слугах. Ведь главное — чтобы работа выполнялась, и его не волнует, кто чистит ему сапоги, коль скоро они чисты, ведь он платит хорошее жалованье и требует от прислуги полной отдачи.

Работа, конечно, выполняется, сказала Нэнси, но ей все время приходится подгонять Макдермотта кнутом. Когда Нэнси отругала его за леность, он ей нагрубил, и она предупредила его об увольнении. Мистер Киннир сказал, что Макдермотт — мрачный, угрюмый тип, который ему никогда не нравился. Потом он спросил:

— А что с Грейс? — И я навострила уши, прислушиваясь, что же скажет Нэнси про меня.

Она сказала, что я опрятная и проворная в работе, но с недавних пор стала очень задиристой, и она подумывает о том, чтобы меня уволить.

Когда я это услышала, вся аж вспыхнула от злости. Потом Нэнси добавила, что она боится, все ли у меня в порядке с головой, поскольку она несколько раз слышала, как я сама с собой громко разговариваю.

Мистер Киннир рассмеялся и ответил, что это сущие пустяки: он тоже часто сам с собой разговаривает, поскольку считает себя наиболее интересным собеседником. Ну а я, конечно, девушка видная, с утонченными от природы манерами и чистейшим греческим профилем. Если надеть на меня подходящее платье, научить высоко держать голову и плотно сжимать губы, то хоть сейчас можно выдать за настоящую леди.

Нэнси понадеялась, что он, конечно, не станет говорить мне столь лестных слов, которые могут вскружить мне голову и внушить неподобающие моему положению мысли, а это принесет один только вред. Потом Нэнси добавила, что о ней-то он никогда так мило не отзывался, но его ответа я не расслышала: снова воцарилось молчание, и послышался шорох одежды. Затем мистер Киннир сказал, что пора спать. Поэтому я быстренько вернулась на кухню и уселась за стол, ведь Нэнси не пришлось бы по нраву, если бы она застала меня за дверью.

Но как только они поднялись наверх, я опять принялась подслушивать и услыхала, как мистер Киннир говорит:

— Я знаю, что ты прячешься, выходи сейчас же, негодная девчонка, кому я сказал! А не то я поймаю тебя, и тогда...

После этого раздался смех Нэнси и негромкий вскрик.

Приближалась гроза. Я никогда не любила грозы и перепугалась. Перед тем как лечь в кровать, я плотно закрыла ставни и натянула на голову покрывала, хотя было очень жарко. Мне казалось, что я ни за что не усну. Но все же уснула и пробудилась в кромешной тьме от ужасного треска, будто настал конец света. На улице бушевала неистовая гроза, с барабанным грохотом и ревом, у меня сердце ушло в пятки от страха, и я съежилась в кровати, молясь о том, чтобы ненастье поскорее закончилось, и зажмуривая глаза от вспышек молнии, сверкавшей сквозь щели в ставнях. Дождь лил как из ведра, и дом скрипел на ветру, подобно скрежещущим зубам грешников. Я была уверена, что с минуты на минуты он расколется надвое, как корабль в океане, и провалится под землю. И тогда, над самым моим ухом, я услышала чей-то шепот: «Такого не может быть». Наверно, от страха со мной случился припадок, потому что после этого я полностью потеряла сознание.

Потом мне приснился странный сон. Как будто все снова утихло, а я встала с постели в ночной сорочке, отперла дверь своей комнаты и через зимнюю кухню вышла босиком во двор. Тучи рассеялись, ярко светила луна, и листья деревьев были похожи на серебристые перья. Воздух стал прохладным и бархатистым на ощупь, а в траве стрекотали сверчки. Я слышала запах мокрого сада и резкую вонь из курятника. И еще я слышала, как в конюшне негромко ржет Чарли, и это означало, что он учуял меня. Я стояла во дворе возле колонки, залитая, словно водой, лунным светом, не в силах пошевелиться.

Потом сзади меня обвили две руки и начали меня ласкать. Это были мужские руки, и я почувствовала губы того же мужчины у себя на шее и на щеке: они страстно меня целовали, и мужчина прижимался всем телом к моей спине. Но это было похоже на детскую игру в слепца, поскольку я не знала, кто же меня обнимает, но не могла обернуться и посмотреть. Я уловила запах дорожной пыли и кожи и подумала, что это, возможно, коробейник Джеремайя, но потом услышала запах конского навоза, и решила, что это Макдермотт. Но я так и не смогла встрепенуться и оттолкнуть его. Потом запах опять изменился, превратившись в аромат табака и превосходного мыла для бритья, которым пользовался мистер Киннир. И я этому не удивилась, поскольку чего-то подобного уже от него ожидала. А тем временем губы незнакомца касались моей шеи, и я ощущала, как от его дыхания у меня шевелятся волосы на голове. Потом мне показалось, что это не один из этих трех, а совсем другой мужчина, которого я давно и хорошо знала еще с детства, но с тех пор забыла. И я уже не первый раз этим с ним занималась. Я почувствовала, как меня постепенно охватывает теплота и сонная истома, побуждая меня уступить и отдаться, ведь это куда как проще, нежели сопротивляться.

Но затем я услыхала лошадиное ржание и поняла, что это не Чарли и не жеребенок в стойле, а совсем другая лошадь. Меня охватил жуткий страх, тело мое похолодело, и я стояла, оцепенев от ужаса. Ведь я знала, что это не земная лошадь, а конь бледный, который будет послан в Судный день, и на нем всадник по имени Смерть[1]. Это сама Смерть стояла позади меня, туго, словно железными цепями, обхватив меня руками, и ее безгубый рот ласково целовал мою шею. Однако я ощутила не только ужас, но и странное томление.

В этот миг взошло солнце — но не постепенно, как оно всходит при нашем пробуждении, сэр, а мгновенно, ослепительно заблистав. Это было похоже на звуки множества труб, и тут обнимавшие меня руки растаяли. Меня ослепил этот яркий свет, но едва я взглянула вверх, то увидела, что на деревьях рядом с домом и во фруктовом саду сидит тьматьмущая птиц — огромных и белых как снег. Это было зловещее и тоскливое зрелище, поскольку все они прижимались к веткам, словно готовые вот-вот взлететь и наброситься на меня, и потому казались стаей ворон, только белых. Но когда в глазах у меня прояснилось, я поняла, что это никакие не птицы. Они имели человеческий облик и оказались ангелами, которые омыли одежды свои и убелили их кровью, как говорится в конце Библии[2]. Они безмолвно осуждали дом мистера Киннира и всех, кто в нем жил. И потом я заметила, что у них нет голов.

Во сне я потеряла сознание от неописуемого ужаса, а когда очнулась, то снова лежала в кровати, в своей комнатушке, с натянутым до самых ушей одеялом. И как только я встала, — ведь уже рассвело, — я обнаружила, что нижний край моей ночной рубашки мокрый, а на ногах — следы земли и травы. И я подумала, что, видимо, ночью я выходила на улицу, сама того не ведая, как это со мной уже один раз случалось раньше, в день смерти Мэри Уитни, и у меня упало сердце.

Я оделась, как обычно, поклявшись никому не рассказывать о своем сне, ведь кому же я могла довериться в этом доме? Если бы я рассказала о нем как предупреждение на будущее,

---

[1] Отк. 6:8.
[2] Отк. 7:14.

надо мной бы просто посмеялись. Но когда я вышла к колонке набрать первое ведро воды, то увидела, что все постиранное накануне белье ночная гроза разметала по деревьям. Я запамятовала его внести, и это было так не похоже на меня: особенно белые вещи, которые я так усердно стирала, выводя пятна. Еще одно дурное для меня предзнаменование. А застрявшие в ветках ночные сорочки и рубашки и впрямь напоминали безголовых ангелов — казалось, будто нас осуждает наша же собственная одежда.

Я не могла отделаться от ощущения, что над домом навис какой-то рок, и кому-то из его обитателей суждено умереть. Если бы мне тогда представилась возможность, я бы рискнула и ушла вместе с коробейником Джеремайей — мне и впрямь хотелось с ним сбежать, и лучше бы я так и сделала, но я не знала, куда он ушел.

Доктор Джордан пишет очень быстро, словно его рука едва за мной поспевает, и я никогда еще не видела его таким воодушевленным. Приятно, что я могу доставить ближнему хотя бы небольшое удовольствие. И я думаю про себя: интересно, зачем ему все это нужно.

IX

СЕРДЦА И ПОТРОХА

Вечером пришел Джеймс Уолш и принес с собой флейту. Нэнси сказала, что мы тоже можем повеселиться, потому что мистер Киннир уехал. А Макдермотту сказала: «Ты называешь себя заправским танцором, ну-ка покажи нам свое мастерство!» Но он весь вечер хмурился и не хотел танцевать. Часов в десять мы пошли спать. В ту ночь я спала с Нэнси, и перед тем, как лечь, Макдермотт сказал мне, что сегодня ночью решил зарубить ее топором в кровати. Я стала умолять его не делать этого сегодня, не то он может по ошибке зашибить меня. На что он ответил: «Черт бы ее побрал! Тогда убью ее поутру». Воскресным утром я встала рано и, войдя в кухню, увидела, что Макдермотт чистит сапоги, а камин уже зажжен. Он спросил меня, где Нэнси, а я ответила, что она одевается, и сказала: «Ты что, собираешься убить ее сегодня утром?» И он ответил: «Да». Тогда я сказала: «Макдермотт, ради Бога, не убивай ее в комнате, а то весь пол зальешь кровью». «Хорошо, — молвил он. — Тогда я ударю ее топором, когда она выйдет из комнаты».

Признание Грейс Маркс,
«Стар энд Транскрипт», Торонто, ноябрь 1843 г.

В погребе разыгралась жуткая сцена... [Нэнси] Монтгомери была еще жива — удар просто оглушил ее. Когда мы спустились по лестнице с фонарем, она уже наполовину при-

шла в себя и привстала на одном колене. Наверное, ее ослепила стекавшая по лицу кровь, и она не увидела нас, но наверняка услышала, потому что сложила руки, словно моля о пощаде.

Я повернулся к Грейс. Ее мертвенно-бледное лицо было даже страшнее, чем у этой несчастной женщины. Она не проронила ни звука, но, приложив руку к голове, сказала:

— Бог меня за это проклял.

— Тогда тебе нечего бояться, — ответил я. — Сними с шеи косынку и дай мне.

Она беспрекословно подчинилась. Я бросился на экономку и, упершись коленями ей в грудь, завязал косынку узлом у нее на шее, отдав один конец Грейс и потянув за другой, чтобы скорее закончить этот кошмар. Ее глаза буквально вылезли из орбит, она простонала, и все было кончено. Потом я разрубил тело на четыре части и спрятал его под широким корытом.

Джеймс Макдермотт *Кеннету Маккензи*,
в пересказе Сюзанны Муди, *«Жизнь на вырубках»*, 1853

...смерть прекрасной женщины — бесспорно, самая поэтическая тема на свете...

Эдгар Аллан По. *«Философия творчества»*, 1846

32

ЛЕТНЯЯ ЖАРА НАСТУПИЛА ВНЕЗАПНО. Еще накануне стояла
холодная весна с бурными ливнями и зябкими белыми
облаками, громоздившимися вдали над ледяной синевой озера, а потом вдруг увяли нарциссы, тюльпаны же расцвели и
затем, распустившись и вывернувшись, словно в зевке, осыпали свои лепестки. С задних дворов и из сточных канав поднимаются зловонные миазмы, а вокруг головы каждого пе-
шехода сгущается облачко комаров. В полдень воздух
плавится, будто над раскаленной решеткой, а озеро ослепительно сверкает, и его берега слабо попахивают дохлой рыбой и лягушачьей икрой. По ночам лампу Саймона осаждают
порхающие мошки, и нежные прикосновения их крыл напоминают легкие касания шелковистых губ.

Он ошарашен этой переменой. Привыкнув к постепенной
смене времен года в Европе, он успел забыть о столь резких
переходах. Его одежда тяжела, словно меха, кожа вечно кажется влажной. У Саймона такое чувство, будто от него воняет копченым салом и прокисшим молоком — или, возможно,
такой запах стоит в его спальне. Там слишком долго уже не
убирали и не меняли постель: пока так и не удалось найти под-
ходящей служанки, хотя миссис Хамфри каждое утро подробно
докладывает ему, что́ она предпринимает в этом направлении.
По ее словам, ушедшая Дора распустила по городу слухи, — по
крайней мере, среди потенциальных служанок, — о том, что
миссис Хамфри ей не заплатила и собирается ее выставить со
всеми пожитками под предлогом того, что у нее нет денег, а

также рассказывает всем о бегстве майора, а это еще больший позор. Так что, говорит она Саймону, ни одной служанке, наверное, не хочется испытывать судьбу в таком доме. И она скорбно улыбается.

Миссис Хамфри сама готовит еду, и они вместе по-прежнему завтракают за ее столом — по ее же предложению, которое он принял, поскольку для нее унизительно было бы приносить поднос наверх. Сегодня Саймон слушает ее раздражительно и невнимательно, возясь с сырым гренком и яичницей. Теперь, когда яйца стали не варить, а жарить, он, по крайней мере, избавлен от неприятных сюрпризов.

Завтрак — единственное, что она может себе позволить. С ней случаются приступы нервного истощения и головной боли, вызванные пережитым потрясением, — так он объясняет их себе и ей, — и поэтому после обеда она лежит в кровати пластом, на лбу — холодный компресс, резко пахнущий камфарой. Саймон не может допустить, чтобы хозяйка умерла с голоду, и хотя он в основном столуется в мерзком трактире, время от времени все же пытается ее подкармливать.

Вчера он купил курицу у одной злобной старухи на рынке, но лишь принеся птицу домой, обнаружил, что хоть ее и ощипали, однако не выпотрошили. Эта задача была Саймону не по силам, — он никогда в жизни не потрошил кур, — и он надумал избавиться от птичьей тушки. Прогулка по берегу озера, быстрый взмах руки... Но потом он вспомнил, что это обыкновенное вскрытие, а ему доводилось вскрывать кое-что посерьезнее кур. И как только он взял в руки скальпель, — Саймон хранил инструменты своего прежнего ремесла в кожаном ранце, — все снова встало на свои места, и он сумел сделать аккуратный разрез. После этого дела пошли хуже, но, задержав дыхание, он со всем этим справился. Саймон приготовил курицу, разрезав ее на куски и пожарив. Миссис Хамфри приковыляла к столу, сказав, что чувствует себя немного лучше, и съела огромный для такой слабой женщины кусок. Но когда дошла очередь до мытья посуды, ей снова подурнело, и Саймону пришлось заняться этим самому.

Сейчас на кухне еще грязнее, чем в первый день, когда он туда вошел. За печкой — катыши пыли, в углах — паутина, вокруг раковины — хлебные крошки, а в кладовке поселилась семейка жуков. Страшно подумать, как быстро человек опускается! Нужно поскорее что-нибудь придумать — нанять раба или же лакея. Помимо грязи, существует еще вопрос светских приличий. Он не может жить в этом доме один со своей хозяйкой: особенно такой робкой и к тому же брошенной мужем женщиной. Если это станет известно и пойдут сплетни, — сколь безосновательными они бы ни были, — могут пострадать его репутация и профессиональный престиж. Преподобный Верринджер ясно дал понять, что противники реформ воспользуются любыми, даже самыми низменными предлогами, дабы скомпрометировать своих оппонентов, и в случае скандала Саймона в срочном порядке освободят от его обязанностей.

Он мог бы хоть как-то улучшить состояние дома, если бы только собрался с духом. На худой конец, можно подмести пол и лестницу и протереть мебель в своих комнатах. Но все равно никуда не деться от запаха затаенной беды, медленного и унылого распада, испускаемого обвисшими шторами и скопившегося в подушках и древесине. Наступление летней жары только усилило этот запах. Саймон с ностальгией вспоминает стук Дориного совка для мусора: теперь он зауважал всех Дор на свете, но хотя он страстно желает, чтобы подобные бытовые проблемы разрешились сами собой, у него нет ни малейшего представления, каким образом это произойдет. Пару раз он подумывал спросить совета у Грейс Маркс, — как правильно нанять служанку, как правильно выпотрошить курицу, — но потом передумал. Он должен сохранять в ее глазах роль всеведущего авторитета.

Миссис Хамфри говорит опять — теперь она рассыпается в благодарностях, как часто бывает, когда он ест гренок. Она ждет, пока Саймон не набьет полный рот, а потом начинает. Он окидывает ее блуждающим взглядом: бледный овал лица, чопорные, безжизненные волосы, хрустящий черный шелковый лиф и внезапно обрывающуюся белую кайму кружев. Под ее жестким платьем находятся груди — не накрахмаленные и не в форме корсета, а живые груди из мягкой плоти, с сосками. От нечего делать Саймон начинает гадать, какого цвета эти соски на солнечном свете или при искусственном освещении и какого они размера. Розовые, маленькие сосочки, похожие на мордочки животных, возможно, кроликов или мышей; или почти красные, цвета спелой смородины; или рыжевато-коричневые, как шляпки желудей. Саймон замечает, что воображение уводит его в лесную чащу — к твердым растениям и проворным зверушкам. В действительности эта женщина его не привлекает, и подобные образы возникают непроизвольно. У него болят глаза — это еще не мигрень, а тупое давление. Саймон думает, нет ли у него небольшой температуры; сегодня утром он осмотрел в зеркале язык на предмет пресловутых белых пятнышек. Язык больного человека похож на вареную телятину: серовато-белый и покрыт налетом.

Он ведет нездоровую жизнь. Его мать права — ему нужно жениться. Жениться или умереть на костре, как говорит св. Павел. Или обратиться к привычным средствам. В Кингстоне, как и везде, есть дома терпимости, но сам он не может ими пользоваться, как, например, в Лондоне или Париже. Городок слишком маленький, а Саймон — слишком заметная в нем фигура, его положение слишком шатко, жена коменданта слишком набожна, а противники реформ вездесущи. Рисковать не стоит, да и в любом случае здешние бордели наверняка нагоняют тоску. Донельзя претенциозные, с провинциальным расчетом заманить в свои тоскливые пышные интерьеры. Избытком парчи и бахромы. Но они еще и откровенно утилитарны: руководствуясь принципом быстрой обработки, распространенным на североамериканских ткацких мануфактурах, они должны приносить наибольшее счастье наибольшему числу людей, каким бы отталкивающим и минимальным это счастье ни было. Засаленные нижние юбки и отвыкшая от солнца плоть проституток, мертвеннобледная, как еще не пропеченная сдоба, и испачканная толстыми, просмоленными пальцами матросов или же холеными перстами залетного члена законодательной власти, из страха путешествующего инкогнито.

Таких мест ему следует избегать. Подобные переживания истощают умственные силы.

— Вам нездоровится, доктор Джордан? — спрашивает миссис Хамфри, протягивая ему вторую чашку чаю, хоть он ее об этом и не просил. У нее неподвижные глаза цвета морской волны и маленькие черные зрачки. Саймон внезапно опомнился. Он что, спал? — Вы прижимали ладонь ко лбу, — говорит она. — У вас болит голова?

У нее привычка появляться за дверью, когда он работает, и спрашивать, не нужно ли ему чего. Она проявляет почти нежную заботу о нем, но в этой женщине есть что-то раболепное, как будто она ждет шлепка, пинка или затрещины, которая, как она с мрачным фатализмом догадывается, наверняка рано или поздно обрушится на нее. Но только не от него, не от него, молча протестует Саймон. Он человек кроткий, никогда не срывался, не выходил из себя и не прибегал к насилию. От майора — никаких вестей. Саймон думает о ее голых ногах, худых, как скорлупка, незащищенных и уязвимых, перевязанных — и откуда такие мысли? — обычным куском бечевки. Словно посылка. Если уж его подпороговое сознание тяготеет к столь экзотическим позам, следовало бы припасти хотя бы серебряную цепочку...

Саймон пьет чай, который отдает болотом и корнями озерного камыша. Запутанными и темными. Недавно у Саймона были проблемы с кишечником, и он принимал настойку опия, которой у него, к счастью, осталось еще много. Саймон грешит на воду: возможно, из-за его периодического рытья во дворе вышел из строя колодец. План разбивки огорода закончился ничем, хоть Саймон и перелопатил изрядное количество грязи. После многодневной борьбы с тенями Саймон получает странное облегчение, когда берется за нечто реальное, например — землю. Но для этого становится жарковато.

— Мне нужно идти, — говорит он, отодвигая стул, бесцеремонно вытирая рот и делая вид, будто спешит, хотя на самом деле у него нет никаких встреч до самого обеда. Сидеть у себя в комнате и пытаться работать — бесполезно: он будет лишь клевать носом за столом, навострив уши, как дремлющая кошка, которая прислушивается к шагам на лестнице.

Саймон выходит на улицу и бредет наобум. Его тело кажется легким, как пузырь, и таким же безвольным. Он шагает вдоль берега озера и щурится от яркого утреннего света, проходя мимо одиноких рыбаков, закидывающих наживку в тепловатые, ленивые воды.

Когда Саймон с Грейс, дела идут немного лучше, поскольку он может по-прежнему обманывать себя, гордясь своей целеустремленностью. По крайней мере, Грейс представляет для него некую задачу или достижение. Но сегодня, прислушиваясь к ее тихому, искреннему голосу — похожему на голос няни из детства, читающей любимую сказку, — он почти засыпает, и его будит лишь стук собственного карандаша, упавшего на пол. На миг Саймону кажется, будто бы он оглох или пережил небольшой удар: он видит, как движутся ее губы, но не в силах разобрать ни единого слова. Но это всего лишь обман сознания, ведь он способен вспомнить — стоит только постараться — все, что она говорила.

На столе между ними лежит небольшая и вялая белая репа, на которую они оба пока что не обращали внимания.

Саймон должен сосредоточить свои интеллектуальные силы: сейчас он не может позволить себе расслабиться, впасть в летаргию, выпустить из рук нить, за которой следил все минувшие недели, ведь они оба наконец-то приближаются к кульминации всей истории. Они подходят к абсолютной тайне — к пробелу в памяти, вступают в чащу амнезии, где вещи утратили свои имена. Иными словами, они восстанавливают (день за днем, час за часом) те события, что непосредственно предшествовали убийствам. Любое ее слово, любой жест и нервный тик может оказаться ключом к разгадке. Она это знает, знает. Возможно, и не осознает этого, но знание спрятано глубоко у нее внутри.

Беда в том, что чем больше она вспоминает и рассказывает, тем ему труднее. Очевидно, Саймон не в силах уследить за ходом событий. Будто она вытягивает из него энергию, пользуясь его умственными силами для материализации персонажей собственного рассказа — так, согласно бытующим представлениям, поступают медиумы на своих сеансах. Это, конечно, вздор. Он не должен предаваться столь безумным фантазиям. Но в том мужчине, ночью, было что-то особенное: неужели он пропустил? Это был кто-то из них: Макдермотт или Киннир. В своем блокноте он записал слово *шепот* и трижды его подчеркнул. О чем он хотел себе напомнить?

Дражайший сын! Я обеспокоена тем, что от тебя так долго нет вестей. Возможно, ты нездоров? Изморось и туманы способствуют появлению инфекций, а я знаю, что Кингстон расположен в низине и окружен множеством болот. В гарнизонном городке нужно быть очень осторожным, поскольку солдаты и матросы ведут беспорядочную жизнь. Надеюсь, что в самую сильную жару ты из предосторожности остаешься дома и не выходишь на солнце.

Миссис Генри Картрайт купила для слуг новую домашнюю Швейную Машинку, и мисс Вера Картрайт так ею заинтересовалась, что испробовала сама, и смогла за очень короткое время подрубить нижнюю юбку. Вчера она весьма любезно принесла эту юбку мне, чтобы я могла посмотреть на стежки, ведь она знает, что я увлекаюсь современными изобретениями. Машинка работает довольно хорошо, хотя ее можно улучшить, — нитки запутываются чаще, чем хотелось бы, и их приходится обрезать или распутывать, — но подобные приспособления всегда вначале несовершенны. И, как сказала миссис Картрайт, ее супруг полагает, что акции компании, производящей эти Машинки, со временем окажутся наиболее разумным вложением капитала. Он невероятно любящий и заботливый отец и приложил все старания для будущего благополучия своей дочери, которая является его единственной живой наследницей.

Но я не стану утомлять тебя разговорами о деньгах, поскольку знаю, что ты находишь это скучным. Однако, дорогой мой сын, благодаря деньгам наполняется кладовая, и они приносят те небольшие удобства, что отличают скромную, но обеспеченную жизнь от жалкого существования. И, как говаривал твой дорогой отец, денежки на деревьях не растут...

Время уже не движется со своей привычной, неизменной скоростью, порой давая странный крен. Теперь вот очень быстро наступил вечер. Саймон сидит за письменным столом, положив перед собой раскрытый блокнот и уставившись в темнеющий квадрат окна. Раскаленный закат поблек, оставив по себе фиолетовое пятно; воздух на улице вибрирует от жужжания насекомых и кваканья земноводных. Все тело Саймона размякло, как дерево под дождем. С лужайки доносится аромат увядающей сирени — пахнет паленым, словно обгоревшей на солнце кожей. Завтра вторник — день, когда он, как и обещал, должен выступить на небольшом салоне у жены коменданта. О чем он мог бы им рассказать? Нужно сделать пару кратких заметок, представить своего рода связное изложение. Но все без толку — сегодня вечером он решительно ни на что не способен. Никакие мысли в голову не лезут.

О лампу бьются мошки. Саймон откладывает вопрос о вторничном собрании и обращается вместо этого к своему незаконченному письму.

Дорогая матушка! Я по-прежнему пребываю в добром здравии. Благодарю Вас за футляр для часов, вышитый для Вас мисс Картрайт. Я удивлен, что Вы согласились с ним расстаться, хоть и пишете, что для Ваших часов он великоват; футляр, конечно, очень изящный. Надеюсь очень скоро закончить здесь свою работу...

С его стороны — ложь и отговорки, а с ее — интриги и обольщение. Какое ему дело до мисс Веры Картрайт с ее нескончаемым бесовским рукоделием? В каждом письме, присылаемом матерью, содержатся новости об очередном вязанье, стеганье и скучнейшем вышиванье тамбуром. Наверное, к этому времени весь дом Картрайтов — все столы, стулья, лампы и фортепьяно — покрыт целыми акрами кисточек и бахромы, и в каждом его уголке распускаются вышитые гарусом цветочки. Неужели его мать действительно полагает, что его может прельстить подобная перспектива: жениться на Вере Картрайт и сидеть в кресле у камелька, оцепенев в паралитическом ступоре, пока его милая женушка будет медленно обматывать его шелковыми нитками, словно кокон или запутавшуюся в паутине муху?

Саймон комкает лист и швыряет его на пол. Он напишет другое письмо. *Дорогой Эдвард! Надеюсь, ты в добром здравии, я же по-прежнему в Кингстоне, где продолжаю...* Продолжаю что? Что он здесь, в сущности, делает? Он не в состоянии поддерживать привычный развязный тон. Что он может написать Эдварду, какой трофей или добычу показать? Какой ключ к разгадке? В руках у него пусто — он не завоевал ровным счетом ничего. Он двигался вслепую, нельзя даже сказать, вперед или назад, и не узнал ничего, кроме того, что так ничего и не узнал, не считая степени собственного неведения. Он похож на исследователей, безуспешно искавших верховья Нила. Подобно этим изыскателям, он должен учитывать возможность поражения. Отчаянные депеши, нацарапанные на клочках коры и в растерянности отосланные из засасывающих джунглей. *Заболел малярией. Укусила змея. Пришлите лекарств. Карты неверны.* Он не может сообщить ничего определенного.

Но утро вечера мудренее. Он соберется с мыслями. Когда станет прохладнее. Ну а пока — спать. В ушах звенит от насекомых. Влажная жара накрывает лицо, как ладонь, и его сознание на миг вспыхивает, — он вот-вот что-то вспомнит? — а затем снова угасает.

Внезапно он просыпается. В комнате свет — в дверном проеме плавает свеча. За ней — тусклая фигура: его хозяйка в белой ночной рубашке, укутанная в выцветший платок. При свете свечи ее длинные распущенные волосы кажутся седыми.

Он натягивает на себя простыню, поскольку спит без пижамы.

— Что случилось? — спрашивает он. Наверное, он кажется недовольным, но на самом деле просто боится. Не ее, разумеется, но какого черта она делает в его спальне? Впредь нужно будет запирать дверь.

— Доктор Джордан, извините ради Бога за беспокойство, — говорит она, — но я слышала шум. Как будто кто-то пытался влезть в окно. Я испугалась.

В ее голосе нет и тени дрожи. У этой женщины очень крепкие нервы. Саймон отвечает, что спустится к ней через минуту и проверит запоры и ставни, и просит ее подождать в передней. Набрасывает на себя халат, который мгновенно прилипает к влажной коже, и в темноте пробирается к двери.

«Это нужно прекратить, — говорит он самому себе. — Так не может дальше продолжаться». Но ничего ведь не происходит — значит, нечего и прекращать.

33

СЕЙЧАС ПОЛНОЧЬ, НО ВРЕМЯ ПОЛЗЕТ ВПЕРЕД, и еще оно ходит по кругу, как луна и солнце на высоких часах в гостиной. Скоро рассветет. Скоро наступит день. Я не могу помешать тому, чтобы он наступил, как всегда, прямо на меня — всегда один и тот же день, что постоянно ходит по кругу, будто часовой механизм. Он начинается с позавчерашнего дня, потом наступает вчерашний день и наконец — сегодня. Суббота. Наступивший день. День, когда приходит мясник.

Что мне сказать доктору Джордану об этом дне? Ведь мы уже почти до него добрались. Я могу вспомнить, что сказала, когда меня арестовали, и что велел мне говорить адвокат мистер Маккензи, и чего я не рассказала даже ему, и что сказала на суде, и что говорила потом, ведь я снова изменила свои показания. И что я сказала, по словам Макдермотта, и что говорила, по мнению других, ведь всегда найдутся люди, которые вложат тебе в уста свои собственные слова: они похожи на фокусников, которые чревовещают на ярмарках и представлениях, а ты — всего лишь их деревянная кукла. Примерно так было и на суде: я сидела на скамье подсудимых, но казалось, будто я сделана из тряпья и набита опилками, а голова у меня из фарфора. Меня засунули в эту куклу, и моего собственного голоса слышно не было.

Я сказала, что помню некоторые свои поступки. Но они говорили, что я совершила и другие, а я заявила, что совершенно их не помню.

Разве он сказал: «Я видел тебя ночью на улице, в ночной сорочке, при свете луны»? Разве он спросил: «Кого ты искала? Это был мужчина?» Разве он сказал: «Я плачу хорошее жалованье, но требую взамен верной службы»? Разве он сказал: «Не волнуйся, я не расскажу твоей хозяйке, это будет нашим секретом»? Разве он сказал: «Ты хорошая девушка»?

Может, и сказал. Или, возможно, я спала.

Разве она сказала: «Не думай, будто я не знаю, что ты замыслила»? Разве она сказала: «Я заплачу тебе в субботу, и на этом покончим, можешь убираться на все четыре стороны»?

Да. Она это сказала.

Разве я присела после этого за кухонной дверью и расплакалась? Разве он меня обнял? Разве я ему позволила? Разве он спросил: «Грейс, почему ты плачешь»? Разве я сказала: «Чтоб она сдохла»?

Да нет же. Этого я, конечно, не говорила. По крайней мере, вслух. Я и вправду не желала ей смерти. Только хотела, чтобы она куда-нибудь сгинула, но того же самого она хотела и от меня.

Разве я его оттолкнула? Разве он сказал: «Скоро ты меня оценишь»? Разве он сказал: «Я поделюсь с тобой одним секретом, если ты пообещаешь его хранить. А иначе твоя жизнь не будет стоить и гроша»?

Возможно, так оно и было.

Я пытаюсь вспомнить, как выглядел мистер Киннир, чтобы рассказать о нем доктору Джордану. По крайней мере, я скажу, что он всегда был добр ко мне. Но я не могу точно вспомнить. Ведь несмотря на то, что я когда-то о нем много думала, образ мистера Киннира поблек у меня в памяти: он выцветал год за годом, как застиранное платье, и что же теперь от него осталось? Неясный узор. Пара пуговиц. Иногда голос, но вместо глаз и губ — пустота. Как же он и в самом деле выглядел при жизни? Никто об этом не писал, даже в газетах. О Макдермотте и обо мне рассказали всё: подробно описали нашу наружность и внешний вид, но ни словом не обмолвились о мистере

Киннире, поскольку убивица привлекает к себе больше внимания, нежели жертва, и все на нее таращатся. И вот теперь мистер Киннир исчез. Я представляю себе, как он спит и видит сны в своей кровати, пряча лицо под сбившейся простыней, а я утром приношу ему чай. В темноте я могу различить другие предметы, но его не вижу в упор.

Я перечисляю предметы его обихода. Золоченая табакерка, телескоп, карманный компас, перочинный ножик, золотые часы, серебряные ложки, которые я начищала, и подсвечники с фамильным гербом. «Живу упованием». Клетчатый жилет. Не знаю, куда все это подевалось.

Я лежу на жесткой и узкой койке, на тюфяке из грубого тика — так здесь называют чехлы, непонятно почему, ведь это же не часы, они не тикают. Тюфяк набит сухой соломой, которая трещит, как огонь, когда я переворачиваюсь с одного бока на другой, а когда мечусь во сне, она шепчет мне: «Тс-тс!» В этой камере темно, хоть глаз выколи, и жарко, словно в пекле. Если широко открытыми глазами пристально смотреть во тьму, через некоторое время что-нибудь непременно увидишь. Надеюсь, это будут не цветы. Но как раз в это время года они и растут: красные цветы, блестящие красные пионы, похожие на атлас и на пятна краски. Почвой им служит пустота, пустое пространство и тишина. Я шепчу: «Поговорите со мной», ведь лучше уж говорить, нежели неторопливо и молча ухаживать за садом, пока красные атласные лепестки стекают по стене.

Кажется, я сплю.

Я иду через черный ход, ощупью двигаясь вдоль стены. Почти не вижу обоев: они раньше были зеленые. Вот ведущие наверх ступени, а вот перила. Дверь спальни приоткрыта, я могу подслушивать. Босиком по ковру с красными цветами. Я знаю, ты прячешься от меня, выходи сейчас же, а не то я найду и схвачу тебя, и когда я тебя поймаю, то даже не знаю, что с тобой сделаю.

Я очень тихо стою за дверью, даже слышу, как бьется мое сердце. О нет, нет, нет!

А вот и я, вот я и пришел. Ты никогда меня не слушаешься, никогда не делаешь того, что я тебе, негодница, велю. Теперь ты будешь наказана.

Я не виновата. Что мне теперь делать, куда обратиться?

Ты должна отпереть дверь, открыть окно и впустить меня.

Ах, взгляни, взгляни на все эти рассыпанные лепестки, что ты наделал?

Кажется, я сплю.

Я на улице, ночью. Вижу деревья, тропинку и змеистую изгородь с сияющим полумесяцем, стою босиком на гравии. Но когда подхожу к фасаду дома, солнце еще только садится, и белые колонны окрашены розовым, а белые пионы пламенеют красным цветом в гаснущем вечернем свете. Руки онемели, я не чувствую кончиков пальцев. Слышен запах свежего мяса, исходящий от земли и отовсюду, хоть я и сказала мяснику, что мяса нам не нужно.

На моей ладошке — беда. Наверно, я с нею родилась. Ношу ее с собой повсюду. Когда он меня коснулся, невезение перешло на него.

Кажется, я сплю.

Я просыпаюсь от крика петуха и знаю, где нахожусь. Я в гостиной. В судомойне. В погребе. В своей камере, под грубым тюремным одеялом, которое, вероятно, подрубила сама. Все, что мы здесь носим, и все, чем пользуемся, наяву или во сне, мы делаем сами. Так что я сама соорудила эту койку и сейчас на ней лежу.

Утро, пора вставать, и сегодня я должна продолжить свой рассказ. Или рассказ должен продолжить меня, унося по дороге, которой обязан пройти до самого конца, — меня, плачущую, словно похоронная процессия, оглохшую, незрячую и крепко-накрепко запертую, хоть я и кидаюсь на стены, крича и вопя, и прошу самого Господа меня выпустить.

Когда доходишь до середины рассказа, начинается сплошная неразбериха: мрачный рев, слепота, осколки разбитого стекла и деревянные щепки, словно захваченный ураганом дом или корабль, раздавленный айсбергами либо налетевший на рифы, поскольку люди на борту не смогли его остановить. Лишь со временем это становится похоже на историю. Когда пересказываешь ее себе самой или кому-нибудь другому.

34

СÁЙМОН ПРИНИМАЕТ ОТ КОМЕНДАНТОВОЙ ЖЕНЫ чашку чаю. Он не любит чай, но считает своим общественным долгом пить его в этой стране и встречать все шуточки о «бостонском чаепитии»[1], которые отпускают чересчур часто, холодной, но снисходительной улыбкой.

Его недомогание, похоже, прошло. Сегодня он чувствует себя лучше, хоть и нуждается в отдыхе. Саймон завершил свое небольшое выступление на вторничном кружке, и ему кажется, что держался он недурно. Начал с призыва к реформе психиатрических клиник, слишком многие из которых остаются такими же запущенными и отвратительными богадельнями, как и в прошлом столетии. Это было встречено тепло. Затем он высказал несколько замечаний об интеллектуальном брожении в данной области исследований и о соперничающих школах психиатрической мысли.

Вначале Саймон рассмотрел материалистическую школу. Ее сторонники утверждают, что психические расстройства имеют органическое происхождение и вызваны повреждениями нерв-

---

[1] «Бостонское чаепитие» — эпизод борьбы английских колоний в Северной Америке за независимость. В знак протеста против беспошлинного ввоза англичанами чая в Северную Америку, что подрывало экономику колоний, члены организации «Сыны свободы» в декабре 1773 г. проникли на английские корабли в Бостонском порту и выбросили в море партию чая. Правительство Великобритании постановило закрыть порт Бостона до полного возмещения ущерба и направило в Новую Англию военные корабли. Эти меры послужили сигналом к всеобщему сопротивлению североамериканских колоний и в конечном итоге образованию США.

ной системы и головного мозга либо наследственными заболеваниями неустановленной природы, например, эпилепсией, или же заразными болезнями, включая те, что передаются половым путем. Здесь Саймон прибег к умолчанию, проявив уважение к присутствующим дамам, но все догадались, что́ же он имел в виду. Затем он описал позицию психологической школы, верившей в существование намного более сложных причин. Как, например, измерить последствия шока? Каким образом можно диагностировать амнезию при отсутствии заметных физических проявлений или некоторые необъяснимые, коренные изменения личности? Какую роль, спросил он слушателей, играет Воля, а какую — Душа? В этом месте миссис Квеннелл подалась вперед, но как только Саймон сказал, что не знает ответов на все эти вопросы, тотчас же откинулась назад.

Далее Саймон перешел к многочисленным новым открытиям, — например, бромовой терапии для эпилептиков, которая должна развенчать огромное множество ошибочных представлений и суеверий; исследованию строения головного мозга; а также использованию наркотиков как для вызывания, так и для облегчения разнообразных галлюцинаций. Первооткрыватели неустанно движутся вперед; в этой связи ему хотелось бы упомянуть бесстрашного парижского доктора Шарко[1], недавно посвятившего себя изучению истерии; а также исследование сновидений для постановки диагноза и выяснение их связи с амнезией — областью, в которую Саймон надеялся со временем внести свой посильный вклад. Все теории эти — в начальной стадии разработки, но скоро от них многого можно ожидать. Как сказал выдающийся французский философ и ученый Мен де Биран, нам предстоит открыть внутренний Новый Свет, для чего необходимо «спуститься в подземелья души».

_____

[1] Жан-Мартен Ш а р к о (1825—1893) — французский психиатр, получивший прозвище «Наполеона неврозов». Его учениками были Пьер Жане и Зигмунд Фрейд.

Девятнадцатое столетие, сказал в заключение Саймон, станет для изучения Разума таким же Веком Просвещения, каким столетие восемнадцатое было для изучения Материи. Он гордился своим скромным участием в этом колоссальном прогрессе науки.

Про себя Саймон посетовал на то, что было так чертовски жарко и влажно. Когда он закончил, то весь взмок и до сих пор ощущал болотную вонь от своих рук. Наверное, это из-за рытья: сегодня утром, перед наступлением дневной жары, он снова решил покопать.

Вторничный кружок учтиво зааплодировал, а преподобный Верринджер поблагодарил Саймона. Следует поздравить доктора Джордана, сказал он, с теми поучительными соображениями, которыми он сегодня любезно с ними поделился. Он предоставил всем немалую пищу для размышлений. Мироздание — великая загадка, но Господь наделил человека разумом, чтобы он мог лучше понять хотя бы те тайны, что все же доступны его разумению. Преподобный намекал на то, что существуют и другие, недоступные. Очевидно, это всех удовлетворило.

Затем Саймона поблагодарил каждый в отдельности. Миссис Квеннелл сказала, что он выступал с искренним жаром, — и его кольнула совесть, поскольку его главной целью было как можно скорее со всем этим покончить. Лидия, очень соблазнительная в свежем, шуршащем летнем костюме, затаив дыхание, его расхваливала и была так восхищена, что ему позавидовал бы любой мужчина, но Саймон не мог отделаться от мысли, что на самом деле она не поняла ни единого слова.

— Весьма интригующе, — говорит Джером Дюпон, подходя к Саймону. — Я заметил, что вы промолчали о проституции, которая, наряду с пьянством, несомненно, является одним из основных общественных зол, поразивших нашу эпоху.

— Я решил не затрагивать этот вопрос в присутствии дам, — отвечает Саймон.

— Разумеется. Но мне интересно узнать ваше мнение касательно утверждения некоторых наших европейских коллег о том, что склонность к проституции является формой умопомешательства. Они связывают ее с истерией и неврастенией.

— Я знаю об этом, — говорит Саймон с улыбкой. В студенческие годы он доказывал, что, если у женщины нет другого выхода, кроме как умереть с голоду, заняться проституцией или прыгнуть с моста, то проститутку, проявившую наиболее стойкий инстинкт самосохранения, следует считать более сильной и психически здоровой, нежели ее более слабых и уже почивших сестер. Саймон указывал на противоречивость подобных теорий: если женщину соблазнили и бросили, следовательно, она сошла из-за этого с ума; если же она уцелела и занимается в свою очередь соблазнением других, то считается, что она была сумасшедшей изначально. Саймон говорил, что данный ход рассуждений представляется ему довольно сомнительным, и благодаря этому получал репутацию либо циника, либо пуританина-лицемера, в зависимости от аудитории.

— Лично я, — говорит доктор Дюпон, — склонен относить проституцию к той же категории, что и мания убийства и религиозный фанатизм. Все это можно рассматривать как вышедшую из-под контроля страсть к лицедейству. Подобные явления иногда наблюдаются в театре, среди актеров, утверждающих, будто они превращаются в персонажей, которых играют. Этому особенно подвержены оперные певицы. Известна некая Люсия, в самом деле убившая своего любовника.

— Интересная гипотеза, — говорит Саймон.

— Вы не желаете себя компрометировать, — продолжает доктор Дюпон, глядя на Саймона темными блестящими глазами. — Но вы же не станете отрицать, что женщины в целом обладают более хрупкой нервной организацией и, следовательно, большей внушаемостью.

— Возможно, — отвечает Саймон. — Конечно, это общепринятое мнение.

— Благодаря этому их, к примеру, намного легче загипнотизировать.

«Ага, — думает Саймон. — У каждого свой конек. Теперь он уселся на своего».

— Как поживает ваша прекрасная пациентка, если вы разрешите мне так ее назвать? — спрашивает доктор Дюпон. — Каковы ваши успехи?

— Пока ничего определенного, — отвечает Саймон. — Есть несколько возможных способов исследования, которые я надеюсь применить.

— Я был бы весьма польщен, если бы вы позволили мне испытать мой собственный метод. Просто в виде эксперимента или, если хотите, демонстрации.

— В моей работе наступил решающий момент, — говорит Саймон. Ему не хочется показаться невежливым, но он не желает, чтобы этот человек вмешивался в его дела. Грейс — его территория, и он должен защищать ее от браконьеров. — Это может ее расстроить и свести на нет долгие недели тщательной подготовки.

— Как вам будет угодно, — говорит доктор Дюпон. — Я рассчитываю остаться здесь по меньшей мере еще на месяц. И с удовольствием окажу вам помощь.

— Сдается мне, вы остановились у миссис Квеннелл, — уточняет Саймон.

— Невероятно щедрая хозяйка! Правда, она страстно увлечена спиритизмом, впрочем, как многие в наше время. Совершенно безосновательная система, уверяю вас. Но люди, потерявшие своих близких, так легко поддаются обману.

Саймон едва сдерживает себя, чтобы не сказать, что в подобных уверениях не нуждается:

— Вы присутствовали на ее... вечерах, то бишь сеансах?

— На парочке. Ведь я же как-никак гость, к тому же указанные заблуждения представляют большой интерес для клинициста. Однако миссис Квеннелл вовсе не открещивается от науки и даже готова финансировать серьезные исследования.

— Ах вот как! — восклицает Саймон.

— Ей хотелось бы провести сеанс нейрогипноза с мисс Маркс, — вкрадчиво говорит доктор Дюпон. — От имени Комиссии. У вас не будет возражений?

«Черт бы их всех побрал, — думает Саймон. — Наверное, они уже теряют терпение, думают, я слишком все затянул. Но если они будут соваться не в свое дело, спутают мне карты и все испортят. Почему нельзя предоставить мне полную свободу действий?»

Сегодня вторничное собрание, и поскольку доктор Джордан на нем выступает, я не видела его после обеда, потому что ему нужно было подготовиться. Жена коменданта спросила, не могут ли меня оставить здесь еще ненадолго, ведь у них не хватает рук, и ей хотелось бы, чтобы я помогла с закусками, как это нередко случалось. Конечно, это была просьба лишь по виду, и старшей сестре ничего не оставалось, кроме как согласиться. А я могла поужинать после этого на кухне, точь-в-точь как настоящая служанка, поскольку к тому времени, когда я вернусь в тюрьму, ужин там уже закончится. Я ждала этого с нетерпением: мне сразу вспомнились старые времена, когда я могла свободно приходить и уходить, а в моей жизни было больше разнообразия, и я с радостью предвкушала разные угощения.

Однако я знала, что придется смириться с пренебрежительным отношением, косыми взглядами и злобными замечаниями. Не от Клэрри, которая всегда была моей хоть и молчаливой, но все же подругой, и не от кухарки, которая успела ко мне привыкнуть. Однако одна из живущих наверху служанок меня терпеть не может, потому что, в отличие от нее, я в этом доме уже давно, знакома с его обычаями, а мисс Лидия и мисс Марианна мне доверяют. А она так и норовит упомянуть про убийство, удушение и прочие страсти. Есть еще Дора, которая приходит помочь в прачечной, но работает непостоянно, так что у нее почасовая оплата. Это крупная женщина с сильными руками — как раз носить тяжелые корзины с мокрыми простынями. Но подруга она ненадежная, поскольку вечно рассказывает небылицы о своих прежних хозяевах, которые, по ее словам, никогда не платили ей жалованья и, кроме того, возмутительно себя вели: хозяин от пьянки превратился в полного идиота и не раз ставил жене синяки под глазами, а сама она по любому случаю падала в обморок, так что Дора не удивилась бы, если бы причиной ее хандры и головных болей тоже оказалось пьянство.

Но хотя Дора все это рассказывает, она согласилась туда вернуться и снова принялась за работу. И когда кухарка ее спросила, почему она это сделала, раз уж они такие бесчестные люди, Дора подмигнула и ответила, что за деньги и кляча поскачет, а молодой доктор, который там столуется, заплатил ей задержанное жалованье и едва ли не на коленях умолял вернуться, потому что не смог найти никого ей на замену. А он любит тишину и покой, и чтобы вещички были чистыми да опрятными, и согласен за это платить, а хозяйка и не в состоянии, ведь муженек от нее сбежал, и теперь она всего-навсего соломенная вдова, да к тому же — нищенка. И Дора сказала, что она больше не будет слушаться ее распоряжений, поскольку она всегда была придирчивой и капризной хозяйкой, а станет повиноваться только доктору Джордану, ведь кто платит, тот и музыку заказывает.

Правда, от него тоже мало проку, продолжает Дора, как и все врачи, он похож на отравителя с этими своими пузырьками, микстурами да пилюлями, и она каждый день возносит хвалы благому Боженьке за то, что не сделал ее старой богатой дамой у него на попечении, а не то давно бы ей уже не жить на белом свете. И еще у него странная привычка копаться в огороде, хотя уже поздно что-нибудь сажать, однако он трудится вовсю, что твой могильщик, и перерыл уже почти весь двор. А потом ей приходится подметать землю, которую он наносит в дом, отстирывать от грязи его рубашки и греть ему воду для ванны.

Я с удивлением поняла, что этот доктор Джордан, о котором она говорит, и есть мой доктор Джордан, и меня разобрало любопытство, ведь я не знала всего этого о его хозяйке, да и вообще ничего о ней не знала. Поэтому я спросила Дору, что же она за женщина, и Дора ответила: тощая, что твоя жердь, и бледная, как покойница, с длинными волосами, такими желтыми, что почти аж седыми, но несмотря на это и на все ее кривлянье, она та еще пташка, хотя у Доры пока еще и не было никаких доказательств. Но у этой миссис Хамфри глаза так и зыркают, и она постоянно дергается, а две эти вещи завсегда означают жаркую работенку за запертыми дверьми, и доктору Джордану впору поостеречься, ведь если она и видала когда-нибудь желание сорвать с мужика штаны, так только в глазах миссис Хамфри. И сейчас они каждое утро вместе завтракают, что кажется Доре ненормальным. Я посчитала это грубостью — по крайней мере, ее слова про штаны.

И тогда я подумала про себя: если она рассказывает такое за спиной о своих хозяевах, то что же, Грейс, расскажет она о тебе? Я заметила, как она посматривает на меня своими розовыми глазками и придумывает, какую несусветную чепуху рассказать своим подругам, если, конечно, они у нее есть. Например, о том, как она пила чай со знаменитой убивицей, которую по справедливости давно уже пора было бы вздернуть на виселицу, а тело отдать врачам, чтобы они разрубили его на кусочки, как разделывают тушу мясники. А все, что от меня после этого останется, следует завернуть в узелок, будто пудинг на нутряном сале, и оставить гнить в позорной могиле, на которой не вырастет ничего, кроме чертополоха да крапивы.

Но я из последних сил сохраняла спокойствие и молчала. Ведь если бы я с ней подралась, то почти наверняка знаю, кого бы во всем обвинили.

Мы получили распоряжение прислушиваться, когда закончится собрание, о чем можно будет судить по аплодисментам и благодарственной речи доктору Джордану за поучительные соображения, с которой обращаются к каждому, кто выступает в таких случаях. Это послужит нам знаком, чтобы вносить закуски, и поэтому одной из служанок велели подслушивать у двери гостиной. Через некоторое время она спустилась и сказала, что доктора Джордана благодарят, так что мы сосчитали до двадцати, а потом отправили наверх первый чайник и первые подносы с пирожными. Меня оставили внизу нареза́ть бисквитный торт и раскладывать куски на круглом блюде, и комендантша дала указание, чтобы посередине сделали одну или две розочки, и это выглядело очень аппетитно. Потом мне сказали, что я должна подать это блюдо сама, — и, хотя это показалось мне странным, я прибрала волосы и понесла торт вверх по лестнице, а затем внесла его в гостиную, не ожидая никаких неприятностей.

Там среди прочих была миссис Квеннелл с волосами, похожими на пуховку для пудры, одетая в розовый муслин, что для ее возраста слишком нескромно; жена коменданта в сером платье; преподобный Верринджер, как обычно, смотревший на всех свысока; доктор Джордан, немного бледный и вялый, как будто после выступления он обессилел; и мисс Лидия в том платье, которое я помогла ей сшить, красивая, как картинка.

Но кого же еще я увидела перед собой — прямо на меня с едва заметной улыбкой смотрел коробейник Джеремайя! Его волосы и борода были подстрижены, и он вырядился, как джентльмен, в песочный костюм красивого покроя, с золотой цепочкой от часов поперек жилета. Он держал чашку чаю тем самым жеманным барским жестом, каким когда-то передразнивал господ на кухне у миссис ольдермен Паркинсон, но я узнала бы его по любому.

Я так поразилась, что даже негромко вскрикнула и замерла как вкопанная, разинув от удивления рот, будто пикша, и чуть не уронила блюдо: несколько кусков торта, правда, соскользнули на пол вместе с розочками. Но лишь после того как Джеремайя поставил чашку и приложил указательный палец к губам, словно бы почесывая им нос, чего, как мне кажется, никто не заметил, — лишь после этого все посмотрели на меня. По его жесту я поняла, что мне нужно запереть рот на замок и ничего не говорить, иначе я его выдам.

И я промолчала, лишь извинившись за то, что уронила торт, а затем поставила блюдо на боковой столик и опустилась на колени, чтобы собрать упавшие куски в передник. Но жена коменданта произнесла:

— Оставь это пока, Грейс, я хочу тебя кое с кем познакомить. — И она взяла меня за руку и повела вперед. — Это доктор Джером Дюпон, — сказала она, — известный практикующий врач. — А Джеремайя кивнул мне и поздоровался:

— Здравствуйте, мисс Маркс. — Я все еще была смущена, но мне удалось сохранить самообладание. Жена коменданта сказала ему:

— Она часто пугается незнакомцев. — И мне: — Доктор Дюпон — наш друг, он не причинит вам вреда.

После чего я чуть было громко не рассмеялась, но вместо этого сказала:

— Да, мэм, — и потупилась в пол. Наверно, она боялась повторения того раза, когда сюда приходил доктор, измеряющий голову, а я со страху так раскричалась. Но ей не стоило волноваться.

— Я должен посмотреть ей в глаза, — сказал Джеремайя. — Они часто указывают на то, насколько эффективной окажется процедура. — Он приподнял мой подбородок, и мы взглянули друг на друга. — Очень хорошо, — произнес он торжественно и размеренно, словно и вправду был тем, за кого себя выдавал, и я не могла им не восхититься. Потом он спросил: — Грейс, вас когда-нибудь гипнотизировали? — При этом он не выпускал мой подбородок из рук, чтобы дать мне время успокоиться и прийти в себя.

— Конечно, нет, сэр, — ответила я с некоторым возмущением. — Я даже толком не знаю, что это такое.

— Это чисто научная процедура, — сказал он. — Согласны ли вы ее испробовать, если это поможет вашим друзьям и Комитету, решившему, что это необходимо? — Он немного сдавил мой подбородок и очень быстро поводил глазами вверх-вниз, чтобы дать мне понять, что я должна согласиться.

— Я сделаю все, что в моих силах, сэр, — ответила я.

— Что ж, прекрасно, — сказал он напыщенно, будто настоящий доктор. — Но для того, чтобы все прошло успешно, вы должны мне доверять. Как по-вашему, вы способны на это, Грейс?

Все присутствующие: преподобный отец Верринджер и мисс Лидия, миссис Квеннелл и жена коменданта — ободряюще мне заулыбались.

— Я постараюсь, сэр, — сказала я.

Затем подошел доктор Джордан и сказал, что, по его мнению, на сегодняшний день волнений для меня довольно и следует позаботиться о моих нервах, поскольку они слабые и могут расшататься. И Джеремайя ответил:

— Конечно-конечно. — Но он казался очень довольным собой. И хоть я уважала доктора Джордана и он был добр ко мне, мне показалось, что по сравнению с Джеремайей вид у него неважнецкий — как у человека на ярмарке, которому залезли в карман, но он сам еще об этом не догадывается.

А сама я чуть весело не рассмеялась, ведь Джеремайя проделал обычный фокус, словно вынул из моего уха монетку или притворился, что проглотил вилку. Подобные фокусы он всегда показывал у всех на виду, и люди смотрели за ним в оба, но так и не могли вывести его на чистую воду. То же самое он вытворил здесь, договорившись со мной прямо у них на глазах, а они так ничего и не поняли.

Но потом я вспомнила, что когда-то он путешествовал под видом месмериста и занимался на ярмарках целительством и ясновидением, так что действительно был знаком с этим искусством и, возможно, погрузил меня в транс. И это заставило меня вдруг остановиться да призадуматься.

35

— МЕНЯ НЕ ВОЛНУЕТ, ВИНОВНЫ ВЫ ИЛИ НЕТ, — говорит Саймон. — Я врач, а не судья. Я просто хочу знать, что вы сами в действительности помните.

Они наконец подошли к убийствам. Саймон пересмотрел все имеющиеся в его распоряжении документы: судебные протоколы, газетные заметки, «Признания» и даже непомерно раздутый отчет миссис Муди. Он полностью подготовился и напряжен, как струна: от того, как он поведет себя сегодня, зависит, расколется ли наконец Грейс, раскрыв свои припрятанные сокровища, или же, наоборот, испугается и спрячется, как улитка.

Сегодня он принес с собой не овощ, а серебряный подсвечник, переданный преподобным Верринджером и похожий, — как надеется Саймон, — на те подсвечники, которыми пользовались в Киннировом доме: один из них похитил Джеймс Макдермотт. Саймон еще его не вынул: подсвечник лежит в плетеной корзине, — на самом деле в лукошке для покупок, позаимствованном у Доры; корзину он поставил не на самом видном месте, рядом со стулом. Саймон пока не знает, что делать с подсвечником.

Грейс продолжает стежку. Она не поднимает глаз.

— Никого это раньше не волновало, сэр, — говорит она. — Мне сказали, что я должна лгать: все хотели узнать как можно больше. Кроме адвоката мистера Кеннета Маккензи. Но я уверена, что даже он не верил мне.

— Я поверю вам, — произносит Саймон. Он понимает, что это будет довольно трудно.

Грейс немного поджимает губы, хмурится и молчит. Тогда он приступает:

— Мистер Киннир уехал в четверг в город, не так ли?

— Да, сэр, — подтверждает Грейс.

— В три часа? Верхом?

— Ровно в три, сэр. Он должен был вернуться в субботу. Я была на улице и обрызгивала льняные носовые платки, разложенные на солнце для отбеливания. Макдермотт подвел к нему лошадь. Мистер Киннир уехал на Чарли, потому что коляска находилась в деревне, где ее перекрашивали.

— Он что-нибудь вам сказал?

— Да, он сказал: «Вот твой любимый кавалер, Грейс, иди поцелуй его на прощанье».

— Имея в виду Джеймса Макдермотта? Но ведь Макдермотт никуда не уезжал, — говорит Саймон.

Грейс поднимает голову — лицо ее непроницаемо, едва ли не презрительно:

— Он имел в виду лошадь, сэр. Он знал, что я очень люблю Чарли.

— И что же вы сделали?

— Я подошла, сэр, и погладила Чарли по носу. Но Нэнси, выглянув из двери зимней кухни, услыхала, что он сказал, и ей это не понравилось. Макдермотту тоже. Но в этом не было ничего худого. Мистер Киннир просто любил меня дразнить.

Саймон глубоко вздыхает:

— Мистер Киннир всегда непристойно с вами заигрывал, Грейс?

Она снова глядит на него, на сей раз слабо улыбаясь:

— Не знаю, что вы разумеете под непристойностями, сэр. Он никогда со мной не сквернословил.

— Он когда-нибудь до вас дотрагивался? Позволял себе вольности?

— Только обычные вещи, сэр.

— Обычные? — переспрашивает Саймон. Он в недоумении. Не знает, как спросить, чтобы не показаться слишком откровенным: ведь Грейс такая скромница.

— Ну, со служанкой, сэр. Он был очень добрым хозяином, — чопорно отвечает Грейс. — И при желании мог расщедриться.

Саймона снедает нетерпение. Что же она имеет в виду? Что ей платили за услуги?

— Он лез к вам под одежду? — спрашивает он. — Вы ложились на спину?

Грейс вскакивает.

— Всё, с меня довольно! — восклицает она. — И я не намерена здесь больше оставаться. Вы такой же, как все эти врачи в больнице, как тюремные капелланы и доктор Баннерлинг с его развратными мыслями!

Саймон так ничего и не узнал, но вынужден извиниться.

— Сядьте, пожалуйста, — говорит он, когда Грейс успокаивается. — Давайте вернемся к событийной цепочке. Мистер Киннир уехал в три часа в четверг. Что же произошло потом?

— Нэнси сказала, что послезавтра мы оба должны уйти, и что у нее есть деньги, чтобы с нами рассчитаться. Она добавила, что мистер Киннир с ней согласен.

— Вы этому поверили?

— Насчет Макдермотта поверила. А насчет себя — нет.

— Нет? — переспрашивает Саймон.

— Она боялась, что я приглянусь мистеру Кинниру. Как я уже говорила, сэр, она была в положении, а мужчины часто меняют женщину в положении на другую, не в тягости — точно так же бывает с коровами и кобылами. А если это произойдет, она вместе со своим ублюдочком окажется на улице. Просто она хотела, чтобы я ей не мешала и ушла, пока не вернулся мистер Киннир. Думаю, он об этом даже не догадывался.

— Что же вы тогда сделали, Грейс?

— Я расплакалась, сэр. Прямо на кухне. Мне не хотелось уходить, и к тому же у меня не было нового места. Все случилось так неожиданно, что мне было некогда его искать. И я боялась, что она мне вообще не заплатит и уволит без рекомендации, — ну и что же мне тогда делать? Макдермотт этого тоже боялся.

— А что потом? — спрашивает Саймон, когда она замолкает.

— В это самое время, сэр, Макдермотт сказал, что у него есть секрет, и я пообещала его не выдавать. И знаете, сэр, если уж я пообещала, то должна сдержать слово. Потом он сказал, что собирается ударить Нэнси топором, а потом задушить, и еще застрелить мистера Киннира, когда тот вернется домой, и забрать все ценные вещи. А я должна ему помочь и уйти вместе с ним — так будет лучше, потому что иначе во всем обвинят меня. Если бы я так не расстроилась, то посмеялась бы над ним, но я промолчала, и сказать по правде, мы вместе выпили пару рюмок виски мистера Киннира, ведь почему бы нам и не угоститься, раз уж нас в любом случае прогоняют? Нэнси поехала к Райтам, так что мы наслаждались полной свободой.

— Вы поверили в то, что Макдермотт сделает все, как сказал?

— Не совсем, сэр. С одной стороны, я подумала, что он просто бахвалится, мол, какой он славный и способен на все, — с ним такое бывало во хмелю, и мой отец был точно таким же. Но в то же время мне показалось, что он говорит серьезно, и я его испугалась. У меня было такое предчувствие, что это судьба, и ее не миновать, что бы я ни делала.

— Вы никого не предупредили? Саму Нэнси, когда она вернулась из гостей?

— А с чего ей доверять мне, сэр? — отвечает Грейс. — Если бы я обо всем рассказала, то выглядела бы полной дурой. Нэнси решила бы, что я хочу ей отомстить, потому что она велела мне уходить, или что это обычная ссора между слугами, и я хочу сквитаться с Макдермоттом. Это же просто мои слова, которые он мог без труда опровергнуть, сказав, что я — глупая истеричная девчонка. В то же время, если Макдермотт действительно не шутил, он мог убить нас обоих, а я не хотела, чтобы меня убили. Лучше всего попытаться его задержать, пока не вернется мистер Киннир. Вначале Макдермотт сказал, что сделает это в ту же ночь, но я его отговорила.

— Как вам это удалось? — спрашивает Саймон.

— Я сказала, что если убить Нэнси в четверг, придется объяснять каждому встречному, где она пробыла целых полтора дня. Если же сделать это позже, возникнет меньше подозрений.

— Понимаю, — говорит Саймон. — Весьма разумно.

— Пожалуйста, не смейтесь надо мной, сэр, — с достоинством произносит Грейс. — Это огорчает меня вдвойне, если учесть, о чем вы просите меня вспомнить.

Саймон отвечает, что и не думал над ней смеяться. Ему кажется, что он то и дело перед ней извиняется.

— И что же случилось потом? — спрашивает он, пытаясь казаться доброжелательным и не слишком нетерпеливым.

— Потом Нэнси вернулась из гостей и казалась очень веселой. Вспылив, Нэнси всегда делала вид, будто ничего не произошло и мы с ней лучшие подруги — по крайней мере, когда рядом не было мистера Киннира. Поэтому она вела себя так, будто вовсе не велела нам убираться и не говорила резкостей, так что все шло, как обычно. Мы поужинали втроем на кухне холодной ветчиной и салатом из огородных помидоров и лука, а она все время смеялась и болтала. Макдермотт был угрюм и молчалив, но это его обычное настроение. Потом мы с Нэнси пошли спать вместе, как поступали всякий раз, когда мистера Киннира не было дома, потому что Нэнси боялась грабителей, и она так ничего и не заподозрила. Но я хорошенько заперла дверь спальни.

— Зачем?

— Я же говорила, что всегда запирала на ночь дверь. А тут еще Макдермотт вздумал бродить ночью по дому с топором. Хотел зарубить Нэнси во сне. Я сказала, чтобы он этого не делал, потому что может по ошибке зашибить меня, но его трудно было переубедить. Он сказал, что не хочет, чтобы она смотрела на него, когда он будет это делать.

— Это можно понять, — сухо говорит Саймон. — А что произошло потом?

— Ох, сэр, если смотреть со стороны, пятница началась замечательно. Нэнси была радостной и беспечной и вовсе нас не бранила — точнее, бранила меньше обычного. И даже Макдермотт был не таким угрюмым, ведь я ему сказала: если он будет ходить с таким хмурым видом, Нэнси уж точно заподозрит, что он затеял неладное.

В середине дня пришел с флейтой молодой Джейми Уолш, которого пригласила Нэнси. Она сказала, что раз мистер Киннир уехал, мы устроим вечеринку, чтобы это отметить. Даже не знаю, что она собиралась отмечать, но когда Нэнси была в хорошем настроении, то очень оживлялась, любила песни и танцы. Мы чудесно поужинали холодной жареной курицей, запивая ее пивом, а потом Нэнси велела Джейми сыграть для нас на флейте. И он спросил меня, какую мелодию мне хотелось бы услышать. Он был очень добр ко мне и внимателен, что не понравилось Макдермотту, который сказал, чтобы Джейми перестал строить мне глазки, потому что его от этого с души воротит, и бедный мальчик весь залился краской. Тогда Нэнси велела Макдермотту не подначивать парня, разве он сам не помнит, как был когда-то мальцом? И она пообещала Джейми, что он вырастет статным мужчиной, — Нэнси всегда могла что-нибудь такое сказать, — намного красивее вечно сердитого и недовольного Макдермотта, да и вообще встречают по одежке, а провожают по уму. И Макдермотт глянул на нее с нескрываемой ненавистью, но она сделала вид, что этого не заметила. Потом она отправила меня в погреб принести еще виски, поскольку мы уже осушили стоявшие наверху графины.

После этого мы смеялись и пели, вернее, смеялась и пела Нэнси, ну а я с нею за компанию. Мы пели «Розу Трали», и я вспомнила Мэри Уитни. Мне стало так грустно, что ее со мной нет, ведь она посоветовала бы мне, что нужно делать, и помогла бы выпутаться из неприятностей. Макдермотт не пел, потому что был в мрачном настроении, и не захотел танцевать, когда Нэнси стала его уговаривать, сказав, что теперь у него есть возможность показать, какой он проворный танцор. Она хотела, чтобы все мы расстались друзьями, но у Макдермотта душа к танцам не лежала.

Через какое-то время вечеринка выдохлась. Джейми признался, что устал играть, и Нэнси сказала, что пора на покой. А Макдермотт заявил, что проводит Джейми через поля, — наверно, чтобы доставить его домой в целости и сохранности. Когда Макдермотт вернулся, мы с Нэнси уже поднялись наверх, в комнату мистера Киннира, и крепко заперли дверь.

— В комнате мистера Киннира? — переспрашивает Саймон.

— Это была затея Нэнси, — отвечает Грейс. — Она сказала, что его кровать шире и прохладнее в жаркую погоду, а я во сне брыкаюсь. Да и в любом случае, мистер Киннир ничего не заметит, ведь застилает постель не он, а мы сами, и даже если он об этом узнает, то ни слова не скажет, и ему даже понравится, что у него в кровати побывали сразу две служанки. Нэнси выпила несколько рюмок виски, и язык у нее стал как помело.

Но я все же предупредила Нэнси, сэр. Пока она расчесывала волосы, я сказала:

— Макдермотт хочет вас убить. — Она засмеялась и ответила:

— Еще бы! Я тоже не прочь его убить. Ведь мы друг друга терпеть не можем.

— Он серьезно, — сказала я.

— Он никогда ничего не говорит серьезно, — безразлично отрезала она. — Только хвастает да бахвалится, и все это пустая болтовня.

И тогда я поняла, что мне ее не спасти.

Как только она легла в постель, так сразу же и уснула. А я сидела и расчесывала волосы при одной-единственной свече, и на меня смотрели голые женщины на картинах: та, что принимала на улице ванну, и другая, с павлиньими перьями. Обе они мне улыбались, но их улыбки мне не нравились.

В ту ночь мне приснилась Мэри Уитни. Это было не впервой, она приходила и раньше, но никогда ничего не говорила. Мэри развешивала белье и смеялась, чистила яблоко или пряталась на чердаке, за висящей на веревке простыней, — все это она обычно делала, пока с нею не стряслась беда. И когда она мне снилась, я просыпалась спокойной, как будто она по-прежнему жива и счастлива.

Но это были картины прошлого. А в тот раз она пришла ко мне в спальню мистера Киннира. Мэри стояла возле кровати в ночной рубашке и с распущенными волосами, какой ее похоронили, и в левом ее боку я заметила ярко-красное сердце, проступавшее сквозь белую одежду. Но потом я увидела, что это никакое не сердце, а красный войлочный игольник, который я сшила ей на Рождество, а потом положила в гроб, под цветы и рассыпанные лепестки. И я обрадовалась, что игольник по-прежнему с ней и она меня не забыла.

Она держала в руке стеклянный стакан, а внутри него холодным зеленоватым огнем бился светлячок. У Мэри было очень бледное лицо, но она взглянула на меня и улыбнулась. А потом убрала со стакана ладонь, светлячок вылетел и заметался по комнате. И я знала, что это ее душа, которая пыталась вылететь, но окно было закрыто, и я не видела, куда она потом делась. После этого я проснулась, и горькие слезы текли у меня по щекам, потому что я потеряла Мэри во второй раз.

Я лежала в темноте, а рядом дышала во сне Нэнси, и я слышала, как устало бьется мое сердце, будто оно тащится по длинной, утомительной дороге. Я обречена шагать по ней помимо своей воли, и никто не скажет, когда я доберусь до ее конца. Я боялась снова заснуть и увидеть еще один такой же сон, и мои страхи вовсе не были напрасными, потому что на деле так и случилось.

В этом новом сне я шла по какому-то незнакомому месту, окруженному высокими каменными стенами, серыми и холодными, как камни в деревне по ту сторону океана, где я родилась. Землю устилала серая галька, а из гравия росли пионы. Они взошли с бутонами на стеблях, маленькими и твердыми, как зеленые яблочки, и эти бутоны потом распустились большими, темно-бордовыми цветами с блестящими атласными лепестками. И вот наконец цветы облетели на ветру и опали на землю.

Если не считать красного цвета, они были похожи на пионы в палисаднике в день моего приезда к мистеру Кинниру, когда Нэнси срезáла последние цветы. Я видела ее во сне такой же, как тогда: в светлом платье с розовыми бутонами, в юбке с тройными оборками и в соломенной шляпке, закрывавшей лицо. В руке она держала неглубокую корзинку, куда складывала цветы, а потом обернулась и в испуге схватилась за горло.

После этого я снова шагала по каменному двору, а носки моих туфель то появлялись, то исчезали под краем бело-голубой юбки. Я знала, что раньше у меня никогда не было такой юбки, и при виде нее меня охватила тяжелая безысходность. Но пионы по-прежнему росли из камней, и я знала, что их здесь быть не должно. Я протянула руку дотронуться до одного — на ощупь он сухой. И я поняла, что цветы матерчатые.

Потом я увидела впереди Нэнси — она стояла на коленях, с распущенными волосами, и кровь затекает ей в глаза. У нее на шее повязан белый хлопчатобумажный платок в синий цветочек, «девица в зелени», и этот платок — мой. Она протягивала ко мне руки, моля о пощаде, а в ушах у нее висели золотые сережки, которым я когда-то завидовала. Мне захотелось броситься к ней на помощь, но у меня не хватило сил. И мои ноги шли все тем же размеренным шагом, будто и вовсе не принадлежали мне. Когда я почти уже поравнялась с Нэнси, она стояла на коленях и улыбалась одними губами, ведь глаза ее были залиты кровью и скрыты волосами. А потом она рассыпалась на пестрые лоскутки, что закружились по камням, подобно красным матерчатым лепесткам.

Затем вдруг стало темно, и во мраке стоял мужчина со свечой в руке, загораживая ведущую наверх лестницу. Меня окружали стены подвала, и я знала, что мне оттуда никогда не выбраться.

— Вам это приснилось до убийства? — спрашивает Саймон. Он лихорадочно записывает.

— Да, сэр, — отвечает Грейс. — И потом повторялось много раз... — Ее голос понижается до шепота. — Поэтому меня и упекли...

— Упекли? — переспрашивает Саймон.

— В Лечебницу, сэр. Из-за кошмаров. — Она отложила в сторону шитье и смотрит на свои руки.

— Только из-за снов? — осторожно спрашивает Саймон.

— Мне сказали, что это никакие не сны, сэр. Сказали, что я не спала. Но я не хочу больше об этом говорить.

36

СУББОТНИМ УТРОМ Я ПРОСНУЛАСЬ на рассвете. В курятнике хрипло и визгливо кричал петух, как будто кто-то сжимал его шею мертвой хваткой, и я подумала: «Знаешь, видать, что скоро угодишь в кастрюлю. Скоро станешь тушкой». И хотя думала я о петухе, не стану отрицать, что имела в виду и Нэнси. Звучит жестоко — возможно, так оно и есть. Я себя чувствовала легко и отрешенно, словно тело мое еще оставалось здесь, а самой меня уже не было.

Я знаю, что это странные мысли, сэр, но я не хочу лгать и скрывать их, хотя без труда могла бы это сделать, поскольку никому раньше об этом не говорила. Я хочу рассказать обо всем, что со мной происходило, а меня посетили именно эти мысли.

Нэнси еще спала, и я постаралась ее не будить. Мне казалось, что ей можно поспать еще, и чем дольше она не встанет, тем позже случится непоправимое — с нею или же со мной. Когда я осторожно вылезла из кровати мистера Киннира, она простонала и заворочалась, и я решила, что ей снится кошмар.

Накануне вечером я надела ночную рубашку в своей комнате рядом с зимней кухней, а потом уж поднялась со свечой наверх, и теперь зашла к себе и оделась, как обычно. Все было прежним и в то же время другим — и когда я пошла умыться и причесаться, лицо в зеркале над раковиной показалось мне совсем чужим. Круглее и белее, с большими, испуганно вытаращенными глазами, и смотреть мне на него не хотелось.

Я вошла в кухню и отперла ставни. На столе с вечера остались стаканы и тарелки, и у них был такой одинокий и несчастный вид, будто всех, кто пил и ел из них, внезапно постигло какое-то большое горе, — и вот я случайно наткнулась на них много лет спустя. Мне стало очень грустно. Я собрала их и отнесла в судомойню.

Когда я вернулась обратно в кухню, там разливался странный свет, словно бы все вещи покрылись серебристой пленкой, похожей на иней, только гладкой, как вода, тонким слоем растекающаяся по плоским камням. И тогда с моих глаз упала пелена, и я поняла, что в дом вошел Бог, и это было серебро, которым покрыты Небеса. Бог вошел к нам потому, что Он пребывает везде, и Его нельзя не впустить, поскольку Он есть во всем сущем, и если даже построить стену или четыре стены, поставить дверь или затворить окно, Он пройдет сквозь них, как сквозь воздух.

Я спросила:

— Что Тебе здесь нужно? — Но Он не ответил, а просто остался серебром, поэтому я вышла подоить корову, ведь при Боге можно лишь делать свою работу, поскольку Его нельзя остановить и добиться каких-нибудь объяснений. При Боге нужно просто чем-нибудь заниматься, не задавая Ему никаких вопросов.

Вернувшись с ведрами молока, я увидела на кухне Макдермотта. Он чистил обувь.

— Где Нэнси? — спросил он.

— Одевается, — ответила я. — Ты собираешься ее убить сегодня утром?

— Да, — сказал он, — будь она проклята. Сейчас же возьму топор и пойду стукну ее по голове.

Я накрыла его руку ладонью и заглянула ему в лицо.

— Ты ведь не сделаешь этого, правда? Зачем брать такой грех на душу? — сказала я.

Но он меня не понял, решив, что я хочу его раздразнить. Он думал, что я считаю его трусом.

— Сейчас увидишь, на что я способен, — сердито сказал он.

— Ради Бога, не убивай ее в комнате, — попросила я, — а то весь пол будет в крови. — Это прозвучало глупо, но больше ничего мне в голову не пришло, ведь вы же знаете, сэр, что я мыла полы в доме, а в комнате Нэнси лежал ковер. Я никогда не пробовала отстирать от крови ковер, но выводила ее с других вещей, а это вам не баран чихнул.

Макдермотт презрительно глянул на меня, как на полоумную: наверно, я и впрямь была на нее похожа. Потом он вышел из дома и взял топор, лежавший рядом с чурбаном для колки дров.

Я не могла придумать, чем мне заняться. Наконец пошла на огород нарвать лука, потому что Нэнси велела приготовить на завтрак омлет. На тугих листьях салата вышивали свои кружева улитки. Я опустилась на колени и стала рассматривать их глазки на тоненьких стебельках. Потянулась за луком, и мне почудилось, что моя рука — всего лишь скорлупка или кожа, под которой росла чья-то чужая рука.

Я попробовала помолиться, но не смогла подобрать нужных слов, и мне кажется — причина в том, что я пожелала Нэнси зла, ведь я и впрямь желала ей смерти, но только не в ту минуту. Однако зачем мне было молиться, если Бог — прямо тут, витал над нами, будто Ангел Смерти над египтянами: я ощущала его холодное дыхание и слышала в своем сердце биение его темных крыл. Бог — везде, подумала я, и значит, Он — на кухне, в Нэнси, в Макдермотте и в его руках, и значит, Он — в топоре.

Потом я услыхала донесшийся из дома глухой стук, будто затворилась тяжелая дверь, а после этого на время впала в беспамятство.

— Вы ничего не помните про погреб? — спрашивает Саймон. — Про то, как Макдермотт подтащил Нэнси за волосы к люку и сбросил ее вниз по ступенькам? Об этом же сказано в вашем «Признании».

Грейс стискивает руками голову:

— Они хотели, чтобы я так сказала. Мистер Маккензи говорил, что так нужно, чтобы спасти мне жизнь. — Она дрожит. — Он сказал, что это не ложь, ведь все должно было произойти именно так, если я даже об этом и не помню.

— Вы сняли с шеи косынку и дали ее Джеймсу Макдермотту? — Саймон похож на адвоката в зале суда, ему это не нравится, но он слишком торопится.

— Ту, которой задушили бедняжку Нэнси? Я знаю, что это была моя косынка. Но не припоминаю, что давала ее Макдермотту.

— Не помните о том, как спустились в погреб? — спрашивает Саймон. — Как помогали ему убивать Нэнси? Как хотели, по его словам, снять с трупа золотые серьги?

Грейс на миг прикрывает ладонью глаза.

— Все это было как в тумане, сэр, — говорит она. — В любом случае, никаких золотых сережек я не брала. Не стану отрицать, что подумала об этом позже, когда мы укладывали вещи. Но подумать — еще не значит сделать. Если бы людей судили за мысли, то всех бы нас давно пора было повесить.

Саймон вынужден признать, что она права. Он пытается сменить тактику:

— Мясник Джефферсон показал, что в то утро он с вами разговаривал.

— Я знаю, сэр. Но я этого не помню.

— Он говорит, что удивился, поскольку обычно распоряжения отдавали не вы, а Нэнси. И еще больше его удивило, когда вы сказали, будто на этой неделе свежее мясо вам не понадобится. Он счел это очень странным.

— Если бы это была я, сэр, и если бы я находилась в здравом уме, то сообразила бы и распорядилась насчет мяса, как обычно. Это выглядело бы не столь подозрительно.

Саймону приходится согласиться.

— В таком случае, — говорит он, — что же вы помните?

— Помню, как очутилась перед фасадом дома, сэр, — там, где росли цветы. У меня кружилась и болела голова. Мне подумалось, что нужно открыть окно, но это было глупо, потому что я уже и так стояла на улице. Было, наверно, около трех. Мистер Киннир подъезжал по аллее в своей свежевыкрашенной желто-зеленой коляске. Макдермотт вышел из-за дома, мы оба помогли разгрузить свертки, и Макдермотт угрожающе на меня посмотрел. А потом мистер Киннир вошел в дом: я знала, что он ищет Нэнси. У меня в голове промелькнула мысль: «В доме ты ее не найдешь, загляни в погреб — там труп». И я очень перепугалась.

Потом Макдермотт мне сказал:

— Я знаю, что ты хочешь обо всем рассказать, но если ты это сделаешь, то твоя жизнь не будет стоить и ломаного гроша. — Меня это смутило.

— Что ты сделал? — спросила я.

— Ты сама прекрасно знаешь, — ответил он со смехом. Я не знала, но теперь стала подозревать самое страшное. Потом он заставил меня пообещать, что я помогу убить мистера Киннира, и я пообещала — ведь я видела по глазам Макдермотта, что если бы я этого не сделала, он бы меня тоже убил. Затем он отвел лошадь вместе с коляской в конюшню.

Я зашла на кухню и как ни в чем не бывало приступила к работе. Вошел мистер Киннир и спросил:

— Где Нэнси? — Я ответила, что уехала в город на почтовой карете. Он сказал, странно, ведь он встретил по дороге дилижанс, а Нэнси в нем не приметил. Я спросила, не желает ли он перекусить, а он ответил, что не прочь, и спросил, не приходил ли Джефферсон со свежим мясом, а я ответила, что нет. Он сказал: странно, — а потом попросил меня заварить чаю и приготовить гренки с яйцами.

Так я и сделала. Принесла еду в столовую, где он ждал, читая книгу, привезенную из города. Это был последний номер дамского альманаха «Годи», в котором бедняжка Нэнси любила рассматривать моды. И хотя мистер Киннир всегда утверждал, что все это — дамская чепуха, он и сам частенько туда заглядывал, когда рядом не было Нэнси, поскольку там рисовали не только платья. Ему нравилось рассматривать новые фасоны нижнего белья и читать статьи о том, как должна вести себя леди. Принося кофе, я частенько замечала, как он над ними хихикал.

Я вернулась на кухню и увидела там Макдермотта. Он сказал:

— Сейчас пойду и убью его. — Но я воскликнула:

— Батюшки, Макдермотт, еще ведь рано, подожди до темноты.

Потом мистер Киннир поднялся наверх и прямо в одежде лег вздремнуть, так что Макдермотту поневоле пришлось ждать. Даже он не посмел бы застрелить спящего мужчину. Весь день Макдермотт лип ко мне, как банный лист, потому что был уверен, что я убегу и все расскажу. В руках он постоянно вертел ружье. Старую двустволку, из которой мистер Киннир обычно стрелял по уткам, но заряжена она была вовсе не дробью. Макдермотт сказал, что в ней две свинцовые пули — одну он нашел, а другую сделал из куска свинца, порох же взял у своего дружка Джона Харви, жившего через дорогу, хотя Ханна Аптон, чертова образина, — женщина, с которой жил Харви, — и сказала ему, чтобы пороха не трогал. Но он все равно взял, и пошла она к ляду. К тому времени он был очень возбужденный и нервный, расхаживал с важным видом и гордился своей смелостью. Он сильно ругался, но я ему не возражала, потому что боялась.

Около семи часов мистер Киннир спустился выпить чаю и распереживался насчет Нэнси.

— Я сделаю это сейчас, — сказал Макдермотт, — ты пойдешь туда и попросишь его зайти на кухню, чтобы я мог его застрелить на каменном полу. — Но я сказала, что не пойду.

Он сказал, что в таком случае сделает это сам. Выманит его, сказав, что с его новым седлом что-то не так — все изодралось в клочья.

Я вовсе не хотела в это вмешиваться. Взяла чайный поднос и понесла через двор в черную кухню, где топилась печь, потому что я собиралась заняться там стиркой. И когда я поставила поднос, то услышала выстрел.

Я вбежала в парадную кухню и увидела мертвого мистера Киннира — он лежал на полу, а над ним стоял Макдермотт. Ружье тоже валялось на полу. Я хотела выскочить, но он закричал, выругался и велел мне открыть люк в вестибюле. Я сказала:

— Не открою, — а он сказал:

— Откроешь. — В общем, я открыла, и Макдермотт швырнул тело вниз по ступенькам.

Я так испугалась, что выбежала через парадную дверь на лужайку и помчалась мимо колонки к черной кухне, а потом Макдермотт вышел из двери парадной кухни с ружьем и выстрелил в меня, а я замертво упала на землю. И больше я ничего не помнила, сэр, до самого позднего вечера.

— Джейми Уолш показал, что он зашел во двор около восьми — очевидно, сразу после того, как вы упали в обморок. Он сказал, что Макдермотт все еще держал в руках ружье и утверждал, что стрелял по птицам.

— Я знаю, сэр.

— Он сказал, что вы стояли возле колонки. Вы сообщили ему, что мистер Киннир еще не вернулся, а Нэнси уехала к Райтам.

— Я не могу этого объяснить, сэр.

— Он сказал, что вы были здоровы и в хорошем настроении. Вы были одеты лучше, чем обычно, и обуты в белые чулки. Он намекнул, что эти чулки принадлежали Нэнси.

— Я была тогда в суде, сэр. И я слышала, что он сказал, хоть это были мои чулки. Но к тому времени он уже забыл всю свою прежнюю любовь ко мне и хотел как можно больше меня очернить, чтобы меня непременно казнили. Но я не могу опровергнуть того, что говорят другие люди.

Она так удручена, что Саймону ее очень жалко. Ему хочется нежно обнять ее, успокоить, погладить по голове.

— Хорошо, Грейс, — бодро говорит он. — Я вижу, вы устали. Продолжим завтра.

— Да, сэр. Надеюсь набраться сил.

— Рано или поздно мы доберемся до сути.

— Я надеюсь, сэр, — слабо говорит она. — Мне бы стало намного легче, если бы я наконец узнала всю правду.

37

ЛИСТВА НА ДЕРЕВЬЯХ УЖЕ СТАНОВИТСЯ августовской — тусклой, пыльной и увядшей на вид, — хоть август еще и не наступил. Саймон медленно возвращается домой по гнетущей дневной жаре. Он несет с собой серебряный подсвечник, который ему не пришло в голову вытащить. Подсвечник оттягивает руку; на самом деле, обе его руки странно напряжены, будто он с усилием тащил тяжелый канат. Чего он ожидал? Конечно же, недостающих воспоминаний о тех нескольких решающих часах. Воспоминаний не было.

Неожиданно Саймон вспоминает один далекий вечер, когда он еще учился на последнем курсе в Гарварде. Вместе с отцом, который был тогда еще жив и богат, он поехал на экскурсию в Нью-Йорк, и они вместе смотрели оперу. Это была «*Sonnambula*» Беллини[1]: простую и целомудренную деревенскую девушку Амину находят в спальне графа, куда она в беспамятстве забрела. Ее жених и односельчане объявляют ее блудницей, несмотря на протесты графа, основанные на его превосходных научных познаниях. Но когда Амина проходит во сне по опасному мосту, который у нее за спиной обрушивается в стремительный поток, ее невинность получает несомненное доказательство, и после пробуждения она вновь обретает утраченное счастье.

---

[1] Винченцо Беллини (1801—1835) — итальянский композитор, представитель искусства бельканто. Его опера «Сомнамбула» впервые была поставлена в Милане в 1831 г.

Притча о душе, как нравоучительно сказал его учитель латыни, ведь *Амина* — нехитрая анаграмма слова *anima*[1]. Но почему, спрашивал себя Саймон, душа изображена бессознательной? И еще более интригующий вопрос: если Амина спала, то кто же тогда ходил? Теперь эта проблема стала для Саймона самой животрепещущей.

Была ли тогда Грейс без сознания, как она сама утверждала, или же в полном сознании, как показал Джейми Уолш? Насколько Саймон может доверять ее рассказу? Какой должна быть доля его скепсиса? Действительный ли это случай амнезии сомнамбулического типа или же Саймон — просто жертва коварного обмана? Он предостерегает себя от категорических суждений: почему бы не допустить, что Грейс говорит чистую, полную и совершенную правду? Любой в ее положении стал бы отбирать и переставлять местами события, чтобы произвести благоприятное впечатление. В ее пользу говорит то, что бо́льшая часть рассказанного ею совпадает с ее печатным «Признанием», — но неужели это действительно говорит в ее пользу? Возможно, все слишком точно совпадает. Саймон спрашивает себя, не изучала ли Грейс тот самый текст, которым пользовался и он, — чтобы тем сильнее его убедить.

Беда в том, что он сам хочет, чтобы его убедили. Он хочет, чтобы она оказалась Аминой. Стремится ее оправдать.

Нужно соблюдать осторожность, говорит он себе. Следует отступить. Если объективно взглянуть на вещи, то, несмотря на явную обеспокоенность и внешнюю уступчивость, между ними происходила борьба характеров. Грейс не отказывалась говорить — напротив. Она рассказала ему очень много, но лишь то, что сама сочла необходимым рассказать. А ему-то нужно как раз то, о чем она говорить отказывается, чего она, возможно, даже не желает знать. Сознание вины или невиновности можно скрыть. Но он все равно у нее все выпытает.

---

[1] Душа (*лат.*).

Он забросил наживку, но сможет ли вытащить крючок? На свет из бездны. Со дна глубокого синего моря.

Саймон спрашивает себя, почему он настроен столь решительно. Он желает ей добра, говорит он себе самому. Он считает это спасением, ну еще бы.

А она? Если ей есть что скрывать, возможно, она захочет остаться в воде, в темноте — в своей стихии. Возможно, она испугается, что не сможет иначе дышать.

Саймон говорит себе, что хватит быть таким фигляром, довольно крайностей. Вполне возможно, что Грейс и вправду страдает амнезией. Или как раз наоборот. Или просто виновна.

Конечно, она может быть сумасшедшей с поразительно изворотливой способностью внушать доверие, отличающей закоренелую маньячку. Некоторые ее воспоминания, особенно о дне убийств, наводят на мысль о религиозном фанатизме. Однако те же самые воспоминания можно без труда объяснить наивными суевериями и страхами простодушной женщины. Ему нужна хоть какая-то уверенность, но именно в ней Грейс ему и отказывает.

Возможно, во всем виноваты его методы. Техника внушения, несомненно, оказалась непродуктивной: затея с овощами обернулась полным провалом. Возможно, он слишком много экспериментировал и приноравливался; возможно, следовало принять более решительные меры. Быть может, он должен поддержать нейрогипнотический эксперимент Джерома Дюпона, договориться и поприсутствовать на нем свидетелем, и даже подобрать соответствующие вопросы. Саймон не доверяет этому методу. Однако благодаря ему может всплыть нечто новое и обнаружиться нечто такое, чего он сам пока так и не смог выяснить. Нужно, по крайней мере, попробовать.

Он подходит к дому и нашаривает у себя в кармане ключ, но дверь ему открывает Дора. Он смотрит на нее с отвращением:

эту свиноподобную и жутко потеющую в такую погоду бабу нельзя даже людям показывать. Она — клевета на весь женский пол. Он сам способствовал тому, чтобы она вернулась сюда на работу, — Саймон фактически ее подкупил, — но это не означает, что она ему нравится больше, чем раньше. Как, впрочем, и он ей, если судить по злобному взгляду ее красных глазок.

— Сама хочет вас видеть, — говорит она, кивая головой на заднюю часть дома. Ее манеры, как всегда, демократичны.

Миссис Хамфри категорически возражала против возвращения Доры, поскольку не могла находиться с нею в одной комнате, да это и немудрено. Однако Саймон отметил, что не может работать в такой грязи и беспорядке, и кто-то должен выполнять работу по дому, а раз никого другого пока нет, остается снова нанять Дору. Если платить жалованье, сказал он, то она станет вполне сговорчивой, хотя ожидать от нее любезности и не приходится. Именно так все и случилось.

— Где она? — спрашивает Саймон. Не следовало говорить *она*, это прозвучало слишком интимно. Лучше бы он сказал «миссис Хамфри».

— Как всегда, поди, валяется на диване, — презрительно отвечает Дора.

Но когда Саймон входит в гостиную, — по-прежнему зловеще пустую, хотя некоторые изначальные предметы обстановки таинственным образом снова здесь появились, — миссис Хамфри стоит у камина, грациозно положив одну руку на белую каминную полку. В руке — кружевной носовой платок. Саймон чует запах фиалок.

— Доктор Джордан, — говорит она, меняя позу, — я подумала: вы же не откажетесь поужинать со мной сегодня вечером — в качестве скромного вознаграждения за все те усилия, которые вы предпринимаете ради меня. Мне бы не хотелось показаться неблагодарной. Дора приготовила холодную курочку.

Она старательно выговаривает каждое слово, словно бы заучила эту речь наизусть.

Саймон отказывается со всей возможной учтивостью. Он искренне ее благодарит, но сегодня вечером он, увы, занят. Это недалеко от истины: Саймон практически принял приглашение мисс Лидии совершить с компанией молодых людей лодочную прогулку по внутренней гавани.

Миссис Хамфри принимает его отказ с любезной улыбкой и говорит, что в таком случае они отобедают в другой раз. Что-то в ее манере держаться и в медлительной взвешенности ее речи странно его поражает. Она что, выпила? У этой женщины очень пристальный взгляд, и руки ее слегка дрожат.

Поднявшись наверх, он открывает свой кожаный ранец. Все как будто в порядке. Три пузырька с опийной настойкой на месте и заполнены ровно настолько, насколько нужно. Он откупоривает их и пробует на вкус содержимое: в одном почти чистая вода. Она уже Бог знает сколько времени опустошает его запасы! Вечерние головные боли получают другое объяснение. Он должен был догадаться: с таким-то мужем ей пришлось найти себе хоть какую-то отдушину. Пока она была при деньгах, то, без сомнения, покупала лекарство, думает он, но потом с наличными стало туговато, а он проявил беспечность. Нужно было запирать комнату на ключ, но теперь уже слишком поздно.

Конечно, он не может сказать ей об этом прямо. Она женщина привередливая. Обвинить ее в воровстве было бы не просто грубо, а в высшей степени вульгарно. Тем не менее его обвели вокруг пальца.

Саймон отправляется на лодочную прогулку. Ночь теплая и тихая, светит луна. Он выпил немного шампанского, — которого и взяли-то немного, — сидит в одной лодке с Лидией и вяло с нею флиртует. Хоть она-то нормальная, здоровая, да в придачу хорошенькая. Возможно, он должен сделать ей предложение. Саймону кажется, она бы его приняла. Отвезти ее домой, дабы расположить к себе ее мать, передать дочь с рук на руки и позволить им обеим составить его счастье.

Это один из способов решить собственную судьбу, распрощаться со своим постылым образом жизни или уйти от греха подальше. Но он этого не сделает: ведь он еще не настолько обленился или устал; во всяком случае — пока.

X

ДЕВА ОЗЕРА

Потом мы начали укладывать все ценные вещи, которые смогли найти. Мы оба спустились в винный погреб: там лежал на спине мистер Киннир. Я держала свечу, а Макдермотт вынул у него из карманов ключи и деньги. О Нэнси мы не обмолвились ни единым словом, я ее не видела, но знала, что она в погребе. Часов в одиннадцать Макдермотт запряг лошадь, мы погрузили чемоданы в коляску и отправились в Торонто. Он сказал, что хочет уехать в Штаты и там на мне жениться. Я согласилась. Часов в пять утра мы подъехали к городской гостинице Торонто, разбудили прислугу и заказали завтрак. Я отперла чемодан Нэнси и надела ее вещи. В восемь часов мы отплыли на пароходе и прибыли в Льюистон часа в три. Мы направились в таверну, а вечером поужинали за общим столом и разошлись с Макдермоттом спать по разным номерам. Перед этим я сказала Макдермотту, что желаю остаться в Льюистоне и не хочу больше никуда уезжать, но он сказал, что заставит меня, а часов в пять утра приехал главный судебный пристав мистер Кингсмилл, который арестовал нас и доставил обратно в Торонто.

Признание Грейс Маркс,
«Стар энд Транскрипт», Торонто, ноябрь 1843 г.

Богиней, посланной судьбой,
Пред ним смогла она предстать,

И он пленен был красотой,
Которой многим не понять.
Глаза красноречивей слов,
И он блаженство предвкушал,
Ведь в шорохе ее шагов
Уж райский слышался хорал.

Ковентри Патмор.
«Ангел в доме», 1854[1]

---

[1] Ковентри Керси Дайтон Патмор (1823—1896) — английский поэт-прерафаэлит и литературный критик.

38

П озже Макдермотт рассказал мне, что после того, как он в меня выстрелил и я упала замертво, он накачал ведро студеной воды и вылил на меня, дал мне выпить водицы с перечной мятой, и я тотчас очнулась, словно заново на свет родилась, и была очень веселой. Я раздула огонь и приготовила ему ужин из ветчины и яиц, а потом заварила чай и налила нам по глотку виски для бодрости. Мы по-доброму вместе поужинали, чокнулись стаканами и выпили за успех нашей рисковой затеи. Но я ничего этого не помню. Я не могла вести себя так бессердечно, пока мистер Киннир лежал мертвый в погребе, не говоря уже о Нэнси, которая тоже, наверно, была мертва, хоть я и не знала наверняка, что с нею сталось. Но Макдермотт ведь был завзятым лжецом.

Видимо, я долго пролежала без сознания, потому что когда пришла в чувство, уже начало смеркаться. Я лежала на спине в своей кровати, без чепца, и мои волосы были все взъерошены и рассыпаны по плечам, а еще они были мокрыми, как и верхняя часть моего платья — наверно, из-за воды, которую вылил на меня Джеймс, так что эта часть его рассказа, видимо, была правдой. Я лежала на кровати, пытаясь вспомнить, что же произошло, потому что запамятовала, как вошла в комнату. Наверно, меня внес Джеймс, поскольку дверь стояла открытой, а если бы я вошла сама, то заперла бы ее за собой.

Я решила встать и закрыть дверь на задвижку, но у меня разболелась голова, и в комнате было очень жарко и душно.

Я снова уснула и, наверно, беспокойно металась во сне, потому что когда очнулась, вся постель была смята, а одеяло валялось на полу. На этот раз я проснулась внезапно и села прямо, и, несмотря на жару, я была в холодном поту. В комнате стоял мужчина, который пристально смотрел на меня. Это был Джеймс Макдермотт, и я подумала, что, убив двух других, он пришел задушить и меня во сне. В горле у меня пересохло от страха, и я не могла вымолвить ни словечка.

Но он очень добродушно спросил, хорошо ли я отдохнула, и тогда я вновь обрела дар речи и ответила, что хорошо. Я знала, что не след показывать свой страх и терять самообладание, а не то он подумает, что мне доверять нельзя и я не смогу держать себя в руках, и испугается, что я сорвусь и расплачусь или раскричусь перед чужими людьми и все расскажу. Поэтому он в меня тогда и выстрелил, а если он так подумает, то избавится от меня в мгновение ока, как от лишнего свидетеля.

Потом он сел на край кровати и сказал, что пришла пора исполнить мое обещание. И я спросила, какое обещание, и он ответил, что я прекрасно знаю какое, ведь я же пообещала ему отдаться, если он убьет Нэнси.

Я ничего такого не помнила, но, поскольку теперь убедилась, что он сумасшедший, то подумала, что он просто исказил мои слова — какую-то невинную шутку, которую любая отпустила бы на моем месте. Например, пожелала, чтобы она сдохла, и сказала, что отдала бы за это все на свете. А Нэнси была со мною временами очень груба. Но слуги всегда такое говорят, когда хозяева их не слышат, ведь если нельзя огрызнуться в лицо, приходится отводить душу за спиной.

Но Макдермотт исказил мои слова и понял их по-своему, а теперь хотел, чтобы я выполнила наш уговор. Он вовсе не шутил и, положив руку мне на плечо, стал толкать меня обратно в постель. Другой рукой он задрал мне подол, и по перегару у него изо рта я догадалась, что он напился виски мистера Киннира, причем напился изрядно.

Я знала, что нужно во всем ему потакать.

— Ах нет, — сказала я, смеясь, — только не на этой кровати. Она слишком узкая и неудобная для двух человек. Давай перейдем на какую-нибудь другую.

К моему удивлению, ему это показалось удачной мыслью, и он сказал, что очень приятно лечь в кровать самого мистера Киннира, где так часто резвилась эта шлюха Нэнси. И я подумала: если я хоть раз ему уступлю, он и меня будет считать шлюхой, ни в грош не ставя мою жизнь, и, скорее всего, убьет меня топором и сбросит в погреб. Ведь он часто говорил, что шлюха годится лишь на то, чтоб вытирать об нее грязные сапоги, изо всей силы пиная ее мерзкие телеса. Так что я решила тянуть время и как можно дольше отвлекать его внимание.

Он поставил меня на ноги, и мы зажгли свечу, что была на кухне, и поднялись по лестнице. Потом зашли в комнату мистера Киннира, где было очень чисто, а кровать аккуратно застелена, потому что я сама там убрала тем же утром. И Макдермотт откинул покрывало и притянул меня к себе. Он сказал:

— Дворянчикам солома не годится, им, вишь, гусиный пух подавай! Немудрено, что Нэнси так часто валялась в этой постели. — Он вдруг испытал благоговейный страх, однако не перед совершенным преступлением, а перед роскошью кровати, в которой лежал. Но потом он принялся меня целовать, приговаривая: — Пора, моя девочка, — и начал расстегивать мое платье, а я вспомнила, что расплатой за грех служит смерть, и мне стало дурно. Но я знала, что если упаду в обморок, то стану как бревно, а он тут такой весь распаленный.

Я расплакалась и сказала:

— Нет, я не могу здесь, в кровати покойника, это же грех, он ведь лежит в погребе весь окоченелый. — И принялась во весь голос рыдать.

Макдермотта это очень раздосадовало, и он сказал, чтобы я сейчас же прекратила, а не то он отвесит мне оплеуху, но так и не отвесил. Мои слова охладили его пыл, как говорится в книжках, — или, как сказала бы Мэри Уитни, он куда-то задевал свою кочергу. Короче, в тот момент мертвый мистер Киннир был гораздо тверже Макдермотта.

Он стащил меня с кровати и поволок за руку по коридору, а я все вопила да причитала что было мочи.

— Если тебе не нравится эта кровать, — сказал он, — можно перейти в кровать Нэнси, ведь ты такая же потаскушка, какою была она. — И я поняла, откуда ветер дует, и подумала, что настал мой смертный час. Теперь я каждую минуту ждала, что он схватит меня за волосы и сбросит вниз.

Он распахнул дверь и затащил меня в комнату, где царил полный беспорядок, который оставила Нэнси, ведь я там не убирала, поскольку не было надобности, да и времени тоже. Но когда он откинул покрывало, я увидела залитую темной кровью простыню, а еще в кровати валялась книжка, тоже вся залитая кровью. При этом я вскрикнула от ужаса, но Макдермотт остановился, глянул на кровать и промолвил:

— А я и забыл про это.

Я просила его сказать ради всего святого, что это за книжка и как она сюда попала. Он ответил, что это альманах, который хозяин читал, а потом взял с собой на кухню, где Макдермотт его, хозяина, и застрелил. Падая, он прижимал руки к груди, не выпуская из них книжку, и поэтому ее залило первой же струей крови. И Макдермотт бросил ее в кровать Нэнси, чтобы убрать с глаз долой, да еще потому, что там ей и место, ведь книжку привезли из города для Нэнси, а кровь мистера Киннира — на ее совести, ведь если бы она не была такой чертовой шлюхой и стервой, то все могло бы сложиться иначе, и мистеру Кинниру не пришлось бы умирать. Так что это был знак. И тут он перекрестился — это был единственный раз на моей памяти, когда он повел себя, как папист.

Я считала, что он свихнулся, точно лось во время гона, как говаривала Мэри Уитни, но вид книжки его отрезвил, и все его планы насчет меня вмиг улетучились у него из головы. А я поднесла поближе свечу, перевернула двумя пальцами книжку, и это и впрямь оказался женский альманах «Годи», который мистер Киннир с таким удовольствием читал сегодня днем. При этом воспоминании я чуть было не расплакалась навзрыд.

Но нельзя было предугадать, долго ли продержится нынешнее настроение Макдермотта. Поэтому я сказала:

— Это собьет их с толку. Когда они ее найдут, то станут гадать, как же она сюда попала. — Он согласился, что будет над чем поломать голову, и утробно рассмеялся.

Потом я сказала:

— Нам нужно поторопиться, а не то кто-нибудь придет, пока мы еще здесь. Нужно поскорее уложить вещи. Ведь нам придется ехать ночью, чтобы никто не увидел нас на дороге с пожитками мистера Киннира и не заподозрил неладного. Дорога до Торонто займет по темноте много времени, — добавила я, — да и Чарли устанет, ведь он сегодня уже набегался.

И Макдермотт как бы в полудреме согласился. Потом мы начали обыскивать дом и укладывать вещи. Я не хотела брать слишком много — только самые легкие и ценные предметы, например, золотую табакерку мистера Киннира, его телескоп и карманный компас, его золоченый перочинный нож и все деньги, которые нам удалось найти. Но Макдермотт сказал: взялся за гуж — не говори, что не дюж, ну и семь бед — один ответ. Так что в конце концов мы обшарили весь дом и забрали серебряное блюдо с подсвечниками, ложки, вилки и все остальное, даже посуду с фамильными гербами, ведь Макдермотт говорил, что ее всегда можно будет переплавить.

Я заглянула в сундук Нэнси, посмотрела на ее платья и подумала: «Зачем добру пропадать, ведь бедняжке Нэнси они уже больше не понадобятся». Так что я взяла сундук со всем его содержимым, а также ее зимние вещи, но оставила платье, которое она как раз себе шила: оно показалось мне слишком близким к ней, потому что осталось незаконченным. А я слышала, покойники возвращаются, чтобы закончить то, что не доделали при жизни, и мне совсем не хотелось, чтобы Нэнси его хватилась и потом меня преследовала. Ведь к тому времени я была уже почти уверена, что она мертва.

Перед уходом я убрала дом и помыла посуду: тарелки от ужина и все остальное. Я также привела в порядок кровать мистера Киннира и застелила покрывалом кровать Нэнси, хоть и оставила в ней книгу, боясь замарать руки кровью мистера Киннира. Еще я опорожнила ее ночной горшок, поскольку решила, что нехорошо, да и как-то непочтительно его оставлять. Тем временем Макдермотт запрягал Чарли и грузил в коляску сундуки и саквояж. Но вдруг я заметила, что он сидит на приступке и безучастно смотрит перед собой. Тогда я велела ему собраться и быть мужчиной. Ведь мне вовсе не улыбалось застрять вместе с ним в этом доме, особенно если он окончательно спятит. И когда я велела ему быть мужчиной, это на него подействовало: он встряхнулся, встал и согласился, что я права.

В самом конце я сняла с себя одежду, которую носила в тот день, и надела одно из Нэнсиных платьев — светлое, в мелкий цветочек по белому полю, — в котором она была в день моего приезда к мистеру Кинниру. И я надела ее нижнюю юбку с кружевной оторочкой и свою чистую запасную юбку, а также обула летние Нэнсины башмачки из светлой кожи, которыми я так часто любовалась, хоть они мне и были не совсем впору. А еще я надела ее соломенную шляпку и взяла с собой ее легкую кашемировую шаль, хоть и не думала, что мне придется ее надевать, ведь ночь была теплая. Я надушилась розовой водой за ушами и на запястьях, из флакончика на ее туалетном столике, и этот аромат немного меня успокоил.

Потом я надела чистый передник, раздула огонь в печке летней кухни, где еще оставались тлеющие угольки, и сожгла всю свою одежду. Вряд ли бы я когда-нибудь еще надела ее, ведь она мне напоминала о том, что я стремилась забыть. Может, мне просто померещилось, но от нее пахло, как от горелого мяса, будто я сжигала свою измаранную и сброшенную кожу.

Пока я этим занималась, вошел Макдермотт и сказал, что все готово и хватит терять время. Я ответила, что никак не могу найти свою большую белую косынку, с голубыми цветочками, которая мне нужна, чтобы прикрывать шею от солнца, когда мы завтра будем переплывать озеро на пароме. На это он удивленно рассмеялся и сказал, что косынка моя — в погребе, прикрывает от солнца Нэнсину шею. Разве я не помню, как туго ее затянула и завязала узлом. Меня это потрясло до глубины души, но я не хотела ему перечить, потому что спорить с сумасшедшими опасно. Поэтому я сказала, что просто запамятовала.

Мы выехали около одиннадцати вечера: ночь была ясная, ветерок освежал, а комаров летало не так уж и много. В небе висел полумесяц, но я не помнила, прибывала луна или же убывала. Когда мы ехали по аллее меж двумя рядами тополей и мимо фруктового сада, я оглянулась и увидела совершенно спокойный дом, озаренный лунным светом и как бы слегка светящийся. Я еще подумала, что по внешнему виду ни за что не догадаешься, что внутри лежат трупы. А потом вздохнула и приготовилась к долгой поездке.

Мы ехали медленно, хоть Чарли и знал дорогу; но он понимал также, что им правит не его настоящий возница, и чуял что-то неладное. Несколько раз останавливался и не хотел идти дальше, пока его не подгоняли кнутом. Но когда мы проехали по дороге несколько миль и миновали хорошо ему знакомые места, Чарли смирился. А мы все катили вдоль молчаливых серебристых полей и змеистых оград, похожих на темные косы, над головой у нас хлопали крыльями летучие мыши, а на пути встречались островки густого леса. Один раз дорогу перелетела сова — бледная и легкая, как мотылек.

Поначалу я боялась, что мы встретим каких-нибудь знакомых и они спросят, по какому тайному поручению мы едем, но на дороге не было ни одной живой души. Джеймс осмелел и взбодрился, стал рассказывать, что мы будем делать, когда переправимся в Штаты: как он продаст вещички, купит небольшую ферму, и мы станем независимыми. А если поначалу нам не будет хватать денег, мы наймемся в прислуги и начнем копить жалованье. Я ему не поддакивала, но и не перечила, поскольку не собиралась оставаться с ним ни минуты, как только мы благополучно переплывем через озеро и окажемся среди людей.

Но через некоторое время он умолк, и я слышала лишь топот копыт Чарли по дороге да шелест слабого ветерка. Мне подумалось, что можно выпрыгнуть из коляски и убежать в лес, но я знала, что далеко не уйду, и в любом случае меня сожрут дикие медведи и волки. Мне показалось, что я еду долиною смертной тени, как сказано в Псалтыри[1], и я старалась не бояться никакого зла, но это было очень трудно, потому что зло витало рядом со мной в коляске, словно легкая дымка. Так что я решила подумать о чем-нибудь другом. И взглянула на усыпанное звездами небо, на котором не было ни единого облачка, и оно казалось таким близким, что я могла до него дотянуться, и таким тонким, что можно проткнуть его рукой, как усеянную каплями росы паутину.

Но потом одна сторона неба начала зыбиться, словно пенка на закипающем молоке, и как бы покрылась галькой, будто ночной пляж, похожий на черный шелковый креп. А потом небо истончилось, как бумага, что постепенно опаляется с одного края. И за нею стала холодная чернота: я увидала не рай и даже не ад, а одну лишь пустоту. Это оказалось страшнее, чем я могла себе представить, и я молилась немо Богу о прощении моих грехов, но что, если Бога нет и меня будет некому простить? И потом я подумала, что, может, это тьма внешняя, где слышен плач и скрежет зубовный, и где нет Бога. И как только я об этом подумала, небо снова сомкнулось, точно водная гладь, после того как бросишь в

---

[1] Пс. 22:4.

нее камень, и вновь стало ровным, цельным и наполнилось звездами.

Но луна опускалась все ниже, а коляска катилась дальше. На меня это мало-помалу навеяло дремоту, ночной воздух остыл, и я обвернулась кашемировой шалью. И, наверно, уснула и уронила голову на Макдермотта, ведь последнее, что я запомнила, — как нежно он укутывал шалью мои плечи.

Когда я очнулась, то лежала навзничь на земле, в придорожной траве, сверху на меня кто-то наваливался всем своим весом и чья-то рука шарила у меня под юбками. Я начала отбиваться и кричать. Тогда другая рука закрыла мне рот, и голос Джеймса сердито сказал, зачем я поднимаю такой шум — хочу, чтобы нас обнаружили? Я затихла, а он убрал руку, и я велела ему сейчас же слезть и дать мне подняться.

Тогда он люто рассердился — ведь он утверждал, что я попросила его остановить коляску, чтобы я могла сойти и облегчиться у обочины. И, сделав свое дело, я пару минут назад расстелила свою шаль и поманила его к себе, как похотливая сучка, сказав при этом, что теперь исполню свое обещание.

Я знала, что ничего такого не делала, потому что крепко спала, и так ему и сказала. А он ответил, что не надо делать из него дурака: мол, я чертова потаскушка и сущая ведьма, для которой адского пламени мало, ведь я его завлекла, соблазнила и заставила погубить в придачу душу. И я расплакалась, чувствуя, что не заслужила таких грубых слов. А он сказал, что крокодильи слезы на сей раз не помогут, он сыт ими по горло, и опять начал дергать меня за юбки, схватив за волосы и прижимая мою голову к земле. И тогда я сильно укусила его за ухо.

Макдермотт взвыл, и мне показалось, что он убьет меня на месте. Но вместо этого он меня отпустил, встал и помог мне подняться, сказав, что все-таки я славная девушка, и он подождет, пока мы не поженимся, так-то будет лучше, да и приличнее, дескать, он меня просто испытывал. Потом сказал, что зубы у меня крепкие, аж до крови прокусила, и ему это, похоже, понравилось.

Я очень этому удивилась, но промолчала, ведь я была с ним на безлюдной дороге одна, и нам предстояло еще проехать вместе немало миль.

39

Т**ак мы и ехали всю ночь**, и вот наконец начало светать. Мы добрались до Торонто в начале шестого утра. Макдермотт сказал, что мы пойдем в Городскую гостиницу, всех там разбудим и велим приготовить нам завтрак, потому что он помирает с голоду. Я же ответила, что это плохой план, и нам нужно дождаться, пока появится больше народу, а не то мы будем очень приметными, и нас запомнят. А он сказал, почему это я постоянно с ним пререкаюсь, хватит того, что я довела его до безумия. И у него в кармане водится деньга, которая ничуть не хуже, чем у любого другого мужика, и если он хочет завтракать и может за это заплатить, то возьмет и позавтракает.

С тех пор я не раз думала: как странно, стоит мужику заиметь пару монет — неважно, каким способом, — и он сразу считает, что имеет право на эти монеты и на то, что́ можно купить на них, и мнит себя первым парнем на деревне.

Макдермотт настоял на своем, но, как мне теперь кажется, не потому, что был голоден, а потому, что ему хотелось показать себя хозяином. Мы заказали яйца с грудинкой, и я поразилась, как важно он расхаживал и помыкал слугой, выговаривая ему, что яйцо недожарилось. Но мне кусок не лез в горло, и меня всю трясло от дурного предчувствия, поскольку Джеймс привлекал к себе много внимания.

Потом мы узнали, что ближайший паром отплывает в Штаты не раньше восьми, и нам придется ждать в Торонто еще около двух часов. Мне это показалось очень опасным, ведь лошадь и коляску мистера Киннира многие в городе, конечно, знали, поскольку он туда очень часто приезжал. Поэтому я уговорила Макдермотта оставить коляску в самом неприметном местечке, какое смогла найти, — на одной боковой улочке, хоть ему и хотелось поразъезжать в ней да покрасоваться. Но позже я узнала, что, несмотря на мою предусмотрительность, коляску все-таки заметили.

Лишь когда взошло солнце, я смогла хорошо рассмотреть Макдермотта в ярком свете и увидела, что на нем сапоги мистера Киннира. Я спросила, не снял ли он их с трупа, лежавшего в погребе, и Макдермотт подтвердил мои слова. Рубашка тоже принадлежала Кинниру и была взята с полки в его комнате для одевания, — она была тонкая и лучшего качества, нежели те, что носил Макдермотт. Он подумывал снять еще и рубашку с трупа, но та была вся залита кровью, и он бросил ее за дверью. Я ужаснулась и спросила, как он мог на такое решиться, а он сказал: на себя, мол, посмотри, — ведь на мне было Нэнсино платье и шляпка. И я сказала, что это не одно и то же, а он не соглашался. Тогда я сказала, что я хотя бы не стаскивала сапоги с трупа. А он ответил, какая разница, в любом случае, он не хотел оставлять труп голым и надел на него свою рубашку.

Я спросила, какую рубашку он надел на мистера Киннира, а Макдермотт ответил: одну из тех, что купил у коробейника. Я огорчилась и сказала:

— Теперь Джеремайю выследят и обвинят в убийстве. А я буду сильно горевать, потому что он был мне другом.

Макдермотт сказал, что, по его мнению, слишком уж близким другом, а я спросила, что он имеет в виду? И он ответил, что ему не нравилось, как Джеремайя на меня смотрел, и лично он не позволил бы своей жене якшаться со всякими евреями-коробейниками и сплетничать да заигрывать с ними у черного хода, а если б она ослушалась, то глаза бы ей повыкалывал и голову с плеч долой оторвал.

Я начинала злиться и чуть было не сказала, что Джеремайя — не еврей, но если бы даже он им был, то лучше уж выйти замуж за еврея-коробейника, нежели за Макдермотта. Но я знала, что если мы устроим ссору, то из этого не выйдет ничего хорошего, особенно если дело дойдет до криков и тумаков. Так что я прикусила язык, поскольку собиралась благополучно, без приключений добраться до Штатов, а там улизнуть от Макдермотта и навсегда с ним распрощаться.

Я велела ему переодеться и сама решила сделать то же самое, ведь если бы люди пришли о нас расспрашивать, так было бы проще избавиться от преследования. Мы думали, что это произойдет не раньше понедельника, мы ведь не знали, что мистер Киннир пригласил друзей на воскресный обед. Так что я переодела платье в городской гостинице, а Джеймс надел легкую летнюю куртку мистера Киннира. И ехидненько сказал, что с этим розовым зонтиком я очень элегантно выгляжу — вылитая леди!

Потом он ушел побриться, и в этот момент я могла бы позвать на помощь. Но он несколько раз мне повторил, что мы должны держаться вместе, а не то нас вздернут поодиночке, и хоть я и считала себя невиновной, но знала, что все складывается против меня. И если бы даже его повесили, а меня — нет, хоть я больше и не желала с ним оставаться и боялась его, я все же не хотела его предавать. В предательстве есть что-то низменное, и я слышала, как его сердце билось рядом с моим, и хотя я его не любила, это все же было человеческое сердце. Так что я не хотела, чтобы по моей вине оно умолкло навсегда, если только меня к этому не вынудят. И еще я подумала над тем, что написано в Библии: *Мне отмщение, рек Господь*[1]. Я подумала, что не вправе брать на себя такую серьезную задачу, как мщение, и поэтому не двинулась с места, пока Макдермотт не вернулся.

К восьми часам мы погрузились на пароход «Транзит» вместе с коляской, лошадкой Чарли, сундуками и всем осталь-

---

[1] Втор. 32:35.

ным и вышли из порта, и мне стало намного легче. Погода была ясная, дул легкий ветерок, а солнечные лучи сверкали на голубых волнах. К тому времени у Джеймса поднялось настроение, и он очень собой гордился. Я боялась, что если потеряю его из виду, он начнет хвастаться и щеголять своей новой одежкой, выставляя напоказ золотые безделушки мистера Киннира. Но он сам старался не спускать с меня глаз, на тот случай, если я захочу кому-нибудь рассказать о том, что он совершил, и присосался ко мне как пиявка.

Мы сидели на нижней палубе, поскольку я не хотела оставлять Чарли одного. Он нервничал, и я подозревала, что он никогда раньше не плавал на пароходе. Наверно, его пугали шум машины и вращение гребного колеса. Так что я осталась вместе с Чарли и кормила его соленым печеньем, которое он очень любил. Молодая девушка и лошадь всегда привлекают внимание восхищенных юношей — они делают вид, будто интересуются лошадьми, и вскоре мне пришлось отвечать на их вопросы.

Джеймс велел мне говорить, что мы брат и сестра и сбежали от своих несносных родственников, с которыми поссорились. Поэтому я назвала себя Мэри Уитни и сказала, что его зовут Дэвидом Уитни и мы направляемся в Рочестер. Молодые ребята не видели никаких препон для того, чтобы со мной заигрывать, коль Джеймс был всего лишь моим братом. И я решила, что следует добродушно отвечать на их шутки, хоть это потом использовали против меня на суде, а Джеймс бросал на меня косые взгляды. Но я просто пыталась рассеять их и его подозрения и, стараясь казаться веселой, была на самом деле очень сильно расстроена.

Мы остановились у Ниагары, но очень далеко от водопада, так что я не смогла на него посмотреть. Джеймс сошел на берег, заставив меня пойти вместе с ним, и съел бифштекс. А я так ничем и не подкрепилась, потому что нервничала все время, пока мы там были. Но ничего не случилось, и мы поплыли дальше.

Один молодой парень показал на другой пароход вдалеке и сказал, что это «Дева озера», американское судно, которое еще недавно считалось самым быстроходным на всем озере. Но давеча оно проиграло испытания на скорость новому королевскому пакетботу «Затмение», обогнавшему его на четыре с половиной минуты. И я спросила, разве он этому не рад, и парень ответил, что нет, потому что он поставил доллар на «Деву». И вся компания рассмеялась.

Тогда для меня прояснилась одна вещь, которая удивляла меня раньше. Есть узор для одеял под названием «Дева озера», и я думала, что он назван в честь поэмы, но никогда не находила на этом узоре ни девы, ни озера. Но теперь я поняла, что это пароход назван в честь поэмы, а одеяло — в честь парохода, потому что на рисунке было изображено цевочное колесо, которое, наверно, означало вращающееся гребное. И я подумала, что если долго размышлять над вещами, то у них появляется свой смысл и свой рисунок. Возможно, точно так же обстояло дело и с недавними событиями, которые в ту минуту казались мне совершенно бессмысленными. И когда я нашла объяснение узору на одеяле, это послужило мне уроком, что не надо отчаиваться.

Тогда я вспомнила, как мы с Мэри Уитни читали эту поэму, пропуская скучные ухаживания и сразу переходя к захватывающим местам и сражениям. Но лучше всего я помнила тот отрывок, где бедная женщина, которую похитили из церкви в день свадьбы для утехи одного аристократа, сошла из-за этого с ума и бродила, собирая полевые цветы и напевая под нос песенки. Я подумала, что меня тоже в каком-то смысле похитили, хоть и не в день свадьбы, и я испугалась, что меня, возможно, ждет та же участь.

Тем временем мы подплывали к Льюистону. Джеймс, вопреки моим уговорам, пытался продать лошадь и коляску прямо на борту парохода, но запросил такую низкую цену, что это вызвало подозрения. И поскольку он выставил их на продажу, таможенник в Льюистоне наложил на них пошлину и задержал их, потому что у нас не было с собой денег, чтобы за них заплатить. И хотя Джеймс вначале рассердился, но вскоре сказал, что это не имеет значения: мы продадим какие-нибудь другие вещички, а назавтра вернемся за своим скарбом. Но я очень встревожилась — ведь это означало, что нам придется провести здесь целую ночь. И хотя мы уже находились в Соединенных Штатах и считали, что нам ничего не угрожает, поскольку теперь мы за границей, однако это никогда не мешало американским рабовладельцам ловить беглых невольников, которых они считали своей собственностью, к тому же мы еще слишком недалеко ушли, чтобы можно было успокоиться.

Я попросила Макдермотта не продавать Чарли, а коляской он мог распоряжаться по своему усмотрению. Но он сказал:

— Да пошла эта лошадь к черту! — и мне кажется, он ревновал меня к бедной лошадке, потому что я так ее любила.

Соединенные Штаты очень напоминали ту местность, откуда мы недавно приехали, но это и впрямь была чужая страна, потому что флаги были другими. Я вспомнила, как Джеремайя рассказывал мне про границы и про то, как легко их пересекать. Казалось, он говорил мне это на кухне у мистера Киннира очень давно, словно бы в другой жизни, но в действительности с тех пор прошло чуть больше недели.

Мы пошли в ближайшую таверну, которая была вовсе не отелем, как сказано в поэме из брошюры про меня, а дешевой гостиницей у пристани. Там Джеймс скоро накачался пивом и бренди, а потом мы поужинали, и он выпил еще. И когда настало время сна, он хотел, чтобы мы притворились мужем и женой и сняли одну комнату на двоих, потому что, по его словам, это было бы вдвое дешевле. Но я поняла, к чему он клонит, и ответила, что если уж на пароходе мы назвались братом и сестрой, то и теперь не надо ничего менять — на тот случай, если нас запомнил кто-нибудь из пассажиров. Так что ему дали комнату с еще одним мужчиной, а мне — отдельную.

Но он пытался пробраться ко мне в номер, приговаривая, что все равно мы скоро поженимся. А я сказала, что не поженимся, и я скорее выйду замуж за самого дьявола, нежели за него, но он ответил, что все равно заставит меня сдержать обещание. Тогда я сказала, что закричу, и одно дело — кричать в доме с двумя трупами и совсем в другое — в гостинице, битком набитой живыми людьми. Он попросил меня ради Бога закрыть рот и назвал меня потаскушкой и шлюхой, а я сказала, чтоб он придумал какие-нибудь новые слова, потому что эти мне уже осточертели. И Макдермотт ушел в скверном настроении.

Я решила встать пораньше, одеться и тайком сбежать. Ведь если бы мне пришлось выйти за него замуж, я уж точно была бы не жилица на этом свете: если он сейчас относится ко мне подозрительно, то дальше будет только хуже. Как только он привезет меня в фермерский домик в незнакомой местности, где у меня не будет никаких друзей, я и гроша ломаного за свою жизнь не дам. Ведь я не успею и глазом моргнуть, как он стукнет меня по голове, а труп зароет на огороде, и я пойду на удобрение для картошки да морковки.

К счастью, дверь запиралась на задвижку, так что я заперла ее, а потом сняла всю одежду, кроме сорочки, и аккуратно сложила на спинке стула, как я обычно делала в той комнатке у миссис ольдермен Паркинсон, где мы спали вместе с Мэри. Потом задула свечу, юркнула под простыни, которые, как ни странно, были почти что чистыми, и закрыла глаза.

Перед моими закрытыми глазами проплывали голубые валы с искрящимися солнечными отблесками, которые я видела, когда мы ехали по озеру. Только эти волны были намного выше и темнее, и похожи на катящиеся холмы, — то были валы океана, который я переплывала три года назад, хотя мне и казалось, что с тех пор прошла уже целая вечность. И я гадала, что же со мною будет, успокаивая себя тем, что через сто лет я все равно умру и опочию в земле, и мне казалось, что если это случится гораздо раньше, то и неприятностей будет намного меньше.

Но волны катились неустанно, их на миг рассекал след корабля, но потом вода снова над ним смыкалась. И было такое чувство, будто у меня за спиной стираются мои следы — те, что я оставила ребенком на пляжах и тропинках покинутой мною земли, и те, что я оставила по эту сторону океана с тех пор, как сюда приехала. Все мои следы разглаживались и стирались, словно их никогда и не было: так снимают с серебра черный налет или проводят рукой по сухому песку.

Уже засыпая, я подумала: «Как будто меня никогда и не было, ведь я не оставила по себе никаких следов. И поэтому меня нельзя выследить».

Это почти то же самое, что невиновность.

И с этой мыслью я заснула.

В<small>ОТ ЧТО МНЕ ПРИСНИЛОСЬ</small>, пока я лежала на почти что чистых простынях в льюистонской таверне.

Я шла по длинной изогнутой аллее к дому мистера Киннира, меж двумя рядами посаженных по обе стороны тополей. Я видела все это впервые, хоть и знала, что бывала здесь раньше, как это обычно случается во сне. И я подумала: интересно, кто живет в этом доме?

Потом я поняла, что иду по аллее не одна. Слева за мной шел мистер Киннир — чтобы со мной не приключилось никакой беды. А потом в окне гостиной зажглась лампа, и я поняла, что это Нэнси собирается приветить меня по возвращении, ведь я была уверена, что куда-то ездила и меня долго здесь не было. Только оказалось, что меня ждет не Нэнси, а Мэри Уитни, и я так обрадовалась, когда поняла, что снова ее увижу, здоровую и веселую, как прежде.

Я заметила, что дом очень красивый — весь белый, с колоннами на фасаде, белыми расцветшими пионами у веранды: они тускло мерцали в сумерках, а из окна струился свет лампы.

Я стремилась туда, хотя во сне уже находилась там, но я так тосковала по этому дому, ведь это был мой родной очаг. Вдруг мне показалось, что свет померк и в доме стало темно, и я увидела, как вылетели и засверкали светляки, а с полей пахло цветами молочая, и теплый, влажный воздух летнего вечера мягко и нежно ласкал мне щеки. Кто-то легонько взял меня за руку...

И как раз в этот момент раздался стук в дверь.

XI

РУБКА ЛЕСА

Не проявляя никаких признаков тревоги или мук совести, девушка казалась совершенно спокойной и смотрела широко раскрытыми, ясными глазами, словно спала перед этим крепким сном праведницы. Она волновалась лишь о том, чтобы ей переслали ее одежду и сундук. Из прежней одежды у нее почти ничего не осталось: в тот момент она была одета в платье убиенной, да и сундук, о котором она просила, принадлежал той же несчастной страдалице.

«Кроникл энд Газетт», Кингстон,
12 августа 1843 г.

И хоть я горько раскаялась в своих грехах, Господу было угодно, чтобы я никогда больше не знала покоя. С тех пор как я помогла Макдермоту задушить [Нэнси] Монтгомери, ее страшное лицо и жуткие, залитые кровью глаза не оставляли меня ни на минуту. Денно и нощно они пристально смотрят на меня, и когда я в отчаянии зажмуриваюсь, они заглядывают мне в душу — от них просто невозможно отделаться... по ночам, в тиши моей одинокой камеры, эти горящие глаза освещают мою темницу, как днем. Нет, не как днем — у них такой жуткий, свирепый взгляд, который ни с чем нельзя сравнить...

Грейс Маркс Кеннету Маккензи,
в пересказе Сюзанны Муди,
«Жизнь на вырубках», 1853

То была не любовь, хотя ее редкостная красота сводила его с ума, и не отвращение, хоть ему и казалось, что ее душа пропитана тем же пагубным флюидом, который пронизывал весь его организм; а неистовое исчадие любви и отвращения, пламенное, как первый, и приводящее в содрогание, как второй из его родителей... Благословенны все простые эмоции — будь то светлые или темные! Лишь их зловещая смесь порождает грозное зарево преисподней.

Натаниэль Готорн.
«Дочь Раппаччини», 1844

41

Доктору Саймону Джордану,
через майора Ч. Д. Хамфри, Лоуэр-Юнион-стрит,
Кингстон, Западная Канада,
от миссис Уильям П. Джордан,
«Дом в ракитнике», Челноквилль, Массачусетс,
Соединенные Штаты Америки.

3 августа 1859 года

Дражайший сын!

Я пребываю в величайшем беспокойстве, поскольку очень долго не получала от тебя писем. Пришли мне хотя бы весточку и дай знать, что с тобой не приключилось никакой беды. В эту лихую годину, когда в воздухе все явственнее пахнет страшной Войной, мать уповает лишь на то, что ее любимые, из коих остался лишь ты один, пребывают в безопасности и добром здравии. Возможно, для тебя лучше было бы остаться в этой стране, дабы избежать неминуемого. Но на этом настаивает лишь слабое материнское сердце, ведь, говоря по совести, я не могу поддерживать малодушие, когда столько других матерей готовы мужественно встретить те испытания, которые, возможно, уготовила им Судьба.

Мне так хочется еще разок увидеть твое милое лицо, дорогой мой сын. Легкий кашель, который мучит меня с самого твоего рождения, в последнее время усилился и особо свирепствует по вечерам. Каждый день, когда тебя с нами нет, я вся как на иголках и боюсь скоропостижно скончаться, возможно, во сне, так с тобой и не попрощавшись и не дав тебе последнего материнского благословения. Если Войны удастся избежать, на что мы все должны уповать, то я молю Бога, чтобы Он дал мне увидеть тебя хорошо устроенным в своем собственном доме еще до этого неминуемого дня. Но пусть мои, без сомнения, досужие страхи и фантазии не отвлекают тебя от твоих занятий и исследований, и от твоих Безумцев, или чем ты там занимаешься, поскольку я уверена, что это крайне важно.

Надеюсь, ты хорошо питаешься и за это время не обессилел. Нет большего счастья, нежели крепкое здоровье, и если оно не досталось по наследству, тем усерднее нужно о нем заботиться. Миссис Картрайт счастлива, что ее дочь не болела ни единого дня за всю свою жизнь и крепка, точно лошадь. Самое ценное наследство, которое родители могут оставить детям, — это здоровый дух в здоровом теле, чем твоя бедная матушка, увы, не смогла наградить своего дорогого мальчика, хоть и страстно этого желала. Но все мы должны довольствоваться тем жизненным уделом, который Провидение сочло наиболее для нас подходящим.

Мои верные Морин и Саманта шлют тебе сердечный привет и просят, чтобы ты о них не забывал. Саманта говорит, что ее земляничное варенье, которое ты так любил в детстве, все такое же вкусное, и ты должен успеть его попробовать, пока она не «переехала на тот берег», как она выражается. А моя бедная Морин, которая может скоро стать такой же калекой, как и твоя матушка, говорит, что каждая его ложка напоминает ей о тебе и тех счастливых временах. Им обеим не терпится вновь с тобой повидаться, но в тысячу раз больше скучает по тебе

Твоя любящая и преданная

Матушка.

С АЙМОН СНОВА В КОРИДОРЕ на верхнем этаже — на чердаке, где живут служанки. Он чувствует, как они выжида-
ют и прислушиваются за закрытыми дверьми с горящими в
полутьме глазами, но при этом не производят никакого шума.
Гулко раздаются шаги его толстых школьных сапог по дос-
кам. Нужно было постелить здесь хоть какой-то коврик или
половик, а то, наверное, всему дому слышно.

Он наугад открывает дверь, надеясь увидеть Элис (или ее
звали Эффи?). Итак, он вернулся в «Гаеву больницу». Чувствует больничный запах, почти что вкус — густая, тяжелая
вонь сырого камня, влажной шерсти, несвежего дыхания,
гниющей человеческой плоти. Это запах испытания и неодо-
брения: он идет сдавать экзамен. Перед ним — задрапиро-
ванный стол: Саймон должен сделать вскрытие, хотя он всего лишь студент, его этому не учили, он не умеет. В комнате
пусто, но он знает, что за ним наблюдают те, кто должен вынести ему приговор.

Под простыней женщина — видно по очертаниям. Он надеется, что она не очень старая, а то будет еще хуже. Бедняжка
умерла от какой-то неизвестной болезни. Никто не знает, где
они берут трупы, — вернее, никто не знает наверняка. Выкапывают при луне на кладбище, шутят студенты. Не при луне,
дурак, а выкапывают их похитители тел.

Он постепенно приближается к столу. Готовы ли инструменты? Да, вот подсвечник, но Саймон необут, и ноги у него
мокрые. Нужно поднять простыню, а потом, кем бы ни была

эта женщина, снять с нее кожу, слой за слоем. Содрать ее резиновую плоть, очистить ее, выпотрошить, как пикшу. Он дрожит от страха. Она будет холодной, жесткой. Их ведь хранят во льду.

Но под простыней — другая простыня, а под ней — еще одна. Похожая на белую кисейную занавеску. Потом черное покрывало, и под ним — возможно ли это? — нижняя юбка. Там где-то должна быть женщина; он в отчаянии шарит руками. Нет, под последней простыней — ничего, только кровать. Да еще отпечаток той, что здесь лежала. Еще теплый.

Он безнадежно провалил экзамен — причем у всех на глазах, но теперь это его не волнует. Будто ему отсрочили приговор. Сейчас все будет хорошо, о нем позаботятся. За дверью — той самой, через которую он вошел, — зеленая лужайка, за нею течет река. Журчание проточной воды очень успокаивает нервы. Быстрый подавленный вздох, запах земляники, и его плеча касается чья-то рука.

Он просыпается, или ему снится, что он просыпается. Он знает, что еще спит, потому что в душной темноте над ним склоняется Грейс Маркс: ее распущенные волосы щекочут ему лицо. Он не удивлен и даже не спрашивает, как ей удалось прийти сюда из тюремной камеры. Он тянет ее к себе, — на ней лишь ночная рубашка, — ложится на нее сверху и входит в нее со сладострастным стоном, безо всяких церемоний, ведь во сне разрешается все. Его позвоночник извивается, как пойманная на крючок рыба, но потом обмякает. Саймон судорожно глотает воздух.

Только теперь он понимает, что это не сон, — точнее, женщину он видит наяву. Она действительно лежит рядом на внезапно застывшей кровати — живая, сложив руки по бокам, будто изваяние, но это не Грейс Маркс. Теперь уже трудно не узнать эту костлявую фигуру, эту птичью грудку, этот запах подпаленного белья, камфары и фиалок. Вкус опиума на губах. Это его тощая хозяйка, которую он даже не знает по имени. Когда он проник в нее, она не издала ни звука: ни протеста, ни удовольствия. Она хоть дышит?

Для проверки он целует ее снова, потом еще: легкие прикосновения. Это заменяет прощупывание пульса. Он движется дальше, пока не находит пульсирующую вену на шее. Кожа у нее теплая, немного липкая, как сироп, а волосы за ухом пахнут пчелиным воском.

Значит, не мертвая.

«О нет, — думает он. — Только этого не хватало! Что же я наделал?»

43

Доктор Джордан уехал в Торонто. Не знаю, как долго он там пробудет, но надеюсь, что не слишком долго, ведь я к нему все же привыкла и боюсь, что когда он уедет, а это рано или поздно случится, в моем сердце останется тоскливая пустота.

О чем же я ему расскажу, когда он вернется? Он хочет узнать об аресте, суде и о том, что на нем говорилось. Все это перемешалось у меня в голове, но я могла бы для него кое-что отобрать, можно сказать, пару лоскутков, словно роясь в мешке с обрезками и отыскивая нужный оттенок цвета.

Я могла бы рассказать ему вот о чем:

В общем, сэр, меня арестовали первой, а Джеймса вторым. Он еще спал в своей кровати, и когда его разбудили, первым делом попытался все свалить на Нэнси.

— Найдите Нэнси, и она вам все расскажет, — сказал он. — Это она виновата. — Его поведение показалось мне верхом глупости, ведь ее рано или поздно должны были найти, хотя бы по запаху, и ее действительно нашли на следующий же день. Джеймс пытался делать вид, что не знает, где она, и даже не догадывается, что она мертва, но лучше бы он попридержал язык.

Нас арестовали рано утром и поскорее вытолкали из льюистонской таверны. Наверно, судебные исполнители боялись, что люди их остановят и, созвав толпу, вызволят нас.

Возможно, так бы и произошло, если бы Макдермотт додумался выкрикнуть, что он революционер или республиканец или что-нибудь в этом духе, заявив, что у него тоже есть права, и дескать, долой британцев. Ведь тогда еще многие выступали на стороне мистера Уильяма Лайона Маккензи, поднявшего Восстание, и в Штатах кое-кто хотел вторгнуться в Канаду. А у тех, кто нас арестовал, не было никакой реальной власти. Но Макдермотт шибко перепугался и не стал протестовать, или ему просто не хватило присутствия духа. И как только нас доставили на таможню и сообщили, что мы разыскивались по подозрению в убийстве, нашему отряду разрешили без лишних хлопот продолжить путь и пуститься в плавание.

Когда мы плыли обратно через озеро, я стала очень угрюмой, хоть погода стояла ясная, а волны были небольшие. Но я подбадривала себя тем, что правосудие не допустит, чтобы меня повесили за то, чего я не делала, и мне нужно будет просто рассказать все, как было, или хотя бы о том, что я могла вспомнить. Ну а шансы Макдермотта я оценивала невысоко, хотя он по-прежнему все отрицал и говорил, что вещи мистера Киннира оказались у нас лишь потому, что Нэнси отказалась платить нам жалованье, и поэтому мы взяли их в счет долга. Он говорил, что, скорее всего, Киннира убил какой-то бродяга, мол, там ошивался один подозрительный тип, который называл себя коробейником и продал ему несколько рубашек. Пусть отыщут его и оставят в покое такого порядочного человека, как Макдермотт, ведь его единственное преступление состоит в том, что он желает улучшить свою тяжкую долю, занимаясь честным трудом и эмигрировав в Новый Свет. Врать он, конечно, был мастак, да не больно-то складно у него получалось, так что ему не поверили: лучше бы он не открывал рта. И я обиделась на него за то, сэр, что он пытался свалить убийство на моего старого друга Джеремайю, который, насколько мне известно, никогда в жизни ничего подобного не совершал.

В Торонто нас посадили в тюрьму и заперли в камерах, как зверей в клетке, но не очень близко, чтобы мы не могли переговариваться, а потом поодиночке нас допросили. Мне задавали кучу всяких вопросов, а я насмерть перепугалась и не знала, что мне отвечать. Тогда у меня еще не было адвоката, ведь мистер Маккензи появился намного позднее. Я попросила принести мой сундук, из-за чего подняли такой шум в газетах и смеялись надо мной, потому что я назвала его своим, а собственной одежды у меня не было. Но хотя этот сундук и одежда в нем и правда когда-то были Нэнсиными, они ей больше не принадлежали, поскольку мертвым такие вещи не нужны.

Мне поставили в вину и то, что вначале я была спокойной и веселой, с ясными, широко раскрытыми, глазами, и посчитали это признаком бессердечия. Но если бы я плакала и кричала, то сказали бы, что и это доказывает мою вину, ведь раз уж люди решили, что ты виновна, все твои поступки будут это доказывать. И я думаю, стоило мне почесаться или вытереть нос, как об этом уже написали бы в газетах и прошлись злобными, напыщенными фразами. Как раз в это время меня назвали сообщницей и любовницей Макдермотта, и еще написали, что, очевидно, я помогала ему душить Нэнси, поскольку это под силу только двоим. Журналисты охотно верят в самое худшее: так они смогут продать больше газет, как один из них мне сам признался, ведь даже почтенные и уважаемые господа очень любят читать гадости про других людей.

Потом, сэр, было следствие, которое провели вскоре после нашего возращения. Нужно было установить, отчего умерли Нэнси и мистер Киннир — в результате несчастного случая или убийства, и для этого меня должны были допросить в суде. К тому времени меня уже запугали до смерти, поскольку я видела, что общество настроено против меня, и тюремщики в Торонто отпускали жестокие шуточки, когда приносили еду, и говорили, они, мол, надеются, что виселица, на которую меня вздернут, будет высокой, чтобы можно было получше разглядеть мои лодыжки. И один решил воспользоваться случаем и сказал, что мне тоже не след упускать возможность, ведь там, куда я отправлюсь, у меня между ног никогда не будет такого славного и прыткого любовника, как он, но я велела ему проваливать со своими непристойностями. И это могло бы плохо кончиться, если бы не подошел его товарищ-тюремщик и не сказал, что меня еще не судили, не говоря уже о том, чтоб вынести приговор. И если первый дорожит своим местом, то пусть держится от меня подальше. И тот впредь так и делал.

Я расскажу об этом доктору Джордану, ведь ему нравится слушать такие вещи, и он всегда их записывает.

В общем, я продолжу, сэр. Наступил день следствия, и я старалась выглядеть чисто и опрятно, ведь я знала, как много значит внешний вид: например, когда устраиваешься на новую работу, хозяева всегда смотрят на запястья и манжеты, чтобы выяснить, чистоплотная ты или нет. И в газетах написали, что я была прилично одета.

Следствие проходило в городской ратуше, и там была целая куча магистратов, пристально и сурово на меня смотревших, и огромная толпа зрителей и газетчиков, которые теснились, толкались и пихались, чтобы занять место, откуда лучше видно и слышно: им несколько раз делали выговор за нарушение порядка. Я не понимала, куда прут все эти люди, ведь зал и так набит битком, но они постоянно пытались туда пролезть.

Я постаралась унять дрожь и посмотреть судьбе в лицо со всем мужеством, на какое была еще способна, хотя сказать по правде, сэр, к тому времени его не так уж много у меня осталось. Там был и Макдермотт, такой же хмурый, как всегда, и тогда я впервые увидела его после нашего ареста. В газетах писали, что он проявлял *мрачную угрюмость и отчаянную дерзость,* — видать, так уж у них принято выражаться. Но ведь примерно таким он всегда был за завтраком.

Потом меня начали расспрашивать про убийства, и я растерялась. Ведь вы же знаете, сэр, что я плохо помнила события того ужасного дня, и мне казалось, что я вообще при них не присутствовала и бо́льшую часть времени пролежала без сознания. Но я хорошо понимала, что если я так скажу, меня подымут на смех, ведь мясник Джефферсон показал, что видел меня и разговаривал со мной, и я сказала ему, дескать, свежего мяса нам не надо. Потом это связали с трупами в погребе и высмеяли в поэме на тех плакатах, которыми торговали во время казни Макдермотта. И мне это показалось очень грубым, пошлым и неуважительным к предсмертным мукам ближних.

Поэтому я сказала, что в последний раз видела Нэнси примерно в обед, когда выглянула из двери кухни и заметила, как она загоняла утят. После этого Макдермотт сказал, что она ушла в дом, а я возразила, что ее там нет, но он велел, чтобы я не совала нос не в свои дела. Затем он сказал, что Нэнси уехала к миссис Райт. Я призналась им, что заподозрила неладное и несколько раз спрашивала про нее Макдермотта, пока мы ехали в Штаты, но он говорил, что с нею все в порядке. И я не была уверена в ее смерти, пока в понедельник утром не нашли ее труп.

Потом я рассказала, как услыхала выстрел и увидела тело мистера Киннира на полу, и как я закричала и бросилась бежать, а Макдермотт в меня выстрелил, и я упала в обморок и повалилась на землю. Это уж я хорошо помнила. В деревянном дверном косяке летней кухни и впрямь нашли пулю от ружья, и это доказывало, что я говорю правду.

Мы получили повестку в суд, который должен был пройти не раньше ноября. Так что я просидела три безрадостных месяца в торонтской тюрьме, где было хуже, чем здесь, в исправительном доме, потому что я сидела в камере одна-одинешенька, а люди приходили под предлогом какого-нибудь поручения, а на самом деле, чтобы на меня поглазеть. И у меня было очень скверно на душе.

На улице одно время года сменялось другим, но я догадывалась об этом лишь по разнице в освещении: лучи пробивались сквозь зарешеченное окошко, которое находилось чересчур высоко, так что я не могла в него выглянуть; а поступавший в камеру воздух доносил разные запахи и ароматы, по которым я успела соскучиться. В августе это был дух свежескошенного сена, а потом — аромат созревающего винограда и персиков; в сентябре — запах яблок, а в октябре — палой листвы и первое холодное дыхание снега. Мне было нечем заняться, кроме как сидеть в камере да переживать о том, что же со мною будет, и правда ли меня повесят, как твердили мне каждый Божий день тюремщики: надобно сказать, им очень нравилось говорить о смерти и всяких горестях. Не знаю, замечали вы это, сэр, или нет, но некоторые люди наслаждаются горем своего ближнего, особенно если считают, что этот ближний согрешил, — это прибавляет им удовольствия. Но кто из нас без греха, как сказано в Библии? Лично мне было бы стыдно так упиваться страданиями других людей.

В октябре мне дали адвоката — мистера Маккензи. Он был не шибко пригожий, с носом, похожим на бутылку. Мне он показался чересчур молодым да неопытным, ведь это было его первое дело, и он иногда вел себя, на мой взгляд, маленько фамильярно: настаивал, чтобы меня запирали с ним в камере один на один, и часто пытался меня утешить, похлопывая по спине. Но я радовалась, что хоть кто-то меня защищает и пытается представить все в выгодном свете, поэтому я помалкивала да старалась улыбаться и за все благодарила. Он хотел, чтобы я, как он выразился, связно рассказала свою историю, но часто жаловался на то, что я путаюсь, и потом на меня разозлился. Наконец он сказал, что правильнее будет не рассказывать историю, как я ее на самом деле помнила, потому что вряд ли в ней хоть что-нибудь поймут, а рассказать правдоподобную историю, которой можно будет поверить. Мне нужно было пропустить все то, чего я не помнила, и главное — сам факт, что я этого не помнила. И рассказать о том, что вполне могло бы произойти, а не о том, что я сама могла вспомнить. Именно это я и попыталась сделать.

Я очень долго пробыла одна и часами раздумывала над своим будущим испытанием: каково это — быть повешенной; насколько длинной и одинокой окажется дорога, по которой меня, возможно, заставят пройти; и что меня ждет на другом ее конце. Я молилась Богу, но Он не откликался; и я утешалась мыслью о том, что Его молчание — лишь один из Его неисповедимых путей. Я перебирала в памяти все свои прегрешения, чтобы можно было в них покаяться: например то, что я выбрала для матушки старую простыню и заснула, когда Мэри Уитни была при смерти. И я думала, что когда меня саму будут хоронить, наверно, вообще не станут заворачивать в простыню, а разрежут на мелкие кусочки, как, говорят, врачи разрезают висельников. Этого-то я больше всего и боялась.

Потом я попыталась взбодриться, воскресив в памяти прошлое. Я вспомнила Мэри Уитни, как она собиралась выйти замуж и жить в фермерском домике с изящными занавесками и как все это плохо кончилось, а она умерла в мучениях. А потом наступил последний день октября, и я вспомнила ту ночь, когда мы чистили яблоки, и как она сказала, что я три раза пересеку воду, а потом выйду замуж за мужчину, чье имя начинается на Д. Теперь все это казалось детской игрой, и я в это больше ни капельки не верила. «Ах, Мэри, — говаривала я про себя, — как же мне хочется вернуться в нашу холодную спаленку у миссис ольдермен Паркинсон, с треснувшим тазом и одним-единственным стулом, а не сидеть здесь, в этой темной камере, и страшиться за свою жизнь!» И временами мне казалось, что я получала взамен небольшое утешение, а однажды я даже услышала смех Мэри. Но когда так долго си́дишь одна, чего только не примерещится.

Как раз в это время и начали расти красные пионы.

В последний раз, когда я виделась с доктором Джорданом, он спросил, не помню ли я, как в исправительный дом наведалась миссис Сюзанна Муди. Это было лет семь назад, незадолго до того, как меня упекли в Лечебницу для душевнобольных. Я ответила, что помню. Он спросил, что я о ней думаю, и я сказала, что она была похожа на жука.

— Жука? — переспросил доктор Джордан. Я заметила, что это его удивило.

— Да, сэр, на жука, — ответила я. — Круглая, толстая и вся в черном. У нее была быстрая, торопливая походка и черные блестящие глазки. Я не считаю это оскорблением, сэр, — добавила я, когда он прыснул со смеху. — Такой уж она мне показалась.

— А вы помните, как она вас навещала вскоре после этого в провинциальном приюте?

— Смутно, сэр, — ответила я. — Там ведь было много посетителей.

— Она пишет, что вы кричали и бегали взад-вперед. Вас поместили в палату для буйных.

— Может, и так, сэр, — сказала я. — Я не помню, чтоб я буйно вела себя с другими, если только они сами не начинали первыми.

— И вы, кажется, пели, — добавил он.

— Петь я люблю, — коротко ответила я, потому что не нравились мне эти вопросы. — Хороший гимн или баллада поднимают настроение.

— Вы рассказывали Кеннету Маккензи, что вас повсюду преследовали глаза Нэнси Монтгомери? — спросил он.

— Я читала, что написала об этом миссис Муди, сэр, — ответила я. — Мне бы не хотелось никого обвинять во лжи. Но мистер Маккензи неправильно истолковал мои слова.

— И что же вы на самом деле сказали?

— Вначале я говорила о красных пятнах, сэр. И это была правда. Они были похожи на красные пятна.

— А потом?

— А потом, когда он потребовал объяснений, я рассказала ему, чем они мне казались. Но я не говорила о глазах.

— Вот как? Продолжайте! — сказал доктор Джордан, пытаясь казаться спокойным. Он подался вперед, будто ожидая услышать какой-то большой секрет. Но никакого секрета тут не было. Я бы ему и раньше все рассказала, если б он только попросил.

— Я говорила не о глазах, а о пионах, сэр. Но мистер Маккензи не слушал никого, кроме самого себя. И мне кажется, в том, что за тобой следят глаза, нет ничего необычного. В моем положении это вполне уместно, если вы понимаете, о чем я, сэр. И я думаю, по этой-то причине мистер Маккензи ослышался, а миссис Муди записала его слова. Они хотели, чтобы все было по правилам. Однако это были пионы. Красные пионы. Никаких сомнений.

— Понятно, — сказал доктор Джордан. Но выглядел он таким же озадаченным, как всегда.

Дальше он захочет узнать о суде. Суд начался 3 ноября, и в зал набилось столько народу, что даже пол просел. Когда меня подвели к скамье подсудимых, поначалу пришлось стоять, но потом принесли стул. В зале было очень душно, и слышался несмолкаемый гул голосов, как будто жужжал пчелиный рой. Вставали разные люди, и некоторые говорили в мою защиту: что прежде, мол, у меня не было никаких неприятностей, я прилежная работница, и у меня покладистый нрав. А другие выступали против меня, и таких было больше. Я искала глазами Джеремайю, но его там не было. Мне казалось, что он мог бы мне посочувствовать и попытался бы меня выручить, ведь он говорил, что мы одного поля ягоды. Я так думала, по крайней мере.

Потом привели Джейми Уолша. Я надеялась на какое-то сострадание с его стороны, но он глянул на меня с таким укором и горестным гневом, что я все поняла. Он считал, что я ему изменила, сбежав с Макдермоттом, и в его глазах я из ангела, которого можно обожать и боготворить, превратилась в сущую ведьму, и он готов был сделать все возможное, чтобы меня погубить. От этого у меня сердце заныло, ведь из всех, кого я знала в Ричмонд-Хилле, я могла рассчитывать только на него: он мог бы замолвить словцо, он казался таким юным и свежим, таким неиспорченным и невинным, что меня кольнула совесть, поскольку я дорожила его мнением и не хотела упасть в его глазах.

Он встал давать показания, и его привели к присяге. Судя по тому, как он клялся на Библии, — торжественно, но с суровой яростью в голосе, — это не сулило мне ничего хорошего. Он рассказал о вечеринке накануне, о том, как играл на флейте, как Макдермотт отказался танцевать и немного проводил его домой, а также — что Нэнси была еще жива и, когда он уходил от нас, поднималась вверх по лестнице в спальню. Потом он сообщил, как пришел на следующий день и увидал Макдермотта с двустволкой в руке, из которой он якобы стрелял по птицам. Джейми сказал, что я стояла рядом с колонкой, с закатанными рукавами и в белых хлопчатобумажных чулках. И когда он спросил у меня, где Нэнси, я рассмеялась, как бы поддразнивая его, и сказала, дескать, все-то ему нужно знать, а потом добавила, что Нэнси уехала к Райтам, у которых кто-то заболел и за нею прислали.

Я ничего этого не помню, сэр, но Джейми Уолш так чистосердечно давал показания, что трудно было в них усомниться.

Но потом его обуяли эмоции, он показал на меня и воскликнул:

— На ней Нэнсино платье, и ленты под шляпкой тоже Нэнсины, и накидка, и зонтик в руке.

Тогда в зале суда раздались гневные выкрики, похожие на гул голосов в Судный день, и я поняла, что обречена.

445

Когда очередь дошла до меня, я сказала то, чему научил меня мистер Маккензи, и у меня голова пошла кругом, когда я пыталась вспомнить правильные ответы. От меня потребовали объяснений, почему я не предупредила Нэнси и мистера Киннира, как только узнала о намерениях Джеймса Макдермотта. Но мистер Маккензи ответил, что я боялась за свою жизнь, и несмотря на свой нос, говорил он очень красноречиво. Он сказал, что я еще сущее дитя — бедное, лишенное матери дитятко и, по сути дела, сиротка, выброшенная на улицу, где я не могла научиться ничему хорошему. Мне с ранних лет довелось в поте лица зарабатывать себе на хлеб, так что я — воплощенное трудолюбие. Я совершенно невежественная, необразованная, неграмотная и почти полоумная девушка, которая очень легко поддается чужому влиянию и обману.

Но все его усилия, сэр, пошли насмарку. Присяжные признали меня соучастницей преступления до и после его совершения, а судья вынес мне смертный приговор. Меня заставили выслушать приговор стоя, и когда судья произнес слово «смертный», я потеряла сознание и упала на ограждение из заостренных зубцов, окружавшее скамью подсудимых, и один из зубцов поранил мне грудь у самого сердца.

Я могла бы показать доктору Джордану шрам.

44

САЙМОН СЕЛ НА УТРЕННИЙ ПОЕЗД В ТОРОНТО. Он путешествует вторым классом: в последнее время он поиздержался и вынужден экономить.

Он с нетерпением ждет встречи с Кеннетом Маккензи, в ходе которой, возможно, выяснятся подробности, не упомянутые Грейс по одной из двух причин: либо они могли бы представить ее в невыгодном свете, либо она действительно о них забыла. Разум, думает Саймон, похож на дом: мысли, которые его владелец больше не желает выставлять напоказ, поскольку они вызывают у него неприятные воспоминания, обычно убирают с глаз долой, на чердак или в подвал. Так что при забывании, как и при хранении сломанной мебели, несомненно, совершается волевое усилие.

У Грейс негативная, женская разновидность воли — ей гораздо легче отрицать или отвергать, нежели утверждать или принимать. В глубине души, — на краткий миг он замечал ее понимающий и даже хитрый взгляд, брошенный украдкой, — она сознает, что нечто от него скрывает. Пока Грейс занята шитьем, внешне спокойная, будто мраморная Мадонна, она все время оказывает ему пассивное, но упорное сопротивление. Тюрьма нужна не только для того, чтобы запирать внутри заключенных, но и для того, чтобы не впускать туда всех остальных. Самую прочную свою тюрьму Грейс выстроила сама.

В иные дни его так и подмывало дать ей пощечину. Искушение было почти непреодолимым. Но тогда бы она заманила его в ловушку, получив повод для сопротивления. Она взглянула бы на него тем взором раненой лани, который все женщины приберегают для подобных случаев. Она бы расплакалась.

Однако нельзя сказать, что их беседы не приносят ей удовольствия. Напротив, она, похоже, наслаждается ими, как доволен игрой тот, кто побеждает, мрачно говорит себе Саймон. Открыто она выражает ему лишь свою затаенную благодарность.

Он начинает ненавидеть женскую благодарность. Такое ощущение, будто к тебе ласкаются кролики или словно ты весь измазан сиропом: от благодарности просто нельзя отделаться. Она тормозит тебя и ставит в невыгодное положение. Всякий раз, когда женщина его благодарит, Саймону кажется, будто его окатывают ледяным душем. Их благодарность не настоящая — на самом деле, они хотят сказать, что он сам должен быть им признателен. Втайне они его презирают. Со смущением и каким-то коробящим отвращением к себе Саймон вспоминает ту фатовскую снисходительность, которую он обычно проявлял, оплачивая услуги жалкой, потрепанной уличной девки с молящим взглядом, и каким щедрым, богатым и сострадательным он себя ощущал, будто бы сам оказывал ей некую услугу. Какое же презрение должны скрывать они за всеми словами благодарности и улыбками!

Слышится свисток, и за окном проносится серый дым. Слева, за плоскими полями — такое же плоское озеро, покрытое рябью, как оловянное блюдо с чеканкой. Там и сям — бревенчатые хибарки, веревки, на которых полощется белье, толстые мамаши, что наверняка проклинают паровозный дым, да стайки пучеглазых ребятишек. Свежесрубленные деревья, а за ними — старые пни и тлеющие костры. Изредка дома побольше, из красного кирпича или белой дранки. Двигатель стучит, как железное сердце, а поезд неумолимо мчится на запад.

Прочь из Кингстона, прочь от миссис Хамфри. От Рэчел, как она теперь просит себя называть. Чем больше миль отделяет его от Рэчел Хамфри, тем легче и беззаботнее он себя чувствует. Он слишком далеко с нею зашел. Саймон барахтается из последних сил, — на ум приходят зыбучие пески, — но пока не видит выхода. Иметь любовницу, — ведь не успел он и глазом моргнуть, как она стала его любовницей! — хуже, чем иметь жену. С этим связаны более обременительные и запутанные обязанности.

Первый раз был случайностью: ему устроили засаду во сне. Природа взяла свое, подкравшись к нему, когда он лежал в оцепенении, лишенный своей дневной брони; его грезы обернулись против него же самого. То же самое Рэчел утверждает о себе: говорит, что бродила во сне. Ей чудилось, что она на улице и в ярком солнечном свете собирает цветы, но потом вдруг почему-то очутилась в темной комнате, у него в объятиях, и тогда уже было слишком поздно — она погибла. Она часто употребляет слово *погибла*. Рэчел рассказала ему, что всегда обладала чувствительной натурой и в детстве даже была подвержена сомнамбулизму. По ночам ее обычно запирали в комнате, чтобы она не блуждала при свете луны. Саймон ни на гран не поверил в эту историю, но полагает, что благородной женщине ее сословия это необходимо для спасения собственной репутации. Он не рискует даже предположить, что же на самом деле было у нее на уме в тот момент и что она думает теперь.

Почти каждую ночь с тех пор она приходит в его комнату в ночной рубашке, набросив на нее белый плоеный пеньюар. Ленточки на шее развязаны, а пуговицы расстегнуты. Она приносит одну-единственную свечу: в полумраке Рэчел выглядит моложе. Ее зеленые глаза горят, а длинные белокурые волосы ниспадают на плечи, подобно сияющему покрывалу.

Если же Саймон допоздна гуляет по ночной прохладе вдоль реки, — он все более склонен именно так и поступать, — она терпеливо ждет его возвращения. Его первая реакция — скука: необходимость исполнить ритуальный танец нагоняет на него тоску. Встреча начинается со слез, дрожи и отвращения: она рыдает, укоряет себя, представляет себя обесчещенной, погрязшей во грехе, обреченной душой. У нее никогда раньше не было любовника, она никогда не опускалась так низко и не шла на подобное унижение. Что же с ней будет, если ее муж их застанет? Ведь в измене всегда винят женщину.

Саймон некоторое время не прерывает ее. Потом успокаивает — в самых неопределенных выражениях уверяя, что все будет хорошо, он вовсе не потерял к ней уважения из-за того, что она нечаянно совершила. Затем добавляет: если они будут соблюдать осторожность, то никто ни о чем не узнает. Им ни в коем случае нельзя выдать себя словом или взглядом перед посторонними, особенно перед Дорой, ведь Рэчел, наверное, известно, что слуги любят сплетничать. Эта мера предосторожности необходима не только для ее, но также и для его защиты — можно себе представить, что́ сказал бы обо всем этом преподобный Верринджер.

Она опять плачет при мысли о разоблачении и терзается от унижения. Ему кажется, что она больше не принимает опийной настойки или, по крайней мере, принимает ее в меньших количествах, иначе бы она так себя не изводила. Ее поведение не было бы таким предосудительным, если бы она была вдовой, продолжает Рэчел. Если бы майор умер, она не нарушала бы супружеской клятвы, но поскольку... Саймон говорит ей, что майор ужасно с ней обращался, он хам, негодяй, подлец и заслужил гораздо худшего отношения. Саймон проявил осмотрительность и не стал предлагать ей немедленно выйти за него замуж, если майор вдруг случайно свалится со скалы и свернет себе шею. В душе Саймон желает ему долгой и благополучной жизни.

Он утирает ей слезы ее же носовым платком — всегда чистым, выглаженным, пахнущим фиалками и для удобства засунутым в рукав. Она обнимает его, прижимается теснее, и он чувствует, как она наваливается на него грудью, бедрами и всем телом. У нее удивительно тонкая талия. Она слегка скользит губами по его шее. Потом, испугавшись самой себя, отодвигается с застенчивостью нимфы и отворачивается, собираясь убежать, но к этому времени тоска его уже больше не гложет.

Рэчел не похожа ни на одну из его прежних женщин. Во-первых, она — его первая респектабельная дама, а женская респектабельность, как он теперь обнаружил, значительно осложняет дело. Респектабельные дамы от природы холодны и лишены тех порочных влечений и неврастеничных желаний, которые толкают их падших сестер заниматься проституцией; так, во всяком случае, утверждает научная теория. Однако Саймона его собственные исследования навели на мысль, что проститутками движет не столько порочность, сколько бедность, хоть они и обязаны казаться такими, какими их хотят видеть клиенты. Шлюха должна симулировать желание, а затем наслаждение, независимо от того, испытывает ли она его на самом деле: за подобное притворство ей и платят. Шлюха считается дешевой не потому, что она уродлива или стара, а потому, что она плохая актриса.

С Рэчел же все наоборот. Она притворяется, что ей противно: сопротивляться должна она, а ему необходимо ее укрощать. Ей хочется, чтобы ее соблазнили, насильно овладели ею. В момент оргазма, — который она пытается скрыть под видом боли, — она всегда говорит «нет».

В добавок к этому, съеживаясь, цепляясь за него и униженно его умоляя, она косвенно намекает, что отдается ему как бы взамен тех денег, которые он на нее потратил, словно в какой-нибудь утрированной мелодраме с участием злобных банкиров и добродетельных, но очень бедных девиц. Ее другая игра — представлять, будто ее заманили в ловушку, и теперь она в его власти, как в тех непристойных романах, которые можно приобрести на убогих парижских лотках: в книжонках с султанами, теребящими усы, и съежившимися от страха рабынями. Серебристые шторы, цепи на лодыжках. Груди, как дыни. Глаза, как у газелей. Пошлость эдакого антуража вовсе не лишает его притягательной силы.

Какую ахинею он нес во время этих ночных оргий? Он почти ничего не помнит. Слова страсти и жгучей любви, монологи о невозможности устоять — в такие минуты Саймон, как ни странно, сам начинает во все это верить. Днем Рэчел — обуза, помеха, и ему хочется от нее избавиться; ночью же она становится совсем другим человеком, да и он, кстати, тоже. Саймон тоже говорит «нет», подразумевая «да». Но при этом идет еще дальше и глубже. Ему хотелось бы сделать у нее на теле небольшой надрез, чтобы попробовать ее крови, что в призрачной темноте спальни кажется ему вполне нормальным желанием. Им движет какое-то неуправляемое влечение, но отдельно от этого, — отдельно от него самого, в эти минуты, когда простыни вздымаются, словно волны, а он кувыркается, барахтается в них и задыхается, — его двойник стоит со сложенными на груди руками, полностью одетый, и с любопытством наблюдает за происходящим. Как далеко он зайдет? Как глубоко он войдет?

Поезд подъезжает к вокзалу Торонто, и Саймон пытается отбросить от себя все эти мысли. На вокзале он нанимает двуколку и называет кучеру отель, который для себя выбрал: не самый роскошный, — ведь он не желает без надобности сорить деньгами, — но и не совсем уж лачугу, поскольку он не хочет, чтобы его кусали блохи и в придачу ограбили. Пока они едут по улицам, раскаленным и пыльным, запруженным всевозможным транспортом: громыхающими повозками, каретами и частными экипажами, — Саймон с интересом озирается. Все кругом оживленное и новое, суматошное и яркое, вульгарное и самодовольное, и повсюду витает запах новеньких банкнот и свежей краски. Здешние состояния сколочены едва ли не в мгновение ока, и еще больше состояний сколачивается у него на глазах. Обычные лавки, торговые здания и поразительное количество банков. Ни один трактир не сулит ничего хорошего. Большинство прохожих на тротуарах кажутся довольно состоятельными, и нет никаких орд обездоленных нищих, стаек рахитичных, грязных детишек и группок неряшливых или расфуфыренных проституток, уродующих облик многих европейских городов. Но Саймон настолько испорчен, что предпочел бы сейчас находиться в Лондоне или Париже. Там он оставался бы анонимом и не имел бы никаких обязанностей. Никаких связей или знакомых. Он бы мог бесследно затеряться в толпе.

XII

ХРАМ СОЛОМОНА

Я посмотрел на нее в изумлении. «Боже правый! — подумал я. — И это женщина? Красивая, кроткая женщина — почти ребенок! И такое бессердечие!» Мне хотелось назвать ее сущей ведьмой и сказать, что я и слышать не желаю обо всех этих ужасах, но она была такой привлекательной, что в конце концов я поддался соблазну...

Джеймс Макдермотт *Кеннету Маккензи,*
в пересказе Сюзанны Муди, «Жизнь на вырубках», 1853

...такая вот женская доля:
Долго терпеть, и молчать, и ждать,
словно дух бессловесный,
Прежде чем некий вопрос разрушит те чары молчанья.
Вот потому и душа у стольких безвестных страдалиц
Сумрачна и глубока, подобная рекам подземным,
Кои по темным текут пещерам...

Генри Уодсворт Лонгфелло.
«Сватовство Майлза Стэндиша», 1858[1]

---

[1] Генри Уодсворт Лонгфелло (1807—1882) — американский поэт-романтик и ученый-филолог.

45

Адвокатская контора «Брэдли, Портер и Маккензи» расположена в новом, немного претенциозном здании из красного кирпича на Западной Кинг-стрит. В приемной за высоким столом сидит худощавый юноша и скрипит стальным пером. Когда входит Саймон, он подскакивает, разбрызгивая чернила, словно отряхивающийся пес.

— Мистер Маккензи ожидает вас, сэр, — говорит он. Юноша мысленно заключает слово *Маккензи* в почтительные скобки. «Какой молодой, — думает Саймон. — Наверное, это его первое место». Юноша ведет Саймона по коридору, устланному ковром, и стучит в толстую дубовую дверь.

Кеннет Маккензи — в своей святая святых. Он окружен полированными книжными полками, юридическими томами в дорогих переплетах и тремя картинами с изображением скачек. На его письменном столе — по-византийски вычурная великолепная чернильница. Сам Маккензи — вовсе не тот, кого ожидал увидеть Саймон: не герой-освободитель Персей и не рыцарь Красного Креста. Он низкоросл и похож на грушу, — узкие плечики и уютное брюшко, выпирающее под клетчатым жилетом, — с изрытым оспой, клубневидным носом и маленькими, однако наблюдательными глазками за очками в серебряной оправе. Он встает со стула и с улыбкой протягивает руку: два его передних зуба торчат, как у бобра. Саймон пытается представить, как он выглядел шестнадцать лет назад, когда был молод, — моложе Саймона, — но у него не получается. Видимо, Кеннет Маккензи даже в пять лет был похож на мужчину средних лет.

Значит, этот человек однажды спас жизнь Грейс Маркс, хотя все обстоятельства были против нее: хладнокровные свидетели, негодующее общественное мнение, ее собственные сбивчивые, неправдоподобные показания. Саймону интересно узнать, как ему это удалось.

— Доктор Джордан. Очень приятно.

— Благодарю, что уделили мне время, — говорит Саймон.

— Пустяки! Я получил письмо от преподобного Верринджера, который очень лестно о вас отзывается. Он немного рассказал мне о вашей работе. Я рад послужить науке, и, как вы наверняка знаете, мы, юристы, никогда не упускаем случая привлечь к себе внимание. Но прежде чем приступить к делу...

Появляются графин и сигары. Херес превосходен: дела у мистера Маккензи идут отлично.

— Вы не родственник знаменитого повстанца? — спрашивает Саймон, чтобы завязать разговор.

— Вовсе нет, хотя не отказался бы от такого родства. Сейчас это уже не считается таким недостатком, как раньше, и старика с тех пор давно простили и даже называют «родоначальником реформ». Но в те времена общество было настроено против него, и только из-за этого Грейс Маркс могли набросить петлю на шею.

— Что вы имеете в виду? — спрашивает Саймон.

— Если вы перечитаете газеты — заметите, что словечко за Грейс замолвили только те, кто поддерживал мистера Маккензи и его дело. Остальные же ратовали за то, чтобы повесить ее саму, а также Уильяма Лайона Маккензи и любого другого человека с республиканскими убеждениями.

— Но между ними нет никакой связи!

— Абсолютно. Однако в подобных вопросах никакой связи и не нужно. Мистер Киннир был джентльменом и тори, а Уильям Лайон Маккензи стоял на стороне бедных шотландцев, ирландцев и вообще всех эмигрантов. Их считали птицами одного полета. Должен вам сказать, что на суде я обливался кровавым потом. Видите ли, это было мое самое первое дело, я только недавно стал адвокатом. Я знал, что другого выхода у меня нет — пан или пропал, и, как потом оказалось, это мне здорово помогло.

— Почему же вы взялись за это дело? — спрашивает Саймон.

— Голубчик мой, мне его *передали*. Дело было гиблое. Больше никто не хотел за него браться. Фирма взялась за него *pro bono*[1], — ни у одного из подсудимых, естественно, не водилось денег, — а я был самый младший, так что выбор пал на меня, причем в самую последнюю минуту: на подготовку оставалось не больше месяца. «Ну что ж, дружок, — сказал старина Брэдли, — бери это дело. Все знают, что ты проиграешь, поскольку в их вине никто не сомневается. Поэтому главное — *как* ты проиграешь. Можно проиграть неуклюже, а можно изящно. Надеюсь, ты проиграешь как можно изящнее. Мы все будем тебя поддерживать». Старик считал, что оказывает мне услугу, и возможно, так оно и было.

— По-моему, вы защищали обоих, — говорит Саймон.

— Да, и задним числом можно сказать, что это было неправильно, поскольку их интересы вступали в противоречие. На этом процессе очень многое было неправильным, но юридическая практика была тогда гораздо менее строгой.

Маккензи недовольно косится на свою потухшую сигару. Саймону приходит в голову, что на самом деле бедняге не нравится курить, но он полагает, будто обязан это делать, поскольку сигары очень хорошо подходят к изображенным на картинах скачкам.

— Так, значит, вы познакомились с нашей Молчаливой Богоматерью? — спрашивает Маккензи.

— Вы ее *так* называете? Да, я провел с ней массу времени, пытаясь установить...

---

[1] Ради [общественного] блага (*лат.*).

— Ее невиновность?

— Ее невменяемость. Точнее, ее невменяемость в момент совершения убийств. И я приравниваю ее к невиновности.

— Желаю вам удачи, — говорит Маккензи. — В этом вопросе я так до конца и не разобрался.

— Она утверждает, что не помнит убийств или, по крайней мере, убийства женщины по фамилии Монтгомери.

— Голубчик мой, — говорит Маккензи, — вы будете удивлены тем, как часто встречаются подобные провалы в памяти среди преступников. Из них очень немногие помнят, что совершили злодеяние. Они могут забить человека до смерти и изрезать его в клочья, а потом утверждать, что всего лишь легонько ударили его бутылкой. В подобных случаях забыть гораздо удобнее, нежели помнить.

— Амнезия Грейс похожа на подлинную, — отвечает Саймон. — Я пришел к этому выводу, опираясь на свой предшествующий клинический опыт. С другой стороны, хотя Грейс и не может вспомнить самого убийства, она хранит в памяти связанные с ним мельчайшие подробности: например, каждую вещь, которую она когда-либо стирала, или состязания кораблей в быстроходности еще до ее побега через озеро. Она помнит даже названия судов.

— Каким образом вы проверили эти факты? Очевидно, по газетам, — говорит Маккензи. — А не приходило ли вам в голову, что она могла почерпнуть эти подробности из того же источника? Преступники готовы читать о себе до бесконечности, если только им предоставить такую возможность. В данном отношении они так же тщеславны, как и писатели. Когда Макдермотт заявил, что Грейс помогала ему душить жертву, он вполне мог позаимствовать эту идею из кингстонской «Кроникл энд Газетт», в которой сие преподносилось как установленный факт еще до проведения дознания. Журналисты писали, что узел на шее покойницы можно было затянуть только вдвоем. Какая чепуха! По такому узлу нельзя сказать, сколько человек его завязали — один, двое или двадцать. На суде я, разумеется, высмеял эту точку зрения.

— А теперь изменили свое мнение и защищаете противную сторону, — говорит Саймон.

— Нужно всегда учитывать обе стороны — это единственный способ предвосхитить шаги вашего оппонента. Впрочем, в этом деле моему оппоненту не пришлось слишком много трудиться. Но я сделал все возможное, но выше себя не прыгнешь, как где-то заметил Вальтер Скотт. В зале суда было тесно, как в пекле, и — несмотря на ноябрьскую непогоду — точно так же душно и жарко. Однако я более трех часов допрашивал нескольких свидетелей. Должен признаться, это требует выносливости — правда, тогда я был помоложе.

— Помнится, вы начали с отклонения самого ареста.

— Да, ведь Маркс и Макдермотт были схвачены на американской территории, причем без ордера. Я прочитал прекрасную речь о нарушении международных границ, неприкосновенности личности и тому подобном, но главный судья Робинсон и слышать об этом не желал.

Потом я попытался доказать, что мистер Киннир был своего рода «паршивой овцой» и аморальным человеком, что, несомненно, соответствовало истине. Кроме того, он был ипохондриком. Все это не имело никакого отношения к его убийству, но я старался изо всех сил и особенно упирал на моральную сторону. Ведь факт в том, что эти четверо перескакивали из одной постели в другую, словно во французском фарсе, так что трудно было разобраться, кто же из них с кем спал.

Далее я загубил репутацию несчастной Монтгомери. Совесть не терзала меня за то, что я опорочил ее, поскольку бедняжка и так уже была опозорена. Видите ли, у нее еще до этого был ребенок, — умерший, как я полагаю, по милости повитух, — а вскрытие показало, что она была беременна. Отцом, без сомнения, был Киннир, но я приложил все усилия для того, чтобы заклясть призрак Ромео, якобы задушившего бедняжку из ревности[1]. Однако, несмотря на все мои потуги, кролик так и не выскочил из шляпы.

---

[1] Адвокат Маккензи, несомненно, путает Ромео с другим шекспировским персонажем — Отелло.

— Возможно, потому, что никакого кролика и не было, — подхватывает Саймон.

— Совершенно верно. Следующим моим фокусом стал трюк с рубашками. Кто носил какую рубашку? Где и почему? Макдермотта поймали в одной из Киннировых рубашек — ну и что из этого? Я установил, что Нэнси имела обыкновение продавать старую одежду своего хозяина слугам, с позволения владельца или без оного. Так что этот плащ Несса[1] мог достаться Макдермотту вполне честным путем. К сожалению, на труп Киннира была небрежно наброшена одна из Макдермоттовых рубашек, которая и впрямь послужила камнем преткновения. Я изо всех сил старался его обойти, но этим фактом прокурор буквально пригвоздил меня к месту.

Затем я направил указующий перст на коробейника, с которым можно было связать брошенную за дверью окровавленную рубашку, поскольку он пытался сбыть точно такой же товар в другом месте. Но и это оказалось бесполезно: согласно свидетельским показаниям, коробейник продал Макдермотту эту самую рубашку, — точнее, целую их кучу, — а затем весьма нелюбезно растворился в воздухе. По какой-то причине он не пожелал предстать перед судом, опасаясь, что его тоже вздернут.

— Трусоватый парнишка, — комментирует Саймон.

— Вот именно, — со смехом подтверждает Маккензи. — Когда же дошла очередь до Грейс, должен признаться, она мне мало чем помогла. Эту дурочку невозможно было уговорить не наряжаться в одежду убитой — поступок, который привел прессу и публику в ужас. Хотя, будь я сообразительнее, представил бы сам этот факт как доказательство чистой и спокойной совести или даже невменяемости. Но в то время мне не хватило хитрости, чтобы до этого додуматься.

Вдобавок Грейс слишком запутала следствие. В момент ареста она заявила, что не знает, где находится Нэнси. Потом, на

---

[1] Имеется в виду плащ, натертый ядовитой кровью кентавра Несса, который Деянира дала своему мужу Гераклу — с целью его приворожить.

дознании, высказала подозрение, что Нэнси мертва и что ее труп лежит в погребе, хоть и не знала, каким образом он там очутился. Однако на суде и в своем так называемом «Признании», — брошюрке, выпущенной газетой «Стар» и принесшей ее издателям кругленькую сумму, — она утверждала, что видела, как Макдермотт тащил Нэнси за волосы и сбросил ее с лестницы. Впрочем, она так никогда не призналась в удушении.

— Но ведь позднее она вам в этом призналась, — возражает Саймон.

— Правда? Не помню...

— В исправительном доме, — продолжает Саймон. — Она сказала вам, что ее преследуют залитые кровью глаза Нэнси. Так, по крайней мере, передала ваши слова миссис Муди.

Маккензи ерзает от неловкости на стуле и опускает взгляд.

— Грейс пребывала в душевном расстройстве, — говорит он. — В замешательстве и унынии.

— Но глаза?

— Миссис Муди, — к которой я отношусь с величайшим уважением, — произносит Маккензи, — обладает довольно богатым воображением и склонностью к преувеличениям. Она вкладывала прекрасные слова в уста своих персонажей, которые те вряд ли когда-либо произносили: ведь Макдермотт был неотесанным мужланом, — даже мне, его защитнику, с трудом удалось нацарапать пару добрых слов об этом человеке, — а Грейс — почти еще ребенком, к тому же необразованным. Что же касается глаз, то разум часто выдает желаемое за действительное. Я каждый день с этим сталкиваюсь в показаниях свидетелей.

— Значит, глаз не было?

Маккензи снова ерзает.

— Насчет глаз я не мог бы поклясться под присягой, — отвечает он. — Грейс не сказала ничего такого, что могло быть расценено в суде как признание, хоть она и говорила, будто сожалеет о смерти Нэнси. Но на ее месте это любой мог бы сказать.

— И впрямь, — говорит Саймон. Он начинает догадываться, что историю с глазами выдумала вовсе не миссис Муди, и ему становится интересно, какие еще эпизоды ее рассказа объясняются склонностью самого Маккензи к приукрашиванию. — Но у нас есть также показания Макдермотта, которые он дал прямо перед казнью.

— Ну да, заявления, сделанные на эшафоте, всегда попадают в газеты.

— Интересно, почему же он так долго выжидал?

— До самой последней минуты он надеялся, что ему, подобно Грейс, смягчат наказание. Он считал, что они оба виновны в равной степени и заслуживают одинакового приговора. И если бы Макдермотт обвинил Грейс, то тем самым еще крепче затянул бы петлю у себя на шее, поскольку ему пришлось бы признать, что он размахивал топором, ну и так далее.

— Между тем как Грейс могла бы обвинить его относительно безнаказанно, — вставляет Саймон.

— Вот именно, — подтверждает Маккензи. — И в нужный момент она не преминула это сделать. *Sauve qui peut*[1]! У этой женщины стальные нервы. Будь она мужчиной, из нее бы вышел хороший адвокат.

— Но Макдермотт так и не получил помилования, — говорит Саймон.

— Разумеется! Глупо было на него надеяться, но он все равно пришел в ярость. Он считал, что и в этом тоже виновата Грейс, — по его мнению, она сыграла на жалости, — и, насколько я понимаю, захотел ей отомстить.

— Да это и немудрено, — подхватывает Саймон. — Помнится, он утверждал, что Грейс спустилась вместе с ним в погреб и задушила Нэнси собственной косынкой.

— Ну да, косынку действительно нашли. Но все остальное не является неопровержимым доказательством. Макдермотт уже рассказал несколько разных историй и вдобавок слыл отъявленным лжецом.

---

[1] Спасайся, кто может! (*фр.*)

— Но ежели выступить адвокатом дьявола, — возражает Саймон, — из того факта, что человек слывет лжецом, еще не вытекает, что он лжет всегда.

— Совершенно верно, — отвечает Маккензи. — Что ж, я вижу, обворожительная Грейс весело водит вас за нос.

— Веселья в этом мало, — говорит Саймон. — Должен признаться, я зашел в тупик. Ее слова похожи на правду, она кажется искренней и честной, но я не могу отделаться от мысли, что она мне лжет, а я не в силах прямо на это указать.

— «Лжет» — слишком сильное слово, — отвечает Маккензи. — Вы спрашиваете, не лжет ли она вам? Давайте выразимся по-другому: лгала ли Шахразада? В ее собственных глазах — нет. В самом деле, ее рассказы нельзя рассматривать с точки зрения четких категорий Правды и Лжи. Они совсем из другой оперы. Возможно, Грейс Маркс попросту рассказывала вам то, что необходимо для достижения желанной цели.

— Какой же? — спрашивает Саймон.

— Развлечь Султана, — отвечает Маккензи. — Предотвратить удар. Отсрочить ваш уход, чтобы вы как можно дольше оставались с нею в комнате.

— Но какой во всем этом смысл? — восклицает Саймон. — Развлекая меня, она ведь все равно не выйдет из тюрьмы.

— Не думаю, что она в самом деле на это рассчитывает, — говорит Маккензи. — Но это же очевидно! Бедняжка в вас влюблена. Одинокий мужчина, довольно молодой и к тому же не урод, является к женщине, долгое время находившейся в уединении и лишенной мужского общества. Вы, без сомнения, стали предметом ее грез.

— Не может этого быть, — возражает Саймон, помимо воли краснея. Если Грейс в него влюблена, то она слишком хорошо хранит свой секрет.

— Ну а я в этом просто уверен! Я и сам испытал нечто подобное: ведь я проводил с ней долгие часы в ее тюремной камере в Торонто, пока она до бесконечности раскручивала передо мной свою пряжу. Я вскружил ей голову, и она не могла оторвать от меня глаз. Такие нежные, томные взгляды! Стоило мне коснуться ее руки, и она бы тотчас бросилась мне в объятия.

Саймону противно. До чего же самоуверен этот маленький тролль в кокетливом жилете и с носом-картошкой!

— Да ну? — произносит он, стараясь не выказать своего гнева.

— Конечно, — говорит Маккензи. — Видите ли, она считала, что ее повесят. Страх очень сильно возбуждает — советую вам когда-нибудь испробовать это средство. Нам, юристам, часто приходится выступать в роли святого Георгия. Найдите прикованную к скале девицу, которую собирается сожрать чудище, спасите ее, а потом забирайте себе. С девицами это обычное дело, вы не согласны? Не скажу, что я не испытал искушения. Она была тогда еще очень молода и нежна, хотя, конечно, тюремная жизнь ее ожесточила.

Саймон кашляет, чтобы скрыть свою ярость. Как же он мог не заметить, что у Маккензи чувственный рот старого развратника? Провинциального завсегдатая публичных домов. Расчетливого сластолюбца.

— На это не было и намека, — говорит он. — В моем случае.

Саймон считал, что грезил он сам, но теперь уже начинает в этом сомневаться. Что же на самом деле думала о нем Грейс, пока шила и рассказывала о себе?

— Мне очень повезло, — продолжает Маккензи, — ну и, разумеется, самой Грейс, — что убийство мистера Киннира рассматривалось первым. Всем было ясно, что она не могла застрелить Киннира, а что касается убийства Нэнси, — да по сути дела, обоих этих убийств, — там улики лишь косвенные. Грейс осудили не как главную исполнительницу, а как соучастницу, поскольку против нее говорило только то, что она заранее знала о намерениях Макдермотта и не донесла на него, а затем никого не известила об уже совершенном преступлении. Даже главный судья призывал к снисходительности, и с помощью нескольких убедительных прошений мне удалось спасти ей жизнь. К тому времени смертный приговор был вынесен обоим, и процесс завершился, поскольку судьи сочли излишним углубляться в детали второго дела. Поэтому Грейс так и не судили за убийство Нэнси Монтгомери.

— А если бы судили? — спрашивает Саймон.

— Я бы не смог ее оправдать. Общественное мнение оказалось бы сильнее. Ее бы повесили.

— Но, по вашему мнению, она была невиновна, — говорит Саймон.

— Напротив, — возражает Маккензи. Он отпивает хереса, аккуратно вытирает губы и улыбается своим приятным воспоминаниям. — Нет уж, по моему мнению, она была виновной на все сто.

46

ЧЕМ ЗАНИМАЕТСЯ ДОКТОР ДЖОРДАН и когда он вернется? Хоть я, кажется, догадываюсь, чем он занимается. Он разговаривает с людьми в Торонто, пытаясь выведать, виновна ли я, но так он этого не узнает. Он еще не понимает, что нас обвиняют не в том зле, которое мы сами совершили, а в том, которое другие причинили нам.

Его зовут Саймон. Интересно, почему мать его так назвала — или, может, это был отец? Моего отца никогда не заботили наши имена, ими занимались матушка и тетушка Полина. Есть, конечно, апостол Симон Петр, которого Господь сделал ловцом человеков. Но есть еще и простак Саймон. У Саймона-простака нету и пятака, но пришел он к купцу торговать овцу. Макдермотт тоже был таким: думал, что можно получать все бесплатно. И доктор Джордан так думает. Мне, конечно, его жалко. Он всегда такой худющий, и мне кажется, он еще больше истощал. Наверно, его гложет какая-то кручина.

А меня, видать, назвали в честь гимна. Матушка никогда этого не говорила, но она ведь много чего недоговаривала.

> О, Благодать! Я спасена
> От горького удела!
> Заблудшую овцу нашли,
> Слепая вновь прозрела!

Надеюсь, меня назвали в честь этих строк[1]. Мне хотелось бы, чтобы меня нашли. Чтобы я прозрела. Или чтобы меня

---

[1] Grace (*англ.*) — благодать.

узрели. Интересно, может, для Бога это одно и то же? Как сказано в Библии: *«Теперь мы видим как бы сквозь тусклое стекло, гадательно, тогда же лицом к лицу»*[1].

Раз лицом к лицу, значит, должны смотреть двое.

Сегодня был банный день. Ходили слухи, что нас заставят мыться голыми и целыми группами, а не по двое в ночных рубашках. Говорят, это сэкономит время, да и воду, но такой план кажется мне неприличным, и если они попытаются это сделать, я пожалуюсь начальству. Хотя, может, и не пожалуюсь, ведь испытания даются нам для того, чтобы мы безропотно их сносили. В бане противно: каменный пол весь скользкий от старого грязного мыла, похожего на студень, и за нами постоянно наблюдает сестра, хотя, возможно, это к лучшему, ведь иначе мы бы стали брызгаться. Зимой там замерзаешь до смерти, но сейчас, в летний зной, из-за всего этого пота и сажи, которых становится в два раза больше после работы на кухне, мне даже нравится холодная вода — она освежает.

После бани я занялась простым шитьем. В тюрьме не хватает мужской одежды, потому что поступает все больше и больше заключенных, особенно в жаркие летние деньки, когда народ становится вспыльчивым да мстительным; так что в хозяйстве требуется лишняя пара рук. Нужно выполнять распоряжения и соблюдать нормы, точь-в-точь как на фабрике.

Энни Литтл сидела рядом со мной на скамье — она низко наклонилась и прошептала:

— Грейс, а Грейс, он пригожий-то, твой молодой доктор? Вытащит тебя из тюрьмы? Ты влюбилась в него? Поди, влюбилась.

— Не болтай чепухи, — прошептала я ей. — Я никогда ни в кого не влюблялась и влюбляться не намерена. Меня при-

---

[1] 1 Кор. 13:12.

говорили к пожизненному, и здесь нет на это времени, да и места тоже нет, коли дело до любви дойдет.

Энни тридцать пять, она старше меня, но кроме того, что у нее не все дома, она так и не повзрослела. Такое случается в исправительном доме: некоторые остаются в душе того же возраста, в каком они сюда первый раз попали.

— Брось задаваться, — сказала она и пихнула меня локтем. — Ты ведь не против палочки в укромной норке, где она никогда не помешает. К тому же ты такая хитрая, — прошептала она, — что, если бы захотела, всегда нашла бы для этого и время, и место. Вон Берта Флад занялась этим с охранником в сарае для инструментов, да вот только ее застукали, а тебя никогда бы не застукали, ты ж такая спокойная: могла бы свою родную бабульку прибить в ее же кровати, и глазом бы не моргнула. — И она фыркнула от смеха.

Боюсь, она вела очень постыдную жизнь.

— Эй вы, молчать! — крикнула дежурная сестра. — А не то запишу ваши фамилии. — С тех пор как назначили новую старшую сестру, с нами снова стали строго обращаться, и если у тебя будет много записей, обстригут тебя наголо.

После обеда меня отправили в дом коменданта. Дора снова была там, поскольку она договорилась с хозяйкой доктора Джордана, что будет приходить к нам в дни генеральной стирки, — и, как обычно, сплетничала напропалую. По ее словам, если б она рассказала хотя бы половину того, что знала, то сбила бы кое с кого спесь, ведь много есть гробов поваленных, разодетых в черные шелка да кружевные платочки, а по вечерам они жалуются на мигрени, прикидываясь порядочными людьми. Другим-то все равно, но ее не проведешь. Дора говорила, что с тех пор, как доктор Джордан уехал, ее хозяйка часами ходит взад и вперед по комнате, выглядывает в окно или сидит как столб. Это и немудрено, ведь, наверно, боится, что он сбежит от нее точно так же, как и первый хахаль. И кто будет тогда оплачивать все ее прихоти да причуды, и кто будет улаживать все ее дела?

Клэрри обычно не обращает внимания на то, что говорит Дора. Ее не интересуют сплетни о высших сословиях, и она знай себе курит трубку да приговаривает: «Гм». Но сегодня она сказала: какое, мол, ей дело до того, чем занимаются баре, лучше уж смотреть, как петухи да куры возятся на скотном дворе, ведь, по ее мнению, Господь создал таких людей, только чтоб белье пачкать, потому что она не видит для них другого применения. А Дора сказала:

— Славная у них работенка, надо сказать, и пачкают они его быстрее, чем я успеваю отстирывать, и если уж говорить начистоту, занимаются они этим вдвоем.

От этих слов у меня по коже пробежал мороз, но я не стала ни о чем ее расспрашивать. Я не хотела, чтобы она говорила какие-нибудь гадости о докторе Джордане, ведь он был в общем-то очень добр ко мне и вносил разнообразие в мою тяжелую, безотрадную жизнь.

Когда доктор Джордан вернется, меня должны будут загипнотизировать. Все уже решено: Джеремайя, или доктор Дюпон, как я теперь должна его называть, будет меня гипнотизировать, а все остальные — слушать и смотреть. Жена коменданта все объяснила и сказала, что мне бояться нечего, потому что я буду в кругу друзей, желающих мне добра, и мне нужно будет просто сесть на стул и заснуть, когда мне велит это сделать доктор Дюпон. Пока я буду спать, они станут задавать мне вопросы. Так они надеются вернуть мне память.

Я сказала ей, что не уверена в том, хочу ли я, чтобы ко мне вернулась память, хотя, конечно, сделаю все, как им будет угодно. А она ответила, что рада моей готовности сотрудничать, глубоко верит в меня и убеждена, что я докажу свою невиновность.

После ужина сестра нам раздала немного вязанья, чтобы мы взяли его с собой в камеру и закончили после работы, поскольку им не хватает чулок. Летом темнеет поздно, так что на нас не нужно тратить свечного сала.

И вот теперь я вяжу. Я умею быстро вязать и делаю это не глядя, если это обычные чулки, а не что-нибудь затейливое. И пока вяжу, думаю: Что бы я вставила в свой памятный альбом, если бы он у меня был? Кусочек бахромы с матушкиной шали. Красную шерстяную нитку из украшенных цветочным узором варежек, которые Мэри Уитни связала для меня. Шелковый обрезок от дорогой Нэнсиной шали. Костяную пуговицу от Джеремайи. Маргаритку из венка, сплетенного для меня Джейми Уолшем.

Ничего от Макдермотта, потому что я не хочу о нем даже вспоминать.

Но каким должен быть памятный альбом? В нем нужно хранить только хорошие или же все-все вещи из жизни? Многие вставляют туда картинки со сценами или событиями, которых никогда не видели: например, герцогов или Ниагарский водопад, но, по-моему, это какой-то обман. Я поступлю точно так же? Или сохраню верность собственной жизни?

Кусок грубой хлопчатобумажной ткани из моей тюремной сорочки. Квадратный клочок окровавленной нижней юбки. Полоска от белой косынки в голубой цветочек «девица в зелени».

47

Н А СЛЕДУЮЩЕЕ УТРО, С РАССВЕТОМ, Саймон отравляется в Ричмонд-Хилл на лошади, которую берет напрокат на извозчичьем дворе за своей гостиницей. Подобно всем лошадям, привыкшим к частой смене незнакомых наездников, эта оказалась упрямой, тугоуздой и дважды попыталась сбросить его, стукнув об забор. После этого угомонилась и поскакала настойчивым легким галопом, изредка переходя на бодрую трусцу. Хотя дорога пыльная и местами ухабистая, она все же лучше, чем ожидал Саймон, и, пару раз остановившись на постоялых дворах отдохнуть и пополнить запасы воды, вскоре после обеда он добирается до Ричмонд-Хилла.

Тот по-прежнему мало похож на город. Есть сельская лавка, кузница и беспорядочная кучка домов. Гостиница, наверное, та же, которую помнит Грейс. Саймон заходит, заказывает ростбиф и пиво и спрашивает, где находится бывший дом мистера Киннира. Хозяин не удивлен: Саймон далеко не первый задает подобный вопрос. Тогда, сразу после убийств, говорит хозяин, был огромный наплыв посетителей, и с тех пор сюда постоянно наведываются отдельные любители достопримечательностей. Жителям города порядком поднадоело, что он только этим и известен: по мнению же хозяина, пусть мертвецы хоронят мертвецов. Но людям хочется прикоснуться к трагедии, а это постыдное желание. Казалось бы, забудь о плохом — так нет же, они норовят к нему приобщиться. Некоторые даже уносят с собой сувениры: камешки с подъездной аллеи или цветы с клумб. Джентльмена, купившего дом, нынче уже не так сильно беспокоят, потому что людей приезжает меньше. Но он все равно не любит праздного любопытства.

Саймон уверяет, что его любопытство далеко не праздное: он врач и изучает случай Грейс. Пустая трата времени, говорит хозяин, потому что Грейс виновата во всем.

— Она была красивой бабой, — прибавляет хозяин, как бы гордясь тем, что был с нею знаком. — Воды не замутит. Никогда бы не догадался, что она там затевает, с таким-то смазливым личиком.

— Кажется, в то время ей было не больше пятнадцати, — говорит Саймон.

— А могла бы сойти за восемнадцатилетнюю. Стыд-позор — стать такой грешницей в ее-то годы!

Хозяин говорит, что мистер Киннир был славный джентльмен, хоть и распущенный, и многим людям нравилась Нэнси Монтгомери, хоть и жила с ним во грехе. Он и Макдермотта знал: первоклассный атлет, и все бы у него славно в жизни сложилось, кабы не Грейс:

— Это она его завлекла, а потом и накинула ему на шею удавку.

Он говорит, что бабы всегда легко отделываются.

Саймон спрашивает о Джейми Уолше, но он уехал из этих мест. Одни говорят — в город, другие — в Штаты. После того как продали поместье Киннира, Уолшам пришлось съехать. На самом деле в окру́ге осталось мало людей, живших здесь в то время: с тех пор было много купли-продажи да разъездов-переездов, ведь за забором трава всегда зеленей кажется.

Саймон скачет на север и без труда узнает имение Киннира. Он не собирался подъезжать прямо к дому — просто хотел взглянуть на него издали, — но фруктовый сад, который во времена Грейс был еще молодым, теперь разросся и частично закрывает обзор. Саймон внезапно оказывается на подъездной аллее и, не успев опомниться, привязывает лошадь к изгороди рядом с двумя кухнями и подходит к парадной двери.

Дом меньше и невзрачнее, чем он себе представлял. Крыльцо с колоннами давно следовало бы подкрасить, а розовые кусты так буйно разрослись, что на них лишь кое-где виднеются цветы. Какие чувства способна вызвать эта картина, спрашивает себя Саймон, помимо вульгарного трепета и нездорового интереса? Похоже на осмотр поля битвы: происходившие здесь события живы лишь в воображении. Подобные столкновения с реальностью всегда разочаровывают.

Тем не менее он стучит в парадную дверь, затем еще раз. Никто не откликается. Он уже собирается уйти, как вдруг дверь отворяется. На пороге — худая женщина с грустным лицом, не старая, но уже в летах, скромно одетая в темное ситцевое платье и передник. У Саймона такое ощущение, что если бы Нэнси Монтгомери осталась жива, она бы выглядела точно так же.

— Вы пришли осмотреть дом, — говорит женщина. Это не вопрос. — Хозяина нет, но мне велено вам все показать.

Саймон поражен: откуда они узнали о его приезде? Быть может, вопреки тому, что говорил трактирщик, у них по-прежнему масса посетителей? Неужели это место превратилось в жутковатый музей?

Экономка — наверное, это она — отходит в сторону, пропуская Саймона в вестибюль.

— Полагаю, вы хотите взглянуть на колодец, — говорит. — Все им интересуются.

— Колодец? — спрашивает Саймон. Он не слышал ни о каком колодце. Возможно, его визит будет вознагражден какой-то новой, не упоминавшейся ранее деталью. — Какой колодец?

Женщина смотрит на него с удивлением:

— Крытый колодец, сэр, с новым насосом. Если вы собираетесь купить это имение, вам наверняка захочется его осмотреть.

— Но я не собираюсь ничего покупать! — в растерянности восклицает Саймон. — Дом что — продается?

— А с какой стати я бы вам его показывала? Конечно, продается, и уже не впервой. Просто здесь жить неуютно. Дело вовсе не в привидениях, хотя, может, они и обитают в доме, и мне не нравится спускаться в погреб. Но главное — поместье притягивает праздных зевак.

Экономка пристально смотрит на него: если он не покупатель, что же он здесь тогда делает? Саймону бы не хотелось, чтобы его сочли очередным праздным зевакой.

— Я врач, — поясняет он.

— Ах, врач, — кивает она с понимающим видом, словно это все объясняет. — Значит, вы хотите осмотреть *дом*. К нам приезжает куча всяких докторов, желающих его осмотреть. Больше даже, чем юристов. Ну, раз уж вы к нам пожаловали, можете тоже взглянуть. Вот гостиная, где во времена мистера Киннира, говорят, стояло фортепьяно, на котором играла мисс Нэнси Монтгомери. Сказывают, что она пела, как канарейка. Она была очень музыкальной. — Экономка улыбается Саймону: ее первая улыбка за все это время.

Саймон совершает доскональный осмотр. Ему показывают столовую, библиотеку, зимнюю кухню, летнюю, конюшню и чердак, «где ночевал этот мерзавец Макдермотт». Спальни на верхнем этаже, — «одному Богу известно, что здесь творилось», — и комнатушку Грейс. Мебель, конечно, другая. Победнее да похуже. Саймон пытается представить, как все выглядело тогда, но ему это не удается.

Как заправская хозяйка балагана, экономка приберегает погреб напоследок. Зажигает свечу и спускается первой, предупреждая, что здесь скользко. Свет неярок, а углы затянуты паутиной. Сырой запах земли и овощей.

— Вот здесь самого́ и нашли, — с удовольствием поясняет экономка, — а ее спрятали вон под той стенкой. Но зачем было ее прятать, ума не приложу. Убийство ведь наружу выйдет все равно — так оно и вышло. Жаль только, что Грейс не повесили, и не я одна так считаю.

— Не сомневаюсь, — говорит Саймон. Он увидел достаточно и хочет уйти. У парадной двери он дает ей монетку — видимо, здесь так полагается, — а экономка кивает и кладет ее в карман.

— Можете еще на могилы взглянуть, на городском кладбище, — советует она ему. — Имена там не проставлены, но вы их сразу узнаете по штакетнику.

Саймон ее благодарит. Ему кажется, будто он тайком уходит с какого-то стыдного подглядывания. Вот он и превратился в извращенца. Причем закоренелого, поскольку теперь он направляется прямиком к пресвитерианской церкви: ее легко найти по одиноко маячащей колокольне.

Позади нее — кладбище, зеленое и опрятное: мертвецы находятся под бдительным присмотром. Никакого ползучего бурьяна или изорванных венков, никакой путаницы и неразберихи и никакого намека на европейскую барочную пышность. Ни ангелов, ни распятий — никакой чепухи. Пресвитерианский рай, вероятно, напоминает банковское учреждение, где каждая душа снабжена биркой, промаркирована и помещена на соответствующую полку.

Могилы, которые он ищет, сразу бросаются в глаза. Каждая обнесена деревянным штакетником, — таких оград на кладбище больше нет, — который, без сомнения, должен преградить дорогу мертвецам: согласно поверьям, убиенные поднимаются из могил. Выходит, пресвитериане тоже не лишены суеверий.

Штакетник Томаса Киннира выкрашен белым, а Нэнси Монтгомери — черным, и наверное, это говорит об осуждении горожан: хоть она и жертва убийства, а всё ж таки грешница. Их не стали хоронить в одной могиле — к чему подогревать скандал? Могилу Нэнси почему-то вырыли в ногах у Киннира, к тому же под прямым углом к нему, и поэтому напоминает она коврик подле кровати. Почти весь Нэнсин закуток спрятан за большим розовым кустом, — выходит, автор старой баллады с плаката оказался пророком, — но у Томаса Киннира никаких виноградных лоз нет. Саймон сорвал с могилы Нэнси розу, непроизвольно собравшись отвезти ее Грейс, но потом опомнился.

Он ночует на неприглядном постоялом дворе на полпути к Торонто. Оконные стекла покрыты таким слоем сажи, что сквозь них почти ничего не видно, одеяла пропахли сыростью, а прямо под его комнатой бражничает ватага крикливых выпивох, хотя уже далеко за полночь. Таковы издержки загородных поездок. Саймон подпирает дверь стулом, чтобы к нему случайно не пожаловали незваные гости.

Он просыпается рано утром и пристально изучает появившиеся на коже следы от укусов разнообразных насекомых. Окунает голову в крохотный тазик с тепловатой водой, принесенный горничной, которая выполняет также обязанности судомойки: вода воняет луком.

Позавтракав ломтиком допотопной ветчины и яйцом неопределенного возраста, Саймон продолжает путь. На улице людей мало: он проезжает мимо телеги и лесоруба, повалившего засохшее дерево у себя на поле, а также землепашца, мочащегося в канаву. Над полями там и сям висят клочья тумана, рассеиваясь, подобно грезам, в утреннем свете. Воздух мглист, придорожная трава покрыта росой, и лошадь на ходу жадно хватает ее ртом. Саймон равнодушно дергает ее за уздцы, а затем пускает иноходью. Его одолевает лень, у него нет ни целей, ни устремлений.

Перед тем как сесть на вечерний поезд, Саймон должен сделать еще кое-что. Он хочет навестить могилу Мэри Уитни. Ему нужно убедиться, что она действительно существовала.

Методистская церковь на Аделаид-стрит — та, которую называла Грейс: он отыскал ее в своих записях. На кладбище мрамор заменен полированным гранитом, а стихов стало меньше; здесь щеголяют не украшениями, а размерами и прочностью. Методисты любят, чтобы их памятники были монументальными — похожими на глыбы и такими же категоричными, как крупные черные подписи под закрытыми счетами в отцовском гроссбухе: *«Оплачено полностью».*

Он шагает между рядами могил, читая фамилии — Бигги и Стюарты, Флюки и Чемберы, Куки, Рэндольфы и Столуорты. Наконец он отыскивает ее в уголке: небольшой серый камень, выглядит старше прошедших девятнадцати лет. *Мэри Уитни* — имя, и больше ничего. Но Грейс ведь сказала, что имя — это все, что она могла себе позволить.

Внезапно в нем вспыхивает уверенность, — значит, ее история правдива! — но так же быстро угасает. Чего стоят подобные материальные свидетельства? Фокусник достает из шляпы монету, и поскольку монеты и шляпа — настоящие, публика полагает, что никакого обмана здесь нет. Но это всего лишь камень. К тому же на нем нет никаких дат, и похороненная под ним Мэри Уитни, быть может, вообще никак не связана с Грейс Маркс. Возможно, это просто имя на камне — Грейс увидела его и использовала в своей вымышленной истории. Мэри Уитни могла быть старухой, зрелой женщиной, младенцем — да кем угодно.

Так ничего и не доказано. Однако ничего и не опровергнуто.

Саймон возвращается в Кингстон первым классом. Поезд набит битком, и чтобы избежать давки, пришлось раскошелиться. Пока Саймон мчится на восток, оставляя позади Торонто вместе с Ричмонд-Хиллом, его фермами и лугами, он пытается представить себе жизнь в этой мирной сельской местности, утопающей в пышной зелени: например, в доме Томаса Киннира, с Грейс в роли экономки. И не просто экономки, а заточенной тайной любовницы. Он бы скрывал ее под другим именем.

Это была бы ленивая, беззаботная жизнь, не лишенная своих неторопливых удовольствий. Он представляет себе, как Грейс сидит на стуле в гостиной и шьет, а свет лампы падает на одну половину ее лица. Но почему только любовница? Ему приходит в голову, что Грейс Маркс — единственная встреченная им женщина, на которой он готов жениться. Он начинает обдумывать эту внезапно возникшую мысль. С язвительной иронией Саймон отмечает, что, возможно, лишь Грейс удовлетворила бы всем или почти всем привычным материнским требованиям: так, например, она не богата. Красива, но не легкомысленна, домоседка, но не тупица, отличается простыми манерами, осторожна и рассудительна. Кроме того, она прекрасная рукодельница и по части вышивок тамбуром, наверняка, перещеголяла бы мисс Веру Картрайт. Здесь матери было бы не на что жаловаться.

Теперь его собственные требования. Он уверен, что в глубине души Грейс — натура страстная, хотя эту страсть еще нужно разбудить. И она будет ему благодарна, путь даже помимо воли. Сама по себе благодарность Саймона не привлекает, но ему импонирует это «помимо воли».

Потом есть еще Джеймс Макдермотт. Всю ли правду она ему рассказала? Действительно ли она недолюбливала и боялась этого человека? Он, конечно, к ней притрагивался, но как далеко зашли их отношения, и с ее ли согласия? При взгляде в прошлое подобные эпизоды воспринимаются иначе, нежели в само мгновение страсти: ему ли этого не знать, и почему у женщин все должно быть иначе? Приходится кривить душой, оправдываться, изо всех сил отпираться. А что, если как-нибудь вечерком, в освещенной лампой гостиной, она расскажет больше, нежели ему хотелось бы знать?

Но ведь ему хочется это узнать.

Конечно, безумие, извращенная фантазия — жениться на подозреваемой в убийствах. А если бы он ее встретил еще до их совершения? Поразмыслив, Саймон отвергает эту мысль. До убийств Грейс была бы совершенно непохожей на ту женщину, которую он знает. Юной, еще не созревшей девушкой — холодной, мягкой и пресной. Плоской равниной.

«Убивица, убивица», — шепчет он про себя. Это слово обладает чарующей силой, почти ароматом. Тепличных гардений. Жгучим, но едва уловимым. Он представляет, как вдыхает его, притягивая к себе Грейс и сливаясь с ней в поцелуе. *Убивица.* Он выжигает это слово у нее на шее, подобно клейму.

XIII
ЯЩИК ПАНДОРЫ

Мой муж изобрел весьма хитроумную разновидность Спиритоскопа... Я никогда не решалась класть руки на этот планшет, который под человеческим влиянием начинает двигаться и по буквам составляет имена и сообщения. Но, оставшись одна, я все же положила руки на планшет и спросила: «Мою руку поднял дух?» и тогда планшет завращался и ответил: «Да»...

Возможно, вы решите, как и я сама раньше думала, что все это — плод моего воображения, но в таком случае оно гораздо умнее меня самой, поскольку его владелица даже не догадывается о продиктованных им по буквам целым страницам связных и нередко глубоких рассуждений. Ведь я узнаю о них лишь после того, как мистер Муди приостанавливает сеанс и зачитывает их мне. Моя сестра миссис Трейлл — очень сильный медиум, она получает подобные сообщения на иностранных языках. Ее духи часто бранятся и называют ее всякими нехорошими словами... Только не считайте меня сумасшедшей или одержимой злыми духами. Могу лишь пожелать вам столь же восхитительного безумия.

Сюзанна Муди,
письмо Ричарду Бентли, 1858

*Тень пропорхнула мимо,
Похожа на твою.
Ах, если б мы могли узреть*

На краткий миг, молю,
Усопших, чтоб узнать от них,
В каком они краю!

Лорд Альфред Теннисон. «Мод», 1855

Сквозь Душу Трещина Прошла —
И Мозг мой расщеплен —
Собрать пыталась по Частям —
Не склеивался он.

Эмили Дикинсон, ок. 1860 г.

48

ОНИ ОЖИДАЮТ В БИБЛИОТЕКЕ, в доме миссис Квеннелл, сидя на стульях с прямыми спинками и как бы невзначай полуобернувшись к слегка приоткрытой двери. Шторы из темно-бордового плюша с черной отделкой и кисточками, напоминающие Саймону епископальные похороны, задернуты; лампа с круглым абажуром зажжена. Она стоит в центре продолговатого дубового стола, вокруг которого они сидят — молчаливо, выжидающе, чинно и настороженно, как присяжные перед судом.

Миссис Квеннелл, однако, расслаблена, и ее руки спокойно лежат на коленях: она предвкушает чудеса, но, какими бы необычными те ни были, она явно им не удивится. Миссис Квеннелл напоминает профессионального гида, для которого восхищение, скажем, Ниагарским водопадом стало обычным делом, но гид надеется косвенно насладиться восторгами новых посетителей. Жена коменданта выражает тоскливое благочестие, смягченное смирением, а преподобному Верринджеру удается смотреть одновременно доброжелательно и неодобрительно: вокруг его глаз что-то поблескивает, как будто он в очках, хотя на самом деле их нет. Лидия, сидящая слева от Саймона, одета в платье из какой-то воздушной лоснящейся ткани разбеленного розовато-лилового оттенка, с достаточно низким вырезом, обнажающим прелестную ключицу: Лидия благоухает влажным ароматом ландышей. Она нервно сжимает свой носовой платок, но, встречаясь глазами с Саймоном, улыбается.

Что же касается его самого, то он чувствует, что на его лице застыла скептическая и довольно неприятная ухмылка — однако это лишь маска, поскольку под ней кроется нетерпение школьника, попавшего на карнавал. Он ни во что не верит, ожидает обмана и стремится узнать его механизм, но в то же время жаждет сюрпризов. Саймон знает: подобный настрой опасен — следует сохранять объективность.

Раздается стук в дверь, и она открывается шире: входит доктор Дюпон, ведущий за руку Грейс. Она без чепца, и в свете лампы ее уложенные волосы отливают рыжиной. На Грейс белый воротничок, которого Саймон никогда не видел, и она выглядит поразительно юной. Она ступает осторожно, словно слепая, но ее глаза широко раскрыты и неотрывно смотрят на Дюпона с той трепетной робостью и молчаливой, несмелой мольбой, которой Саймон, как он теперь понимает, тщетно пытался добиться.

— Я вижу, все уже собрались, — говорит доктор Дюпон. — Меня радует ваш интерес, и я надеюсь на ваше доверие. Лампу нужно убрать со стола. Миссис Квеннелл, могу ли я поручить это вам? Убавьте свет, пожалуйста. И закройте дверь.

Миссис Квеннелл встает и молча переносит лампу на маленький столик в углу. Преподобный Верринджер плотно затворяет дверь.

— Грейс будет сидеть здесь, — продолжает доктор Дюпон. Он усаживает ее спиной к шторам. — Вам так удобно? Отлично. Не бойтесь, никто не причинит вам вреда. Я уже объяснил ей, что она должна будет просто слушать меня, а потом уснет. Вы поняли, Грейс?

Грейс кивает. Она сидит неподвижно, сжав губы, с расширенными от слабого света зрачками. Руками она вцепилась в подлокотники. Саймон видел подобные позы в больничных палатах — у людей, испытывающих сильную боль или ожидающих операции. Животный страх.

— Это чисто научная процедура, — говорит доктор Дюпон. Он обращается не к Грейс, а скорее ко всем остальным. —

Прошу вас отбросить любые мысли о месмеризме и тому подобных мошеннических процедурах. Метод Брейда абсолютно логичен и разумен, и его истинность неопровержимо доказана европейскими экспертами. Он заключается в умышленном расслаблении и перестройке нервов, вызывающих нейрогипнотический сон. То же самое наблюдается у рыб, если их гладить вдоль спинного плавника, и даже у кошек, хотя у более развитых организмов реакция, конечно, сложнее. Я прошу вас избегать резких движений и громких звуков, поскольку они могут вызвать шок, а возможно, даже причинить вред пациентке. Прошу вас также сидеть молча, пока Грейс не уснет, после чего вы сможете негромко разговаривать.

Грейс пристально смотрит на закрытую дверь, словно подумывая о побеге. Ее нервы так напряжены, что Саймон почти чувствует, как она вибрирует, подобно натянутой струне. Он никогда не видел ее такой напуганной. Что же сказал или сделал ей Дюпон, перед тем как привести ее сюда? Должно быть, пригрозил, но когда он к ней обращается, Грейс доверчиво на него смотрит. Она боится кого угодно, только не Дюпона.

Дюпон еще больше убавляет свет. Воздух в комнате становится тяжелым — словно бы от еле заметного дыма. Теперь черты Грейс находятся в тени, которую прорезает стеклянный блеск ее глаз.

Дюпон начинает процедуру. Вначале он говорит о тяжести и сонливости, а затем внушает Грейс, что ее тело плывет по течению и она все глубже погружается под воду. Его монотонный голос действует успокаивающе. Веки у Грейс опускаются, она дышит ровно и глубоко.

— Вы спите, Грейс? — спрашивает ее Дюпон.

— Да, — отвечает она медленно и вяло, но вполне отчетливо.

— Вы слышите меня?

— Да.

— Вы слышите только меня? Хорошо. Когда вы проснетесь, то забудете о том, что здесь происходило. А теперь спите, — он делает паузу. — Пожалуйста, поднимите правую руку.

Рука медленно поднимается, словно ее тянут за нитку, пока не вытягивается параллельно полу.

— Ваша рука, — говорит Дюпон, — это железный брусок. Никому не под силу его согнуть. — Он окидывает присутствующих взглядом: — Кто-нибудь желает попробовать?

Саймона так и подмывает, но он решает не рисковать: ему пока не хочется ни убеждаться, ни разочаровываться.

— Не желаете? — спрашивает Дюпон. — Тогда позвольте мне.

Он кладет обе ладони на вытянутую руку Грейс и наклоняется вперед.

— Я давлю изо всех сил, — говорит он. Рука не сгибается. — Хорошо. Можете опустить.

— У нее глаза открыты, — с тревогой говорит Лидия, и между веками Грейс действительно белеют два полумесяца.

— Это нормально, — отвечает Дюпон, — и не имеет никакого значения. В подобном состоянии пациент, очевидно, способен различать некоторые предметы даже с закрытыми глазами. Такова особенность нервной системы, вероятно, включающей в себя некий орган чувств, покуда не известный человеку. Но продолжим.

Он склоняется над Грейс, словно бы прислушиваясь к ее сердцебиению. Затем вынимает из потайного кармана материю квадратной формы — обычную светло-серую дамскую вуаль — и осторожно опускает ее на голову Грейс. Покрывало вздымается и оседает, и под ним теперь проступают лишь контуры лица. Несомненный намек на саван.

Слишком театрально и безвкусно, думает Саймон, попахивает местечковыми лекториями пятнадцатилетней давности с публикой, состоявшей из легковерных приказчиков, немногословных фермеров и их неряшливых жен. Сладкоречивые шарлатаны несли трансцендентальную чушь и неохотно давали знахарские советы, пытаясь залезть простофилям в карман. Саймон готов высмеять это представление, но по спине у него бегут мурашки.

— У нее такой... странный вид, — шепчет Лидия.

— «За покрывалом ли ответ? Мы уповать на это вправе?» — декламирует преподобный Верринджер. Саймон чувствует, что ему уже не до шуток.

— Простите? — переспрашивает жена коменданта. — Ах да, милый мистер Теннисон.

— Это помогает сосредоточиться, — тихо поясняет доктор Дюпон. — Если оградить пациента от внешних впечатлений, его внутреннее зрение обострится. Теперь, доктор Джордан, мы можем спокойно отправиться в прошлое. Какой вопрос вы хотели бы ей задать?

Саймон не знает, с чего начать.

— Спросите ее о доме Киннира, — предлагает он.

— Какой его части? — уточняет Дюпон. — Нужно указать конкретно.

— О веранде, — отвечает Саймон, привыкший заходить издалека.

— Грейс, — произносит Дюпон, — вы на веранде у мистера Киннира. Что вы там видите?

— Вижу цветы, — говорит Грейс протяжно и довольно уныло. — Солнце садится. Мне так весело. Хочется здесь остаться.

— Теперь попросите ее встать, — продолжает Саймон, — и зайти в дом. Скажите, чтобы в вестибюле она подошла к люку, ведущему в погреб.

— Грейс, — говорит Дюпон, — вы должны...

Внезапно раздается громкий одиночный стук, похожий на небольшой взрыв. Откуда он донесся — от стола или от двери? Лидия негромко вскрикивает и хватает Саймона за руку. С его стороны было бы невежливо ее отдергивать, ведь девушка дрожит, как осиновый лист, и поэтому он сидит не шелохнувшись.

— Тс-с! — пронзительно шепчет миссис Квеннелл. — У нас гость!

— Уильям! — тихо восклицает жена коменданта. — Я знаю, это мой любимый малыш!

— Простите, — раздраженно говорит Дюпон, — но это не спиритический сеанс!

Грейс беспокойно шевелится под покрывалом. Жена коменданта сморкается в носовой платок. Саймон бросает взгляд на преподобного Верринджера. В темноте трудно различить его лицо: видимо, это страдальческая улыбка, как у младенца, которого мучают газы.

— Мне страшно, — говорит Лидия. — Включите свет!

— Пока еще рано, — шепчет Саймон. Он гладит ее по руке. Снова слышатся три резких удара, будто кто-то стучит в дверь, властно требуя, чтобы его впустили.

— Ну это уже слишком, — произносит Дюпон. — Скажите, чтобы они ушли.

— Я попытаюсь, — говорит миссис Квеннелл. — Но сегодня четверг. Они обычно приходят по четвергам.

Она склоняет голову и молитвенно складывает руки. Через некоторое время раздается прерывистая дробь, похожая на грохот голышей, сыплющихся в водосточный желоб.

— Вот, — подытоживает миссис Квеннелл. — Кажется, всё.

Наверное, за дверью или под столом находится сообщник, думает Саймон, или же какой-то аппарат. В конце концов, это ведь дом миссис Квеннелл. Мало ли чем она могла его оборудовать. Но под столом только их ноги. Так что же это за механизм? Даже просто сидя здесь, Саймон становится посмешищем, невежественной марионеткой в чужих руках, жертвой обмана. Но уйти он уже не может.

— Спасибо, — благодарит Дюпон. — Доктор, простите за заминку. Продолжим.

Саймон все явственнее чувствует в своей руке ладонь Лидии. Маленькую и горячую. В комнате слишком тесно и поэтому неуютно. Ему хотелось бы отстраниться, но Лидия вцепилась в него железной хваткой. Саймон надеется, что этого никто не заметит. Рука затекла, он скрещивает ноги. Внезапно ему представляются ноги Рэчел Хамфри в одних чулках, и он хватается за них, пытаясь удержать вырывающуюся женщину. Правда, она вырывается понарошку и наблюдает сквозь полуопущенные ресницы за тем, какое впечатление на него производит. Извивается, будто верткий угорь. Умоляет, словно пленница. Ее — или его — скользкая, потная кожа, ее влажные волосы, рассыпавшиеся по лицу, по губам — и так каждую ночь. В заточении. Когда он лижет ее кожу, та блестит, словно атлас. Так не может дальше продолжаться.

— Спросите ее, — говорит он, — вступала ли она в отношения с Джеймсом Макдермоттом.

Он не собирался задавать этот вопрос, по крайней мере — в начале, и к тому же так откровенно. Но разве не это, — как он теперь понимает, — он больше всего жаждет узнать?

Дюпон ровным голосом повторяет вопрос Грейс. Наступает пауза, затем Грейс смеется. Или за нее смеется кто-то другой — на Грейс это не похоже.

— Отношения, доктор? Что вы имеете в виду? — Голос тонкий, дрожащий, слезливый — но он здесь и он насторожен. — Ну и ханжа вы, доктор! Вы хотите узнать, целовалась и спала ли я с ним? Был ли он моим любовником? Да?

— Да, — отвечает Саймон. Он потрясен, но старается этого не показывать. Он ожидал ряда односложных слов, простых «да» и «нет», выуженных из ее летаргии и ступора: ряда вынужденных, сонных ответов на его настойчивые расспросы. Но только не подобного грубого издевательства. Этот голос не может принадлежать Грейс — но в таком случае чей же он?

— Занималась ли я с ним тем, чем вы сами хотели бы заняться с той потаскушкой, что схватила вас за руку? — Слышится сухой, сдавленный смешок.

Лидия открывает в изумлении рот и отдергивает руку, словно бы обжегшись. Грейс снова смеется:

— Вы хотите это узнать, и я вам расскажу. Да, я встречалась с ним на улице, во дворе, в одной ночной сорочке, при свете луны. Я прижималась к нему и позволяла целовать и лапать меня во всех тех местах, доктор, где и вам хотелось бы меня облапить. Ведь я знаю, о чем вы думаете, когда сидите со мной в той душной комнатушке для шитья. Но на этом все и закончилось, доктор. Больше я ему ничего не разрешила. Я водила его за нос, и мистера Киннира тоже. Заставляла обоих плясать под свою дудку!

— Спросите ее, зачем, — говорит Саймон. Он не понимает, что происходит, но быть может, это его последняя возможность во всем разобраться. Он должен сохранять спокойствие и продолжать расследование. Собственный голос кажется ему хриплым карканьем.

— Я дышала вот так, — продолжает Грейс, сладострастно постанывая. — Вилась да изгибалась всем телом. После такого он говорил, что готов на что угодно. — Она прыскает со смеху. — Зачем? Ах, доктор, вы всегда спрашиваете, зачем. Везде суете свой нос, да и не только нос. Ишь какой любопытный! Но вы же знаете, доктор, любопытному на днях прищемили нос в дверях. Остерегайтесь этой мышки рядом с вами и ее пушистой мышиной норки!

К удивлению Саймона, преподобный Верринджер хмыкает. Или, возможно, он кашляет.

— Это возмутительно! — восклицает жена коменданта. — Я не буду здесь сидеть и слушать подобные непристойности! Лидия, пошли отсюда!

Она приподнимается, шурша юбками.

— Прошу вас, не обессудьте, — призывает Дюпон. — Перед интересами науки скромность должна отступить на второй план.

Саймону кажется, что все это — уже чересчур. Он должен взять или хотя бы попытаться взять инициативу на себя: нужно помешать Грейс читать его мысли. Ему рассказывали о ясновидческих способностях людей, находящихся под гипнозом, но он никогда в это не верил.

— Спросите ее, — решительно требует он, — спускалась ли она в погреб мистера Киннира в субботу 23 июля 1843 года.

— Погреб, — говорит Дюпон. — Вы должны представить себе погреб, Грейс. Вернитесь обратно во времени, спуститесь в пространстве...

— Да, — отвечает Грейс своим новым, тонким голоском. — Иду через вестибюль, подымаю люк, спускаюсь по ступенькам в погреб. Бочонки с виски, овощи в ящиках с песком. Там, на полу. Да, я была в погребе.

— Спросите, видела ли она там Нэнси?

— Ну да, я ее видела. — Пауза. — Как вижу сейчас вас, доктор. Сквозь покрывало. Не только вижу, но и слышу.

Дюпон удивлен.

— Странно, — бормочет он, — впрочем, такие случаи известны.

— Она была жива? — спрашивает Саймон. — Она была еще жива, когда вы ее увидели?

Хихикает:

— Полужива, полумертва. Ее нужно было, — пронзительно хохочет, — избавить от страданий.

Преподобный Верринджер громко вздыхает. Сердце Саймона бешено колотится.

— Вы помогли ее задушить? — спрашивает он.

— Ее задушили моей косынкой. — Снова щебет и хихиканье. — На ней был такой миленький узорчик!

— Какой позор, — бормочет Верринджер. Наверное, думает обо всех потраченных на нее молитвах, а также — чернилах и бумаге. О письмах, прошениях, о своей слепой вере.

— Жаль, что пришлось оставить эту косынку: я так долго ее носила. Она матушкина. Нужно было снять ее с Нэнсиной шеи. Но Джеймс не разрешил мне ее забрать, и золотые серёжки тоже. На них была кровь, но ведь ее можно отмыть.

— Вы убили ее, — шепчет Лидия. — Я так и думала. — В ее голосе, как ни странно, звучит восторг.

— Ее убила косынка. А косынку держали руки, — говорит голос. — Она должна была умереть. Плата за грех — смерть. Однако на сей раз умер еще и джентльмен. Все получили по заслугам!

— О, Грейс, — охает жена коменданта. — Я была о тебе лучшего мнения! Значит, все эти годы ты нас обманывала!

Голос радостно отвечает:

— Что за чушь! Да вы сами себя обманывали! Я не Грейс! Грейс ничего об этом не знала!

В комнате воцаряется мертвая тишина. Теперь голос мурлычет веселую песенку, словно жужжащая пчела:

— «О, расщелина в скале, спрячь меня скорей в себе! И пускай кровь и вода...»

— Вы не Грейс, — произносит Саймон. Несмотря на то что в комнате жарко, его бьет озноб. — Если вы не Грейс, то кто же вы?

— «В скале... Спрячь меня скорей в себе...»

— Вы должны ответить, — говорит Дюпон. — Я приказываю!

Опять тяжелая, ритмичная дробь, словно бы кто-то пляшет на столе в деревянных башмаках. А затем шепот:

— Вы не вправе приказывать. Вы должны сами догадаться!

— Я знаю, что ты — дух, — говорит миссис Квеннелл. — Духи могут говорить через людей, погруженных в транс, и пользуются нашими материальными органами. Этот дух говорит через Грейс. Но знаете, духи иногда лгут.

— Я не лгу! — восклицает голос. — Я выше этого! Мне больше не нужно лгать!

— Им не всегда можно доверять, — продолжает миссис Квеннелл, словно бы речь идет о ребенке или служанке. — Возможно, это Джеймс Макдермотт пришел сюда, чтобы запятнать репутацию Грейс. Обвинить ее во всем. Он умер с этим желанием в душе, а люди, стремящиеся отомстить, часто остаются на земном плане.

— Извините, миссис Квеннелл, — возражает доктор Дюпон, — но это не дух. Должно быть, мы наблюдаем естественное явление.

В его словах сквозит отчаяние.

— Я не Джеймс, старая мошенница! — кричит голос.

— Ну тогда Нэнси, — отвечает миссис Квеннелл, видимо, не обращая никакого внимания на оскорбление. — Они часто грубят, — поясняет она, — и обзываются. Некоторые очень злобные — это приземленные духи, которые не могут смириться со своей смертью.

— Я не Нэнси, дура ты набитая! У Нэнси ведь шея свернута, как же она может говорить? А какая славная была когда-то шейка! Однако Нэнси больше на меня не сердится, теперь она моя подружка. Теперь она понимает, что нужно делиться. Ну-ка, доктор, — говорит теперь вкрадчиво голос. — Вы ведь любите загадки. И уже знаете ответ. Я сказала, что это была моя косынка, которую я оставила Грейс, когда... когда... — Она снова начинает петь: «Так преданно очи ее просияли, что в Мэри...»

— Только не Мэри, — произносит Саймон. — Только не Мэри Уитни.

Слышится резкий хлопок, доносящийся, видимо, с потолка.

— Я сама велела Джеймсу это сделать. Заставила его. Я была там с самого начала!

— Там? — переспрашивает Дюпон.

— Здесь! С Грейс, где нахожусь и сейчас. Лежать на полу было так холодно и одиноко, и мне нужно было согреться. Но Грейс не знает об этом и никогда не знала! — Голос больше не дразнит. — Ее чуть было не повесили, но ведь это несправедливо. Она же ничего не знала! Просто я на время одолжила ее одежду.

— Одежду? — переспрашивает Саймон.

— Ее земную оболочку. Телесный покров. Она забыла открыть окно, и я не смогла вылететь! Но я не хочу причинить ей вред. Вы не должны ей об этом рассказывать! — Голосок теперь умоляет.

— Почему? — спрашивает Саймон.

— Вы знаете, почему, доктор Джордан. Или вы хотите, чтобы ее снова отправили в Лечебницу? Поначалу мне там нравилось: я могла говорить вслух. Могла смеяться. Рассказывать о том, что случилось. Но меня никто не слушал, — тихие всхлипы, — меня не выслушали.

— Грейс, — говорит Саймон. — Довольно фокусов!

— Я не Грейс, — уже менее уверенно отвечает голос.

— Неужели это вы? — спрашивает Саймон. — Вы говорите правду? Не бойтесь.

— Вот видите, — причитает голос. — Вы такой же, как все. Не слушаете меня, не верите мне, хотите, чтобы все было по-вашему, не хотите выслушать... — Голос замирает, и наступает тишина.

— Ушла, — произносит миссис Квеннелл. — Всегда можно почувствовать, что они вернулись в свою обитель. В воздухе после этого электричество.

Довольно долго все молчат. Затем доктор Дюпон выходит из оцепенения.

— Грейс, — говорит он, склоняясь над ней. — Грейс Маркс, вы меня слышите?

Он кладет руку ей на плечо.

Еще одна долгая пауза — слышится дыхание Грейс, теперь уже неровное, словно в беспокойном сне.

— Да, — отвечает наконец она своим обычным голосом.

— Сейчас я подниму вас на поверхность, — говорит Дюпон. Он осторожно снимает с ее головы вуаль и откладывает ее в сторону. Лицо у Грейс гладкое и спокойное. — Вы поднимаетесь все выше и выше — и вот выныриваете из пучины. Вы забудете о том, что здесь произошло. Когда я щелкну пальцами, вы проснетесь.

Он подходит к лампе, прибавляет света, а затем возвращается и подносит руку к голове Грейс. Щелкает пальцами.

Грейс шевелится, открывает глаза, удивленно озирается и улыбается зрителям. Уже не испуганной и напряженной, а безмятежной улыбкой послушного ребенка.

— Наверно, я заснула, — говорит она.

— Вы что-нибудь помните? — с тревогой спрашивает доктор Дюпон. — Из того, что здесь только что произошло?

— Нет, — отвечает Грейс. — Я спала. И, наверно, видела сон. Мне снилась матушка. Ее тело плыло по воде. И она покоилась с миром.

Саймону становится легче, Дюпону, видимо, — тоже. Он берет ее за руку и помогает встать со стула.

— Возможно, у вас немного кружится голова, — мягко говорит он ей. — Такое часто бывает. Миссис Квеннелл, пожалуйста, проведите ее в спальню, чтобы она могла прилечь.

Миссис Квеннелл выходит из комнаты вместе с Грейс, поддерживая ее под руку, словно инвалида. Но Грейс идет без особых усилий и кажется почти счастливой.

49

Мужчины остаются в библиотеке. Саймон рад, что можно еще посидеть: сейчас он с удовольствием выпил бы рюмку хорошего крепкого коньяка, чтобы успокоить нервы, но в подобной компании на это вряд ли стоит рассчитывать. У него немного кружится голова, и он опасается, как бы не возвратилась прежняя лихорадка.

— Джентльмены, — начинает Дюпон, — я в замешательстве. Со мной еще никогда такого не случалось. Результаты оказались в высшей степени неожиданными. Как правило, пациент не выходит из-под контроля оператора. — Похоже, он потрясен.

— Двести лет назад никто бы в замешательство не пришел, — говорит преподобный Верринджер. — Это сочли бы несомненным случаем одержимости. Сказали бы, что Мэри Уитни вселилась в тело Грейс Маркс, подтолкнула ее к преступлению и помогла задушить Нэнси Монтгомери. В подобной ситуации предусматривался экзорцизм.

— Но на дворе девятнадцатое столетие, — возражает Саймон. — Возможно, это неврологическое расстройство.

Ему хотелось бы сказать *наверняка*, но он не желает слишком уж явно перечить Верринджеру. К тому же он по-прежнему неспокоен и не ощущает интеллектуальной почвы под ногами.

— Такого рода случаи бывали и раньше, — продолжает Дюпон. — Еще в 1816 году в Нью-Йорке жила некая Мэри Рейнольдс, странные отклонения которой были описаны нью-йоркским доктором С. Л. Митчиллом. Вы знакомы с этим случаем, доктор Джордан? Нет? Уокли из «Ланцета» пространно писал об этом феномене: он называет его *двойственным сознанием*, хотя энергично отрицает возможность контакта с так называемой «вторичной личностью» посредством нейрогипноза, поскольку при этом пациент слишком подвержен влиянию лечащего врача. Уокли всегда был заклятым врагом месмеризма и связанных с ним приемов, оставаясь в этом отношении консерватором.

— Насколько я помню, нечто подобное описывает Пюисегюр[1], — говорит Саймон. — Возможно, это случай, известный под названием *dédoublement*[2]: находясь в сомнамбулическом трансе, пациент проявляет совершенно иную личность, нежели в бодрствующем состоянии, причем обе эти половинки ничего друг о друге не знают.

— Джентльмены, в это крайне трудно поверить, — подхватывает Верринджер, — но иногда происходят и более удивительные вещи.

— Природа порой производит на свет тела с двумя головами, — добавляет Дюпон. — Так почему же один мозг не может вмещать в себя как бы двух людей? Возможно, есть примеры не только чередующихся *состояний* сознания, как утверждает Пюисегюр, но и двух различных личностей, которые могут сосуществовать в одном и том же теле, но при этом обладать совершенно разными воспоминаниями и на практике являться двумя отдельными индивидами. Если, конечно, вы примете спорную точку зрения о том, что мы — это наши воспоминания.

— Возможно, — говорит Саймон, — мы являемся преимущественно нашими забытыми воспоминаниями.

— Если это так, — восклицает преподобный отец Верринджер, — то что же происходит с душой? Ведь мы же, право, не

---

[1] Маркиз де П ю и с е г ю р (1751—1825) — французский психотерапевт, ученик Месмера.

[2] Раздвоение личности (*фр.*).

501

лоскутные одеяла! Это ужасающая мысль, и если бы она со-
ответствовала истине, нам пришлось бы усомниться во всех
нынешних представлениях о нравственной ответственности,
да и о самой нравственности.

— Так или иначе, второй голос отличался грубостью, — отмечает Саймон.

— Однако не был лишен определенной логики, — сухо добавляет Верринджер, — и способности видеть в темноте.

Саймон вспоминает горячую руку Лидии и неожиданно для
себя краснеет. В эту минуту он желает, чтобы Верринджер
провалился сквозь землю.

— Ежели существует две личности, то почему не может су-
ществовать двух душ? — спрашивает Дюпон. — Если, конечно, сюда вообще следует приплетать душу. Коль уж на то
пошло, душ или личностей может быть даже три. Вспомните
Троицу.

— Доктор Джордан, — говорит преподобный Верринджер,
не обращая внимания на эту теологическую шпильку, — что
вы об этом скажете в своем отчете? Ведь использованные сегодня методы вряд ли являются общепринятыми с медицинской точки зрения.

— Мне нужно очень хорошо обдумать свою позицию, —
отвечает Саймон. — Но вы же понимаете, что если принять
исходную посылку доктора Дюпона, Грейс Маркс будет оп-
равдана.

— Признание такой возможности потребовало бы глубо-
кой веры, — произносит преподобный Верринджер. — И я
сам буду молиться о том, чтобы нам хватило для этого сил,
поскольку я всегда верил в невиновность Грейс или, скорее,
надеялся на это, хоть и должен признаться, что сегодня был
отчасти потрясен. Но если мы явились очевидцами естественного феномена, то смеем ли подвергать его сомнению?
Причина всех явлений кроется в Боге, и вероятно, у Него
есть свои мотивы, хотя смертным очам они и представляются
неисповедимыми.

Саймон возвращается домой один. Ночь ясная и теплая, луна почти полная и заключена в туманный ореол. В воздухе пахнет свежескошенной травой и конским навозом, к которому примешивается запах собачьего кала.

Весь вечер Саймон сохранял внешнее самообладание, но сейчас его мозг закипает, и он чувствует себя каштаном, жарящимся на плите, или зверьком с загоревшейся шерстью. В голове у него звучат сдавленные вопли, там царит какая-то беспорядочная, безумная суматоха, борьба и метание из стороны в сторону. Что же произошло в библиотеке? Находилась ли Грейс действительно в трансе или же она ломала комедию и смеялась в кулак? Он помнит все, что видел и слышал, но, быть может, это всего лишь обман чувств, который он просто не в силах раскрыть?

Если он изложит увиденное в своем отчете и если этот отчет будет присовокуплен к прошению, поданному в защиту Грейс Маркс, Саймон тем самым подпишет себе приговор. Подобные прошения читают служители правосудия и иже с ними: трезвые, практичные люди, требующие убедительных доказательств. Если отчет будет обнародован, занесен в протокол и получит широкое хождение, Саймон тотчас же превратится в посмешище, особенно среди представителей официальной медицины. Тогда можно будет поставить крест на планах открытия собственной клиники, ведь кто же станет субсидировать подобное учреждение, зная, что руководить им будет какой-то помешанный, верящий в замогильные голоса?

Составление отчета, который нужен Верринджеру, было бы равносильно лжесвидетельству. Лучше вообще ничего не писать, однако от Верринджера так просто не отделаешься. Беда в том, что, положа руку на сердце, Саймон ничего не может утверждать с уверенностью, поскольку истина от него ускользает. Или, точнее, ускользает от него сама Грейс. Она плавно движется впереди, вне пределов его досягаемости, и оглядывается, чтобы посмотреть, не отстает ли он.

Внезапно Саймон перестает о ней думать и обращается мыслями к Рэчел. Хоть за нее-то он в состоянии ухватиться. Уж она-то не выскользнет у него из рук.

В доме темно: наверное, Рэчел спит. Саймон не желает ее видеть, не хочет ее сегодня вечером — напротив, мысль о ее напряженном теле цвета кости, об исходящем от него запахе камфары и увядших фиалок вызывает у него легкое отвращение, но он знает, что все изменится, едва он переступит порог. Он станет на цыпочках подниматься по лестнице, стараясь с нею не встретиться. Потом обернется, войдет в ее комнату и бесцеремонно ее разбудит. Сегодня Саймон ударит ее, как она и просила: раньше он никогда этого не делал, это будет в диковинку. Ему хочется наказать ее за то, что она привязала его к себе. Заставить ее плакать, хоть и не слишком громко, не то услышит Дора и повсюду растрезвонит. Удивительно, что она не услышала их раньше: ведь они становятся всё беспечнее.

Саймон знает, что репертуар Рэчел близится к концу, и когда она не сможет больше ничего предложить, все кончится. Но что же произойдет перед самым концом? Да и сам конец — какую форму он примет? Должно же быть какое-то завершение, некий финал. Невозможно себе представить. Быть может, сегодня ему следовало бы воздержаться.

Он отпирает дверь своим ключом и как можно бесшумнее ее открывает. Рэчел ждет его в темном холле, одетая в плоеный пеньюар, тускло мерцающий в лунном свете. Она обнимает его и тащит внутрь, прижимаясь к нему всем телом. Она дрожит. Ему хочется смахнуть ее, как паутину с лица или как густой, липкий студень. Вместо этого он ее целует. Лицо у нее мокрое: она плакала. Она и сейчас еще плачет.

— Тише, — шепчет он, гладя ее по волосам. — Тише, Рэчел.

Именно этого он хотел от Грейс — чтобы она трепетала и хваталась за него: Саймон довольно часто себе это представлял, хотя, как он теперь понимает, в сомнительно ходульном исполнении. Подобные сцены всегда были умело освещены, а жесты, — включая его собственные, — томны, грациозны и исполнены роскошного трепета, словно балетные мизансцены смерти. Однако умиляющие страдания оказались гораздо менее привлекательными, когда ему пришлось столкнуться с ними в действительности, лицом к лицу. Одно дело — утирать слезы юной лани, и совсем другое — утирать нос оленухе. Он роется в кармане — где же носовой платок?

— Он возвращается, — пронзительным шепотом говорит Рэчел. — Я получила от него письмо.

Саймон вначале не понимает, о ком речь. Ну конечно же о майоре. В своем воображении Саймон обрек его на некий безудержный разгул, а потом и вовсе о нем забыл.

— Что же с нами будет? — вздыхает она. Мелодраматичность фразы не уменьшает глубины чувства, по крайней мере — для нее.

— Когда? — шепотом спрашивает Саймон.

— Он написал мне письмо, — рыдает Рэчел. — Говорит, что я должна его простить. Дескать, он образумился, хочет начать новую жизнь — он всегда так говорит. Теперь я тебя потеряю — это невыносимо!

Ее плечи трясутся, она судорожно сжимает его в объятиях.

— Когда он приезжает? — снова спрашивает Саймон. Сцена, которую он представлял себе с приятно щекочущим чувством страха: сам он резвится с Рэчел, а майор вырастает на пороге, полный негодования и с обнаженной шпагой в руке, — встает у него перед глазами с удвоенной яркостью.

— Через два дня, — отвечает Рэчел прерывающимся голосом. — Послезавтра вечером. На поезде.

— Пошли, — говорит Саймон. Он ведет ее через холл к ее спальне. Теперь, когда он знает, что избавление от нее не только возможно, но и неизбежно, Рэчел еще сильнее его возбуждает. Зная его наклонности, она зажгла свечу. У них остались считаные часы, не за горами разоблачение, и говорят, что паника и страх учащают сердцебиение и разжигают страсть. Про себя он мысленно отмечает: *правду говорят*, и, возможно, в последний раз опрокидывает ее навзничь на кровать и грузно опускается сверху, роясь в нескольких слоях ее одежды.

— Не бросай меня! — стонет она. — Не оставляй меня с ним наедине! Ты не знаешь, что он со мной сделает! — На сей раз она извивается в подлинных муках. — Ненавижу его! Чтоб он сдох!

— Тише, — шепчет Саймон. — Дора может услышать.

А сам только на это и надеется: сейчас ему как никогда нужны зрители. Вокруг кровати он расставляет толпу призрачных соглядатаев: не только майора, но и преподобного Верринджера, Джерома Дюпона и Лидию. Но в первую очередь — Грейс Маркс. Ему хочется, чтобы она ревновала.

Рэчел замирает. Ее зеленые глаза широко раскрыты и смотрят прямо в глаза Саймона.

— Он ведь может и не вернуться, — говорит она. Радужные оболочки ее глаз огромны, а зрачки — с булавочную головку: она что, снова принимает опий? — С ним может произойти несчастный случай. Если только его никто не увидит. Несчастный случай может произойти в доме, а ты закопаешь его в саду. — Это не импровизация: наверное, она заранее составила план. — Нам нельзя будет здесь оставаться, ведь его могут найти. Мы переправимся в Штаты. По железной дороге! Тогда мы будем вместе. И нас никогда не найдут!

Саймон закрывает ей рот губами, чтобы она замолчала. Но Рэчел думает, что это означает согласие.

— Ах, Саймон, — вздыхает она. — Я знала, что ты никогда меня не бросишь! Я люблю тебя больше жизни!

Она осыпает его лицо поцелуями и содрогается, как в припадке.

Еще один сценарий, возбуждающий страсть, прежде всего — в ней. Лежа вскоре после этого рядом с ней в постели, Саймон пытается представить, какую же картину она могла нарисовать в своем воображении. Что-нибудь наподобие дешевого бульварного чтива, самых кровожадных и банальных сцен у Эйнсворта или Бульвер-Литтона[1]: пьяный майор, пошатываясь, поднимается в сумерках по лестнице, затем входит в переднюю. Там Рэчел: вначале он бьет ее, а потом, обуреваемый пьяной похотью, хватает ее съежившееся от страха тельце. Она визжит и молит о пощаде, а он дьявольски смеется. Но спасение близко: резкий удар лопатой по голове, из-за спины. Майор падает как бревно, и его за пятки тащат по коридору в сторону кухни, где дожидается кожаная сумка Саймона. Быстрый разрез яремной вены хирургическим ножом, кровь с бульканьем стекает в помойное ведро — и все кончено. Рытье могилы при луне, на капустной грядке, а затем Рэчел в красивой шали, с потухшим фонарем в руке, клянется, что после всего, что Саймон ради нее совершил, она будет принадлежать ему вечно.

Но вот из кухонной двери выглядывает Дора. Ее нельзя отпускать: Саймон бегает за ней по дому, загоняет ее в судомойню и закалывает, как свинью, а Рэчел дрожит и падает в обморок, но потом, как истинная героиня, собирается с духом и приходит к нему на помощь. Для Доры приходится выкопать яму поглубже; далее следует оргия на кухонном полу.

Но довольно этих полуночных пародий. Что же дальше? Потом он станет убийцей, а Рэчел — единственной свидетельницей. Он женится на ней и отныне будет неразрывно с нею связан — именно этого она и добивалась. Теперь он никогда не сможет обрести свободу. Но следующий этап, наверняка, она упустила из внимания: ведь в Штатах она будет скрываться инкогнито. Станет безымянной. Одной из тех безвестных женщин, тела которых часто находят в каналах и прочих водоемах: «В канале найдено тело неизвестной женщины». Кто его заподозрит?

Но какой же способ он изберет? В постели, в момент страстного исступления, обвить ее шею ее же собственными во-

---

[1] Уильям Харрисон Эйнсворт (1805—1882) — английский писатель, автор готических романов. Эдвард Джордж Бульвер-Литтон (1803—1873) — английский писатель-мистик, политик и денди.

лосами и затянуть их узлом. В этом есть что-то волнующее и вполне достойное жанра.

Утром она обо всем забудет. Он снова поворачивается к ней и поправляет ей волосы. Гладит шею.

Саймона будят солнечные лучи: он лежит рядом с ней, на ее кровати. Забыл ночью подняться к себе в комнату, и это не мудрено: он был в полном изнеможении. Дора возится на кухне, откуда доносится звон посуды и глухой шум. Рэчел лежит на боку, опершись на руку, и смотрит на него. Она голая, но завернутая в простыню. На плече засос — он не помнит, когда успел его поставить.

Саймон садится в постели.

— Я должен идти, — шепчет. — Дора услышит.

— Плевать, — говорит она.

— Но твоя репутация...

— Какая разница! — отвечает она. — Мы пробудем здесь всего два дня.

Она говорит деловитым тоном, словно заключила соглашение. Ему приходит в голову — почему только теперь? — что она, возможно, сумасшедшая или на грани помешательства, во всяком случае — моральный урод.

Саймон крадучись взбирается по лестнице, неся в руках обувь и куртку, словно вернувшийся с гулянки студент-выпускник. У него мороз пробегает по коже. То, что он считал простой игрой, она ошибочно приняла за реальность. Она и вправду считает, что он, Саймон, собирается убить ее мужа из любви к ней. Что же она станет делать, если Саймон откажется? У него голова идет кругом: пол кажется каким-то нереальным, доски готовы расступиться у него под ногами.

Он разыскивает ее перед завтраком. Она сидит в парадной гостиной на софе: тотчас встает и встречает его страстным поцелуем. Саймон отшатывается и говорит, что нездоров: возвратная малярийная лихорадка, которую он подхватил в Париже. Если они собираются осуществить свои намерения, —

он говорит об этом прямо, стремясь ее обезоружить, — то ему понадобится соответствующее лекарство, иначе он не отвечает за последствия.

Она щупает его лоб, который Саймон предусмотрительно смочил еще наверху губкой. Рэчел, как и следовало ожидать, встревожена, но в ней чувствуется также скрытое ликование: ей хочется ухаживать за ним, чтобы почувствовать себя еще и в новой роли. Саймон понимает, что у нее на уме: она приготовит крепкий бульон и кисель, укутает его одеялами и облепит горчичниками, а также перевяжет все выступающие части его тела, а также способные выступать. Он будет ослаблен, изнурен и беспомощен, полностью окажется в ее власти — такова ее цель. Нужно поскорее от нее избавиться, пока еще есть время.

Саймон целует кончики ее пальцев. Она должна ему помочь, нежно говорит он. От нее зависит его жизнь. Он кладет ей в руку записку, адресованную жене коменданта, где просит назвать какого-нибудь доктора, поскольку он сам никого здесь не знает. Узнав фамилию врача, она должна поспешить к нему и взять лекарство. Саймон пишет неразборчивыми каракулями рецепт и дает ей денег. Дору посылать нельзя, говорит он, потому что она может замешкаться. Промедление смерти подобно: лечение должно начаться безотлагательно. Рэчел понимающе кивает и с жаром говорит, что сделает все необходимое.

Бледная и дрожащая, но с решительно сжатыми губами, Рэчел надевает капор и поспешно уходит. Как только она скрывается с глаз долой, Саймон вытирает лицо и начинает упаковывать вещи. Посылает Дору нанять экипаж, подкупив ее щедрыми чаевыми. Ожидая ее возвращения, пишет письмо Рэчел, где учтиво с ней прощается, ссылаясь на нездоровье матушки. Саймон не обращается к ней по имени. Прилагает к письму несколько банкнот, но не употребляет никаких ласкательных слов. Он человек бывалый и в ловушку не попадется, не позволит себя шантажировать: никаких исков за нарушение обязательства в том случае, если ее муж умрет. Возможно, она убьет майора сама — с нее станется.

Саймон собирается написать записку и Лидии, но потом передумывает. Хорошо, что у них не было формального объяснения.

Прибывает экипаж, больше похожий на подводу, и Саймон забрасывает в него два своих чемодана.

— На вокзал, — говорит он. Как только Саймон благополучно отсюда выберется, сразу же напишет Верринджеру и, чтобы выгадать время, пообещает прислать какой-нибудь отчет. Тем временем он сможет состряпать некий документ, который не дискредитирует его окончательно. Но первым делом нужно поставить жирную точку на этой злополучной интерлюдии. После недолгого визита к матери и пополнения финансов он отправится в Европу. Если матушка затянет потуже поясок, — а это в ее силах, — то он худо-бедно сможет себе это позволить.

Саймон начинает чувствовать себя в безопасности только в вагоне с крепко запертыми дверьми. Железнодорожный кондуктор в форменном мундире действует на него успокаивающе. В его жизни вновь устанавливается какой ни есть порядок.

В Европе он продолжит исследования. Изучит современные философские направления, но пока не станет добавлять к ним ничего своего. Он подошел к порогу бессознательного и заглянул туда — точнее, заглянул вниз. Он мог бы упасть. Провалиться. Утонуть.

Лучше, наверное, отбросить теорию и сосредоточиться на практических приемах и средствах. Вернувшись в Америку, он энергично возьмется за дело. Будет читать лекции и завлекать спонсоров. Он построит образцовую клинику с ухоженной территорией, первоклассным водопроводом и канализацией. В любом подобном учреждении американцы превыше всего ценят видимость комфорта. Клиника с просторными уютными палатами, оборудованием для гидротерапии и множеством механических приспособлений будет иметь огромный успех. Там должны быть шумные колесики и резиновые присоски. Присоединяющиеся к черепной коробке проводки. Измерительные приборы. В свой проспект он включит слово

«электрический». Главное — содержать пациентов в чистоте и повиновении (помогут медикаменты), а у родственников
вызывать восторг и удовлетворение. Здесь, как и в школе,
необходимо произвести впечатление не на самих подопеч-
ных, а на тех, кто оплачивает счета.

Это, разумеется, компромисс. Но как-то неожиданно дал о
себе знать возраст.

Поезд выезжает с вокзала. Облако черного дыма, а за ним —
долгий жалобный вопль, который, подобно недоуменному при-
зраку, преследует Саймона всю дорогу.

Он вспоминает о Грейс лишь на полпути к Корнуоллу. Возможно, она решит, что Саймон ее бросил? Разуверился в
ней? Если она действительно ничего не знает о событиях вче-
рашнего вечера, то имеет все основания так считать. Саймон
ее озадачит, подобно тому, как она озадачила его.

Грейс еще не знает, что он уехал из города. Он представляет, как она привычно сидит на стуле и шьет стеганое одеяло;
возможно, поет и прислушивается к его шагам за дверью.

За окном накрапывает. Вскоре движение поезда убаюкивает
Саймона, и он прислоняется к стенке. Теперь Грейс идет к нему через широкий, залитый солнцем луг, вся в белом и с целой охапкой красных цветов, видимых так отчетливо, что он
может даже рассмотреть на них капли росы. Ее волосы распу-
щены, ноги босые, и она улыбается. Потом Саймон замечает,
что Грейс идет не по траве, а по воде, и когда он протягивает
руки, чтобы ее обнять, она рассеивается, словно туман.

Саймон просыпается: он по-прежнему в поезде, а за окном
несутся клубы серого дыма. Он прижимается губами к стеклу.

XIV

ПИСЬМО X

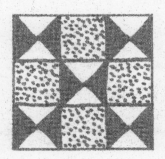

1 апреля 1863 года. *Осужденная Грейс Маркс виновна в двойном, можно сказать, «библейском» убийстве. Эту дерзкую женщину нельзя назвать впечатлительной натурой, а ее неблагодарность служит убедительным доказательством ее несносного характера.*

1 августа 1863 года. *Эта несчастная становится все опаснее, и я боюсь, что она еще покажет, на что способна. К сожалению, у нее есть заступники. Если бы не их помощь, она не посмела бы так бессовестно лгать.*

Дневник начальника тюрьмы,
Провинциальный исправительный дом,
Кингстон, Западная Канада, 1863

...учитывая ее примерное поведение в течение всего тридцатилетнего срока заключения, к концу которого она вошла в число домочадцев коменданта, а также большое число влиятельных кингстонских джентльменов, полагавших, что она заслуживает помилования, можно всерьез усомниться в том, что она была воплощенным демоном в женском обличье, которым ее пытался представить публике Макдермотт.

Уильям Харрисон,
«Воспоминания о Киннировой трагедии»,
написаны для газеты «Ньюмаркет Эра», 1908

О, письма — молчаливая бумага —
В моих руках дрожащих оживут
И о былом рассказ свой поведут...

Элизабет Баррет Браунинг
«Португальские сонеты», 1850[1]

[1] Элизабет Баррет Браунинг (1806—1861) — английская поэтесса, сестра Роберта Браунинга.

50

Миссис Ч. Д. Хамфри
от доктора Саймона Джордана, Кингстон,
Западная Канада

15 августа 1859 года

Уважаемая миссис Хамфри!

Пишу Вам в спешке, поскольку вынужден вернуться домой в связи с одним семейным делом, требующим моего незамедлительного приезда. Всегда безупречное здоровье моей дорогой матушки резко ухудшилось, и теперь она при смерти. Я молюсь лишь о том, чтобы успеть с нею проститься.

Я сожалею, что не смог попрощаться с Вами лично, и благодарю Вас за любезные знаки внимания, оказанные Вами, пока я снимал комнату в Вашем доме. Но я уверен, что благодаря Вашему женскому мягкосердечию и отзывчивости Вы быстро догадаетесь о неизбежности моего немедленного отъезда. Не знаю, как долго я пробуду в отлучке и вернусь ли вообще когда-нибудь в Кингстон. Ежели моя матушка скончается, мне придется решать семейные вопросы; если же ей суждено остаться в живых, я обязан буду находиться рядом с нею. Женщина, которая стольким пожертвовала ради своего сына, несомненно, заслуживает ответной жертвы с его стороны.

Мое возвращение в Ваш город в будущем крайне маловероятно, но я навсегда сохраню воспоминания о своем пребывании в Кингстоне, которое было скрашено Вашим ценным присутствием. Как Вам известно, я восхищаюсь тем мужеством, с которым Вы сносите удары судьбы, и глубоко Вас уважаю. Я надеюсь, что в глубине души Вы испытываете точно такие же чувства

К искренне Вашему

Саймону Джордану.

P.S. В прилагаемом конверте я оставляю Вам некоторую сумму, которая, как я полагаю, покроет мои неуплаченные долги.

P.P.S. Надеюсь, Ваш супруг вскорости благополучно к Вам возвратится.

С.

* * *

От миссис Уильям П. Джордан,
«Дом в ракитнике», Челноквилль, Массачусетс,
Соединенные Штаты Америки
миссис Ч. Д. Хамфри,
Лоуэр-Юнион-стрит, Кингстон, Западная Канада.

29 сентября 1859 года

Уважаемая миссис Хамфри!

Беру на себя смелость возвратить Вам семь писем, присланных Вами моему дорогому сыну и скопившихся за время его отсутствия. Они были по ошибке вскрыты служанкой, чем и объясняется наличие на них не Вашей, а моей собственной печати.

В настоящее время мой сын объезжает частные психиатрические лечебницы и клиники Европы, что крайне необходимо для его работы. А занимается он работой величайшей важности, которая должна облегчить людские страдания и которую не следует прерывать по всяким незначительным поводам, какими бы вескими ни казались они другим людям, не понимающим значения его миссии. Поскольку он постоянно в разъездах, я не смогла переслать ему Ваши письма и возвращаю их теперь, полагая, что Вам хотелось бы узнать, почему они остались без ответа, хотя обращаю Ваше внимание, что отсутствие ответа уже само по себе является исчерпывающим ответом.

Мой сын сообщил мне, что, возможно, Вы попытаетесь возобновить с ним знакомство, и хотя он не стал вдаваться в детали, не такая уж я калека и затворница, и умею читать между строк. Если Вы готовы послушаться откровенного, но при этом благожелательного совета пожилой женщины, то позвольте Вам заметить, что различия в возрасте и состоянии всегда пагубно сказываются на брачных союзах, однако гораздо более пагубны различия в нравственном облике. Можно понять необдуманное и опрометчивое поведение женщины, оказавшейся в Вашем положении, — я хорошо представляю себе, как неприятно пребывать в неведении относительно местонахождения собственного супруга, — но Вы должны давать себе отчет в том, что в случае его кончины ни один порядочный человек не связал бы свою жизнь с женщиной, опережающей события. Мужчинам от природы и по воле Провидения разрешаются известные вольности, но главным требованием, предъявляемым женщине, несомненно, остается верность супружескому обету.

В первые годы моего вдовства меня очень успокаивало ежедневное чтение Библии, а незатейливое рукоделие отвлекало от грустных мыслей. Вдобавок к этому у Вас, возможно, есть приличная подруга, которая могла бы утешить Вас в горе, не доискиваясь его причины. Представления, бытующие в обществе, не всегда соответствуют истине, но женская репутация практически всегда равняется самой себе. Необходимо принять все меры для сохранения этой репутации, не разглашая своих невзгод, дабы не послужили они темой для злобных сплетен. С этой целью благоразумнее избегать выражения своих чувств в письмах, которые проходят через почтовые конторы и могут попасть в руки людей, склонных читать их без ведома отправителя.

Соблаговолите принять мои слова в качестве искреннего пожелания счастья, чем они в действительности и являются,

Искренне Ваша,

(Миссис) *Констанс Джордан.*

*　*　*

От Грейс Маркс,
Провинциальный исправительный дом, Кингстон,
Западная Канада,
доктору Джордану.

19 декабря 1859 года

Дорогой доктор Джордан!

Пишу Вам благодаря помощи своей хорошей подруги Клэрри, которая раздобыла для меня бумаги и со временем отправит письмо, а взамен я помогу ей плести кружева да выводить пятна. Беда в том, что я не знаю, куда его отправлять, ведь мне невдомек, куда Вы уехали. Но как только я узнаю Ваш адрес, так тотчас отошлю его. Надеюсь, Вы разберете мой почерк, ведь из меня не ахти какой писарь, и я могу лишь выкраивать каждый день по минутке.

Когда я услыхала, что Вы так скоро уехали, не прислав мне даже весточки, я сильно опечалилась, решив, что, видать, Вы захворали. Я не могла взять в толк, как это Вы уехали не попрощавшись после всех наших бесед, и упала замертво в зале на верхнем этаже, а горничная перепугалась и уронила на меня вазу с цветами, вместе с водой: это быстро привело меня в чувства, хоть ваза и разбилась. Она подумала, что со мной случился припадок и я опять помешалась, но ничего подобного не произошло: я хорошо владела собой, и меня просто потрясла эта новость, так что сердце аж заколотилось — со мной такое часто бывает. От вазы осталась на лбу рана. Странно, что из головы может вытечь столько крови, даже если рана неглубокая.

Мне было грустно, что Вы уехали, ведь мне так нравились наши разговоры; а еще мне сказали, что Вы должны написать письмо Правительству в мою защиту, чтобы меня освободили, и я боялась, что теперь Вы уже никогда его не напишите. Такая досада, когда тебе подадут надежду, а потом снова ее отнимут, лучше бы уж и вовсе ее не подавали.

Я очень рассчитываю, что Вы все-таки сможете написать письмо в мою защиту, за которое была бы Вам от всей души благодарна, и я надеюсь, что у Вас все благополучно,

Грейс Маркс.

*   *   *

От доктора Саймона П. Джордана,
через доктора Бинсвангера, «Беллльвю», Крейцлингер,
Швейцария,
доктору Эдварду Мёрчи,
Дорчестер, Массачусетс, Соединенные Штаты Америки.

12 января 1860 года

Мой дорогой Эд!

Извини, что так долго не писал тебе и не сообщал своего нового адреса. Дело в том, что у меня случился небольшой конфуз, и некоторое время ушло на то, чтобы уладить мои дела. Как писал Бёрнс: «И нас обманывает рок, и рушится сквозь потолок на нас нужда, мы счастья ждем, а на порог валит беда...»[1], так что я был вынужден поспешно покинуть Кингстон, поскольку оказался в за-

---

[1] Из стихотворения шотландского поэта Роберта Бернса (1759—1796) «Полевой мыши, гнездо которой разорено моим плугом» (1785) (*пер. С. Маршака*).

труднительной ситуации, которая могла бы вскоре сильно навредить мне и расстроить мои планы. Возможно, когда-нибудь, за рюмкой хереса, я расскажу тебе всю эту историю, хотя сейчас она представляется мне скорее дурным сном.

Так, в частности, мое изучение случая Грейс Маркс в конце концов приняло столь тревожный оборот, что я уже был не в силах отличить сон от яви. Когда я вспоминаю, с какими благородными устремлениями приступал к этому делу, рассчитывая — уверяю тебя — совершить великие открытия, которые изумят весь просвещенный мир, меня охватывает отчаяние. Быть может, эти благородные устремления были внушены лишь моим своекорыстием и тщеславием? Оглядываясь назад, я готов в это поверить, и если это так, то, наверное, я получил по заслугам, поскольку, возможно, гонялся за журавлем в небе, предаваясь несбыточным мечтам, и забивал себе голову, усердно пытаясь препарировать мозг своей пациентки. Подобно тезке-апостолу, я забросил сети в бездну морскую, но, в отличие от него, поймал русалку — не то рыбу, не то человека, — и ее сладкоголосое пение таит в себе опасность.

Не знаю, считать ли себя невольной жертвой обмана или, хуже того, склонным к самообольщению глупцом; но даже эти сомнения могут оказаться иллюзией, и возможно, я всю дорогу имел дело с безгрешной и непорочной женщиной, но в силу своей мелочности попросту не сумел этого разглядеть. Должен признаться, — но лишь одному тебе, — что я был очень близок к нервному истощению. *Ничего не знать,* цепляясь за намеки и знаки, неявные указания и дразнящий шепоток, — это равносильно навязчивой идее. Иногда по ночам ее лицо всплывает передо мной в темноте, подобно восхитительному, загадочному миражу...

Но прости меня за этот бред сумасшедшего. Если бы я только мог ясно различать дорогу, то увидел бы вдалеке некое крупное открытие, но пока что я блуждаю во тьме, следуя лишь за обманчивыми огоньками.

Перейдем же к менее грустным вещам: здешняя клиника очень чистая, с толковым персоналом, испытывающим различные формы лечения, включая гидротерапию. Она могла бы послужить образцом для моего собственного проекта, буде он когда-либо осуществится. Доктор Бинсвангер весьма радушно меня встретил и познакомил с несколькими наиболее интересными историями болезни. К моему великому счастью, среди них нет знаменитых женщин-убийц, а есть лишь пациенты, которых достопочтенный доктор Уоркмен из Торонто именует «невинными невменяемыми», а также обычные жертвы нервных расстройств, алкоголики и сифилитики. Впрочем, среди состоятельных людей распространены иные недуги, нежели среди бедноты.

Я с огромной радостью узнал, что вскоре ты можешь осчастливить свет миниатюрной копией самого себя, благодаря любезным услугам своей уважаемой жены — передавай ей мой сердечный привет. Как славно, должно быть, вести размеренную семейную жизнь, которую способна обеспечить надежная, заслуживающая доверия жена! По достоинству оценить покой могут только те мужчины, которые его лишены. Как я тебе завидую!

Ну а я, боюсь, обречен скитаться по земле в одиночестве, подобно мрачному и угрюмому байроновскому изгнаннику, хотя очень обрадовался бы, дорогой мой однокашник, если бы мог еще раз пожать руку своему верному другу. Полагаю, такая возможность вскоре представится, поскольку, на мой взгляд, не следует надеяться на мирное разрешение нынешних разногласий между Севером и Югом, ведь Южные штаты уже всерьез говорят об отделении. Если разразится война, я обязан буду выполнить свой долг перед родиной. Как говорит Теннисон в своей садово-огородной манере, пора собирать «кровавые цветы войны». Учитывая мое теперешнее муторное и болезненное душевное состояние, я буду рад любым возложенным на меня обязанностям, какие бы печальные события их ни обусловили.

Твой сбрендивший и уставший от жизни, но любящий друг

Саймон.

МАРГАРЕТ ЭТВУД

* * *

От Грейс Маркс,
Провинциальный исправительный дом, Кингстон,
синьору Джеральдо Понти, магистру нейрогипноза,
чревовещателю и выдающемуся чтецу чужих мыслей,
через Театр принца Уэльского, Куин-стрит, Торонто,
Западная Канада.

25 сентября 1861 года

Дорогой Джеремайя!

Я увидела афишу твоего представления, которую раздобыла Дора и приколола к стене прачечной, чтоб было веселее. Я сразу же
тебя узнала, хоть ты изменил имя и отрастил косматую бородищу.
Один джентльмен, ухаживающий за Марианной, видел это представление в Кингстоне и сказал, что «Грядущее, предсказанное ог-
ненными буквами» — первоклассный номер, не жалко потратить
деньги на билет, а две леди даже упали в обморок. И еще он сказал, что борода у тебя ярко-рыжая, так что я думаю, ты ее покра-
сил или приклеил накладную.

Я не пыталась связаться с тобой в Кингстоне, ведь если бы нас
вывели на чистую воду, возникли бы трудности. Но я увидела, где
будут показывать представление в следующий раз, и поэтому от-
правляю письмо в торонтский театр, надеясь, что оно до тебя дойдет. Наверное, это новый театр, ведь когда я была в городе последний раз, театра с таким названием там не было, но это было
двадцать лет назад, хоть и кажется, что минуло лет сто.

Как мне хотелось бы снова с тобой повидаться да поболтать о
былых временах, когда все мы веселились на кухне у миссис ольдермен Паркинсон, пока Мэри Уитни не умерла, а со мной не
стряслась беда! Но чтобы приехать сюда незамеченным, тебе пришлось бы хорошенько замаскироваться, ведь лицом к лицу одной
рыжей бороды будет мало. И если бы тебя раскусили, то решили
бы, что ты их обманул, ведь одно дело — показывать фокусы на

сцене, и совсем другое — в библиотеке. Им захотелось бы узнать, почему ты перестал быть доктором Джеромом Дюпоном. Но мне кажется, просто в цирке больше платят.

После гипноза ко мне стали лучше и уважительнее относиться, хотя, наверное, меня просто начали побаиваться — иногда трудно понять разницу. Никто не хочет вспоминать о том, что я в тот раз наговорила, и все считают, что это может меня расстроить, но в этом-то я сомневаюсь. И хотя я снова выполняю работу по дому, прибирая, как и прежде, комнаты и подавая чай, меня так и не освободили из тюрьмы.

Я часто думала над тем, почему доктор Джордан так внезапно уехал; но ты ведь тоже очень быстро уехал, и наверное, не знаешь, в чем тут дело. Мисс Лидия была потрясена отъездом доктора Джордана и целую неделю не желала спускаться к обеду, повелев приносить поднос к себе наверх. Она все лежала в кровати, будто больная, — лицо бледное, а под глазами темные круги, как у королевы из трагедии, — и из-за этого очень тяжело было убирать в ее комнате. Но юным леди позволительно так себя вести.

После этого она пристрастилась к вечеринкам, куда ходила с кучей молодых людей, особенно с одним капитаном, но из этого не вышло ничего путного. Военные прозвали ее потаскухой, потом были ссоры с матерью, а еще через месяц объявили, что Лидия помолвлена с преподобным Верринджером — это было неожиданностью, ведь она всегда смеялась над ним у него за спиной и говорила, что он похож на жабу.

День свадьбы назначили гораздо раньше, чем это принято, и поэтому я шила с утра до вечера. Дорожное платье мисс Лидии было из синего шелка, с такого же цвета пуговицами и двухслойной юбкой, и пока я его подрубала, то казалось, у меня глаза на лоб вылезут. Медовый месяц они провели у Ниагарского водопада, который, говорят, обязательно нужно посмотреть, а я видела его только на картинках. Она вернулась совсем другим человеком — такая вся бледная и покорная, от веселья не осталось и следа. Плохая это затея — выходить замуж за нелюбимого, но многие так поступают и привыкают со временем. А другие выходят по любви, и потом, говорят, каются.

Одно время я думала, что ей нравился доктор Джордан, но они бы не были счастливы вместе, ведь мисс Лидия не разделяла его интереса к скорбным главою и не поняла бы странных вопросов насчет овощей, которые он любил задавать. Так что, может, оно и к лучшему.

Ну а что касается помощи, которую обещал мне доктор Джордан, то я слыхала лишь, что он уехал на войну с Югом — эту новость передал мне преподобный Верринджер, но жив он или погиб, мне неизвестно. К тому же бродила куча слухов о нем и его хозяйке, которая была вроде как вдовой: после его отъезда она как безумная блуждала вдоль озера в черном платье, плаще и развевающейся на ветру черной шали, и, поговаривали, хотела утопиться. Об этом было много пересудов, особенно на кухне и в прачечной, и Дора, которая когда-то была у нее служанкой, все уши нам прожужжала. Трудно было поверить ее рассказам о том, как два таких внешне приличных человека кричали, стонали и занимались непотребством по ночам, будто это был дом с привидениями, и как наутро их постельное белье превращалось в сущее месиво, так что ей даже стыдно было на него смотреть. Дора сказала: удивительно, мол, что он эту женщину не убил, а тело не закопал во дворе, ведь она видела, что лопата стояла наготове, а могила уже была вырыта, отчего у нее кровь в жилах стыла. Он ведь из тех мужиков, что бесчестят всех женщин по очереди, а потом, когда им обрыднет, убивают их, просто чтоб от них избавиться. Он всегда глядел на вдову грозно горящими, как у тигра, глазами, как будто собирался вскочить на нее и впиться зубами. И на Дору тоже, так что кто знает, может, она стала бы следующей жертвой его бешеной кровожадности? На кухне многие любили слушать страшные истории, и надо признаться, Дора сочинила увлекательный рассказ. Но мне самой казалось, что она завирается.

В это же самое время жена коменданта вызвала меня в гостиную и очень серьезно спросила, не делал ли мне доктор Джордан каких-нибудь непристойных предложений, и я ответила, что нет, да и в любом случае дверь комнаты для шитья всегда стояла открытой. Потом она сказала, что ошиблась в нем, пригрела у себя на груди гадюку, и после этого добавила, что он изнасиловал бедную леди в черном, которая после ухода служанки осталась в доме одна, хотя мне и не следовало об этом рассказывать, поскольку это принесет больше вреда, нежели пользы. И хотя эта леди была замужней женщиной, а ее супруг ужасно с ней обращался, а это не так скверно, как если бы она была молодой девушкой, все же доктор Джордан повел себя крайне предосудительно, и слава Богу, что с Лидией дело не дошло до помолвки.

Я не думаю, что доктор Джордан вообще имел подобные намерения, и не верю всему тому, что о нем говорилось, ведь мне известно, как легко оболгать человека, у которого нет возможности себя защитить. Ну а вдовы всегда любят пошалить, пока вконец не состарятся.

Короче говоря, все это пустые сплетни. Но я хотела бы спросить тебя вот о чем: ты и вправду заглянул в будущее, когда посмотрел на мою ладонь и сказал: пять — на счастье, а я решила, что в конце концов все у меня будет хорошо? Или ты просто пытался меня успокоить? Мне бы очень хотелось об этом узнать, ведь иногда время тянется так медленно, аж терпение лопается. Я боюсь прожить свою жизнь зря, боюсь безысходности и отчаяния и до сих пор не могу взять в толк, как же все это произошло. Преподобный Верринджер часто со мною молится — точнее, он молится, а я слушаю, но проку от этого мало, потому что меня это лишь утомляет. Он говорит, что напишет еще одно прошение, но мне кажется, от него будет не больше пользы, чем от всех остальных, так что незачем и бумагу переводить.

Второе, что я хочу узнать: почему ты решил мне помочь? Может, тебе захотелось всех перехитрить, как с контрабандой, которой ты раньше занимался? Или ты сделал это из любви и сострадания? Ты когда-то сказал, что мы одного поля ягоды, и я часто над этим думала.

Надеюсь, это письмо до тебя дойдет, правда, не знаю, сможешь ли ты мне ответить, ведь все письма, которые ко мне приходят, наверняка, вскрывают. Но, наверное, ты все-таки присылал мне весточку, потому что несколько месяцев назад я получила костяную пуговицу без подписи, и сестра спросила: «Грейс, кто это тебе пуговицу прислал?» А я ответила, не знаю. Но на ней был такой же рисунок, как на той, которую ты подарил мне на кухне у миссис ольдермен Паркинсон, и я подумала, это означает, что ты меня не забыл. Возможно, у этой пуговицы был и другой смысл, ведь с ее помощью застегивают или расстегивают одежду, и видимо, ты хотел сказать, чтобы я помалкивала о том, что нам обоим известно. Доктор Джордан считал, что даже самые обычные и невзрачные предметы могут иметь какой-то смысл или воскрешать в памяти забытое. А может, ты просто напомнил мне о себе, хотя в этом и не было надобности, ведь я никогда не забывала и не забуду тебя и твоей доброты.

Надеюсь, дорогой Джеремайя, что ты в добром здравии, а твое цирковое представление пользуется большим успехом,

Твоя старинная подруга,

Грейс Маркс.

* * *

От миссис Уильям П. Джордан,
«Дом в ракитнике», Челноквилль, Массачусетс,
Соединенные Штаты Америки
миссис Ч. Д. Хамфри,
Лоуэр-Юнион-стрит, Кингстон, Западная Канада.

15 мая 1862 года

Уважаемая миссис Хамфри!

Сегодня утром мне в руки попало Ваше письмо к моему дорогому сыну. Теперь я вскрываю всю его корреспонденцию по причинам, которые вкратце поясню. Но вначале хочу призвать Вас впредь не выражаться в столь сумасбродной манере. Угрозы нанести себе увечье, прыгнув с моста или другого возвышенного места, могли бы подействовать на впечатлительного и отзывчивого юношу, но только не на его многоопытную мать.

В любом случае Вам не стоит рассчитывать на свидание с ним. С началом нынешней печальной войны мой сын вступил в Армию Союза, чтобы сражаться за родину в качестве военного хирурга, и тотчас был отправлен в полевой госпиталь у линии фронта. Почтовое сообщение, к сожалению, прервалось, а войска передвигались по железным дорогам слишком быстро, так что я несколько месяцев не получала от него никаких вестей. Это было не похоже на моего сына, который всегда регулярно и исправно со мной переписывался, и поэтому я начала бояться самого страшного.

Тем временем я делала все то немногое, что было в моих силах. На этой злополучной войне было множество погибших и раненых, и мы каждый день наблюдали ее последствия, когда в наши временные госпитали привозили все новых и новых юношей и мужчин, искалеченных, ослепших или обезумевших от заразной лихорадки, и каждый из них был чьим-нибудь горячо любимым сыном. Женщины нашего города с головой погрузились в хлопоты: они навещали раненых и пытались создать подобие домашнего уюта, я и сама помогала им изо всех сил, несмотря на свое неважное здоровье. Мне оставалось лишь надеяться, что если и мой дорогой сын где-нибудь болеет и страдает, чья-нибудь мать тоже о нем позаботится.

Наконец один выздоравливающий солдат из нашего города рассказал, что, по слухам, мой дорогой сыночек был ранен в голову осколком снаряда и находился между жизнью и смертью. Я, конечно, чуть не умерла от горя и подняла всех на ноги, пытаясь узнать, где он находится. И вот, к моей огромной радости, он к нам вернулся — живой, но ужасно ослабленный телесно и духовно. В результате ранения он отчасти утратил память: хотя он помнил своего любящего родителя и события своего детства, однако из его памяти полностью изгладились недавние впечатления, среди них — интерес к лечебницам для душевнобольных, а также его пребывание в Кингстоне, включая те отношения, которые, возможно, связывали его с Вами.

Я рассказываю Вам это для того, чтобы Вы смогли взглянуть на вещи с более широкой и, добавлю, менее эгоистической точки зрения. События нашей частной жизни поистине меркнут на фоне судьбоносных исторических свершений, которые, будем надеяться, послужат общему благу.

Кроме того, должна поздравить Вас с тем, что Ваш супруг наконец-то нашелся, хотя в то же время соболезную Вам. Ведь так неприятно узнать о смерти супруга, который скончался вследствие длительного алкогольного опьянения, приведшего к белой горячке. Я рада тому, что он не успел растратить все Ваши средства, и посоветовала бы Вам надежную ежегодную ренту или скромное вложение капитала в железнодорожные акции (это здорово поддержало меня во время моих собственных мытарств — только нужно выбрать солидную компанию) либо в Швейные машинки, которые в будущем, несомненно, будут пользоваться большим успехом.

Однако план действий, предлагаемый Вами моему сыну, нежелателен и неосуществим даже в том случае, если бы он был в состоянии его принять. Мой сын с Вами не помолвлен и не связан никакими обязательствами. То, что Вы сами, возможно, для себя заключили, еще не является взаимным соглашением. Считаю также своим долгом сообщить Вам, что перед своим отъездом мой сын был практически помолвлен с мисс Верой Картрайт, юной леди из прекрасной семьи, обладающей безупречными моральными качествами. И единственным препятствием для их брака стала честь моего сына, не осмелившегося предложить мисс Картрайт руку и сердце, зная, что его жизнь вскоре подвергнется стольким опасностям. И, несмотря на его нездоровье и даже временами беспамятство, она считается с желанием обеих семей, равно как и с волей собственного сердца, и ныне самоотверженно помогает мне ухаживать за сыном.

Он пока еще не узнаёт ее и упорно называет Грейс — такое смешение можно понять, поскольку духовно Вера очень к этому имени близка. Однако мы прилагаем все усилия и настойчиво показываем ему различные домашние безделушки, которыми он когда-то дорожил, и водим его на прогулки по живописным уголкам природы. В нас крепнет уверенность, что вскоре к нему вернется память, в полном или, по крайней мере, необходимом объеме, и что со временем он сможет выполнять свои супружеские обязанности. Об этом больше всего печется мисс Картрайт, и каждый человек, бескорыстно любящий моего сына, обязан молиться о его скорейшем выздоровлении и о полном восстановлении его умственных способностей.

В завершение позвольте мне выразить надежду, что Ваша будущая жизнь окажется счастливее недавнего прошлого и что ее закат принесет с собой ту безмятежность, которой, к сожалению и даже порой к несчастью, лишены суетные и бурные увлечения молодости.

Искренне ваша,

(Миссис) *Констанс П. Джордан.*

P.S. Всю дальнейшую Вашу корреспонденцию я буду уничтожать, не читая.

* * *

От преподобного отца Эноха Верринджера,
председателя Комиссии по помилованию Грейс Маркс,
Методистская церковь на Сайденхем-стрит, Кингстон,
провинция Онтарио, Канадский доминион,
доктору медицины Самюэлю Баннерлингу,
«У Кленов», Фронт-стрит, Торонто,
провинция Онтарио, Канадский доминион.

Кингстон, 15 октября 1867 года

Многоуважаемый доктор Баннерлинг!

Я осмелился написать Вам, сэр, от лица Комиссии, председателем которой являюсь, по одному важному делу, с которым Вы наверняка хорошо знакомы. Я знаю, что к Вам, бывшему лечащему врачу Грейс Маркс, находившейся около пятнадцати лет назад в

Лечебнице для душевнобольных города Торонто, уже обращались представители нескольких предыдущих комиссий, собиравшихся направить прошения Правительству в защиту этой несчастной, горемычной и, по мнению некоторых людей, несправедливо осужденной женщины, в надежде, что Вы присовокупите свое имя к указанным прошениям. Я уверен, Вы понимаете, что подобное дополнение существенно повлияло бы на официальные власти, поскольку они склонны принимать во внимание такого рода компетентные медицинские заключения.

Наша Комиссия состоит из некоторого количества дам, в том числе моей милой супруги, и нескольких высокопоставленных джентльменов и духовных лиц трех вероисповеданий, включая тюремного капеллана, список имен которых прилагается. В прошлом подобные прошения не имели успеха, но Комиссия горячо надеется, что благодаря недавним политическим переменам, в частности, созданию по-настоящему представительного Парламента во главе с Джоном А. Макдональдом[1], данный документ получит благосклонный прием, в котором было отказано прежним ходатайствам.

Кроме того, мы пользуемся преимуществами современной науки и достижениями в изучении церебральных заболеваний и психических расстройств — достижениями, которые, несомненно, говорят в пользу Грейс Маркс. Несколько лет назад наша Комиссия пригласила специалиста по нервным болезням, доктора Саймона Джордана, получившего весьма хвалебные рекомендации. В течение нескольких месяцев он тщательно обследовал Грейс Маркс, уделяя особое внимание провалам в памяти, касающимся убийств. Пытаясь восстановить эти воспоминания, он подверг пациентку сеансу нейрогипноза, проведенному талантливым ученым, занимающимся данной наукой, которая после долгой опалы, похоже, вновь пользуется благосклонностью в качестве диагностического и лечебного метода, хотя пока еще находит бóльшую поддержку во Франции, нежели в нашем полушарии.

---

[1] Джон Александр Макдональд (1815—1891) — канадский политический деятель, премьер-министр Северной Канады (1857).

В результате этого сеанса и полученных на нем поразительных откровений доктор Джордан пришел к заключению о том, что потеря памяти была у Грейс Маркс не симулированной, а подлинной, — что в день убийства с ней случился истерический припадок, вызванный испугом и приведший к *аутогипнотическому сомнамбулизму*, плохо изученному двадцать пять лет назад, но с тех пор документально подтвержденному; и что этим и объясняется ее последующая амнезия. Во время нейрогипнотического транса, свидетелями которого были несколько членов нашей Комиссии, Грейс Маркс не только полностью вспомнила об этих событиях прошлого, но и проявила ярко выраженные признаки сомнамбулического *раздвоения сознания* с явным наличием второй личности, способной действовать без ведома первой. В виду этих доказательств доктор Джордан пришел к выводу, что в момент совершения убийства Нэнси Монтгомери женщина, известная нам под именем «Грейс Маркс», находилась без сознания и поэтому не может нести ответственности за свои поступки, воспоминания о которых сохранила лишь ее вторая, скрытая личность. Доктор Джордан добавил также, что, если верить свидетельствам очевидцев — миссис Муди и других, — эта другая личность недвусмысленно обнаружила себя снова в период психического расстройства в 1852 году.

Я надеялся представить Вам письменный отчет об этом сеансе, и в его ожидании наша Комиссия из года в год откладывала подачу прошения. Доктор Джордан действительно намеревался подготовить подобный документ, но ему неожиданно пришлось уехать в связи с болезнью одного из членов семьи, а затем его отвлекли срочные дела на Континенте. Разразившаяся вслед за этим Гражданская война, во время которой он служил военным хирургом, послужила серьезным препятствием для его работы. Я слышал, что в ходе боевых действий он был ранен, и хотя сейчас он, слава Богу, выздоравливает, однако еще не в состоянии выполнить обещанное. Я не сомневаюсь, что в противном случае он искренне присоединился бы к нашей просьбе.

На упомянутом нейрогипнотическом сеансе присутствовал я сам, а также леди, впоследствии согласившаяся стать моею дорогой супругой, и мы оба были до глубины души поражены увиденным и услышанным. Когда я думаю о том, как эта бедная женщина была оклеветана вследствие недостатка научного понимания, у меня на глаза наворачиваются слезы. Душа человеческая — глубокая и страшная загадка, которую мы только начинаем постигать. Как говорил апостол Павел: «Теперь мы видим как бы сквозь тусклое стекло, гадательно, тогда же лицом к лицу». Можно лишь догадываться о замысле Творца, завязавшего Человечество столь запутанным гордиевым узлом.

Впрочем, как бы Вы ни относились к заключению доктора Джордана, — а я полностью даю себе отчет, что человеку, не знакомому с практикой нейрогипноза и не присутствовавшему при указанных событиях, возможно, будет трудно поверить в его выводы, — Грейс Маркс провела в заключении долгие годы и, несомненно, уже искупила свои прегрешения. Она пережила неописуемые душевные и физические страдания и горько раскаялась в том, что сознательно или же неосознанно приняла участие в этом жутком злодеянии. Она уже немолода и не может похвастаться отменным здоровьем. Если бы она вышла на свободу, то наверняка смогла бы поправить свое телесное и духовное состояние и получила бы возможность поразмыслить над прошлым, чтобы подготовиться к жизни грядущей.

Неужели Вы откажетесь подписаться во имя милосердия под прошением о ее освобождении и, возможно, тем самым закроете Райские врата перед кающейся грешницей? Разумеется, нет!

Еще раз прошу и призываю Вас помочь нам в этом весьма похвальном начинании.

Искренне Ваш,

Энох Верринджер,
магистр гуманитарных наук и доктор богословия.

* * *

От доктора медицины Самюэля Баннерлинга,
«У кленов», Фронт-стрит, Торонто,
преподобному отцу Эноху Верринджеру,
Методистская церковь на Сайденхем-стрит,
Кингстон, провинция Онтарио.

1 ноября 1867 года

Милостивый государь!

Я получил Ваше письмо от 15 октября, в котором излагаются Ваши ребяческие бредни, касающиеся Грейс Маркс. Доктор Джордан меня разочаровал: я предварительно обменялся с ним письмами и откровенно предупредил его о коварстве этой женщины. Есть поговорка о старых дураках, но мне кажется, молодые дураки еще страшнее старых: я поражен тем, что человек, обладающий степенью доктора медицины, поддался такому вопиющему образчику шарлатанства и нелепого дурачества, как «нейрогипнотический транс», по своей глупости уступающий лишь спиритизму, всеобщему избирательному праву и тому подобной чепухе. Этот вздорный «нейрогипноз», в какую бы новую терминологию он ни рядился, является перелицованным месмеризмом, или животным магнетизмом. Эта нездоровая чушь была давным-давно разоблачена — она служила напыщенным прикрытием, с помощью которого люди с сомнительным прошлым и развратными наклонностями могли подчинять своей власти подобных им молодых женщин, задавая им дерзкие, оскорбительные вопросы и приказывая совершать неприличные действия, по-видимому, без их согласия.

Поэтому я опасаюсь, что Ваш доктор Джордан либо легковерен, как младенец, либо сам отъявленный негодяй, и если бы он составил свой так называемый «отчет», то эта писулька не стоила бы использованной им бумаги. Я подозреваю, что упоминаемое Вами ранение было получено не во время, а еще до войны и представляло собой сотрясение мозга, которым только и можно объяснить подобный идиотизм. Если доктор Джордан все еще придерживается этого беспорядочного образа мыслей, то вскоре он окажется в частном сумасшедшем доме, который, насколько я помню, он когда-то собирался открыть.

Я читал так называемые «показания» миссис Муди, а также иную ее писанину, которую предал огню, полагая, что туда ей и дорога. В камине эти сочинения вспыхнули тусклым светом, которого в противном случае, безусловно, никогда бы не пролили. Миссис Муди и иже с нею склонны к высокопарному пустословию и выдумыванию всевозможных небылиц — с равным успехом можно было бы полагаться на «свидетельские показания» глупой гусыни.

Что же касается упомянутых Вами Райских врат, то я ими не заведую, и если Грейс Маркс окажется достойной, то она будет туда допущена безо всякого вмешательства с моей стороны. Но я никогда не стану раскрывать для нее ворота исправительного дома. Я внимательно изучил эту женщину и знаком с ее характером и норовом намного лучше, нежели Вы. Она лишена моральных качеств и обладает ярко выраженной склонностью к убийству. Крайне рискованно возвращать ей обычные социальные привилегии, и если она окажется на свободе, то, вполне вероятно, мы рано или поздно расплатимся за это новыми жизнями.

В завершение, сэр, позвольте мне заметить, что Вам, как духовному лицу, не пристало расцвечивать свои тирады ссылками на «современную науку». Как сказал когда-то Папа Римский, малая ученость чревата большими опасностями. Займитесь отпущением грехов и чтением поучительных проповедей ради укрепления общественной морали, в которой, видит Бог, наша страна сегодня нуждается как никогда, а мозги вырожденцев оставьте специализирующимся в них полномочным властям. И впредь попрошу Вас не докучать мне этими назойливыми и смехотворными просьбами,

Ваш покорнейший слуга,

Самюэль Баннерлинг,
доктор медицины.

XV

РАЙСКОЕ ДРЕВО

Но в конце концов все старания были вознаграждены. В Правительство поступало одно прошение за другим, и, несомненно, к делу были привлечены и другие влиятельные особы. Эта, возможно, единственная в своем роде зло-умышленница получила помилование и была доставлена в штат Нью-Йорк, где она сменила фамилию и вскоре после этого вышла замуж. Насколько известно автору этих строк, она по-прежнему жива. Проявляла ли она в этот период склонность к убийству, мы не знаем, поскольку она, вероятно, скрывает свою личность под множеством вымышленных имен.

Анонимный автор,
*«История Торонто и графства Йорк,
провинция Онтарио», 1885*

Пятница, 2 августа 1872 г. *С 12 до 2 часов дня был в городе и встречался с Министром Юстиции по поводу Грейс Маркс, амнистию которой я получил сегодня утром. По просьбе сэ-ра Джона, я вместе с одной из своих дочерей должен буду препроводить эту женщину до жилища, предоставленного ей в штате Нью-Йорк.*

Вторник, 7 августа 1872 г. *Допросил и освободил Грейс Маркс, помилованную после заключения в нашем исправительном доме в течение 28 лет и десяти месяцев. В час пополудни отправился вместе с нею и своей дочерью в штат Нью-Йорк по распоряжению Министра Юстиции...*

Записи из дневника начальника тюрьмы,
Провинциальный исправительный дом,
Кингстон, провинция Онтарио, Канадский доминион

Таков наш Рай земной, и я прошу
Не слишком строго обо мне судить,
Коль скоро я мечтою дорожу
Среди житейских бурь и гроз открыть
Волшебный остров, чтобы там почить...

Уильям Моррис,
«Земной рай», 1868

Несовершенен рай земной.

Уоллес Стивенс,
«Стихи о нашем крае», 1938[1]

---

[1] Уоллес Стивенс (1879—1955) — американский поэт.

51

Я ЧАСТО ДУМАЛА О ТОМ, чтобы вам написать и рассказать, как мне повезло в жизни, и у себя в голове я сочинила целую кучу писем. Когда я подберу подходящие слова, то запишу их на бумаге, и так вы получите от меня весточку, если, конечно, еще живы. А если нет, то вы все равно об этом узнаете.

Наверно, вы слыхали о моем Помиловании, а может, и не слыхали. Я не встречала упоминаний о нем в газетах, и это не мудрено, ведь к тому времени, когда меня наконец освободили, это была уже старая история, и никто не стал бы про нее читать. Но может быть, оно и к лучшему. Когда я узнала об этом, то поняла, что вы все-таки отправили письмо в Правительство, потому что оно вместе со всеми прошениями в конце концов, принесло желательный исход. Хотя должна сказать, что чиновники очень долго тянули время и так ничего и не сказали о вашем письме, а просто объявили всеобщую амнистию.

Я впервые услыхала о помиловании от старшей дочери начальника тюрьмы, которую звали Джанет. Этого начальника вы никогда не видели, сэр, ведь со времени вашего отъезда много воды утекло: помимо нового начальника сменилось два или три новых коменданта, а уж за всеми новыми конвоирами, смотрителями да сестрами я и уследить не могла.

Я сидела в комнате для шитья, где мы с вами обычно разговаривали после обеда, и штопала чулки, — при новых начальниках я прислуживала по хозяйству, как и прежде, — как вдруг вошла Джанет. Она была доброжелательной и, в отличие от других, всегда мне улыбалась. И хотя красотой она никогда не отличалась, но ухитрилась выйти замуж за приличного молодого фермера, а я искренне пожелала ей счастья. Некоторые мужчины, особенно те, что попроще, выбирают себе не красавиц, а дурнушек, ведь у них и работа быстрее спорится, и жалуются они меньше, да и вряд ли сбегут с другим мужиком — кто ж на такую позарится?

В тот день Джанет вбежала в комнату вся взволнованная.

— Грейс, — сказала она. — У меня потрясающая новость!

Я спокойно продолжала шить, ведь когда люди говорили мне о потрясающей новости, то это всегда касалось не меня, а кого-нибудь другого. Я, конечно, готова была ее выслушать, но пропускать из-за этого стежок не собиралась, если вы понимаете, о чем я, сэр.

— Неужто? — спросила я.

— Пришло твое помилование! — воскликнула она. — От сэра Джона Макдональда и Министра Юстиции из Оттавы. Чудесно, правда?

Она хлопала в ладоши и была в ту минуту похожа на большого некрасивого ребенка, рассматривающего прекрасный подарок. Она была отзывчивой и сентиментальной девушкой, свято верившей в мою невиновность.

При этой новости я отложила шитье. Меня вдруг прошиб озноб, и я чуть не упала в обморок, а этого со мной давно не случалось, с самого вашего отъезда, сэр.

— Разве такое бывает? — спросила я.

Если бы это был кто-нибудь другой, я решила бы, что меня жестоко разыграли, но Джанет вовсе не любила подшучивать.

— Бывает! — ответила она. — Тебя помиловали! Я так рада за тебя!

Она ожидала, что я расплачусь, и поэтому я слегка прослезилась.

И хотя ее отец на самом деле получил не сам документ, а только извещение, меня в ту же ночь перевели из моей тюремной камеры в спальню для гостей в доме начальника тюрьмы. Это Джанет, добрая душа, постаралась, но ей помогала мать, ведь помилование — и впрямь необычное событие в однообразной тюремной жизни, и людям нравится принимать участие в подобных делах, чтобы потом можно было рассказать о них знакомым; поэтому все со мной возились.

Задув свечу, я легла в роскошную кровать, одетая в хлопчатобумажную ночную рубашку Джанет, а не в грубую пожелтевшую тюремную сорочку, и уставилась в темный потолок. Я металась в постели и никак не могла устроиться поудобнее. По-моему, к удобствам тоже нужно привыкнуть, а я больше привыкла к узкой тюремной койке, нежели к гостевой спальне с чистыми простынями. Комната была такой большой, что меня это даже пугало, и я натянула простыню на голову, чтобы ничего не видеть. А потом мне показалось, будто лицо мое исчезает и превращается в чье-то чужое. И я вспомнила свою бедную матушку в саване, в котором ее опустили в море, и как я подумала, что она уже изменилась под простыней и стала другой женщиной, и теперь то же самое происходит со мной. Я, конечно, не умерла, но ощущения были похожие.

На следующий день за завтраком вся семья начальника приветливо улыбалась мне влажными от слез глазами, словно я была какой-то драгоценной диковиной — извлеченным из воды младенцем. Начальник сказал, что мы должны возблагодарить Бога за спасение заблудшей овцы, и все вместе с жаром произнесли «Аминь».

Вот оно что, подумала я. Меня спасли, и теперь я должна вести себя как спасенная. И я старалась изо всех сил. Но очень трудно было осознать, что ты уже не прославленная убивица, а невиновная женщина, несправедливо обвиненная и заключенная в тюрьму на очень долгий срок, — скорее предмет жалости, нежели страха и отвращения. Я несколько дней привыкала к этой мысли, но до сих пор так до конца и не привыкла. Мое лицо должно принять совершенно другое выражение, но я думаю, со временем все образуется.

Ну а для тех, кто не знаком с историей моей жизни, я уже не буду представлять никакого интереса.

В тот день после завтрака я почему-то расстроилась. Джанет это заметила и спросила, в чем дело, а я ответила:

— В этой тюрьме я пробыла почти двадцать девять лет. На воле у меня ни друзей, ни семьи. Куда же мне идти и чем заняться? У меня нет денег и возможности их заработать, нет приличной одежды, и я вряд ли смогу получить место где-нибудь в нашей округе, ведь моя история всем слишком хорошо известна. И, несмотря на Помилование, которому я очень рада, ни одна благоразумная хозяйка не захочет брать меня в свой дом, заботясь о безопасности своих близких, да я и сама бы на ее месте так поступила.

Я не сказала ей: «К тому же я слишком стара, чтобы идти на панель», поскольку не хотела ее смущать, ведь она выросла в приличной методистской семье. Однако должна признаться вам, сэр, эта мысль все же промелькнула у меня в голове. Но какие у меня были шансы — в моем-то возрасте и с такой большой конкуренцией? Я брала бы по одному пенни с опустившихся пьяных матросов в каких-нибудь переулках и через год померла бы от срамной болезни. Стоило это представить, и у меня сердце уходило в пятки.

Так что теперь Помилование казалось мне не пропуском на волю, а смертным приговором. Меня вышвырнут на улицу — одну, без друзей — и мне придется умирать от голода и холода в каком-нибудь зябком углу, в той самой одежонке, в которой я поступила в тюрьму. А может, даже этой одежды на мне не будет, ведь я понятия не имела, что с ней стало: видать, давным-давно продали или кому-то отдали.

— Ах нет, милая Грейс, — сказала Джанет. — Мы все продумали. Я не хотела говорить тебе обо всем сразу: боялась, что ты не вынесешь такого счастья после такого горя. Тебе предоставили хороший дом в Соединенных Штатах, и как только ты уедешь туда, твое печальное прошлое останется позади, ведь никто о нем никогда не узнает. Для тебя наступит новая жизнь.

Она говорила другими словами, но суть была такая.

— А что же я буду носить? — спросила я, по-прежнему в отчаянии. Наверно, я и вправду была не в себе, поскольку здравомыслящий человек в первую очередь спросил бы о предоставленном доме, и где он находится, и что я должна буду там делать. Позже я призадумалась над ее словами: «Тебе предоставили хороший дом», как будто речь шла о старой собаке или нетрудоспособной лошади, которую держать у себя накладно, а убивать жалко.

— Я и об этом позаботилась, — ответила Джанет. Она была такой душечкой. — Я заглянула на склад и каким-то чудом нашла сундук, который ты привезла с собой. На нем была бирка с твоим именем, и, наверно, он сохранился благодаря прошениям, которые подавали в твою защиту после суда. Возможно, вначале они хранили твои вещи, потому что надеялись на твое скорое освобождение, а потом, наверное, про них забыли. Я велю принести сундук в твою комнату, и мы вместе его отопрем, хорошо?

Я немного успокоилась, хоть у меня и было дурное предчувствие. И оно меня не обмануло: когда мы открыли сундук, то увидели, что внутрь проникла моль и побила шерстяную одежду, в том числе толстый зимний матушкин платок. А некоторые другие вещи выцвели и отдавали плесенью из-за того, что так долго хранились в сыром месте; нитки кое-где прогнили насквозь, и ткань можно было проткнуть рукой. Любую одежду нужно время от времени хорошенько проветривать, а эта пролежала без воздуха столько лет.

Мы всё вынули и разложили по комнате, чтобы посмотреть, нельзя ли что-нибудь спасти. Там были Нэнсины платья, когда-то такие красивые, а теперь испорченные, и вещи, доставшиеся мне от Мэри Уитни. В те времена я ими очень дорожила, но сейчас они казались дешевыми и старомодными. Там было платье, которое я сшила у миссис ольдермен Паркинсон, с костяными пуговицами, купленными у Джеремайи, но от платья остались одни лишь эти пуговицы. Я нашла прядь волос Мэри, перевязанную ниткой и завернутую в носовой платок, но моль проникла и туда: в крайнем случае моль может питаться и волосами, если, конечно, их не хранить в кедровой шкатулке.

На меня накатило какое-то тягостное чувство. В глазах потемнело, и я увидела Нэнси и Мэри в их старой одежде, но зрелище это было не из приятных, ведь теперь и они сами, видимо, так же обветшали. Я чуть не упала в обморок, и мне пришлось сесть и попросить Джанет принести стакан воды и открыть окно.

Джанет и сама поразилась: по молодости лет она не поняла, что от одежды, пролежавшей в сундуке двадцать девять лет, останется один пшик, но старалась не падать духом. Она сказала, что в любом случае платья давно вышли из моды, а я не могу начинать новую жизнь, разодевшись как пугало. Однако некоторые вещички еще можно было использовать, например, красную фланелевую юбку и несколько белых, которые можно постирать в уксусе, чтобы забить запах плесени, а потом отбелить на солнышке — и они станут белоснежными. На деле все оказалось иначе: после стирки они, конечно, стали светлее, но назвать их белыми было трудно.

Ну а остальные вещи, сказала Джанет, мы найдем в другом месте.

— Тебе нужно составить гардероб, — добавила она. Уж не знаю, как было дело, — я подозреваю, что она выпросила одно платье у матери и, пройдясь по знакомым, собрала некоторые другие вещички, а начальник тюрьмы, наверно, дал денег на чулки и туфли, — но в конце концов у меня появился целый запас одежды. Цвета показались мне чересчур яркими, например, зеленый ситец и поплин с фуксиновыми полосками на лазурном фоне, но это были новые химические краски, которые теперь вошли в моду. Эти цвета были не совсем мне к лицу, но я не раз убеждалась, что нищим выбирать не приходится.

Мы сидели вдвоем, похожие на мать и дочь, которые дружно и весело шили приданое, и подгоняли платья, так что вскоре я приободрилась. Я жалела только о кринолинах: они вышли из моды, и теперь все носили проволочные турнюры и большие сборки на спине, с рюшами да бахромой, которые больше напоминали мне диванные валики. Так что мне уже никогда не доведется поносить кринолин. Впрочем, это было бы чересчур жирно.

Капоры тоже устарели. Теперь все ходили в шляпках, завязывающихся под подбородком, совершенно плоских и наклоненных вперед, будто корабль, плывущий у тебя на голове, с развевающейся сзади, как кильватер, вуалью. Джанет раздобыла для меня одну такую шляпку, и мне стало не по себе, когда я впервые ее надела и посмотрела в зеркало. Она не покрывала седых прядей, хотя Джанет и сказала, что я выгляжу на десять лет моложе своего возраста, совсем как девушка: я и правда сохранила фигуру и почти все зубы. Джанет добавила, что я похожа на настоящую леди, и это очень даже может быть, ведь сейчас между одеждой служанки и платьем госпожи разницы меньше, чем раньше, а моде не так уж трудно следовать. Мы весело украшали шляпку шелковыми цветами и бантами, хоть я пару раз и всплакнула от избытка чувств. В жизни такое часто бывает при перемене судьбы от худшего к лучшему и наоборот, как вы, сэр, наверняка, и сами замечали.

Пока мы укладывали вещи, я отрéзала лоскутки от разных платьев, которые носила давным-давно, а теперь должна была выбросить. Я спросила Джанет, можно ли мне взять вместо сувенира тюремную ночную рубашку, в которой я привыкла спать. И она ответила:

— Странноватый сувенир, — но попросила за меня, и мне разрешили. Понимаете, мне нужно было увезти с собой хоть что-нибудь на память.

Когда все было готово, я от души поблагодарила Джанет. Я по-прежнему побаивалась за свое будущее, но, по крайней мере, выглядела по-человечески, и никто не стал бы на меня пялиться, а это дорогого стоило. Джанет подарила мне летние перчатки, почти еще новые, даже не знаю, где она их раздобыла. А потом расплакалась, и когда я спросила, почему она плачет, Джанет ответила, что у меня все так хорошо закончилось, почти как в книжке. А я подумала, какие ж это книжки она читала.

52

ОТЪЕЗД НАЗНАЧИЛИ НА 7 АВГУСТА 1872 ГОДА, и я никогда не забуду этого дня.

Во время завтрака с семьей начальника тюрьмы я от волнения почти ничего не ела, а потом надела зеленое дорожное платье, соломенную шляпку, отделанную лентами такого же цвета, и подаренные Джанет перчатки. Вещи мои были упакованы, только не в Нэнсин сундук, который весь пропах плесенью, а в кожаный почти новый саквояж, предоставленный мне исправительным домом. Наверно, он принадлежал какой-то умершей там бедняжке, но я уже давно не заглядывала дареному коню в зубы.

Меня привели попрощаться с начальником — это была пустая формальность, и он просто поздравил меня с освобождением. В любом случае, им с Джанет следовало сопровождать меня до самого дома по настоятельной просьбе самого сэра Джона Макдональда: ведь я должна была благополучно туда добраться, а все прекрасно понимали, что, просидев столько времени взаперти, я не умела пользоваться современными дорогами. К тому же повсюду шаталось много хулиганов: солдат, вернувшихся с Гражданской войны, калек и других нуждающихся, которые могли быть для меня опасными. Поэтому я очень обрадовалась, что начальник с дочкой составят мне компанию.

В последний раз я прошла через ворота исправительного дома ровно в полдень, и бой часов отдался у меня в голове звоном тысячи колоколов. До самого этого мгновения я не доверяла своим ощущениям: одеваясь перед поездкой, я как бы оцепенела, и окружающие предметы показались мне плоскими и блеклыми, а тут вдруг все ожило. Ярко засветило солнце, и каждый камень на стене стал прозрачным, как стекло, и горел, словно лампа. Я как будто вышла из Преисподней и вступила в Райские врата — мне кажется, Ад и Рай друг к другу намного ближе, чем думает большинство людей.

За воротами рос каштан, и каждый его листочек пылал огнем: на дереве сидели три белых голубя, сиявших, будто ангелы Пятидесятницы, и в этот миг я наконец поняла, что свободна. В необычайно радостные или же мрачные минуты я обычно падала в обморок, но в тот день попросила у Джанет нюхательной соли и осталась стоять прямо, опираясь на ее руку. Она сказала, что это на меня не похоже, ведь мне редко удавалось сохранять самообладание в такие торжественные моменты.

Мне хотелось оглянуться, но я вспомнила про Лотову жену и соляной столп и сдержала себя. Если б я оглянулась, это означало бы, что я жалею об отъезде и хочу вернуться, но это было, конечно, не так, сэр, как вы и сами можете догадаться. Но вы удивитесь, узнав, что я и впрямь чуточку жалела. Ведь хотя исправительный дом и нельзя назвать уютным уголком, но он почти тридцать лет был моим единственным домом, а это большой срок — многие люди и на земле-то столько не живут. И хотя тюрьма — ужасное место скорби и наказания, но я, по крайней мере, хорошо знала тамошний уклад. Когда прощаешься с чем-нибудь знакомым, путь даже и неприятным, и не знаешь, что тебя ждет впереди, это всегда вызывает страх, и наверно поэтому многие люди боятся умирать.

Наконец я пришла в себя, хоть у меня и кружилась голова. День был жаркий и влажный, какие обычно выдаются в августе на берегах Великих озер, но от воды веял легкий ветерок, так что было не так уж душно. По небу плыли белые облачка, не предвещавшие дождя или грозы. Джанет вытащила зонтик, который раскрыла у нас над головами. У меня зонтика не было: шелк на розовом Нэнсином полностью сгнил.

На вокзал мы приехали в легком экипаже, которым правил кучер начальника. Поезд отправлялся только в полвторого, но я боялась опоздать, а потом никак не могла усидеть в женском зале ожидания и в огромном волнении ходила взад-вперед по перрону. Наконец подали поезд — большую блестящую громадину, выпускавшую клубы дыма. Я никогда не видела поезда так близко, и хотя Джанет убеждала меня, что это не опасно, ей все же пришлось меня подсадить.

На паровозе мы доехали только до Корнуолла, но хотя поездка была довольно короткой, мне казалось, что я не переживу ее. Мы мчались так быстро, и вокруг стоял такой грохот, что я чуть не оглохла; к тому же за окном огромными клубами валил черный дым. Пронзительный паровозный свисток напугал меня до смерти, хоть я держала себя в руках и старалась не показывать виду.

Мне полегчало, когда мы вышли на корнуоллском вокзале, отправились оттуда в запряженной пони двуколке на пристань и сели на берегу озера на паром — с этим видом путешествий я была знакома лучше, и там можно было подышать свежим воздухом. Вначале меня ослепили солнечные зайчики на волнах, но потом я перестала на них смотреть, и глаза отдохнули. Начальник предложил мне подкрепиться едой из корзинки, которую он прихватил с собой, и я с трудом осилила кусочек холодной курицы да выпила еле теплого чаю. Я с интересом рассматривала дамские костюмы — разного фасона и очень яркие. Когда я садилась и вставала, то с трудом управлялась со своим турнюром, — ведь это приходит только с опытом, — и боюсь, что казалась со стороны довольно неуклюжей. Было такое чувство, будто к твоей заднице подвязали еще одну, и ты ходишь с ней, как свинья с привязанным к хвосту жестяным ведром, хоть я, конечно, и не говорила таких грубостей Джанет.

На том берегу озера мы прошли американскую таможню, и начальник сказал, что декларировать нам нечего. Потом мы сели на другой поезд, и я обрадовалась приходу начальника, который разобрался с носильщиками и багажом. Пока мы ехали в этом новом поезде, который грохотал слабее предыдущего, я спросила у Джанет, куда же мы направляемся.

— Мы едем в Итаку, штат Нью-Йорк, — вот и всё, что она мне сообщила, но что будет со мной потом? Какой дом мне предоставили? Буду ли я работать в нем прислугой? И что рассказали обо мне домочадцам? Видите ли, сэр, я не хотела оказаться в неловком положении или быть вынужденной скрывать свое прошлое.

Джанет сказала, что меня ожидает сюрприз, но поскольку это секрет, то она не может его выдать, — и она надеялась, что сюрприз будет приятный. Джанет проговорилась, что речь шла о мужчине — джентльмене, как она выразилась, но поскольку она обычно называла так каждого человека, ходившего в штанах и по своему положению стоявшего выше слуги, яснее мне от этого не стало.

Когда я спросила, что же это за джентльмен, Джанет ответила, что не имеет права его называть, но дала понять, что он мой старинный приятель. Она очень застеснялась, и я не смогла больше вытянуть из нее ни слова.

Я стала перебирать в памяти всех знакомых мужчин. Знала я их не так уж и много, — ведь возможности для знакомства были у меня ограничены, — а те двое, которых я знала, возможно, лучше, хотя и не дольше всего, давно умерли, — я имею в виду мистера Киннира и Джеймса Макдермотта. Был еще коробейник Джеремайя, но я не думала, что он занялся предоставлением хороших домов, поскольку никогда не был домоседом. Оставались также мои бывшие хозяева, например мистер Коутс и мистер Хараги, но к тому времени все они уже наверняка померли или состарились. Единственным, кто пришел мне на ум, были вы, сэр. Должна признаться, эта мысль промелькнула-таки у меня в голове.

Поэтому на перрон вокзала в Итаке я спустилась с тревогой, но и с надеждой. Паровоз встречала целая толпа людей, перекрикивавших друг друга, повсюду сновали носильщики, которые тащили в руках или катили на тележках сундуки и чемоданы, так что оставаться там было опасно. Я прижималась к Джанет, пока начальник договаривался насчет багажа. Потом он отвел нас к зданию вокзала, с другой его стороны, и начал озираться вокруг. Не увидев того, кого ожидал встретить, он нахмурился, взглянул на свои карманные, а затем на вокзальные часы. Потом сверился с письмом, которое вынул из кармана, и сердце у меня ушло в пятки. Однако, подняв глаза от письма, начальник вдруг улыбнулся и сказал:

— Вот он, — и я увидела, что к нам действительно торопливо идет какой-то человек.

Он был среднего роста, нескладный и долговязый, то есть я хочу сказать, что руки и ноги у него были длинные, а туловище крепкое и упитанное. Рыжие волосы и рыжая борода, а одет в праздничный черный костюм, которые сейчас имеется у большинства мужчин с приличным доходом, белую рубашку и темный галстук. В руках он нес цилиндр, который держал перед собой, словно щит, и я поняла, что он тоже побаивается нашей встречи. Этого мужчину я никогда в своей жизни не видела, но, едва подойдя к нам, он испытующе на меня посмотрел, а потом бухнулся передо мной на колени. Схватив меня за руку, затянутую в перчатку, он воскликнул:

— Грейс, Грейс, простишь ли ты меня когда-нибудь? — Он почти кричал, как будто долго перед этим репетировал.

Я пыталась вырвать руку, решив, что он сумасшедший, но когда я обратилась к Джанет за помощью, то увидела, что она плачет от счастья, а начальник тоже весь сияет, словно бы только на это и рассчитывал. И тогда я увидела, что одна я здесь ничего не понимаю.

Мужчина выпустил мою руку и встал.

— Она не узнает меня, — печально сказал он. — Грейс, ты меня не узнаешь? Я бы узнал тебя где угодно.

Я взглянула на него и впрямь заметила что-то знакомое, но так и не смогла вспомнить, где его встречала. И тогда он сказал:

— Я Джейми Уолш.

И я увидела, что это он и есть.

Потом мы отправились в новую гостиницу рядом с вокзалом, где начальник снял номер, и вместе немного подкрепились. Как вы догадываетесь, сэр, нам нужно было объясниться, ведь в последний раз я видела Джейми Уолша на суде, когда его показания насчет одежды покойницы, которую я носила, настроили против меня судью и присяжных.

Мистер Уолш, — так я буду впредь его называть, — рассказал мне, что в то время считал меня виновной, хоть ему и не хотелось так думать, поскольку он всегда мне симпатизировал, и это было правдой. Но когда он вырос и еще раз поразмыслил над всей этой историей, то пришел к противоположному мнению, и его стала терзать совесть. Правда, тогда он был еще молодым парнем и не мог тягаться с юристами, вынудившими его дать показания, о последствиях которых он узнал лишь позднее. Я же со своей стороны успокаивала его и говорила, что такое со всяким могло случиться.

После смерти мистера Киннира ему с отцом пришлось покинуть имение, потому что новым владельцам они оказались не нужны. Джейми нашел себе работу в Торонто, после того как произвел на всех хорошее впечатление на суде: «способный, подающий надежды юноша», писали о нем в газетах. Так что можно сказать, он начал свою карьеру благодаря мне. Он несколько лет копил деньги, а потом переехал в Штаты, поскольку считал, что там легче добиться успеха — в Штатах важно, что́ ты собой представляешь, а не откуда ты родом, и там не задают лишних вопросов. Он работал на строительстве железных дорог, а потом переехал на Запад и все время копил деньги, пока не приобрел собственную ферму и двух лошадей. О лошадях он упомянул в самом начале, памятуя, что я когда-то очень любила Чарли.

Он был женат, но теперь остался бездетным вдовцом. Его постоянно грызла совесть из-за того, что случилось со мной по его вине, и он несколько раз писал в исправительный дом, интересуясь моими делами. Но он не писал лично мне, боясь меня расстроить. Так-то он и прослышал о моем помиловании и договорился обо всем с начальником тюрьмы.

В заключение он умолял меня простить его, и я охотно его простила. Я не держала на него зла и сказала, что меня все равно посадили бы в тюрьму, даже если бы он промолчал про Нэнсины платья. И когда мы все это обговорили, мистер Уолш, в течение всей беседы сжимавший мою руку, попросил меня стать его женой. Хоть он был и не миллионер, но мог предложить мне хороший дом вместе со всем необходимым, благо отложил немного деньжат в банке.

Я сделала вид, что колеблюсь, хотя на самом деле особого выбора у меня не оставалось, да и после стольких хлопот было бы очень невежливо ответить отказом. Я сказала, что не хочу, чтобы он женился на мне только из чувства долга и вины, а он возразил, что делает мне предложение не поэтому: он всегда ко мне тепло относился, а я с тех пор почти не изменилась — все такая же красавица, как он выразился. И мне вспомнились маргаритки в вырубленном саду мистера Киннира, и я поняла, что он правда так думает.

Труднее всего было привыкнуть к тому, что он взрослый мужчина, ведь я знала его неуклюжим юнцом, который играл на флейте накануне убийства Нэнси и сидел на заборе в день моего приезда к мистеру Кинниру.

В конце концов я согласилась. Он заранее приготовил кольцо, лежавшее в коробочке в его жилетном кармане, и от волнения два раза уронил его на скатерть, прежде чем надеть на мой палец. Из-за этого мне пришлось снять перчатку.

Свадьбу решили сыграть как можно скорее; тем временем мы жили в гостинице, где каждое утро в номер приносили горячую воду, а Джанет из приличия оставалась со мной. Все расходы взял на себя мистер Уолш. Простую церемонию провел мировой судья, и я вспомнила, как тетушка Полина много-много лет назад говорила, что у меня обязательно будет неравный брак, и задумалась над тем, что бы она сказала теперь. Подружкой невесты была Джанет — она стояла и плакала.

Борода у мистера Уолша была очень широкая и рыжая, но я успокоила себя тем, что со временем это можно будет поправить.

53

Прошло почти тридцать лет с тех пор, как я, девушка, которой еще не исполнилось и шестнадцати, впервые подъехала по длинной аллее к дому мистера Киннира. Тогда был тоже июнь. А сейчас я сижу на собственной веранде в собственном кресле-качалке: вечереет, и передо мной открывается такой безмятежный вид, что его можно принять за нарисованную картинку. Перед фасадом дома цветут розы леди Гамильтон — очень красивые, но тронутые тлей. Говорят, их нужно посыпать мышьяком, но я не хочу хранить в доме такую отраву.

Цветут последние пионы — розовые и белые, с пышными лепестками. Я не знаю их названий, потому что их не сажала; их аромат напоминает мне о мыле, с которым мистер Киннир брился. Фасад нашего дома выходит на юго-запад, солнце согревает землю золотистыми лучами, но я сижу в тени, поскольку от солнца портится цвет лица. В такие дни мне кажется, будто я на Небесах. Хоть я никогда и не думала, что туда попаду.

С тех пор как я вышла замуж за мистера Уолша, минул почти год, и хотя молодые девушки представляют себе супружескую жизнь несколько иначе, в общем-то я довольна: по крайней мере, мы оба знаем, на что нам рассчитывать. Когда люди женятся молодыми, то, постарев, они часто меняются, но мы оба уже пожилые люди, так что впереди нас ждет не так уж много разочарований. У пожилого человека характер уже сформировался, и вряд ли он пристрастится к выпивке или другим порокам, ведь если это должно было произойти, то наверняка уже произошло бы. Так я считаю, и надеюсь, что время докажет мою правоту. Я уговорила мистера Уолша немного подстричь бороду, а трубку курить только на улице, и, наверно, со временем я навсегда распрощаюсь и с его бородой, и с трубкой, но мужчину нельзя беспрестанно пилить да попрекать, ведь от этого он еще больше упрямится. Мистер Уолш, например, не жует табак и не плюется им, и я, как всегда, благодарна за небольшие милости.

У нас обычный фермерский дом белого цвета с зелеными ставнями, но места нам хватает. В нем есть передняя с вешалкой для зимней одежды, но обычно мы пользуемся кухонной дверью и лестницей с простыми перилами. На ее верхней площадке стоит кедровый сундук для стеганых и шерстяных одеял. Наверху четыре комнаты — маленькая детская, главная спальня и еще одна — для гостей, хотя мы их не ждем, да никого и не хотим видеть, ну и четвертая комната, покамест пустая. В обеих обставленных спальнях есть умывальник и овальный плетеный коврик — я не люблю тяжелых ковров, потому что весной их так трудно стаскивать по лестнице и выбивать, а дело ведь идет к старости.

Над каждой кроватью — картина, которую я сама вышила крестиком: в большой комнате — ваза с цветами, а в нашей — с фруктами. В большой комнате — одеяло «Колесо таинств», а в нашей — «Бревенчатый сруб». Я купила их на распродаже у одной пары, которая обанкротилась и уезжала на Запад: мне стало жаль женщину, и я немного переплатила. Чтобы создать в доме уют, пришлось здорово потрудиться, ведь после смерти жены мистер Уолш стал закоренелым холостяком, и многие его привычки были не из приятных. Из-под кроватей я вымела целую груду паутины и слежавшейся пыли и навела везде чистоту.

Летние шторы в обеих спальнях белого цвета. Мне нравятся белые шторы.

На первом этаже — парадная гостиная с печью и кухня с кладовой и судомойней: насос — прямо в доме, и это очень удобно зимой. Есть еще столовая, но у нас редко бывает много народу. Чаще всего мы едим за кухонным столом, где стоят две керосиновые лампы, и вообще там очень уютно. А в столовой я шью — обеденный стол идеально подходит для кройки.

Сейчас у меня есть швейная машинка, которая приводится в действие маховичком и работает как по волшебству. Она экономит много сил, особенно при простом шитье штор или подрубке простыней. Более тонкую работу я по старинке выполняю руками, хотя глаза у меня уже и не те.

Кроме того, что я описала, у нас есть все необходимое: огород с зеленью, капустой, корнеплодами и горохом по весне; куры, утки, корова и хлев, а также коляска и две лошади — Чарли и Нелл, которые приносят мне много радости и составляют компанию, когда мистера Уолша нет дома. Чарли, правда, слишком много работает, ведь он — тягловая лошадь. Говорят, скоро появятся машины, которые будут выполнять самую тяжелую работу, и тогда беднягу Чарли можно будет отправить на выгон. Я никогда не позволю сдать его на клей и собачью еду, как поступают некоторые.

На нашей ферме трудится один батрак, но живет он отдельно. Мистер Уолш хотел нанять еще девушку, но я сказала, что лучше буду вести домашнее хозяйство сама. Мне бы не хотелось, чтобы с нами жила служанка, которая будет подсматривать да подслушивать за дверью. Да и мне самой намного проще сразу все сделать как следует, чем после кого-нибудь переделывать.

Нашу кошку зовут Полосаткой, — понятно, какого она окраса, — и она хорошо ловит мышей. А собаку зовут Рекс — это не шибко смышленый, но добродушный сеттер очень приятного красновато-коричневого окраса, похожего на блестящий каштан. Имена у них обычные, да нам и не хочется прослыть в округе большими оригиналами. Мы ходим в местную методистскую церковь, проповедник там живчик и любит подбавить адского жару на воскресной проповеди. Хотя мне кажется, он не имеет ни малейшего понятия о том, что же такое Преисподняя, впрочем, как и его прихожане — достойные, но ограниченные люди. Мы решили, что лучше никому не рассказывать о своем прошлом, ведь это привело бы к нездоровому любопытству, сплетням и лживым слухам. Мы пустили слушок, что мистер Уолш был моим другом детства, но я вышла замуж за другого и недавно овдовела. А поскольку жена мистера Уолша умерла, то мы решили снова встретиться и пожениться. В эту историю люди охотно поверили, ведь она романтичная и ни у кого не вызывает подозрений.

Наша церковка совсем захолустная и старая, но в самой Итаке есть церкви поновее, там много спиритов, и в город приезжают именитые медиумы, которые останавливаются в лучших домах. Сама-то я всем этим не увлекаюсь, ведь мало ли что может из этого выйти, а если бы мне захотелось пообщаться с усопшими, то я вполне могла бы это сделать без чужой помощи. И к тому же, боюсь, там много жульничества и обмана.

В апреле я увидела афишу одного знаменитого медиума вместе с его портретом, и хотя изображение было нечеткое, я подумала: «Наверно, это коробейник Джеремайя». Это и впрямь оказался он: когда мы с мистером Уолшем поехали в город по делам и за покупками, я столкнулась с ним на улице. Одет он был очень элегантно, его волосы снова почернели, а бородка была подстрижена по-военному, что, вероятно, внушало доверие, а звали его теперь мистер Джеральд Бриджес. Он очень хорошо разыгрывал из себя знатного великосветского джентльмена, устремленного помыслами к высшей истине. Он тоже меня увидел, узнал и почтительно коснулся рукой шляпы, но мельком, чтобы не обращать на себя внимания, да к тому же подмигнул. А я легонько махнула ему рукой, не снимая перчатки, ведь я всегда надеваю перчатки, отправляясь в город. К счастью, мистер Уолш ничего не заметил, иначе это его насторожило бы.

Мне бы не хотелось, чтобы кто-нибудь здесь узнал мое настоящее имя, но я уверена, что мы с Джеремайей будем свято хранить свою тайну. Я вспомнила то время, когда могла бы убежать вместе с ним, стать гадалкой или ясновидящей целительницей, ведь меня это так прельщало. И моя судьба сложилась бы тогда совсем иначе. Но одному Богу известно, было бы мне от этого лучше или хуже, да и в любом случае, в этой жизни я уже свое отбегала.

С мистером Уолшем мы в принципе ладим, и дела у нас идут очень хорошо. Но что-то меня беспокоит, сэр, и поскольку у меня нет близкой подруги, то я рассказываю об этом вам, зная, что вам можно доверять.

Дело вот в чем. Изредка мистер Уолш кручинится: берет меня за руку, смотрит на меня со слезами на глазах и говорит:

— Как подумаешь, сколько страданий я тебе причинил!

Я говорю ему, что никаких страданий мне он не причинял, мол, во всем виноваты другие люди, а еще простое невезение и неправедный суд. Но ему нравится думать, будто виновником всех моих бед был он сам, и мне кажется, он бы обвинил себя даже в смерти моей бедной матушки, если б только выдумал для этого способ. Еще ему нравится представлять себе эти страдания, и он просит, чтобы я рассказала ему какую-нибудь историю из жизни в тюрьме или в Лечебнице для душевнобольных в Торонто. Ему приятно слушать рассказы о пустом супе, прогорклом сыре и обидных грубостях и тычках охранников. Он внимает мне, словно ребенок, слушающий сказку, как будто я рассказываю ему чудеса, а потом просит меня продолжать. Когда я вспоминаю, как тряслась по ночам в ознобе под тоненьким одеялом, и как меня секли розгой, если я начинала жаловаться, он приходит от этого в восторг. Если же я рассказываю о том, как недостойно обращался со мной мистер Баннерлинг, о холодной ванне, которую я принимала нагишом, завернутая в простыню, и о том, как я сидела в смирительной рубашке в темном карцере, его охватывает настоящее исступление. Но самый любимый его эпизод — это когда бедняга Джеймс Макдермотт таскал меня по всему дому мистера Киннира, подыскивая кровать для своих порочных целей, а Нэнси с самим мистером Кинниром лежали в погребе, и я с ума сходила от страха. Мистер Уолш винит себя в том, что тогда не спас меня.

Лично я с радостью забыла бы об этом времени своей жизни, вместо того чтобы все это пережевывать да по новой горевать. Правда, мне нравилось то время, когда в исправительном доме были вы, сэр, ведь это вносило разнообразие в мою скучную жизнь. Теперь, когда я вспоминаю об этом, мне кажется, что, подобно мистеру Уолшу, вы с жадным вниманием слушали рассказы о моих страданиях и жизненных тяготах, но вы их еще и записывали. Когда интерес ослабевал, ваш взгляд начинал блуждать, но я всегда радовалась, когда мне удавалось вспомнить что-нибудь занимательное. Тогда ваши щеки вспыхивали, и вы улыбались, как солнышко на часах в гостиной. Будь вы собакой, ваши уши навострились бы, глаза загорелись, а язык свесился бы изо рта, словно вы нашли в кустах куропатку. Я чувствовала, что тоже могу приносить пользу, хотя никогда толком не понимала, к чему же вы клоните.

Ну а мистер Уолш после моих рассказов о горе и мучениях сжимает меня в объятиях, гладит по волосам и начинает расстегивать мою ночную сорочку — ведь это нередко происходит по ночам. А потом говорит:

— Простишь ли ты меня когда-нибудь?

Вначале это меня раздражало, хоть я и помалкивала. По правде говоря, лишь очень немногие понимают толк в прощении. В нем ведь нуждаются не преступники, а скорее сами жертвы, потому что из-за них-то и стряслась беда. Если бы они были не такими слабыми и беспечными, а более дальновидными, и если бы старались не нарываться на неприятности, то на свете стало бы меньше горя.

Многие годы я таила злобу на Мэри Уитни и в первую очередь на Нэнси Монтгомери за то, что они позволили себя погубить и оставили меня с этой тяжестью на сердце. Очень долго я не могла найти в себе силы их простить. Лучше бы сам мистер Уолш меня простил, а не упрямо добивался обратного, но, возможно, со временем он сможет более трезво взглянуть на вещи.

Когда он в первый раз развел эту канитель, я сказала, что мне его не за что прощать, и пусть он не морочит себе голову, но ему нужен был другой ответ. Он настаивал на прощении, словно не мог без него прожить, да и кто я такая, чтобы отказывать ему в этой мелочи?

Так что теперь всякий раз, когда он опять начинает, я говорю, что прощаю его. Кладу руки ему на голову, торжественно обращаю взор горе́, как пишут в книгах, а потом целую его и проливаю скупую слезу. И на следующий день после моего прощения он снова становится нормальным и играет на флейте, будто он опять мальчик, а мне — пятнадцать лет, и мы вместе плетем венки из маргариток в саду мистера Киннира.

Но когда я его так прощаю, мне почему-то становится не по себе, ведь я понимаю, что это ложь. Хотя, наверно, это не первая моя ложь. Но, как говаривала Мэри Уитни, святая ангельская ложь — не такая уж большая плата за мир и покой.

В последнее время я часто думаю о Мэри Уитни о том, как мы бросали через плечо яблочную кожуру: ведь почти все сбылось. Как она и говорила, я вышла за мужчину, имя которого начинается на Д. Но перед этим мне пришлось трижды пересечь водную гладь: два раза на льюистонском пароме — туда и обратно, а потом еще раз по пути сюда.

Иногда мне снится, что я опять в своей спаленке у мистера Киннира, еще до всей этой жуткой трагедии, у меня очень спокойно на душе, и я даже не подозреваю о грядущих событиях. А иногда мне снится, что я по-прежнему сижу в исправительном доме, и мне кажется: вот сейчас проснусь и сызнова окажусь в запертой камере, и буду дрожать холодным зимним утром на соломенном тюфяке, а снаружи во дворе будут смеяться охранники.

Но на самом деле я сижу здесь на веранде, в собственном кресле и в собственном доме. Я сначала широко открываю глаза, а потом зажмуриваюсь и щипаю себя, но все остается взаправдашним.

Есть еще один секрет, которым я ни с кем не делилась. Когда меня выпустили из исправительного дома, мне только что стукнуло сорок пять, а меньше чем через месяц мне исполнится сорок шесть, и мне казалось, что рожать уже поздновато. Может, я и заблуждаюсь, но, по-моему, я уже на третьем месяце, или, может, это так перемена обстановки подействовала? Трудно поверить, но если в моей жизни уже случилось одно чудо, то почему я должна удивляться другому? Об этом ведь написано в Библии, и, возможно, Бог надумал немного вознаградить меня за те страдания, что я пережила в юности. Но, возможно, это и опухоль, вроде той, что сгубила мою бедную матушку, ведь хоть я и округлилась, но по утрам меня не тошнит. Странное чувство — носить в себе то ли жизнь, то ли смерть, не зная, что же именно ты носишь. И хотя можно было бы разрешить все сомнения, обратившись к врачу, мне очень не хочется этого делать. Так что, видать, все покажет время.

Сидя после обеда на веранде, я дошиваю стеганое одеяло. Хотя в свое время я перешила кучу всяких одеял, для себя шью его впервые. Это «Райское древо», вот только узор я немного изменила по своему усмотрению.

Я много думала о вас и о вашем яблоке, сэр, и о той загадке, которую вы загадали во время самой первой нашей встречи. Тогда я не поняла ее, но, наверно, вы просто пытались чему-то меня научить, и возможно, теперь я ее отгадала. Я так понимаю: может, Библию и придумал Господь, но записали-то ее люди. И как и во всем, что люди пишут, например в газетах, суть они передали правильно, а некоторые подробности — неверно.

Узор этого одеяла называется «Райское древо», и та рукодельница, которая его так назвала, вряд ли сама понимала смысл этого названия, ведь в Библии не говорится о нескольких деревьях. Там сказано только о двух: Древе жизни и Древе познания, но лично мне кажется, что в Раю было только одно дерево, а Плод жизни и Плод добра и зла — это одно и то же. Если вкусишь от него, то умрешь, но если не вкусишь, тоже умрешь. Хотя если все-таки вкусишь, то к тому времени, когда придет твой черед помирать, будешь уже не такой бестолковой.

Такое расположение больше похоже на жизнь.

Я никому, кроме вас, этого не говорила, ведь я понимаю, что церковь моих мыслей не одобрит.

Свое «Райское древо» я собираюсь отделать каймой из переплетенных змей. Другим они будут казаться виноградными лозами или узором из канатов, потому что глазки я сделаю очень маленькими, но для меня они будут змеями; ведь без парочки змей весь смысл теряется. На некоторых узорах бывает четыре, а то и больше деревьев в квадрате или кружке, но я сделаю одно большое дерево на белом фоне. Само же древо будет состоять из треугольников двух цветов: листья темные, а плоды светлые: я сделаю листья фиолетовыми, а плоды — красными. Сейчас есть много тканей ярких цветов, и в моду вошли химические красители, так что, я думаю, получится очень славно.

Но все три треугольника на моем древе будут разными. Один — белый обрывок нижней юбки, доставшейся мне от Мэри Уитни, а второй — выцветший и желтоватый, от тюремной ночной рубашки, которую я выпросила на память. Третий же будет из бледно-розового лоскута с белыми цветочками, вырезанного из хлопчатобумажного платья, в котором Нэнси была в день моего приезда к мистеру Кинниру и которое я надела во время бегства на пароме в Льюистон.

Каждый из треугольников я обстрочу красной «елочкой», чтобы соединить их с остальным узором.

И так мы навсегда останемся вместе.

ПОСЛЕСЛОВИЕ АВТОРА

Роман «Она же Грейс» — художественное произведение, основанное на реальных событиях. Его главный персонаж, Грейс Маркс, была одной из самых печально известных канадских женщин — в 1840-х годах, в возрасте шестнадцати лет ее обвинили в убийстве.

Убийство Киннира—Монтгомери произошло 23 июля 1843 года и широко освещалось не только в канадских, но и в американских и британских газетах. Обстоятельства его были сенсационными: Грейс Маркс была необычайно красива и очень юна, а экономка Киннира, Нэнси Монтгомери, ранее родила внебрачного ребенка и была любовницей Томаса Киннира; вскрытие же показало, что она была беременна. Грейс вместе с другим слугой Джеймсом Макдермоттом сбежала в Соединенные Штаты, и пресса предположила, что они были любовниками. Сочетание секса, насилия и рокового неповиновения низших классов весьма привлекало журналистов того времени.

Суд прошел в начале ноября. На нем рассматривалось лишь убийство Киннира: поскольку оба обвиняемых были приговорены к смертной казни, рассмотрение убийства Монтгомери сочли излишним. Макдермотт был повешен перед огромной толпой 21 ноября; но мнения по поводу Грейс с самого начала разделились, и благодаря усилиям адвоката Кеннета Маккензи и прошениям группы уважаемых джентльменов, — ссылавшихся на ее молодость, принадлежность к слабому полу и ее предполагаемое слабоумие, — смертная казнь была заменена пожизненным заключением, так что 19 ноября 1843 года она поступила в Провинциальный исправительный дом в Кингстоне.

О Грейс продолжали писать на протяжении всего столетия, и мнения по-прежнему полярно расходились. Отношение к ней отражало тогдашнее двусмысленное представление о женской природе: была ли Грейс злодейкой и искусительницей, зачинщицей преступления и подлинной убийцей Нэнси Монтгомери или же невольной жертвой, принужденной к молчанию угрозами Макдермотта и страхом за свою жизнь? Дело осложнялось тем, что она предложила целых три различных версии убийства Монтгомери, тогда как Джеймс Макдермотт предложил лишь две.

С историей Грейс Маркс я впервые столкнулась в книге Сюзанны Муди «Жизнь на вырубках» (1853). Муди была уже известна книгой «Как трудно жить в тайге» — нелицеприятным рассказом о жизни первопроходцев в так называемой Верхней Канаде, нынешней провинции Онтарио. Ее продолжение, книга «Жизнь на вырубках», должна была показать более цивилизованную сторону «Западной Канады», как она к тому времени стала именоваться, и включала в себя замечательные описания Провинциальной тюрьмы в Кингстоне и Лечебницы для душевнобольных в Торонто. Подобные общественные учреждения посещались наравне с зоопарками, и в каждом из них Муди просила показать ей «гвоздь программы» — Грейс Маркс.

Муди пересказывает историю убийства с чужих слов. Грейс она представляет главной зачинщицей, которой двигала любовь к Томасу Кинниру и ревность к Нэнси. Чтобы подбить Макдермотта на преступление, она пообещала сексуально его удовлетворить. Макдермотт легко поддался дурному влиянию, и Грейс вскружила ему голову. Муди не смогла устоять перед мелодраматическим искусом, и расчленение тела Нэнси — это не только чистой воды выдумка, а чистейший Харрисон Эйнсворт. Влияние диккенсовского «Оливера Твиста» — любимого романа Муди — проявляется и в эпизоде с залитыми кровью глазами, которые якобы преследовали Грейс Маркс.

Вскоре после встречи с Грейс в тюрьме Сюзанна Муди неожиданно сталкивается с ней в Лечебнице Торонто, где Грейс помещают в палату для буйнопомешанных. Личным наблюдениям Муди в целом можно доверять, и автор, без сомнения, видела своими глазами кричащую и беснующуюся Грейс. Однако вскоре после публикации книги Муди — и сразу же после назначения главным врачом больницы гуманного Джозефа Уоркмена — Грейс признали психически нормальной и возвратили в исправительный дом, где, судя по документам, ее заподозрили в том, что за время своего отсутствия она успела забеременеть. Тревога оказалась ложной, но кто же мог стать этим предполагаемым насильником в лечебнице? Палаты были разделены по половому признаку, и свободный доступ к пациенткам имели только врачи.

Два последующих десятилетия имя Грейс время от времени всплывает в тюремных документах. Она была, безусловно, грамотной, поскольку в журнале начальника тюрьмы говорится, что она писала письма. Грейс производила такое глубокое впечатление на многих почтенных людей, — в том числе духовных особ, — что они неустанно выступали в ее защиту и направляли множество прошений о ее освобождении, стремясь получить медицинское заключение, которое подтвердило бы их правоту. Двое авторов заявляют, что долгие годы она прислуживала в доме «коменданта», — вероятно, начальника тюрьмы, — хотя в тюремных документах, впрочем, неполных, об этом не упоминается. Однако в те времена в Северной Америке существовал обычай нанимать на поденную работу заключенных.

В 1872 году Грейс Маркс наконец получила помилование; судя по записям, она в сопровождении начальника тюрьмы и его дочери отправилась в штат Нью-Йорк, где ей «предоставили жилище». Более поздние авторы утверждают, что там она вышла замуж, хотя никаких доказательств этого нет, и после этого ее след теряется. Была ли она соучастницей убийства Нэнси Монтгомери и любовницей Джеймса Макдермотта — далеко не ясно, равно как и то, была ли она по-настоящему «сумасшедшей» или просто притворялась ею, как в то время поступали многие, — с целью добиться смягчения наказания. Подлинная личность исторической Грейс Маркс остается загадкой.

Томас Киннир, очевидно, происходил из южно-шотландского рода Кинлох, имение которого находилось недалеко от Купара, что в графстве Файф, и был младшим единоутробным братом наследника. Однако в «Книге пэров Бёрка», вышедшей в конце XIX века, почему-то говорится, что он скончался примерно в то же время, когда, согласно другим документам, приехал в Западную Канаду. Дом Киннира в Ричмонд-Хилле сохранился до самого конца столетия и привлекал внимание любителей достопримечательностей. Его посещение Саймоном Джорданом основано на описании одного из этих любопытных. Могилы Томаса Киннира и Нэнси Монтгомери находятся на пресвитерианском кладбище в Ричмонд-Хилле, хотя имена на них и не проставлены. Уильям Харрисон писал в 1908 году, что окружавший их штакетник был снесен в то время, когда убрали все деревянные метки. Розовый куст на могиле Нэнси тоже исчез.

Еще несколько примечаний: подробности тюремной и больничной жизни взяты из имеющихся в наличии документов. Бо́льшая часть сказанного доктором Уоркменом в письме принадлежит ему самому. Ну а «доктор Баннерлинг» выражает взгляды, которые приписывались доктору Уоркмену после его смерти, однако ни в коем случае не могли им исповедоваться.

Жилище Паркинсонов во многом напоминает замок Дандерн в Гамильтоне, провинция Онтарио. Часть улицы Куин-стрит в Торонто действительно называлась в старину «Лот-стрит». История экономического развития Челноквилля и обхождение хозяев с девушками-прядильщицами в целом повторяет историю города Лоуэлла в штате Массачусетс. Судьба Мэри Уитни отражена в медицинских записях доктора Лэнгстаффа из Ричмонд-Хилла. Портреты Грейс Маркс и Джеймса Макдермотта на 120 странице взяты из их «Признания», опубликованного торонтской газетой «Стар энд Транскрипт».

Североамериканский спиритический бум начался в штате Нью-Йорк в конце 1840-х годов со «стуков» сестер Фокс, которые были родом из Белльвилля, где в то время проживала Сюзанна Муди, тоже обращенная в спиритизм. Хотя движение вскоре привлекло внимание множества шарлатанов, оно стремительно распространялось и достигло расцвета в конце 1850-х годов, особенно в сельских областях штата Нью-Йорк и в районе Кингстон-Беллльвилль. Спиритизм был в то время квазирелигиозным видом деятельности, в котором женщины сумели занять ключевое, хоть и двусмысленное положение, поскольку сами они считались лишь проводницами воли духов.

Месмеризм как признанный научный метод был дискредитирован в начале столетия, но широко применялся сомнительными циркачами 1840-х годов. Под видом «нейрогипноза» Джеймса Брейда, отказавшегося от термина «магнетический флюид», месмеризм начал вновь завоевывать уважение и к 1850-м годам приобрел ряд приверженцев среди европейских врачей, хотя широкое признание в качестве психиатрического метода получил лишь в последние десятилетия века.

Середина XIX столетия ознаменована стремительным возникновением новых теорий психических заболеваний, и также созданием психиатрических клиник и больниц, как государственных, так и частных. Ученых и писателей живо интересовали и волновали такие явления, как память и амнезия, сомнамбулизм, «истерия», состояние транса, «нервные болезни», а также значение сновидений. Медицинский интерес к сновидениям был распространен настолько широко, что даже такой сельский врач, как доктор Джеймс Лэнгстафф записывал сны своих пациентов. «Раздвоение личности», или *dédoublement*, было описано в начале столетия и серьезно обсуждалось в 1840-х годах, но гораздо большую популярность приобрело в три последние десятилетия века. Я попыталась подкрепить размышления доктора Саймона Джордана идеями того времени, которые могли быть ему известны.

Я, конечно, приукрасила исторические события (как поступали в подобных случаях многие комментаторы, утверждавшие, что «пишут историю»), но не изменила ни одного признанного факта, хотя письменные источники настолько противоречивы, что лишь немногие факты можно назвать окончательно «признанными». Что делала Грейс, когда Нэнси ударили топором: доила корову или собирала лук? Почему на трупе Киннира была рубашка Макдермотта и от кого она Макдермотту досталась — от коробейника или от армейского дружка? Как очутилась окровавленная книга или журнал в кровати Нэнси? Который из нескольких возможных Кеннетов Маккензи был адвокатом Грейс? Сомневаясь, я выбирала наиболее правдоподобный вариант или же примиряла их между собой, если правдоподобными казались все. Там же, где в документах встречались лишь намеки или явные пробелы, я могла свободно досочинить недостающие подробности.

СЛОВА БЛАГОДАРНОСТИ

Мне бы очень хотелось поблагодарить следующих архивариусов и библиотекарей, которые помогли мне отыскать недостающие документы; без их профессиональной экспертизы этот роман никогда бы не был написан:

Дэйва Сент-Онжа, хранителя и архивариуса Музея исправительных учреждений Канады, Кингстон, провинция Онтарио; Мэри Ллойд, заведующую отделом краеведения и генеалогии Ричмонд-Хиллской публичной библиотеки, Ричмонд-Хилл, провинция Онтарио; Карен Бергстайнссон, архивариуса-консультанта Архива провинции Онтарио, Торонто; Хизер Дж. Макмиллан, архивариуса отдела правительственных архивов Национального архива Канады, Оттава; Бетти Джо Мур, архивариуса Архива по истории канадской психиатрии и психиатрических учреждений, Психиатрический центр на Куин-стрит, Торонто; Анн-Мари Ланглуа и Габриель Эрншоу, архивариусов юридического отдела Архива Северной Канады, Осгуд-холл, Торонто; Карен Типл, главного архивариуса, и Гленду Уильямс, дежурную Городского архива Торонто; Кена Уилсона, сотрудника Архива объединенной церкви Университета Виктории в Торонто; и Нила Семпла, автора истории Методистской церкви в Канаде.

Мне также хочется поблагодарить Эйлин Кристиансон из Эдинбургского университета в Шотландии и Али Лумсден, которая помогла мне установить родословную Томаса Киннира.

Помимо материалов из указанных архивов я пользовалась также газетами того времени, в первую очередь, «Стар энд Транскрипт» (Торонто), «Кроникл энд Газетт» (Кингстон), «Каледониан Меркьюри» (Эдинбург, Шотландия), «Таймс» (Лондон, Англия), «Бритиш Колонист» (Торонто), «Экзаминер» (Торонто), «Торонто Миррор» и «Рочестер Демократ».

Мне пригодились многие книги, но в первую очередь: Сюзанна Муди, «Жизнь на вырубках» (1853, переиздана в 1959 г. издательством «Макмиллан»); «Жизнь в письмах», под редакцией Боллстадта, Хопкинса и Питермена, «Издательство Университета Торонто», 1985; IV, анонимная глава «Истории Торонто и графства Йорк, провинция Онтарио», том I, Торонто: К. Блэккет Робинсон, 1885; «Учебник по домоводству под редакцией Битон», 1859—61, переиздан в 1994 г. издательством «Чэнселлор Пресс»; Джакалин Даффин, «Лэнгстафф: жизнь врача в девятнадцатом столетии», «Издательство Университета Торонто», 1993; Рут Маккендри, «Стеганые одеяла и другие покрывала для кровати в канадской традиции», «Ки Портер Букс», 1979; Мэри Конуэй, «300-летняя история канадских стеганых одеял», «Гриффин Хаус», 1976; Мэрилин Л. Уокер, «Традиционные стеганые одеяла провинции Онтарио», «Стоддарт», 1992; Осборн и Суэйнсон, «Кингстон: корнями в прошлом», «Баттернат Пресс», 1988; К. Б. Бретт, «Старинный женский костюм провинции Онтарио», «Издательство Королевского музея Онтарио/Университета Торонто», 1966; «Очерки по истории канадской медицины», под редакцией Митчинсона и Макгинниса, «Макклелланд энд Стюарт», 1988; Жанна Минхинник, «У нас в Северной Канаде», «Кларк», Ирвин, 1970; Мэрион Макрей и Энтони Адамсон, «Кровли наших предков», «Кларк», Ирвин, 1963; «Город и больница», «Службы Музея истории канадской психиатрии и психиатрических учреждений», Торонто, 1993; Генри Ф. Элленбергер, «Открытие подсознания», «Харпер Коллинз», 1970; Иэн Хэкинг, «Как возродить душу», «Издательство Принстонского Университета», 1995; Адам Крэбтри, «От Месмера до Фрейда: гипнотический сон и истоки психологического лечения», «Издательство Йельского Университета», 1993; и Рут

Брэндон, «Увлечение оккультизмом в XIX—XX веках», «Кнопф», 1983.

До этого история убийства Киннира и его экономки уже легла в основу двух художественных произведений: «Образцового убийства» Рональда Хэмблтона (1978), в котором рассказывается, главным образом, о поисках подозреваемых; и написанной Маргарет Этвуд для компании «Си-би-си» телевизионной пьесы «Служанка» (1974, постановка Джорджа Джонаса), которая базируется исключительно на версии Муди и не может отныне считаться канонической.

В заключение мне хотелось бы поблагодарить свою главную исследовательницу Рут Этвуд и Эрику Герон, срисовавшую узоры стеганых одеял; свою бесценную ассистентку Сару Купер; Рамсея Кука, Элеанор Кук и Розали Абеллу, прочитавших рукопись и давших мне ценные советы; моих агентов Фиби Лармор и Вивьен Шустер, и моих издателей — Эллен Селигмен, Нэн А. Тализ и Лиз Калдер; Марли Русофф, Бекки Шоу, Дженетт Конг, Таню Чажевски и Хизер Сэнгстер; Джей Макферсон и Джерома Г. Бакли, привививших мне любовь к литературе XIX века; Майкла Брэдли, Элисон Паркер, Артура Гелгута, Джин Голдберг и Боба Кларка; доктора Джорджа Пулакакиса, Джона и Кристиану О'Киф, Джозефа Уэтмора, «Деревню Первопроходцев Блэк-Крик» и «Аннекс Букс»; а также Роуз Торнато.

Литературно-художественное издание

ИНТЕЛЛЕКТУАЛЬНЫЙ БЕСТСЕЛЛЕР

Маргарет Этвуд
ОНА ЖЕ ГРЕЙС

Ответственный редактор *Д. Обгольц*
Младший редактор *Е. Долматова*
Художественный редактор *А. Стариков*

В оформлении переплета использована иллюстрация:
Irina_QQQ / Shutterstock.com
Используется по лицензии от Shutterstock.com

ООО «Издательство «Э»
123308, Москва, ул. Зорге, д. 1. Тел. 8 (495) 411-68-86.
Өндіруші: «Э» АҚБ Баспасы, 123308, Мәскеу, Ресей, Зорге көшесі, 1 үй.
Тел. 8 (495) 411-68-86.
Тауар белгісі: «Э»
Қазақстан Республикасында дистрибьютор және өнім бойынша арыз-талаптарды қабылдаушының
өкілі «РДЦ-Алматы» ЖШС, Алматы қ., Домбровский көш., 3«а», литер Б, офис 1.
Тел.: 8 (727) 251-59-89/90/91/92, факс: 8 (727) 251-58-12 вн. 107.
Өнімнің жарамдылық мерзімі шектелмеген.
Сертификация туралы ақпарат сайтта Өндіруші «Э»

Оптовая торговля книгами Издательства «Э»:
142700, Московская обл., Ленинский р-н, г. Видное,
Белокаменное ш., д. 1, многоканальный тел.: 411-50-74.

**По вопросам приобретения книг Издательства «Э» зарубежными оптовыми
покупателями обращаться в отдел зарубежных продаж**
*International Sales: International wholesale customers should contact
Foreign Sales Department for their orders.*

Сведения о подтверждении соответствия издания согласно законодательству РФ
о техническом регулировании можно получить на сайте Издательства «Э»

Өндірген мемлекет: Ресей
Сертификация қарастырылмаған

Подписано в печать 23.01.2017. Формат 84x108$^{1}/_{32}$.
Печать офсетная. Усл. печ. л. 30,24.
Тираж 1 500 экз. Заказ 289

Отпечатано с электронных носителей издательства.
ОАО "Тверской полиграфический комбинат"
170024, г. Тверь, пр-т Ленина, 5.

16+

ISBN 978-5-699-94599-3

В электронном виде книги издательства вы можете купить на www.litres.ru